ÉTUDES

SUR

L'ANTIQUITÉ HISTORIQUE

ÉTUDES

SUR

L'ANTIQUITÉ HISTORIQUE

D'APRÈS LES SOURCES ÉGYPTIENNES

ET

LES MONUMENTS RÉPUTÉS PRÉHISTORIQUES

Par F. CHABAS

Correspondant de l'Institut (Académie des Inscriptions et Belles-Lettres), Membre de l'Académie Royale Néerlandaise, de la Société Royale de Littérature et de la Société d'Archéologie Biblique de Londres, de la Société Philosophique Américaine de Philadelphie, etc.

CHALON-s-S.
Imp. de J. DEJUSSIEU
Rue des Tonneliers.

PARIS
MAISONNEUVE et Cie.
15, Quai Voltaire

Août 1872

ÉTUDES

SUR

L'ANTIQUITÉ HISTORIQUE

INTRODUCTION

On lit dans un ouvrage publié récemment :

« Le cheval, du moins en Europe, a été chassé, tué
« et mangé par l'homme, avant d'être réduit en domes-
« ticité, depuis le commencement de l'époque quaternaire
« jusqu'à l'époque de l'âge de bronze, c'est-à-dire
« pendant un temps qui ne paraît pas pouvoir être évalué
« à moins de trois cent mille ans.

« Les Arias, ancêtres des Indous, des Perses ou
« Iraniens, de la plupart des anciennes populations de
« l'Asie-Mineure et de la majorité des peuples de l'époque
« actuelle, ont originairement soumis et utilisé une race

« de chevaux indigènes dans l'Asie centrale à une « époque antérieure à l'an 19337 avant Jésus-Christ.[1] »

En présence de ces chiffres formidables et surtout de la précision intentionnelle du dernier, les gens du monde et même les savants qui ont fouillé les plus anciennes annales de l'humanité, demeurent frappés de surprise. On se sent bien arriéré, et l'on se demande avec anxiété s'il existe réellement une science qui aurait à bon droit vieilli l'homme de plusieurs centaines de mille années, et qui donnerait les moyens de distinguer ce que nos ancêtres faisaient du cheval dans le premier tiers du cent quatre-vingt-quatorzième siècle avant notre ère.

Ce sentiment d'étonnement est bien naturel, même pour la généralité des lecteurs; mais il est surtout très-vif chez les patients investigateurs de l'antiquité, pour qui l'époque des incertitudes et des problèmes insolubles commence à moins de vingt siècles de nous; pour qui, par exemple, la situation de la cité célèbre qui vit périr les derniers défenseurs de la nationalité gauloise est encore un sujet de doute. Ceux-là se garderaient de proposer quant à présent une date approximative même pour l'époque de la retraite du renne vers les contrées boréales, et à plus forte raison pour celle de la disparition des grands pachydermes.

Longtemps comprimé dans un cercle trop étroit, l'esprit humain a franchi toutes les barrières qu'on lui

[1] C. A. PIÉTREMENT: *Les Origines du cheval domestique.* Paris, E. Donnaud. Voy. Trutat et de Cartailhac: *Matériaux pour servir à l'histoire positive de l'homme*, 1870, p. 280.

opposait, et, semblable au torrent qui a rompu ses digues, il s'est répandu sans frein dans toutes les directions. La réflexion et l'étude le ramèneront peu à peu dans la voie normale. En réservant d'une manière absolue tous les droits de la science, il est permis d'espérer qu'on rencontrera la vérité à égale distance de toutes les exagérations.

Il y a peu d'années, les disciples de Champollion soulevaient des tempêtes lorsqu'ils s'efforçaient de reconstituer la chronologie de Manéthon ; ils ont lutté avec énergie et conviction, et aujourd'hui leurs calculs se sont imposés à la critique. Il est vrai qu'en laissant de côté les traditions de l'âge fabuleux, la science égyptologique serait impuissante à démontrer que la création de l'homme doit remonter à plus de dix mille ans.

C'est là une date bien mesquine à côté des milliers de siècles attribués à l'homme quaternaire, au-delà duquel on nous fait dès à présent apparaître l'homme tertiaire. Mais la science qui vient de naître et qui a pour objet l'étude des débris du travail humain antérieur à l'usage des métaux, est-elle désormais si bien fondée, si constante dans ses déductions, qu'on doive en accepter aveuglément toutes les hardiesses ?

La réponse à cette question ne saurait être douteuse, car plus encore que l'égyptologie cette science en est ses débuts ; s'il est imprudent de fixer des limites à son développement possible, il serait encore moins raisonnable d'accepter les solutions que nous présentent tous les adeptes des idées nouvelles. Les apôtres de l'innovation sont toujours la proie de l'enthousiasme; ils s'éprennent d'une invincible passion pour l'étrange. Ils ne doivent donc pas s'étonner si on ne les croit pas sur parole, si même on se montre un peu difficile à l'égard des preuves. Du reste, je me plais à reconnaître que cette passion n'offre pas seulement des inconvénients, car c'est elle qui a mis la pioche aux mains de milliers de travailleurs, qui se contrôlent les uns les autres; grâce aux recherches de cette active légion, les découvertes se corroborent ou s'infirment, les vues trop absolues se corrigent, et il surnagera assez d'éléments solides pour établir les bases de la science.

Dans les recherches préhistoriques on se laisse presque toujours guider par le désir de découvrir des faits nouveaux, des monuments d'un état de choses bien différent de ceux que nous connaissons. J'ai moi-même éprouvé ce sentiment dans les fouilles auxquelles j'ai pris part. Les résultats n'ont pas répondu à mes secrètes espérances. Je dirai plus loin quelques mots des observations que m'ont suggérées mes recherches sur le terrain. Ce qui m'a le plus frappé, c'est l'analogie qui existe entre tous les étages qu'on a tracés dans la période préhistorique; toujours la ressemblance s'établit par quelque point; nulle part on n'aperçoit de caractères tranchés, comme les feraient supposer des intervalles se mesurant par milliers d'années.

Mes recherches ont pris dès-lors une direction tout opposée à celle que je leur avais donnée dans l'origine; au lieu de demander aux stations antiques les traces d'un homme autre que celui de notre époque, j'ai voulu étudier la race humaine d'abord dans ses premières manifestations à la période historique, puis de proche en proche, à tous les étages de la période dite préhistorique, en notant avec soin tous les indices, sinon de l'unité, du moins de la conformité de l'espèce humaine depuis son apparition sur le globe.

Quand l'homme-animal se montrera, je saurai bien le reconnaître, et je n'hésiterai jamais à me courber devant les faits démontrés. Mais je l'avoue, c'est là une conception qui répugne à ma nature; aussi longtemps que ceux qui la mettent en avant ne me la montreront qu'à l'état d'abstraction et de théorie, je la considérerai comme une étrange aberration.

Par les réflexions qui précèdent, je voudrais encourager à entreprendre ces sortes d'études certains esprits dont le concours serait précieux pour la science. Je veux parler des hommes que les tendances matérialistes de savants très-considérables dans l'anthropologie et dans les autres branches des recherches préhistoriques tiennent éloignés de l'arène où se débattent ces graves questions. Les esprits timorés peuvent se rassurer. Ainsi que l'a fort bien dit M. l'abbé Bourgeois au Congrès de Paris, il faudra peut-être vieillir l'homme, mais nous devrons aussi rajeunir les fossiles; et d'ailleurs, au fond de toutes les fouilles, on n'a trouvé jusqu'à présent que l'homme intelligent, que l'être qui a conscience de ses actes. On n'y rencontrera pas, je le sens instinctivement, ce singe plus ou moins perfectionné dont l'héritage le plus ardemment convoité serait l'irresponsabilité humaine[1].

La méthode d'études que je me suis tracée met en première ligne, ainsi que je viens de l'expliquer, la recherche des plus anciennes manifestations de l'homme civilisé; c'est évidemment en Égypte qu'il faut les chercher. Sur les bords du Nil l'âge préhistorique n'est pas descendu au-dessous du 40e siècle avant notre ère. Pendant la majeure partie de ces quarante siècles, le reste du monde est demeuré, par rapport à nous, dans les ombres de la période antéhistorique. Il est bien certain toutefois que l'Égypte ne s'est pas développée dans

[1] Les recherches préhistoriques offrent un travail rempli d'intérêt aux personnes qui habitent la campagne. On trouve des stations à peu près partout, mais principalement sur le bord des rivières, au voisinage des sources et dans les localités où les montagnes dominent des vallées fertiles ou commandent des passages. Ces recherches n'exigent pas absolument un grand bagage scientifique. Un chercheur consciencieux vaut mieux qu'un savant théoricien trop passionné. Mais, pour être utile à la science, il faut ne pas se préoccuper seulement de la formation d'une riche collection; à toute fouille importante, on doit donner de la publicité et associer des observateurs compétents ou au moins des témoins désintéressés. Cette marche est malheureusement peu suivie; les trouveurs heureux font trop souvent preuve d'un triste esprit d'exclusivisme dont la conséquence est de laisser planer des doutes sur les découvertes importantes qu'ils peuvent faire,

La meilleure manière de rendre compte d'une fouille productive consiste :

1° A décrire topographiquement et géologiquement la localité ;

2° A faire le catalogue des trouvailles, en indiquant avec soin la superposition ou le mélange des objets ;

3° Enfin, à donner les dessins du plus grand nombre possible d'objets.

l'isolement ; elle a eu certainement des voisins civilisés, même aux dates les plus reculées ; mais, seule, elle possédait la pierre et le papier, qui s'éternisent sous son climat, et, seule aussi, elle a pu nous transmettre des pages originales de ses plus anciennes annales.

Au-delà des six mille ans qui nous séparent du règne de Ménès, on entrevoit une période nécessairement de longue durée, pendant laquelle l'Égypte s'est constituée politiquement et religieusement, et a découvert les éléments de ses sciences et de sa merveilleuse écriture. Il ne nous reste aucun monument de cette époque, qui est celle de la fable en Égypte. Cependant elle ne manque pas absolument de consistance historique. Une inscription de l'époque des Lagides fait remonter jusque-là, sinon la construction première, du moins le projet de la construction du grand temple de Dendera. Voici les termes mêmes de cette inscription sortie des fouilles de M. Mariette-Bey : « Le roi Thothmès III avait fait des « fondations pieuses pour sa mère, la déesse Hathor, « ayant découvert un grand plan d'An (Dendera) en « écriture antique, tracée sur peau de chèvre, à l'époque « des Serviteurs d'Horus. Il avait été découvert dans « l'intérieur d'un mur de briques, dans la maison royale, « au temps du roi Méri-ra Papi (Vme Dynastie)[1]. »

Les serviteurs ou suivants d'Horus, en hiéroglyphes , composaient l'armée d'Horus combattant contre Set pour revendiquer les droits d'Osiris[2].

[1] DUEMICHEN : *Bauurkunde*, etc. Introd., p. 18 et pl. XV.

[2] Voyez DE ROUGÉ : *Mémoire sur les six premières dynasties*, p. 12, note. NAVILLE : *Mythe d'Horus*, pl. 13, 14 et 17.

Le canon royal de Turin les place dans les temps mythologiques, et M. Goodwin les assimile aux Νέκυες ou Manes de Manéthon[1]. Les anciens Égyptiens considéraient comme étant leur âge d'or le temps des *Suivants d'Horus*. On lit, par exemple, à la fin d'une inscription trouvée dans l'île de Tombos en Nubie, dans laquelle est exaltée la gloire de Thothmès I : « C'est ce qu'on « avait vu dans le temps des dieux, lors des *Suivants* « *d'Horus ;* il (le roi) a donné le souffle vital à quiconque « le suit, ses abondantes faveurs à qui prépare sa « voie[2]. »

Ainsi donc, des traditions, dont on rencontre la trace historique au commencement du nouvel empire égyptien, et qui paraissent avoir eu déjà cours moins de cinq siècles après Ménès, attribuent à l'époque mythologique la connaissance de l'écriture et de l'art de bâtir. Nous verrons ailleurs qu'on y faisait remonter également l'invention des métaux, et même du fer[3]. On écrivait alors sur des peaux. Le savant conservateur du Musée britannique, M. S. Birch, a fait l'observation que, d'après différents renseignements fournis par les textes, le cuir, le vélin et le parchemin étaient employés abondamment sous les premières dynasties, et que plus tard on transcrivit sur

1 *Zeitschrift für Æg.*, 1867, 49.

2 Lepsius, *Denk. III*, pl. 15, a.

3 Diodore rapporte que des forges d'airain et d'or existaient en Thébaïde au temps d'Osiris (*Bib. hist.*, I, 15). Nous verrons plus loin que l'attribution des métaux à l'époque mythologique repose sur l'autorité des traditions égyptiennes.

papyrus, pour les conserver plus sûrement, les compositions écrites sur rouleaux de peau.

Manéthon attribue à l'époque mythologique une durée de 24,600 ans; mais, après y avoir fait régner des dieux et des rois thinites et memphites, il la clôt par le règne des *Manes* et des *Héros*, qu'il place immédiatement avant Ménès. Cet arrangement ne saurait inspirer la moindre confiance; les remaniements qu'on a fait subir aux données de l'annaliste égypto-grec demeureront impuissants à renouer la chaîne de l'histoire positive aussi longtemps que les monuments originaux ne nous auront pas fourni de nouvelles lumières. De ce côté, tout espoir n'est pas perdu. En attendant, nous pouvons nous dispenser d'ajouter plus de foi à la chronologie mythologique de Manéthon qu'à celle de Bérose et à la grande année *Yuen* des Chinois qui comprenait cent vingt-neuf mille six cents ans.

Mais il reste un fait bien acquis, c'est qu'à l'époque des premières dynasties, l'Égypte était déjà en pleine civilisation; elle possédait l'écriture hiéroglyphique, dont la forme cursive voisine de l'hiératique a servi à marquer certains blocs des pyramides; déjà, elle avait voilé sous les mythes infiniment compliqués de la doctrine sacrée le dogme très-simple qui constituait sa théorie religieuse. Certains arts, tels que la statuaire, n'y ont fait aucun progrès depuis la IVe dynastie.

C'est pour ce motif qu'aux soixante siècles de la période historique commençant à Ménès j'ai ajouté quatre mille ans pour la durée des temps préhistoriques. Quatre mille ans, c'est un espace bien suffisant pour le développement d'une race intelligente; ce ne serait peut-être pas assez si l'on nous montrait les traces des races de transition. Dans tous les cas, ce chiffre n'a aucune prétention à l'exactitude; son seul mérite est de se prêter aux exigences de tous les faits actuellement connus ou problables, au point de vue des personnes qui se refusent à voir dans l'homme le descendant d'un animal perdu.

Si l'Égypte a eu un âge de la pierre, cet âge correspondrait à la période la plus ancienne des quatre mille ans qui ont précédé l'époque historique. Les textes originaux n'en font aucune mention; l'histoire classique garde du reste le même silence à l'égard de l'âge de la pierre en Europe et en Asie. Pour résoudre la question, il ne suffira pas de découvrir sur le sol égyptien un certain nombre de stations avec débris caractéristiques; il faudra encore étudier la question de savoir si ces stations sont certainement antérieures à la période historique.

Hors de l'Égypte, l'histoire positive est presque partout de date récente; elle ne commence qu'au XVe siècle de notre ère pour tout le nouveau continent; les Gaulois, nos ancêtres, n'ont guère d'histoire avant Jules César; il en est de même des Germains. Du reste, plusieurs peuplades en sont encore de nos jours à l'âge de la pierre. Tout concourt donc à faire penser que l'homme intelligent n'est pas très-ancien sur la terre. L'industrie de l'homme contemporain du mammouth et du grand ours ne diffère que par des détails très-secondaires de celle de l'homme de l'époque du renne, et celle-ci à son tour se rattache étroitement à celle de l'homme de la hache polie. Considérés en eux-mêmes, les produits de ces industries, qui ont encore leurs analogues en usage de nos jours, ne sauraient être regardés comme des titres d'une haute antiquité. C'est à un autre ordre de preuves que devront avoir recours ceux qui ajoutent aux vraisemblances des centaines et même des milliers de siècles.

Je me propose de réunir dans ce Mémoire quelques études sur des points qu'il est utile d'éclaircir pour bien fixer les bases de la discussion. Je veux, en particulier, faire apprécier les dates des grandes phases de l'histoire égyptienne dont les désignations : Ancien Empire, Pasteurs, Nouvel Empire, etc., tendent à se généraliser et à servir de chronomètre comparatif. Je m'efforcerai de jeter quelques lumières, d'après les monuments hiéroglyphiques, sur les plus anciennes nations qu'on trouve en rapports avec l'Égypte antique, surtout en ce qui concerne les peuples de l'Europe. Je chercherai aussi à déterminer les expressions par lesquelles les Égyptiens désignaient les métaux usuels ; je montrerai les formes de leurs armes et de leurs instruments de travail aux plus anciens temps et les outils de pierre et d'os dont ils avaient conservé l'usage à des époques relativement modernes. J'essaierai de jeter quelque lumière sur l'emploi qu'ils ont fait du cheval et du chameau. Enfin, j'exposerai les observations que m'ont suggérées mes propres recherches dans quelques stations de l'âge de la pierre.

Mon travail n'a pas la prétention de donner des solutions définitives ; je voudrais qu'il eût simplement pour résultat de débarrasser le terrain de la science préhistorique de quelques-unes des idées exagérées qui en gênent l'accès ; je voudrais, en un mot, montrer que quant à présent les découvertes modernes n'entraînent pas nécessairement une modification considérable dans les idées vulgairement reçues ; qu'elles ne nous montrent pas un homme différent de nous, ni des dates beaucoup en dehors du cadre de l'histoire.

CHAPITRE I

CHRONOLOGIE ÉGYPTIENNE. — SES DATES PRINCIPALES.

Les données de Manéthon ont servi de base à une foule de systèmes; mais les seuls travaux vraiment sérieux ne datent que de l'époque assez récente à laquelle il est devenu possible de consulter les monuments originaux. Parmi les savants qui ont embrassé le problème dans son ensemble et dans ses détails, figurent en première ligne M. de Bunsen et M. le docteur Lepsius, qui, dans son magnifique ouvrage : *Le Livre des Rois*, semble avoir épuisé toutes les sources d'information. D'autres égyptologues: MM. Mariette, Hincks, Brugsch, Lieblein, etc., ont aussi proposé des tables chronologiques dont les chiffres offrent quelques variations; mais, au point de vue spécial qui m'occupe, la précision des chiffres ne me paraît nullement indispensable; quand nous en sommes encore à discuter la date de la guerre de Troie, nous pouvons, sans grand effort, nous résoudre à ne déterminer qu'à cinq ou six cents ans près celle du règne de Ménès.

Je n'aurai donc pas à comparer entre eux les différents canons ; il me suffira de faire connaître les solutions acceptées par les chronographes les plus accrédités. Voici les dates principales calculées par M. le docteur Lepsius :

Ancien Empire :

Commencement du règne de Ménès,	av. J.-C.,	3892
Amenemha I (XIIe dynastie),	»	2380
Premier roi Pasteur,	»	2101
Nouvel Empire :		
Ahmès I, expulsion des Pasteurs,	»	1684
Ramsès II, Moïse,	»	1388
Sheshonk I, vainqueur de Roboam,	»	961
Cambyse,	»	525
Macédoniens et Lagides :		
Alexandre-le-Grand,	»	332
Fin de l'Égypte indépendante,	»	30

M. Brugsch, dans la Table qu'il a jointe à son *Histoire d'Égypte*[1], place Ménès à l'an 4455 avant notre ère, et conserve des chiffres plus élevés jusqu'à Ramsès II (1407), pour lequel il ne diffère plus que de 19 ans avec M. Lepsius.

Les dates proposées par M. Mariette sont encore plus élevées. Voici les principales :

[1] Leipzig, 1859, p. 287

Ménès,	avant J.-C.,	5004
Amenemha I,	»	2851
Pasteurs,	»	de 2214 à 1703
Ahmès I,	»	1703

Modifiant ses premiers résultats et adhérant en dernier lieu aux calculs de l'École Alexandrine, M. de Bunsen fait au contraire descendre Ménès jusqu'à l'an 3059; mais les documents sur lesquels s'appuie cette date réduite n'admettent que 38 règnes entre Ménès et l'invasion des Pasteurs.

Or, les listes royales de Saqqara et d'Abydos, sorties des fouilles de M. Mariette et que M. de Bunsen n'avait pu consulter, contredisent absolument ces éléments de calcul. Au lieu de 38 règnes pendant la durée totale de l'ancien empire, la liste d'Abydos en énumère, jusqu'à Amenemha I seulement, cinquante-huit, auxquels il faut nécessairement ajouter les XIIe, XIIIe et XIVe dynasties. De plus, sur l'autorité des monuments originaux, on est forcé de reconnaître que les listes sont incomplètes, et qu'il faut introduire au moins six règnes de plus entre la première et la sixième dynastie [1].

Il devient dès-lors évident que M. de Bunsen a accepté pour Ménès une date beaucoup trop basse. Le chiffre proposé par M. Brugsch (4455) satisfait mieux aux exigences monumentales, et le plus élevé, celui de M. Mariette (5004), n'est nullement inadmissible.

Mais, à ces profondeurs d'antiquité, on a plutôt besoin d'approximations rationnelles que de chiffres

[1] De Rougé : *Monuments des six premières dynasties.*

plus ou moins rigoureux. Au lieu de chercher à concilier les systèmes, on peut s'en tenir à des appréciations générales moins précises. Voici celles que j'ai données dans mon Mémoire sur les Pasteurs [1] :

CONSIDÉRATIONS GÉNÉRALES SUR LA CHRONOLOGIE ÉGYPTIENNE.

L'extrême antiquité de la civilisation en Égypte, telle qu'elle commence à ressortir à la suite des travaux des successeurs de Champollion, est devenue un sujet de vif intérêt et en même temps de grande surprise. Nous devons même convenir que ce sentiment de surprise dégénère facilement en doute, et quelquefois en méfiance, chez beaucoup d'érudits nourris des études classiques, et trop habitués à tout demander aux écrivains de la Grèce et de Rome.

On ne réfléchit pas assez que, si l'on s'en tient à ces sources classiques, l'histoire ne remonte pas à beaucoup de siècles avant notre ère sans se mêler plus ou moins étroitement aux mystères fabuleux, tandis que, relativement à l'Égypte, la date des réalités historiques au-dessus de toute discussion est infiniment plus reculée.

Bien longtemps avant que Deucalion et Pyrrha ne repeuplassent le monde en jetant derrière eux les pierres de la Phocide, le pharaon Thothmès III gravait les fastes de ses victoires en Asie et en Afrique sur des pierres

[1] Imprimé dans les *Mémoires de l'Académie royale des sciences d'Amsterdam*, in 4°, 1868.

que les visiteurs du Musée du Louvre peuvent encore aujourd'hui toucher de leurs mains. Le Minotaure et le bélier de Phryxus ont pour contemporains dans l'histoire égyptienne les événements des règnes glorieux de Séti I et de Ramsès II, souverains qui nous ont laissé un si grand nombre de pages authentiques de leurs annales.

Nous touchons au moment où, loin de s'efforcer d'expliquer l'Égypte par l'antiquité classique, l'on devra s'habituer à renverser les conditions du problème, et à demander aux monuments pharaoniques l'éclaircissement des faits que recouvre le voile trop peu transparent des fables helléniques.

Déjà les écritures égyptiennes nous ont montré les Sardiniens vendant leurs services aux pharaons plus d'un siècle avant la guerre de Troie [1]. Un peu plus tard, le même peuple s'allie contre l'Égypte aux autres nations méditerranéennes, aux Lybiens, aux Sicules, aux Étrusques, aux Achaïens, aux Lyciens, etc. [2]. Les monuments de la même époque nous parlent aussi des Dardaniens, et, selon toute probabilité, des Teucriens [3] et des Pélasges [4].

C'est ainsi que peu à peu les annales de l'ancienne Égypte se rattachent d'une manière sûre à la chaîne his-

[1] *Papyrus Anastasi* I, p. 17. — Chabas et Goodwin : *Voyage d'un Égyptien, etc.*, p. 67.

[2] Dümichen : *Hist. Inschr.*, pl. 1 et sqq. — De Rougé : *Mémoire sur les attaques des peuples de la Méditerranée contre l'Égypte.*

[3] Lauth : *Homer und Aegypten.*

[4] Chabas : *Voyage d'un Égyptien, Réponse à la critique*, p. 99.

torique, et continuent cette chaîne dans les profondeurs de l'antiquité où elle se perdait pour nous.

Déjà Champollion avait signalé le grand fait des conquêtes de Sésonchis I en Palestine, inscrites sur la muraille extérieure du temple d'Ammon à Thèbes. Mais, depuis les merveilleuses découvertes de l'auteur de la méthode, on a réussi à trouver d'autres points de contact entre l'histoire sacrée et les monuments écrits de l'Égypte. Les papyrus nous ont montré les Hébreux occupés au charroi des énormes pierres employées pour la construction de certains temples dans la Basse-Égypte [1].

D'un autre côté, la liste des villes syriennes et palestiniennes connues et fréquentées par les Égyptiens avant l'époque de Moïse s'est considérablement accrue [2]. C'est dans les hiéroglyphes que se trouvent aujourd'hui les titres les plus authentiques de l'extrême antiquité de quelques-unes d'entre elles. On a dû reconnaître, en particulier, que l'époque assignée par l'histoire classique à la fondation de Tyr sur son îlot de rochers est inexacte et doit être notablement reculée.

A côté de ces faits historiques, qui se réfèrent à des nations connues, les égyptologues ont bien plus souvent à en signaler d'autres, plus anciens encore, se rapportant à des peuples dont les traditions classiques n'ont pas conservé le souvenir. Des nations policées et puissantes ont précédé les Chaldéens et les Babyloniens;

[1] Chabas: *Les Hébreux en Égypte, Mélanges Égypt.*, série I, p. 42.

[2] Chabas et Goodwin: *Voyage d'un Égyptien, etc.*

mais comme elles ne possédaient pas les pierres éternelles, ni le papier inaltérable de l'Égypte, elles ne nous ont rien transmis de leur histoire, en dehors des mentions que les pharaons ont jugé à propos de faire inscrire sur les monuments de leurs victoires, et de quelques rares citations éparses dans la correspondance des scribes. Mais, quelle que soit l'insuffisance des documents, l'existence de ces nations antérieures à toute histoire n'en est pas moins réelle. Il faut qu'on l'admette et qu'on introduise dans l'enseignement des modifications devenues indispensables. Toutefois il n'est pas nécessaire de précipiter les solutions méthodiques, parce que d'une part les monuments connus ne sont pas tous expliqués, et qu'en second lieu un grand nombre de documents sont encore inaccessibles ou inconnus. Avant d'entreprendre un classement systématique qui permette des vues d'ensemble, il reste encore une foule d'études monographiques à demander aux égyptologues exercés.

Je voudrais ici essayer de donner une idée de l'immensité du cadre dans lequel nous avons à classer les faits, non pas bien entendu en déterminant des chiffres précis, ce que je ne crois guère possible, mais en exposant à grands traits les divisions chronologiques de l'histoire égyptienne.

On est depuis longtemps d'accord de considérer dans cette longue histoire trois époques principales : le nouvel empire, la domination des Pasteurs et l'ancien empire. Cette division, proposée en premier lieu par M. le docteur Lepsius, est à la fois extrêmement rationnelle et très-commode pour le classement des faits et des règnes.

NOUVEL EMPIRE.

Le nouvel empire a commencé avec Ahmès I, qui régna sur l'Égypte entière après avoir expulsé du sol national les Pasteurs asiatiques, dont la domination avait duré plusieurs siècles. Depuis cette restauration du pouvoir royal, la série pharaonique se restitue assez facilement, sauf un petit nombre de lacunes. Cette époque comprend les intervalles pendant lesquels l'Égypte fut soumise aux Éthiopiens et plus tard aux Perses ; elle s'étend jusqu'à la conquête d'Alexandre-le-Grand. Les règnes des Lagides et ceux des empereurs romains forment une subdivision qu'on appelle les basses époques.

Grâce à l'abondance des matériaux, on a pu tenter le classement chronologique des règnes jusqu'à Ahmès I. On devra consulter à ce sujet les travaux remarquables de M. de Bunsen [1], et surtout ceux de M. Lepsius [2]. Dans ses recherches historiques, M. Brugsch [3] ne s'écarte pas beaucoup des traces de ses prédécesseurs. M. Lieblein, au contraire, rajeunit un peu trop le nouvel empire [4]. Quelques points spéciaux ont été traités avec

[1] *Ægyptens Stelle in der Weltgeschichte.*
[2] *Chronologie der Ægypter. Einleitung. — Kœnigsbuch, etc.*
[3] *Histoire d'Égypte.*
[4] *Ægyptische Chronologie, ein kritischer Versuch.*

beaucoup de discernement par M. de Saulcy, de Metz [1], et par M. le docteur Hincks [2]. Enfin, la série des Apis, retrouvée par M. Mariette au Sérapéum de Memphis, fournit à la chronologie d'utiles jalons remontant jusqu'à Aménophis III, le sixième successeur d'Ahmès I [3].

Pour arriver à des dates précises, les chronologistes sont obligés de faire quelques violences aux chiffres des listes manéthoniennes, qui du reste ne concordent pas parfaitement entre elles. De ce côté la discussion restera encore longtemps ouverte, à moins qu'une trouvaille heureuse ne nous remette en possession d'un canon dynastique pareil à celui dont les débris forment encore l'un des plus précieux joyaux du Musée de Turin. Mais, si l'on se contente d'évaluations en nombres ronds, admettant tout au plus un écart possible d'un siècle, on ne peut pas s'égarer en plaçant le règne d'Ahmès dans le XVIIe siècle avant notre ère.

ANCIEN EMPIRE.

Relativement à l'ancien empire, la série monumentale et les listes offrent encore un bien plus grand nombre de lacunes, et la possibilité d'arriver à des

[1] *Étude sur la série des rois inscrits à la Salle des ancêtres de Thothmès III.*

[2] *The egyptian dynasties.* Journal of sacred literature, 1863 et 1864.

[3] Mariette: *Renseignements sur les Apis.* Bulletin de l'Athenæum français.

dates précises reste beaucoup plus précaire. Ici, il faut tailler à grands traits.

On peut cependant saisir dans cette phase historique, dont la durée a été fort longue, quelques groupements de consistance suffisante, par exemple l'époque de la XIIe dynastie, qui nous a laissé des monuments et des papyrus. Cette dynastie, qui compte huit rois, a occupé le trône pendant 213 ans [1]. Manéthon enregistre ensuite, avant d'arriver aux Pasteurs, une treizième dynastie diospolite de 60 rois, et une quatorzième dynastie xoïte de 76 rois; mais il ne cite aucun des noms de ces familles, pour lesquelles il faudrait trouver un espace de 937 ans, ou tout au moins de 484 ans, si elles ont été contemporaines. Quoique cette contemporanéité soit peu vraisemblable, surtout dès le début de la XIIIe dynastie, il est prudent de ne point accepter ici le chiffre le plus élevé. M. de Rougé a d'ailleurs signalé des preuves monumentales de la puissance des Sevekhotep, qui régnaient en maîtres depuis les rives de la Méditerranée jusqu'aux confins de la Nubie. Il a montré aussi, en expliquant une stèle du Musée de Leide, que ces pharaons ont été les successeurs immédiats de ceux de la XIIe dynastie. Nous sommes donc bien encore sur le terrain des réalités historiques.

Entre Ménès et Amenemha I, le premier pharaon de la XIIe dynastie, les listes de Manéthon placent plus de cent règnes. Ce chiffre considérable a effrayé les chronologistes, qui se sont efforcés de l'atténuer au moyen de

[1] Voir Lepsius : *Ueber die zwolfte ægypt. Dynastie.*

l'exclusion de certaines dynasties supposées collatérales. Le procédé est loin d'offrir une base solide. Tout au moins il n'est plus possible de contester les cinquante-huit pharaons antérieurs à Amenemha I, dont la table d'Abydos nous a livré les cartouches intacts. Or, comme on l'a bien fait remarquer, ces listes monumentales n'ont pas été dressées dans un but historique. Le pharaon qui les faisait graver n'avait point en vue d'établir un tableau complet des rois ses prédécesseurs; il se bornait à choisir parmi ces monarques ceux auxquels il lui convenait de présenter l'hommage religieux. C'est pour ce motif que les monuments de ce genre ne nous donnent jamais ni la série entière, ni même l'ordre chronologique des règnes.

Il est un fait universellement admis, c'est que Ménès réunit sous son sceptre la Haute et la Basse-Égypte. Sur le papyrus de Turin, il commence la série des rois avec le double titre , qui indique cette concentration du pouvoir dans les mains d'un souverain unique. Les plus anciens monuments que nous possédons ne remontent pas jusqu'à Ménès, mais nous en avons de Khoufou (Chéops), de Menkara (Mycerinus), de Snefrou, etc. Or, ces pharaons portent le double titre; ils ont de plus une cour organisée et des fonctionnaires qualifiés d'après un formulaire qui ne cessa pas d'être employé. On y trouve les fils *royaux*, les amis *royaux*, les scribes *royaux*, les architectes *royaux*, etc., et ces titres sont écrits au moyen du mot , qui désignait spécialement la royauté sur la Haute-Egypte. Il est conséquemment permis de conclure qu'à l'époque du commencement de la IVe dynastie et avant la construction des grandes pyramides, la soumission de la Haute-Égypte aux maîtres de Memphis n'était pas un fait de date récente. L'unité de l'empire était depuis longtemps constituée, et l'Égypte se donnait à elle-même le nom de ☰, *pays double*, par lequel elle n'a pas cessé d'être désignée jusqu'à sa chute définitive.

Cette unité a pu être interrompue par les révolutions ou par les guerres; il n'est donc pas impossible que certains pharaons, certaines dynasties même n'aient régné collatéralement. Mais un tel état de choses constituait toujours une situation violente et exceptionnelle; c'était l'asservissement d'une partie du pays à des usurpateurs et l'amoindrissement de l'autorité légitime. On peut donc être bien convaincu qu'aucun souverain de l'Égypte n'a jamais associé dans le même culte les rois de deux dynasties contemporaines. Au contraire, l'examen des tables royales tend à prouver que les pharaons, dont l'autorité avait été tenue en échec, étaient eux-mêmes exceptés de l'hommage, malgré leur légitimité. C'est pour ce motif que cette riche liste d'Abydos franchit d'un seul bond tout l'espace qui sépare Amenemha IV d'Ahmès I, rejetant ainsi dans le même oubli les dynasties qui se laissèrent vaincre par les Pasteurs et le belliqueux Sekenen-Ra, qui commença contre ces Barbares une guerre heureuse, bientôt suivie de leur expulsion définitive sous son successeur.

Ainsi donc, les cinquante-huit cartouches royaux de la nouvelle table d'Abydos s'appliquent bien réellement à cinquante-huit souverains distincts ayant régné, dans l'ancien empire, depuis Ménès jusqu'à Amenemha I. Mais ce chiffre de cinquante-huit rois ne représente nullement la série complète, surtout à partir de la septième dynastie. De même que la liste monumentale passe entièrement six dynasties après la douzième, elle semble ne pas tenir grand compte des cinq dynasties immédiatement antérieures, parmi lesquelles elle se borne à choisir dix-neuf noms. Les monuments nous permettent d'y ajouter en toute sécurité un certain nombre de règnes, ceux des Entef en particulier.

Au-delà de la septième dynastie les documents prennent plus de précision. Les listes manéthoniennes inscrivent 49 rois dans les six premières. Si les trente-neuf cartouches que donne la table d'Abydos pour la même période, ne prouvent pas absolument l'exactitude du chiffre indiqué par l'annaliste égypto-grec, du moins ils suffisent pour attester sa sincérité et pour le laver des reproches d'exagération que la critique incompétente ne lui a pas ménagés.

L'étude des monuments qu'on peut attribuer à ces six premières dynasties fait l'objet d'un mémoire très-intéressant et très-sagement ordonné de M. le vicomte de Rougé [1]. Le savant égyptologue semble se défendre de tout entraînement enthousiaste et n'employer qu'avec de minutieuses précautions les titres qu'il interroge. Aussi les résultats qu'il annonce s'imposent-ils d'eux-

[1] *Recherches sur les monuments qu'on peut attribuer aux six premières dynasties.* Paris, 1866.

mêmes à la confiance des savants. On admettra donc sans difficulté son assertion que les monuments permettent d'élever à 45 noms la liste des règnes dont la table d'Abydos ne nous donne que 39 [1].

Dans l'ancien empire, on distingue ainsi quatre époques principales, savoir :

1° L'intervalle qui sépare l'invasion des Pasteurs de la fin de la douzième dynastie ; à cette époque appartiennent les règnes des Sevekhotep et des Neferhotep, connus par les monuments. On a la preuve que le troisième Sevekhotep gouvernait l'Égypte entière. La même autorité a été également exercée par un pharaon dont M. Mariette a retrouvé le colosse dans les fouilles de Tanis [2]. Ce monarque, dont le prénom royal est Smenkh-ka-ra, régnait très-certainement avant l'invasion des Pasteurs. Si les derniers temps de cette première époque se confondent avec les débuts de la domination des Pasteurs, il est certain tout au moins qu'il en est autrement du commencement de la XIIIe dynastie. De là cette conséquence que le gouvernement des pharaons de l'ancien empire s'est continué après la fin de la XIIe dynastie.

2° La douzième dynastie, composée de huit rois ayant régné 213 ans.

3° La période qui s'étend de la fin de la VIe dynastie au commencement de la XIIe. Nous ne possédons jusqu'à

1 De Rougé : *Loc. laud.*, p. 160.

2 *Lettre à M. de Rougé sur les fouilles de Tanis*. Revue Arch., nouvelle série, III, p. 97.

présent, relativement à cette époque, que des séries royales très-incomplètes, bien que nous soyons en mesure d'ajouter un certain nombre de noms aux dix-neuf cartouches de la table d'Abydos.

4° Enfin, la durée des six premières dynasties comprenant au moins 45 règnes consécutifs.

Au moyen des documents originaux connus jusqu'ici, il n'est pas possible de tenter avec quelque chance d'exactitude la supputation de la durée précise de trois de ces subdivisions de l'ancien empire. Les calculs fondés sur l'accord prétendu des listes entre elles et avec les monuments, exigent des remaniements et des hypothèses dont les résultats ne s'imposent pas à la critique. Comme il n'est nullement improbable que de nouvelles sources d'information s'offriront à nous, on ne peut agir que très-sagement en s'abstenant de chercher dès à présent des solutions visant à une grande exactitude.

Toutefois, il faut bien reconnaître, au moins d'une manière générale, les exigences des titres que nous avons sous les yeux. A ce point de vue la saine critique permet d'accueillir comme probable le calcul rapporté par le Syncelle, d'après lequel Manéthon aurait attribué aux cent treize générations mentionnées dans ses trois livres une durée totale de 3555 ans. M. de Bunsen pense que l'historien égypto-grec a ici en vue l'intervalle qui sépare l'accession de Ménès au trône de la mort du dernier souverain national, Nectanebo II. Cette opinion est extrêmement vraisemblable. Ménès aurait ainsi régné au XXXIXe siècle avant notre ère. Le nouvel empire ayant duré près de dix-sept siècles, en y comprenant les Lagides, il resterait pour la domination des Pasteurs et pour tout l'ancien empire environ vingt-deux ou vingt-trois siècles. Ces chiffres ne sont que de larges approximations ; ils ont besoin d'être corroborés par des preuves monumentales ; mais dans tous les cas ils sont loin d'être les résultats d'un parti pris, d'un enthousiasme aveugle pour l'extrême antiquité de l'Égypte. Il n'est plus permis de les combattre en refusant toute autorité à Manéthon. Cet historien peut être discuté, mais non pas repoussé hors du débat. C'est seulement avec l'assistance des monuments originaux qu'on pourra le rectifier et le compléter ; quant à présent, les informations puisées à ces sources sûres, si elles le contredisent dans beaucoup de détails, justifient bien les traits généraux de son histoire, et ne permettent plus de douter de l'authenticité des documents dans lesquels il a puisé [1].

L'exposé qui précède montre les difficultés du sujet ; mais, pour l'objet qui nous occupe, on peut accepter sans inconvénient des approximations un peu larges. A ce point de vue, voici un résumé en chiffres ronds des dates des époques qui servent le plus habituellement de points de comparaison.

	Avant notre ère.
Époque fabuleuse. . . .	au-delà du 40e siècle.

[1] Diodore (I, 45) compte cinq mille ans depuis Ménès jusqu'à Ptolémée Neos-Dionysios (60 ans avant J.-C.). Pendant ces cinquante siècles, l'Égypte aurait été gouvernée par 470 rois nationaux et cinq reines.

Ménès, commencement de l'ancien empire.	40e siècle.
Construction des grandes pyramydes.	33e »
VIe dynastie ; Papi.	28e »
XIIe dynastie.	24e à 22e.
Invasion des Pasteurs.	?
Expulsion des Pasteurs, commencement du nouvel empire.	18e siècle.
Thothmès III.	17e »
Séti I et Ramsès II.	15e et 14e.
Sheshonk I, conquérant de Jérusalem.	10e siècle.
Saïtes.	7e et 6e.
Cambyse et Perses.	5e »
Ochus et Perses (2e conquête).	4e »
Lagides.	les 3 premiers siècles.

CHAPITRE II.

LES MÉTAUX CHEZ LES ÉGYPTIENS.

Le mécanisme de l'écriture égyptienne permet de distinguer à première vue les mots qui désignent des pierres, des minéraux ou des métaux. Mais pour arriver à l'identification des substances, les difficultés sont encore grandes. En ce qui concerne l'or, , l'argent, , et le plomb, , le copte nous a conservé les mêmes noms : ⲛⲟⲩⲃ, ϩⲁⲧ et ⲧⲁϩⲧ, mais là se borne le secours que nous a fourni l'égyptien moderne pour la détermination des anciennes désignations des métaux.

Le nombre des groupes déterminés par le signe des minéraux est assez considérable ; mais nous ne nous occuperons que de ceux qui ont pu représenter les métaux usuels, et en particulier des suivants :

1. [hiéroglyphes], *mafek ;*

2. [hiéroglyphes], *tahen ;*

3. [hiéroglyphes]
4. [hiéroglyphes] } prononciation incertaine;

5. [hiéroglyphes] et [hiéroglyphes], *tahesti.*

1. [hiéroglyphes], *mafek.* — Ce groupe désigne le métal ou le minéral que les Égyptiens ont exploité au Sinaï depuis le commencement de l'ancien empire. Les établissements industriels de Wady-Maghara étaient en plein fonctionnement sous le règne du pharaon Snefrou, de la IIIe dynastie ; ceux de Sarbout-el-Khadem remontent aussi à l'ancien empire. On trouve sur place des preuves matérielles de l'importance de ces exploitations. Dans les inscriptions hiéroglyphiques, la localité est désignée sous le nom de pays du *mafek.* On importait également ce minéral d'un pays nommé [hiéroglyphes], Rashata [1], et de la Syrie, [hiéroglyphes] [2].

[1] Sous Ramsès III ; Dümichen : *Hist. Insch.*, I, pl. 33, et aux basses époques.

[2] Dümichen : *Recueil IV*, 24, 140.—M. le Dr F. Gensler croit que, sous Amenemha III, les Égyptiens tiraient le mafek de Poun. C'est

M. Brugsch a remarqué, pendant son voyage au Sinaï, que les inscriptions mentionnant le *mafek* se rencontrent tout auprès des mines où l'on trouve aujourd'hui des *turquoises* [1]. Ce savant égyptologue fait de plus l'observation que le *mafek* se présente dans les textes comme un minéral et non comme un métal, que notamment il reçoit parfois la qualification de , *vrai*, comme c'est le cas pour le *khesbet* ou lapis [2]. Ces motifs conduisent M. Brugsch à voir décidément la turquoise dans le *mafek*.

Mais il y a lieu de remarquer tout d'abord que la qualification , *vrai*, s'applique aux métaux précieux aussi bien qu'aux pierreries; que d'ailleurs le *mafek* est compris dans des énumérations de substances qui portent le titre général de minéraux vrais ou pierreries vraies, et parmi lesquelles figurent l'or et l'argent. Le dernier motif invoqué par M. Brugsch n'a donc pas de valeur. D'un autre côté, ce qu'on sait du *mafek* ne s'accorde pas facilement avec la nature et les emplois de la turquoise. En effet, le *mafek* était importé en Égypte tantôt en sacs, tantôt en tas arrondis, comme c'est le cas pour l'or, l'argent, le lapis, le bronze, et quelquefois en briques oblongues semblables à des lingots de métal fondu ou à de petits blocs de roches

une erreur. Le savant allemand a lu le nom de Poun dans un groupe qui désigne simplement le nombre d'hommes employés à l'exploitation du mafek à Sarbout-el-Khadem. (*Denk.I I*, 144, 9, 7.)

[1] *Wanderung nach den Turkisminen*, 79.

[2] *Denkm.* III, 213, d.

taillées [1] comme le bronze, le plomb, etc. On ne peut concevoir la turquoise sous cette dernière forme, et, dans tous les cas, des quantités de 4820 *outens* de cette gemme (plus de 400 kilog.) [2] paraîtraient tout-à-fait invraisemblables.

Il serait singulier aussi que la couleur bleu-verdâtre de la turquoise eût été le type du teint d'Hathor, la Vénus égyptienne, qui est qualifiée de [3], *à la peau de mafek*, et de [4], *à la face de mafek*. Ces expressions nous remettent plutôt en mémoire la couleur blonde de Vénus, *Venus aurea*.

D'un autre côté, le sens *cuivre* n'est guère plus acceptable, par le motif qu'on ne rencontre la mention d'aucun vase, d'aucun instrument fabriqué avec le *mafek*. Hathor est cependant appelée *Sistre de mofek*, [5]; mais le sistre est un instrument composé de plusieurs pièces, qui pouvait avoir un manche de *mafek* [6], ou des incrustations de *mafek*. La couleur du *mafek* répondait d'ailleurs à l'idée *joie*, *allégresse*, si bien que ce mot est en fréquent parallélisme avec les expres-

1 Dümichen : I, *Hist. Inschr.*, 32.

2 Id. : II, *Hist. Inschr.*, 39, 9. En revanche, ce ne serait pas une quantité considérable de cuivre.

3 Id. : *Bauurk*, pl. 16, 3e lig. horiz.

4 Id. : II, *Alt. Temp. Insc.*, 35, 8.

5 Dümichen : *Resultate*, XX, 5.

6 Les Musées possèdent des sistres de métal, de porcelaine, etc., quelques-uns ont des manches de bois.

sions qui désignent la gaîté, les fêtes, et signifie lui-même *la joie*.

De même que le *khesbet* ou lapis, le *mafek* s'employait en incrustations [1]. Mais l'or, l'argent et d'autres substances encore servaient au même usage, de sorte que nous n'avons, dans cette particularité, aucune indication précise. L'un des papyrus que vient de publier M. Mariette donne un renseignement qui pourrait être utilisé. Je veux parler du curieux papyrus mythologique qui porte le nº 2 de la collection du Musée de Boulaq [2]; à propos d'une figure de Phra assis dans sa personnification de vieillard : *Ses os*, dit le texte, *sont d'argent, ses chairs d'or, sa chevelure de khesteb* (lapis), *ses yeux des deux cristaux* ( ) *; un beau disque de mafek est par derrière.*

Le scribe égyptien peut avoir eu en vue les idées de force, de durée, d'éclat et de haut prix éveillées par les métaux précieux ; cependant il paraît avoir suivi un arrangement traditionnel dans lequel les couleurs ont eu certainement de l'influence. C'est ainsi, par exemple, que pour les os qui sont d'*argent*, le choix de ce métal est justifié par sa couleur blanche ; les chairs sont d'or, c'est-à-dire jaunes. La nuance sous laquelle les Égyptiens représentent le corps humain varie entre le jaune rougeâtre pour les hommes et le jaune pâle pour les femmes ; quelquefois les masques des momies sont complètement dorés : il en est pourtant de peints en noir et en blanc.

1 *Pap. Anast. III*, 7, 5.

2 Mariette-Bey : *Papyrus du Musée de Boulaq*, pl. 2.

Mais ces couleurs se réfèrent au mythe d'Osiris mort et ressuscité, et ont une signification exceptionnelle.

La chevelure est de *khesteb* ou *khesbet*, c'est-à-dire *bleue* comme le lapis, ou figurée par du lapis vrai ou imité. On ne s'attendrait pas à trouver pareille couleur pour des cheveux. Mais, à ce propos, les monuments sont d'accord avec les textes. M. Mariette décrit les riches momies de l'époque gréco-romaine comme étant généralement à masque doré, avec la chevelure peinte en bleu [1]. Une coiffure d'émail où le bleu domine fait partie des collections du Musée du Louvre [2]. On rencontre cette même particularité sur des statuettes dont on voit de beaux spécimens au Musée égyptien de Turin et ailleurs ; les sourcils mêmes ont été parfois représentés en émail bleu [3].

En recourant aux textes, nous voyons que, dans la cérémonie funéraire d'Osiris, la statuette du Neb-ankh devait avoir la chevelure de khesteb [4], et que, le 16 choiack, à la troisième heure, le prêtre s'asseyait sur le tabouret de sycomore, la peau de léopard sur les épaules et portant sur la tête une coiffure de cheveux de vrai lapis [5]. Il ne s'agit point, comme on pourrait le supposer, d'un usage datant seulement des basses époques, car on trouve au Papyrus magique Harris,

1 *Catal. du Musée de Boulaq*, 48.

2 Champollion : *Notice des Mon. égypt. du* MUSÉE CHARLES X, p. 110, n° 244.

3 Collection Casper, n° 563.

4 *Recueil* IV, 25, 145.

5 Dümichen : *Recueil* IV, 21, 122. Voyez Ibid., 22, 127.

texte du temps des Ramessides, cette description d'une figure d'Ammon-Ra adoré par les Cynocéphales : *Ses os sont d'argent, ses chairs d'or, le dessus de sa tête en lapis vrai* [1].

Il est donc fort probable, je devrais même dire absolument certain, que la singulière idée de figurer, dans certains cas, la chevelure en bleu se rapporte à quelque fait de l'époque mythologique que nous débrouillerons peut-être un jour. C'est sans doute pour ce motif que la déesse Hathor est dite à *tête de khesbet* [2], en même temps qu'à *visage de mafek*, ou à la *belle face*. Osiris lui-même reçoit aussi le titre de *tête de khesbet* [3].

Avant de passer au texte qui concerne les yeux de la statuette, nous nous rappellerons que les Égyptiens imitaient les yeux naturels au moyen de pièces rapportées. On en rencontre de fabriqués en verre bleu, d'autres en terre émaillée; quelquefois les enveloppes sont en bronze, et l'intérieur d'une autre matière. Des effets remarquables étaient obtenus par cette combinaison. M. de Rougé décrit en ces termes les yeux de la magnifique statue du scribe Skhem-Ka qui provient des envois de M. Mariette pendant ses fouilles au Sérapéum : *La figure est pour ainsi dire parlante; ce regard qui étonne a été*

[1] Chabas : *Pap. mag. Harris*, pl. IV, 9. Un exemple beaucoup plus ancien encore se trouve au Papyrus de Berlin n° 1, lig. 193. Le roi promet à un de ses officiers une statue d'or à tête de lapis pour orner sa sépulture.

[2] Dümichen : *Kal. Inschr.*, 49, 1 ; *Bauurk*, XVI, lig. horiz. La déesse Hathor est quelquefois nommée *Khesbet* (*lapis*).

[3] *Kal. Inschr.*, 100, 10 b.

obtenu par une combinaison très-habile. Dans un morceau de quartz blanc opaque est incrustée une prunelle de cristal de roche bien transparent, au centre de laquelle est placé un petit bouton métallique. Tout l'œil est enchâssé dans une feuille de bronze qui remplace les paupières et les cils [1].

Une statue de bois du Musée de Boulaq, représentant un fonctionnaire de l'ancien empire, offre les mêmes particularités: *Les yeux sont rapportés. Une enveloppe de bronze qui tient lieu des paupières enchâsse l'œil proprement dit, formé d'un morceau de quartz blanc opaque, au centre duquel un autre morceau de cristal de roche sert de prunelle. Au centre et au fond du cristal un clou brillant est fixé et donne à l'œil ainsi fabriqué quelque chose du regard de la vie* [2].

Si nous revenons maintenant à ce qui est dit des yeux de la statuette décrite par le papyrus de Boulaq : *yeux de deux cristaux avec disque de mafek au dedans*, nous serons fortement tentés d'y reconnaître l'indication du procédé dont nous venons de rappeler l'application. Le groupe [hiéroglyphes] signifie littéralement *les deux pierres* [hiéroglyphe] (ouat). Le signe [hiéroglyphe] représente soit une colonnette ou amulette qu'on plaçait sur les momies, soit une pousse végétale non encore épanouie. Dans l'origine, ces deux acceptions étaient différenciées par la forme des signes; mais, comme pour beaucoup d'autres hiéroglyphes voi-

1 Mariette : *Choix de monuments du Sérapéum, etc.*, p. 12, pl. X.
2 Mariette : *Catalogue du Musée de Boulaq*, p. 185, n° 492.

sins, la différence s'est oblitérée dans l'écriture ; le groupe dérivé du végétal désigne la pousse des plantes, une plante spéciale qui caractérise le nord, l'idée *vert* avec les acceptions *verdoyant* et *âpre*, *non mûr*, et enfin le *vert*, *la couleur verte*. On retrouve dans le copte **ⲟⲩⲱⲧ**, *viridis*, *crudus*, *durus*, *gramen*, *herba viridis*, etc., la plupart de ces significations.

Le groupe originairement dérivé de la colonnette désigne cet objet lui-même et une classe de pierres dures, probablement les quartz, les agates, etc. Deux espèces de cette classe sont fréquemment citées dans les textes sous les noms de *ouat du Midi* et de *ouat du Nord*. L'Égypte en importait beaucoup d'Asie et notamment du Ruten, du Khéta, de la Perse, etc. Il en venait aussi du pays de Bakh[1] qui produisait le *mafek* ; on le mettait en sacs[2] ou dans des vases[3].

Cette gemme entrait comme l'or, l'argent, le lapis, etc., dans la préparation de certains objets sacrés[4]. On en fabriquait notamment les colonnes-amulettes dont nous avons parlé et que le dieu Ra avait portées à son cou[5]. Mais l'un de ses emplois principaux paraît avoir été la confection des yeux des figures funéraires et autres[6]. C'est pour ce motif que, dans les offrandes, elle se trouve associée au *mestem*, minéral qui servait à peindre

1 Dümichen : *Recueil* IV, 77, 3.
2 Champollion : *Notices*, p. 390 ; Dümichen : I *Hist. Inschr.*, 37, 48.
3 Champollion : *Notices*, p. 362.
4 Dümichen : *Recueil* IV, 9, 50.
5 *Todtb.*, 105, 3.
6 Dümichen : *Recueil* IV, 25, 150. *Ibid.* : 76, 7.

les cils [1]. On gravait aussi des cachets ou sceaux sur le [2]. Les Musées renferment de ces cachets gravés sur une infinité de matières, entre autres sur le cristal de roche, l'agate, le jaspe, le lapis, la cornaline, etc., etc.

Il ne nous reste maintenant à parler que du disque de *mafek* qui occupe le centre des deux quartz. Puisque nous possédons en nature deux spécimens d'yeux ainsi formés, il serait tout simple d'aller leur demander la solution du problème. La chose mérite d'être examinée; mais, lors même que l'on trouverait dans les deux cas des boutons de cuivre natif ou d'un carbonate de cuivre [3], il resterait toujours de l'incertitude, car il ne faut pas compter sur l'absolue précision des textes en pareille matière; les Égyptiens appellent trop souvent *or* ce qui est seulement *doré* pour n'avoir pas désigné comme *mafek* des espèces diverses de minéraux brillants.

A Sarbout-el-Khadem, les Égyptiens ont exploité le cuivre en même temps que la turquoise; le minerai se fondait à Wady-Nasb. Mais aux établissements dits de Wady-Maghara, qui sont situés dans Wady-Igné, on ne rencontre pas de traces de minerais de cuivre dans les décombres de l'exploitation. On y a trouvé cependant un

[1] Champollion : *Notices*, p. 362 ; ibid. : 390 ; Dümichen : *Hist. Inschr.* II, 57.

[2] Dümichen : II *Hist. Inschr.*, 50, B, 20.

[3] La coloration en bleu de turquoises est attribuée au carbonate de cuivre, qui se présente à l'état de vert-de-gris naturel, de malachite et de bleu des montagnes. Peut-être les Égyptiens comprenaient-ils sous le nom de *mafek* ces diverses combinaisons du cuivre.

vase en forme de creuset contenant un morceau de cuivre métallique. Le massif du Sinaï contient des gisements de manganèse, de fer, de cuivre, de calamine, etc. Le fer s'y présente souvent sous forme d'hématite brune passant au jaspe ferrugineux. Ces minéraux renferment des cristaux de gœtite, de pyrolusite et de psylomélane; parmi les minerais de cuivre, on trouve le cuivre carbonaté bleu et surtout le cuivre carbonaté vert ou malachite. Dans les vallées voisines du désert abondent les pierres dures : jaspe, agate, quartz, etc., souvent polies comme par la roue du lapidaire et rainées ou sculptées comme par l'outil du graveur. Ces remarquables effets sont produits par le mouvement incessant des sables soulevés par les vents; sur le calcaire, ils sont encore plus étonnants.

Les Égyptiens faisaient usage de tous ces métaux et de tous ces minéraux; on a cru longtemps qu'ils n'avaient jamais utilisé la turquoise. Mais M. Mariette vient d'en signaler l'emploi dans de beaux spécimens de la *bijouterie* égyptienne : la belle hache de bronze ajouré d'Ahmès, ainsi que le pectoral et la chaîne de ce pharaon [1].

Mais ces trois bijoux, de la même origine et probablement dus au travail du même artiste, tout en constatant que les Égyptiens ont travaillé la turquoise, laissent toujours indécise la question de l'identification du *mafek*, minéral que les Égyptiens ont importé et utilisé en quantités très-notables depuis le commencement de l'ancien empire jusque sous les Lagides et les Romains. Si le

[1] *Catalogue de Boulaq*, p. 261, 262 et 264.

mafek était la turquoise, on en trouverait assurément des traces nombreuses, comme c'est le cas pour le lapis, le cristal, l'hématite, la sardoine, etc.

Cette longue dissertation ne fait que poser les conditions du problème à résoudre ; elle ne suggère quant à présent aucune solution précise. Les inscriptions hiéroglyphiques du Sinaï nous entretiennent malheureusement davantage de la puissance des pharaons en l'honneur desquels elles furent gravées que du travail et du produit des mines. Peut-être en existe-t-il d'autres que celles qu'a publiées M. Lepsius. Quelques lignes significatives pourraient nous livrer la clef de l'énigme. Quant à présent, les textes à moi connus ne donnent d'autre renseignement utile que celui-ci : les Égyptiens allaient chercher au pays de Mafek : 1° le *mafek*; 2° des pierres précieuses ; 3° du [hiéroglyphe], c'est-à-dire du minerai de fer ou de cuivre, et du [hiéroglyphe], ou minerai de cuivre.

Si, comme le pense M. Brugsch[1], le pays de Rashata est le même que celui de Mafek, il faudrait ajouter aux produits ci-dessus énumérés l'argent, l'or et le khesbet ou lapis, minéraux dont on n'a pas encore signalé la trace dans le massif du Sinaï.

II. [hiéroglyphes], *tahen*. — Le *tahen* remplit dans les textes hiéroglyphiques un rôle tellement analogue à celui du *mafek*, qu'on pourrait au premier abord regarder ces deux noms comme désignant la même substance. C'est ainsi, par exemple, que la déesse Hathor

[1] *Wanderung nach den Turkisminen*, p. 82.

est appelée *peau de tahen* ou *couleur de tahen* [1] aussi bien que de *mafek*, et aussi *visage de tahen* [2]. Le mot *tahen* employé comme verbe, de même que *mafek*, exprime les idées *illuminer*, *briller*, *être dans l'allégresse*, *réjouir*. Il est aussi question de *sistres de tahen* [3], et c'est ici le cas de faire remarquer que les Musées contiennent des modèles de sistres ou des sistres votifs en porcelaine bleue et en porcelaine verte [4].

Soit à raison du fréquent emploi de la matière, soit plutôt à cause de l'idée *allégresse* qui se rattache au nom qu'elle porte, pour exprimer l'idée *jouer du sistre*, on disait quelquefois *mettre la main au tahen* [5], au lieu de *mettre la main* au sistre [6]. L'effet de cette espèce de crécelle était de dissiper les ennuis [7] ou de calmer le cœur [8].

Il est toutefois impossible de confondre le *tahen* avec le *mafek*, parce que l'un et l'autre figurent distinctement au nombre des 24 minéraux précieux en usage dans certaines cérémonies du culte. Comme le lapis et le *mafek*, le *tahen* pouvait être imité artificiellement ou remplacé par une substance moins précieuse; aussi les

1 Dümichen : II *Alt. Temp. Inschr.*, 20, 4.
2 Le même : II *Hist. Inschr.*, 52, 2.
3 Voir ci-devant les sistres de *mafek*, p. 32.
4 Mariette : *Catalogue de Boulaq*, p. 146 et 200.
5 Dümichen : *Kal. Inschr.*, 82.
6 Denkm. III, 147, a.
7 Dümichen : *Kal. Inschr*, 83
8 [hieroglyphs] Voyez ma Note analytique sur le Papyrus Prisse : *Zeitschrift de Berlin*, 1870, p. 97.

textes distinguent-ils avec soin le *tahen-en-ma*, c'est-à-dire le véritable *tahen*.

On rencontre rarement dans les textes l'indication de la provenance du *tahen* [1], c'était par conséquent un produit du sol égyptien que l'industrie nationale savait imiter [2]. On n'en fabriquait ni vases, ni armes, ni outils, mais on l'employait concurremment avec l'or à la décoration des salles réservées des temples [3]. Il était connu sous l'ancien empire, époque à laquelle l'expression *demeure divine du tahen* nommait quelquefois le palais du pharaon [4].

Comme le *mafek*, le *tahen* était employé dans diverses cérémonies du culte [5], et principalement dans le culte d'Hathor; l'une de ces cérémonies consistait dans la présentation de deux vases de minéraux précieux ( ), savoir : l'argent et l'or d'une part, le lapis, le *mafek* et le *tahen* de l'autre [6]. On en faisait la colonnette mystique pour un usage funéraire [7], et des objets nommés *Sameti* ( ), que je crois être des sistres

[1] On trouve cependant le *tahen* de *Bakh*, c'est-à-dire du Levant, de même que le *mafek* de la même origine ; il s'agit de la péninsule du Sinaï. Dümichen : *Kal. Inschr.*, 82.

[2] Le Tahen de Sap (nome oxyrinchite) est mentionné spécialement : Dümichen : II *Hist. Inschr.*, 50, 6, 10.

[3] Le même : *Kal Inschr.*, 60, d, 7.

[4] Le même : *Resultate*, 6.

[5] Dümichen : *Recueil*. IV, 97, 14.

[6] Le même : *Kal. Inschr.*, 82.

[7] *Todtb.*, 125, 49.

votifs [1]. On l'employait en incrustations comme le *mafek* et le *lapis* [2].

Non-seulement le *tahen* était connu sous l'ancien empire ; on le trouve aussi dans les traditions de l'époque mythologique. Quatre briques de *tahen*, conservées à Héliopolis, avaient servi à propos de l'immolation de Set. On les mentionnait dans les adjurations magiques contre les malheurs de tout genre auxquels préside l'ennemi d'Osiris [3]. Le Rituel parle d'un mur de *tahen* dans le Tanen, résidence antique du dieu Ptah [4].

Lorsqu'on cherche à découvrir dans les textes égyptiens un groupe qui puisse convenir pour représenter le verre limpide ou le cristal hyalin, on n'en rencontre aucun de plus convenable que le *tahen*. Seul, ce groupe se présente assez fréquemment pour nommer des objets d'usage aussi vulgaire que le verre et le cristal ; comme les mots verre et cristal, le groupe *tahen* emporte une idée de transparence, d'éclat, d'irradiation. Le soleil est un *tahen* qui se lève ; les temples resplendissent de *tahen*. Du soleil couchant, il est dit aussi que sa substance rayonne de *tahen*. Le seul point de difficulté consiste en ce que le *tahen* est aussi une couleur souvent opposée au rouge ; on a pensé que c'était le jaune safran [5]. L'un

[1] Dümichen : *Kal. Inschr.*, 88.

[2] *Pap. hiérat. Leide*, 149, rev. 11, 2.

[3] *Papyrus hiératique du Louvre ; Rouleau de Bast*. Voy. *Pap. mag. Harris*, p. 178. La traduction à laquelle je renvoie demande quelques rectifications.

[4] *Todtb.*, ch. 146, 26.

[5] Le Page-Renouf : *Zeitschr. de Berlin*, 1867, 66.

des arbres d'Arabie qui fournissaient le parfum *an a*, était de couleur *tahen* [1]; il y avait un *Thoth tahen* comme un *Thoth rouge* [2]. Un corridor du temple de Dendera est décrit comme : *rayonnant de tahen*, *blanchissant de bès*, *parsemé de jeunes fleurs* [3].

En définitive, tous les textes que j'ai interrogés ne donnent que l'*éclat* comme propriété certaine du *tahen;* quant à la couleur, rien ne démontre rigoureusement qu'il s'agisse du jaune plutôt que du *clair transparent*, *du blanc diaphane tamisant la lumière*. Lors même que le végétal qui porte le même nom en égyptien serait le crocus (safran), ce qui n'est pas certain, ce ne serait pas une preuve bien démonstrative que le minéral ne puisse être que jaune. Des chars de Syrie importés en Égypte sous les premiers Ramessides sont décrits en ces termes : « Bons chars de bois *baruli* qui brillent » plus que le lapis; leur boiserie est ouvragée d'or; » leur pièce d'attelage et son crochet sont en or; leur » garniture d'étoffe est pareille à des pelleteries ouvrées » et parsemées de fleurs, etc. [4] » Le texte continue longtemps sur ce ton. On conçoit que ces chars doivent *briller plus que le lapis ;* mais cette expression est rendue en égyptien par les groupes , littéralement : *et ils font tahen plus*

1 Dümichen : *Recueil* IV, 88, 28.

2 Denkm. III, 37.

3 Dümichen : *Alt. temp.* I, pl 87, 9. Le *bès* est une substance blanche qu'il m'est impossible de déterminer.

4 *Pap. Anast.* IV, 16, 7.

que le lapis. En prenant le lapis qui est bleu pour point de comparaison, le scribe ne se serait pas servi du mot *tahen* si ce mot emportait l'idée d'un reflet jaune, d'une lumière dorée. Le vocabulaire égyptien était assez riche pour lui fournir des expressions plus convenables; l'objection disparaît s'il s'agit de la lumière incolore telle que celle du cristal.

Quoi qu'il en soit, il était indispensable de nous rendre compte de l'intention du passage que je viens de citer, car c'est sur ce texte que M. de Rougé s'est fondé pour émettre l'opinion que le *tahen* pouvait être une espèce de bronze ayant été employée dans la construction d'un char [1]. Cette opinion a été partagée par M. Le Page-Renouf [2]. On ne saurait certes rencontrer de meilleures autorités. Mais, quoique le *tahen* ait pu servir, aussi bien que le lapis, à incruster des bois de char, il n'est mention de rien de semblable dans la description des chars syriens; le mot *tahen* n'y est pas employé dans son acception de *minéral*, mais seulement avec le sens *briller, être éclatant.*

En résumant ces deux premières monographies, nous concluons que le *mafek* représente probablement plusieurs minéraux brillants, et notamment la malachite et la turquoise; que le *tahen* est probablement le verre et le quartz hyalin [3]; que dans tous les cas ni l'un ni l'autre ne sont ni le cuivre métallique, ni le bronze, ni le fer.

[1] *Mémoire sur les six premières dynasties*, p. 69.

[2] *Zeitschrift de Berlin*, 1867, 66.

[3] La malachite, la turquoise et le quartz hyalin seraient les sortes de *mafek* et de *tahen* dites *vraies* par les textes.

III. [hieroglyph]. — Ce métal est celui dont la mention revient le plus souvent dans les textes ; le groupe se compose du signe du creuset et du déterminatif des minéraux. En hiératique, au lieu du creuset, on trouve le signe [hieroglyph], qui représente une arme ou outil tranchant. Soit sous sa forme hiéroglyphique, soit sous sa forme hiératique, le groupe désigne non-seulement le métal, mais encore les armes et les outils qui en étaient fabriqués. Tel est le cas, du reste, de nos expressions *fer* et *acier*. Je ne connais aucune variante certaine qui me permette d'en découvrir la valeur phonétique.

Le [hieroglyph] importé du pays de Sati ([hieroglyph]), c'est-à-dire d'Asie, était l'espèce la plus recherchée; on l'employait dans l'ornementation des portes des temples et quelquefois aussi pour leur consolidation. Celles de Médinet-Habou étaient de cèdre avec encadrement de [hieroglyph] [1]; celles du Memnonium étaient garnies par derrière de la variété asiatique de ce métal, et par devant ornées de bas-reliefs de la même matière avec incrustations d'or [2]. A Médinet-Habou il y avait des portes d'or avec battants de [hieroglyph] [3]. Celles du temple de Séti I à Abydos étaient entièrement de [hieroglyph] [4]. Ce mode de construction et d'ornementation des portes monumentales a été usité depuis le commencement du nouvel empire jusqu'aux basses époques.

1 *Denkm.* III, 210, c. d.
2 *Ibid.* III, 167.
3 *Ibid.* III, 213, e.
4 Mariette : *Abydos* I, pl. 50, 16.

Les armes de guerre, la hache du bûcheron[1], la pioche du cultivateur[2], certains vases[3], les outils du graveur et du sculpteur[4], étaient fabriqués avec le métal qui nous occupe, dans lequel on ne saurait méconnaître le bronze, dont les Égyptiens ont fait un si grand usage. Les Musées sont remplis d'ustensiles de bronze tels que les énumèrent les textes originaux. C'était le métal le plus répandu ; sous la forme de l'anneau ou, nommé *outen*, il servait de monnaie ou de signe conventionnel d'échange. Employé tropiquement, le groupe caractérisait les objets qu'on assimilait au métal sous le rapport de la solidité et de l'inflexibilité. C'est ainsi que d'un chien dressé magiquement il est dit que sa crinière doit être en *verges* de [5]. La force des pharaons est aussi comparée à un mur de ce métal[6]. Mais c'est un métal différent qui, dans ce dernier cas, sert le plus souvent de point de comparaison, ainsi que nous le verrons plus loin.

Le était apporté en tas arrondis, en couffles ou grandes panières, et en briques oblongues. Ces dernières représentent évidemment les lingots de métal fondu. On trouve dans les textes une mention spéciale du

[1] *Pap. d'Orbiney*, 12, 1.
[2] *Pap. Anastasi* V, 16, 4.
[3] Mariette : *Fragment de l'inscription statist. de Thothmès III*, Rev. arch. 1860, 16.
[4] *Pap. Sallier* II, 4, 8.
[5] *Papyrus magique Harris*, A, 8.
[6] *Denkm.* III, 68, 5.

[hieroglyphes], littéralement *bronze écumé*, qui représente probablement une espèce de cuivre affiné.

Une autre espèce est le [hieroglyphes], ou *bronze noir*; elle était particulièrement précieuse; les textes qui la mentionnent nous la montrent presque toujours associée à l'or [1].

Le [hieroglyphes] était, comme nous l'avons déjà fait remarquer, un produit de l'Asie; les textes citent parmi les localités de cette partie du monde d'où les Égyptiens l'importaient chez eux, la contrée de Rashata [2], et le pays d'Asi [3], sur la situation desquels nous n'avons pas de renseignements précis.

Les savants qui ont étudié la presqu'île du Sinaï ont constaté de la manière la plus unanime que les Égyptiens n'ont exploité dans cette région, sur une grande échelle, que le minerai de cuivre, et, dans des proportions presque insignifiantes, le minerai de fer. Les traces des extractions et des fonderies de cuivre attestent l'existence d'exploitations considérables. Il y a conséquemment lieu d'être surpris de rencontrer dans les inscriptions locales de si fréquentes mentions du *mafek*, tandis que le [hieroglyphes] est à peine cité. La difficulté disparaît en partie si, comme on l'a supposé, le nom de Rashata désigne l'une des régions du Sinaï. Il y a lieu de considérer aussi que, d'après nos vues sur le *mafek*, la recherche des substances brillantes ainsi désignées était liée à l'exploitation

[1] Brugsch : *Recueil* I, 26, 3. — *Denkm.* III, 213, lig. horiz.
[2] Dümichen : I *Hist. Inschr.*, 33.
[3] *Denkm.* III, 31, a, 8.

du minerai de cuivre. A cause de ses usages sacrés, le *mafek* était l'objet important; le cuivre, qu'on trouvait d'ailleurs aussi dans d'autres localités, était relégué au second plan. Une inscription de l'an 2 d'Amenemha III constate cependant en termes précis qu'un fonctionnaire fut envoyé, avec une troupe de 734 hommes,

pour ramener du mafek et du cuivre[1].

IV. , variante , hiératique

Ce groupe est beaucoup moins fréquent que le précédent; on pourrait lui attribuer la valeur phonétique *men*, qui est le plus ordinairement celle de son signe initial . Mais le signe représente aussi une espèce de mortier avec son pilon, et entre comme déterminatif dans le nom de certaines substances grenues qui se pilent, telles que le sel, ϩⲙⲟⲩ, et le natron, ϩⲥⲙⲛ; il entre aussi dans le nom du mortier lui-même, , ⲥϩⲙ (en copte ϩⲱⲙ, *écraser, briser*). Ce signe est donc suffisamment lié à l'articulation ϩⲙ pour qu'on puisse lui attribuer ce son et y voir le thème original du copte ϩⲟⲙⲧ, *airain, bronze*. C'est au moins une hypothèse acceptable.

[1] L'hiéroglyphe est de forme un peu altérée dans le texte de M. Lepsius: *Denkm.* II, 137, c.—M. Gensler a mal rendu ce passage. *Zeitsch.* 1871, 137.

L'emploi de ce métal, tel qu'il est indiqué par les textes, est le même que celui du ; on trouve notamment des vases [1], des haches d'armes [2], des cadenas de portes [3] fabriqués avec ce métal. On l'employait aussi à garnir des armures ou harnais de cuir [4]. Le Musée britannique possède un objet de cette nature : c'est un fragment d'une cuirasse garnie d'écailles de bronze, ayant appartenu à un soldat égyptien de l'époque de Sésonchis I, conquérant de Jérusalem [5].

On serait tenté de croire que et ne sont que deux variantes du même mot ; cependant il n'en est point ainsi, car ces deux groupes figurent distinctement dans des énumérations de métaux.

V. , , *tahesti.* — Quoique le signe se rencontre dans les textes de l'époque pharaonique, il ne m'est point arrivé d'y trouver le groupe entier *tahesti*. Ce mot paraît avoir été introduit sous les Lagides pour nommer le bronze de l'espèce ordinairement désignée par . On voit en effet que le *tahesti* vient d'Asie comme le [6]. Aussi bien que ce dernier métal, le *tahesti* avait une variété noire, , dont on fabriquait principalement les ustensiles sacrés, tels

1 Lepsius : *Auswahl*, 12, 3. — Dümichen : I *Hist. Inschr.*, 4, 36.
2 *Denkm.* III, 64. — Champollion : *Notices*, 501.
3 *Pap. Sallier* II. 3. 2.
4 *Denkm.* III, 32, 34.
5 Publié par M. Prisse d'Avennes : *Monum. égypt.*, pl. 46.
6 Dümichen : *Recueil* IV, 74, 10 ; I *Alt. temp.*, 87, 2, etc. La Perse, le pays de Bakti et celui d'Asi sont quelquefois spécialement indiqués comme produisant le *tahesti*.

que le bassin du *Hesep* divin [1] et le soc de la charrue employée pour la fête de la pousse des végétaux [2], etc. La pique ou javelot est indifféremment nommée ou , et même seulement ou [3]. Le *tahesti* était, comme le , le métal d'encadrement et d'ornement des portes monumentales [4]. L'identité des deux expressions est réellement manifeste.

Au moyen d'une étude telle que celle que je viens de faire et qui pourrait être beaucoup plus détaillée, on arrive à conclure que les groupes et ou nomment le bronze d'une manière générale ; que le ou et le ou noir désignent deux espèces particulières de bronze. Parmi les bronzes antiques d'origine égyptienne il s'en trouve en effet de compositions fort diverses. M. Mariette signale dans son catalogue le bronze pâle [5], le bronze jaunâtre très-pesant [6]. Il en est que la lame d'acier n'entame que très-difficilement [7]. La lame du magnifique poignard à manche d'or trouvé par M. Mariette dans la tombe de la reine Aah-hotep est formée d'une bande centrale entourée d'un tranchant d'or. Cette bande est d'un métal dur et

1 Dümichen : *Recueil IV*, 3, 18, 3.
2 *Ibid.*, 11, 61. Voyez aussi : 9, 55 ; 10, 57. etc.
3 Naville : *Mythe d'Horus*, passim.
4 Dümichen : I *Alt. temp.*, 109, 3 ; 111, 6.
5 P. 262.
6 P. 265 et p. 182.
7 Prisse d'Avennes : *Monuments*, pl. 44 ; introd., page 8.

noirâtre orné de damasquinures [1]. Il est probable que ce métal, sur la nature duquel M. Mariette ne s'explique pas, est le bronze noir cité par les textes [2].

Sans connaître la partie grecque du décret de Canope, nous aurions traduit facilement la clause qui prescrit de l'exposer dans les temples,

gravé *sur* *stèle* *de* *pierre* *ou* *de* *bronze* [3].

Le grec : Ἀναγραψάτωσαν εἰς στήλην λιθίνην ἢ χαλκῆν, ne nous apprend donc rien de nouveau.

VI , , *Ba*, *baa*.—Le radical égyptien *ba* comporte un assez grand nombre de significations que distinguent assez habituellement des déterminatifs spéciaux. Les plus importantes sont celles de *merveille*, *chose extraordinaire*, *mets* ou *aliments*, *une espèce de pâtisserie*, *un végétal*, etc. Nous laisserons de côté l'étude du groupe sous ces acceptions étrangères à notre sujet, et nous nous en tiendrons à celle qui en fait un métal ou un minéral.

Le sens qui paraît y avoir été attaché en premier lieu est celui de *minerai*, de *métal en roche*. On en trouve la preuve dans une inscription de la XIIe dynastie, connue sous le nom de stèle de la famine. Un fonctionnaire nommé Ameni y raconte qu'il fut envoyé à Cousch

1 Mariette : *Catalogue*, p. 262.

2 Nous distinguons nous-mêmes par des noms différents plusieurs combinaisons du cuivre : le bronze, l'airain, le laiton, le similor, le chrysocale, etc.

3 Ligne 37 du texte hiéroglyphique.

(l'Éthiopie), et qu'il ramena au roi : [hieroglyphs] [hieroglyphs], *du minerai d'or*[1]. Dans un autre passage, il dit plus simplement qu'il rapporta de l'or[2], et en dernier lieu qu'il conduisit à Coptos le minerai : [hieroglyphs][3].

Mais le *baa* n'est pas l'or ; c'était un métal très-solide et très-dur qui servait de point de comparaison pour la force des pharaons et l'effet terrible de leurs armes. On trouve par exemple dans les textes historiques des phrases telles que celle-ci :

Tu es pour l'Égypte une muraille de baa[4].

C'est un mur de baa derrière l'Égypte[5], *etc.*

Les champs de l'Aalou ou Élysée égyptien avaient une enceinte de *baa*[6]. Pour caractériser la force du corps rendu au défunt qui a franchi l'épreuve de la mort, les textes disent qu'il a les membres de *baa*[7], quelquefois les membres d'*or* et la tête de *baa*[8].

On voit qu'il s'agit d'un métal qui n'est pas l'or; des textes du même genre prouvent que ce n'est pas non plus l'argent[9]. L'étain, le plomb et le zinc, métaux mous, fragiles et aisément fusibles, sont hors de question; nous n'avons dès lors à choisir qu'entre le cuivre et le fer.

1 Lepsius : *Denkm.*, 122, 11.
2 *Ibid.*, 13.
3 *Ibid.*, 14.
4 *Discours à Séti I.* Mariette : *Abydos*, 52.
5 Brugsch : *Monum.*, 2, a, 1.
6 *Todtb.*, 109, 4.
7 Sharpe : *Egypt. Inscr.*, 59, 35.
8 *Ibid.*, 58, 17.
9 *Denkm.* III, 30, 18.

Une circonstance significative pour la solution du problème, c'est que les textes ne mentionnent presque aucun objet fabriqué avec le *baa*. Ce ne peut donc être le bronze, qui était d'un emploi si général et dont nous avons d'ailleurs reconnu les noms égyptiens dans les études qui précèdent. Le fer seul, dont les Égyptiens se servaient peu, satisfait à toutes les données de la question.

La rareté des objets en fer trouvés dans les ruines de l'ancienne Égypte a donné naissance à l'opinion que les Égyptiens n'ont jamais fait usage de ce métal. M. Mariette, le plus grand fouilleur de la vallée du Nil, partage cette manière de voir [1] et semble penser que, pour un motif mythologique, le fer regardé comme l'*os de Typhon* était l'objet d'une espèce de répugnance [2]. D'autres observateurs ont été jusqu'à admettre que les Égyptiens n'ont pas connu le fer.

Ces opinions me paraissent beaucoup trop absolues. Il est certain tout au moins que, dès le commencement du nouvel empire, les pharaons, qui portèrent la guerre jusque dans l'Asie centrale et dépouillèrent la Syrie, la Mésopotamie et la Chaldée pour enrichir les temples, durent forcément arriver à la connaissance du fer. On sait que l'invention de ce métal est rapportée par la Genèse à l'époque des patriarches antédiluviens [3]. Au temps d'Homère, le fer était d'un usage très-vulgaire; on savait le tremper pour le transformer en acier [4]. Dans

1 *Catalogue de Boulaq*, p. 247.
2 *Ibid.*, 248.
3 *Genèse*, IV, 22.
4 *Odyssée*, IX, 391.

les ruines de Ninive, M. V. Place a trouvé un amas d'instruments de fer dont le savant explorateur estime le poids à 160,000 kilogrammes; il y avait là des chaînes, des crochets, des grappins, des pics, des pioches, des socs, etc.; on a aussi trouvé à Ninive des saumons d'acier d'excellente qualité. Parmi les outils de fer, quelques-uns étaient à peine ternis par la rouille et rendaient un son métallique semblable à celui d'un timbre. Employés tels quels, ils firent un très-bon service, et, retravaillés à la forge, fournirent un métal que ne désavoueraient pas aujourd'hui nos meilleures usines à fer [1]. Mais à Babylone et à Ninive, comme en Égypte et à Rome, l'usage du fer était soumis à certaines restrictions; ce métal semble avoir été proscrit de la construction des temples assyriens. On a remarqué que même les gonds et les pivots des portes, ainsi que les clous de scellement, étaient en bronze.

Avec la XXVIe dynastie, l'Égypte entra en rapports intimes avec les colonies grecques de l'Asie-Mineure. Trois siècles plus tard, Alexandre-le-Grand en fit une province de son vaste empire, et depuis lors, jusqu'à sa ruine définitive sous la puissance mahométane, la terre des pharaons fut gouvernée par des maîtres grecs et romains qui y portèrent leurs mœurs et leurs usages.

Cependant, ni sous les Perses, ni sous les Psamétik, ni sous les Macédoniens, ni même sous les Romains, on ne rencontre dans les textes écrits aucune indication d'un métal inconnu ou inusité dans l'anti-

[1] V. Place. *Ninive et Babylone*, p. 83 et sqq.

quité, et la question de l'emploi du fer reste aussi complexe par rapport à ces époques relativement modernes qu'aux temps les plus anciens. Toujours ce sont les mêmes groupes qui désignent les métaux ; les tombes et les monuments des basses époques ne nous fournissent pas plus d'objets en fer que les autres. Cependant on ne peut douter que le fer n'ait été employé par les Grecs et les Romains d'Égypte ; qu'il ait été regardé comme sacré ou comme profane, nous devons nécessairement en rencontrer le nom dans les hiéroglyphes ; or, nous ne voyons que le groupe [hiéroglyphes], *baa*, qui puisse le représenter dans les textes de tous les âges.

Lorsqu'on réfléchit que, dès le commencement de l'ancien empire, les Égyptiens ont gravé le basalte, la syénite et les pierres dures, non pas superficiellement, mais dans certains cas à une grande profondeur, et avec une finesse qui rappelle les procédés de la glyptique, on se demande naturellement avec quels outils ils pouvaient accomplir ces prodigieux ouvrages. Ainsi que le fait observer M. Mariette, ce travail si ingrat paraît avoir été très-facile pour eux, puisqu'ils en ont multiplié les produits pour ainsi dire à l'infini [1]. Un essai fait au Musée Saint-Germain avec des outils de bronze antique a démontré que ce métal s'écrase et s'aplatit sur le granit sans entamer la roche. Avec des haches en silex on a pu graver en creux une hache sans manche et une hache emmanchée [2] ; mais très-évidemment ni le silex,

[1] *Catalogue de Boulaq*, 91.

[2] A. Rhoné : *Promenades au musée de Saint-Germain*, p. 156.

ni le bronze le plus dur de fabrique égyptienne ne peuvent avoir suffi pour tailler des statues quelquefois colossales, d'immenses cuves de sarcophages, des obélisques de 40 mètres couverts de signes hiéroglyphiques, qui parfois n'ont pas moins de quinze centimètres de profondeur; des œuvres de cette nature pourraient rebuter les sculpteurs de nos jours, munis du meilleur outillage. Il est fort douteux, en effet, qu'avec toutes les ressources de la mécanique moderne, on pût réussir aujourd'hui à détacher de la carrière, tailler, polir, sculpter, dorer et dresser en place deux obélisques tels que ceux de Karnak, dans l'espace de 19 mois, comme le firent les ouvriers de la reine Hashepsou plus de quinze siècles avant notre ère [1].

Ces considérations nous obligent à admettre que les Égyptiens ont connu de tout temps le fer et même l'acier. L'aiguisoir que les bouchers de l'époque des pyramides portent suspendu au côté, comme ceux de nos jours, est presque toujours figuré en bleu, tandis que le couteau dont cet instrument aiguise le tranchant est de couleur de bronze; on a pensé que les peintres égyptiens avaient voulu distinguer ainsi la couleur de l'acier; par-

[1] L'inscription de la base d'un de ces obélisques dit en termes précis que le travail dura du premier Méchir de l'an XV au dernier Mésori de l'an XVI, ce qui fait 19 mois et non pas seulement 7 mois, selon le compte donné par le texte. Le signe *année* a été évidemment omis par le lapicide. (Prisse d'Avennes: *Monum. égypt.*, pl. 18, nord, dernière ligne.) Si, comme quelques-uns l'ont soutenu, les sept mois s'expliquent par la date initiale des années du règne, la rapidité du travail n'en serait que bien plus merveilleuse.

fois le glaive brandi par les pharaons sur la tête de leurs ennemis est également peint en bleu.

Les Musées renferment un assez grand nombre d'objets en fer provenant d'Égypte. Malheureusement il en existe peu dont la date puisse être calculée avec certitude. On conserve à Londres une feuille de fer trouvée dans l'un des conduits d'air de la grande pyramide; mais rien ne prouve que cet objet date de l'époque de la construction du monument. Le monument de fer dont l'antiquité est le mieux constatée est une espèce de cimeterre à lame courbe, que Belzoni découvrit sous l'un des sphinx de Karnak. Cette arme, qui est oxydée d'outre en outre et brisée, porte d'indubitables caractères d'authenticité et doit être attribuée à la grande époque pharaonique [1].

Sir Gardner Wilkinson, qui connaît si bien et qui a si bien décrit les antiquités égyptiennes, exprime l'opinion que les découvertes faites dans les tombes et les témoignages recueillis sur les monuments prouvent positivement que les Égyptiens ont fait usage de l'étain et du zinc, ainsi que du fer et de l'acier [2]. Cette preuve est, en effet, suffisamment faite; cependant il est regrettable que les découvertes d'objets en fer dans le sol de l'Égypte n'aient pas été enregistrées avec plus de soin. Il existe au Musée de Turin une collection de ces objets consistant en scies dont les dents forment une courbe,

[1] Elle est au Musée britannique, n° 5410 du Catalogue.

[2] *The Egyptians in the time of the pharaohs*, p. 99. On a trouvé dans les momies qu'on a ouvertes des ornements d'or, d'argent, d'étain et de fer. (*British Museum* : Gallery of antiquities, case 102.)

couteaux, têtes de lances, ciseaux de tailleurs de pierre, poinçons à lame quadrangulaire, grandes aiguilles à chas, râcloirs ou lissoirs, sécateurs à lame arrondie, spatules, etc. La plupart de ces objets ont des manches de bois dans lesquels le métal est enfoncé; cet ajustage est quelquefois consolidé au moyen de douilles dont les unes sont de bronze, les autres de fer. De petits couteaux ont la lame et le manche en fer. Un couteau en fer à manche d'ivoire cannelé porte sur sa lame une inscription dont quelques signes sont des imitations grossières des hiéroglyphes, et le reste est en lettres grecques. Cet instrument ne date que des premiers siècles de notre ère. Malheureusement le catalogue dressé par M. Drovetti, qui céda cette collection au Musée de Turin, ne contient aucun renseignement ni sur le lieu, ni sur les circonstances des trouvailles. Il n'est pas douteux toutefois que l'Égypte ne soit le lieu de leur provenance, mais il n'est aucun moyen de leur assigner une date. L'objet qui a le caractère antique le plus tranché est une espèce de *khopesh* de fer brillant comme l'acier, que nous décrirons plus loin.

Les pointes de flèches en fer trouvées en Égypte sont nombreuses; il y en a d'une grande variété de formes, depuis la flèche en feuille de saule ou à ailerons jusqu'à la flèche cylindrique et presque obtuse et à la flèche pyramidale ou carreau; il n'est pas de formes exclusivement spéciales au bronze.

Les textes égyptiens ne parlent pas d'instruments faits du métal *baa*; il existe cependant une exception. Une inscription d'El-Assassif, publiée par M. Brugsch [1], mentionne la cérémonie par laquelle le prêtre rouvrait symboliquement les yeux et la bouche du défunt, comme étant faite une première fois au moyen d'un [hiéroglyphes] [2] (*spatule de baa*), et la deuxième fois avec un doigt d'or ([hiéroglyphes]).

Mais les nations voisines de l'Égypte n'avaient pas les mêmes répugnances pour l'emploi du fer. Dans sa campagne de l'an 42, Thothmès III recueillit en Syrie quatre vases de *baa* à poignées d'argent, qui sont cités immédiatement après un vase de travail phénicien.

Il est difficile de savoir pour quel motif les Égyptiens semblent avoir eu une espèce d'éloignement pour l'usage du fer. L'assimilation de ce métal aux os de Typhon [3] est une glose grecque sans valeur tant qu'elle ne sera pas autorisée par les textes originaux. Or, ceux-ci ne nous disent rien de semblable; ils établissent pourtant une sorte de liaison entre le mythe de Set et le *baa* ou fer. Un passage du chapitre 108 du Rituel, qui ne se trouve pas dans tous les exemplaires de ce livre, dit, en parlant du serpent de la montagne d'orient, à propos de Set qu'il s'agit de maîtriser : *Qu'il place son lien de baa sur son cou et qu'il lui fasse rendre tout ce qu'il a mangé.* Une rubrique donne ensuite cette invocation à laquelle est attribuée une puissance magique : *Détourne-*

[1] *Recueil, etc.*, pl. 67, 2.

[2] Il existe au Musée de Turin un objet de fer ressemblant assez à la spatule figurée dans le texte.

[3] Plutarque : *D'Isis et d'Osiris*, 62.

toi du baa, de ce dont mon bras est muni pour t'emprisonner.

Il est donc bien certain que des souvenirs mythologiques étaient attachés à l'usage du fer ; mais, d'après la nature de ces souvenirs qui se réfèrent à la défaite de Set, ce métal devait être sacré plutôt que profane. Nous nous expliquerions ainsi le motif qui l'a fait choisir pour la cérémonie de l'ouverture de la bouche et des yeux comme un instrument de résurrection, c'est-à-dire de victoire contre Set, le principe de la mort. Le livre de fer (*baa*) au moyen duquel les dieux rouvrent la bouche des défunts est également cité par le Rituel funéraire [1]. C'était un talisman contre la mort ; aussi, pour aider à l'effet des remèdes, les médecins de l'époque pharaonique prononçaient-ils l'adjuration suivante pendant que leur malade buvait la potion : *Relève-toi en bon état et solide à jamais ! que soient détruites toutes les maladies qui sont en toi ; que ton œil soit ouvert par Ptah ! que ta bouche soit ouverte par Sokaris au moyen de son livre de fer [2] !*

A ce nouveau point de vue, nous comprendrons facilement aussi pourquoi si souvent les chairs du ressuscité sont dites de *fer ;* on lit par exemple sur le cercueil de la reine, épouse de Psamétik II : *Son cœur est replacé dans son sein, ses membres sont de fer et son âme est dedans [3].* Dans cette enveloppe faite du métal qui

[1] *Todtb.*, 23, 2.
[2] *Pap. médical de Berlin*, pl. 20, 10.
[3] Sharpe : *Egypt. Inscr.*, 59, 35.

avait brisé les forces de Set, la vie nouvelle n'avait plus rien à redouter de l'auteur de la mort [1].

Le fer avait encore d'autres titres mythologiques. D'après une tradition enregistrée au Rituel, c'était sur une plaque de ce métal que fut trouvée la première rédaction du chapitre 64 du Rituel, écrite en khesteb, c'est-à-dire en lapis ou simplement en bleu, au temps du roi Menhara (IVe dynastie) [2]. Or, ce chapitre, ainsi que l'explique son titre, a autant de puissance à lui seul que l'ensemble du Rituel. Il procure la sortie lumineuse, c'est-à-dire la résurrection ; à lui seul il peut détruire l'œuvre de Set [3].

La coutume des Égyptiens de graver l'écriture sur les métaux durs est illustrée par un assez grand nombre de monuments. Certains textes mentionnent des *livres d'or* [4]. Le traité de Ramsès II avec les Khétas fut écrit sur une plaque d'argent [5]. Au temps des Lagides, les décrets de l'autorité étaient gravés soit sur pierre, soit

1 Le Musée de Leide possède de petites statuettes en fer du dieu Horus hiéracocéphale (*Catal.*, p. 14, n°s 972 à 1003). Horus était l'adversaire et le vainqueur de Set.

2 Cette tradition plaide en faveur de l'authenticité de la plaque de fer du Musée britannique. (Voir ci-devant, p. 58.)

3 Le général russe Peroffsky possède une plaque de pierre sur laquelle est gravé le texte de ce chapitre. M. S. Birch pense avec raison que c'est un fac-simile de la plaque de fer dont parle le Rituel de Turin. (Voy. S. Birch : *Le Papyrus Abbott*, *Rev. arch.*, XVI, p. 269.)

4 *Pap. hiérat. Leide*, 348, revers 1, 8.

5 Conf : *Voyage d'un Égyptien*. p. 332.

sur bronze, ainsi que le constate le décret bilingue de Canope[1].

Il existe dans les Musées un assez grand nombre d'objets de métal portant des inscriptions. Les plus remarquables proviennent du règne de Thothmès III et consistent en patères d'or et d'argent dont le fond est orné de poissons et de feuillages, tandis qu'un texte en garnit le pourtour[2]. Le même pharaon fit graver sa légende sur une multitude d'outils votifs qui furent consacrés lors de la fondation du temple d'El-Assassif à Thèbes[3]. Nous possédons ainsi des modèles originaux de la plupart des outils du maçon, du tailleur de pierres et du charpentier, en usage en Égypte au XVIIe siècle avant notre ère. On en trouvera quelques spécimens au chapitre suivant.

Je ne connais pas de textes écrits sur fer autres que celui dont j'ai parlé tout-à-l'heure[4]; il suffit d'ailleurs pour démontrer que, même à une époque d'extrême décadence, les Égyptiens savaient graver le fer aussi bien que les autres métaux.

1 L'usage d'écrire sur métal a été presque universel; il était encore plus répandu chez les Phéniciens et chez les Syriens que parmi les Égyptiens, qui écrivaient au contraire principalement sur pierre. Les anciens traités étaient gravés sur métal; on inscrivait des légendes sur les objets votifs, tels que le trépied d'Amphitryon (Hérod. V, 59). La mappemonde d'Aristagoras, tyran de Milet, était figurée sur une planche de cuivre (Hérod. V, 49).

2 S. Birch : *Mémoire sur une patère d'or du Musée du Louvre.*— Devéria : *Notice sur le basilicogrammate Thoth.*

3 Il en existe aussi un grand nombre portant le cartouche de la reine Hashepsou.

4 Voir ci-devant, p. 59.

Ces gravures sur métal, aussi bien que la gravure sur pierres dures, ne pouvaient guère s'exécuter qu'avec des outils d'acier. Nous avons dit plus haut, à propos de la teinte bleue donnée à l'aiguisoir des bouchers et quelquefois au glaive des rois, que les artistes égyptiens semblent avoir voulu caractériser la couleur de l'acier; l'azur des cieux semble leur être apparu comme un reflet de ce métal; ils considéraient ou du moins décrivaient tropiquement l'océan céleste comme roulant sur un fond de *baa*, et, pour ce motif, le *baa* est souvent pris pour cet océan lui-même, sur lequel le soleil effectue sa navigation quotidienne, suivi des dieux de son cortége et des élus qui leur sont assimilés. Les textes nous offrent des allusions innombrables à ce fait singulier. J'en citerai quelques-unes.

Au chapitre XV du Rituel, le défunt associé à la course solaire s'écrie : *J'apparais au ciel; je navigue le baa; je m'associe aux dieux* [1]. Ailleurs : *J'arrive au ciel, je navigue le baa* [2]. Les Égyptiens disaient naviguer le *baa* comme nous dirions dans le même ordre d'idées *naviguer l'azur*.

L'assimilation de l'espace céleste avec le *baa* date des plus anciennes époques. Déjà, sous la IVe dynastie, on formait pour le défunt le vœu qu'il pût être associé à la course du soleil :

[3]

Qu'il navigue le baa en paix.

[1] *Todtb.*, ch. 15, 23.
[2] Ibid., ch. 64, 17 ; ch. 85, 5.
[3] Dümichen : *Resultate*, *Taf.* 14.

J'ai cité cet exemple parce qu'il nous montre le mot *baa* déterminé exceptionnellement par le signe du bassin ou de l'eau, ce qui nous montre bien que nous ne nous égarons pas dans notre explication. Le dieu solaire lui-même *avance, passe dans le baa* ([hiéroglyphes])[1].
Ce dernier exemple nous montre le groupe *baa* déterminé par le signe du ciel. Ainsi donc le *ciel, l'abîme des eaux* et le *baa* sont trois termes équivalents pour désigner le lieu sur lequel le soleil paraît effectuer sa révolution quotidienne [2].

Les campagnes élyséennes, que les Égyptiens nommaient champs d'Aalou, étaient l'une des îles de l'océan céleste ; aussi elles avaient une enceinte de *baa*, c'est-à-dire de la substance même de la voûte céleste [3].

Dès l'instant que le *baa* ou azur céleste est pris pour l'*Abyssus*, il est tout simple que le soleil soit représenté comme nageant dans cet océan. Tel est le vrai sens d'une belle invocation à Phra qui se lit au chapitre 17 du Rituel :

O Phra, qui es dans ton œuf, qui brilles dans ton disque, qui luis à ton horizon, qui nages sur ton baa [4], *etc.*

[1] Dümichen : I *Alt. temp. Ins.*, 47, 4 ; Ibid., 34, 9.

[2] Les expressions ordinaires sont : **ⲭⲟⲓ ⲡⲉ**, *naviguer le ciel ;* **ⲭⲟⲓ ϩⲣⲓ**, *naviguer le haut des cieux.*

[3] *Todtb.* 109; 149, etc.

[4] Col. 50. Le texte dit, selon une tournure élégante de la langue égyptienne : *O Phra, qui est dans son œuf,* et ainsi de suite. Voyez aussi *Todtb.*, 64, 1.

Dans les Rituels d'époque moderne, le verbe ici traduit par *nager* est écrit [hiéroglyphes], ⲛⲃⲁⲧ, ⲛⲃⲉ. Ainsi déterminé par le signe de la force, ce mot signifie habituellement *former, fondre, modeler* [1].

Le sens *nager*, copte ⲛⲉⲃⲓ, n'a été reconnu qu'assez tard. Le savant égyptologue, M. S. Birch, l'a, je crois, signalé le premier dans un texte où le mot ⲛⲃⲁⲧ est déterminé par un homme nageant. On le trouve écrit au-dessus de quatre nageurs dans une scène peinte sur le sarcophage de Séti I, qui nous enseigne les mots égyptiens signifiant *se baigner, faire la planche* ou *surnager*, *nager* et *plonger* [2]. Dans le texte relatif à cette scène, le mot est déterminé par l'eau, mais il n'a pas de déterminatif dans la vignette ; les nageurs en tiennent lieu.

Les anciens textes du Rituel publiés par M. Lepsius montrent que, dans l'invocation au Soleil dont nous venons de citer quelques phrases, le verbe ⲛⲃⲁⲧ est pris dans le sens de nager; on l'y trouve en effet déterminé par l'homme qui nage dans un bassin rond et par le signe de l'eau sous la forme, [hiéroglyphes] [3].

[1] Il faut noter que, dans le sens *fabriquer, modeler*, ⲛⲃⲁⲧ gouverne la préposition [hiéroglyphe], ⲙ, *de*. Ex. : Fabriqué de bronze, ⲛⲃⲁⲧ ⲙ ⲧϩⲥϯ.

[2] Sharpe et Bonomi : *The alabaster Sarcophagus of Oimenephtah*, pl. 14.

[3] Lepsius : *Aelt. Texte Todtb.*, pl. 3, 41, et pl. 33, 59. M. de Rougé a déjà traduit, mais dubitativement : *O Soleil qui nage sur sa matière* (*Études sur le Rituel funéraire*, p. 58).

Nous avons vu que le mot *baa*, à raison de la signification particulière que nous venons de reconnaître, reçoit quelquefois pour déterminatif le signe ciel ; il nous reste à faire remarquer que ce même signe lui sert souvent aussi de complément. Dans ce cas, les deux mots sont liés par la particule 𓈖, ⲛ, *de*, et répondent à l'expression ⲃⲁⲁ-ⲛ-ⲡⲉ, *baa du ciel*, très-ressemblante au copte ⲃⲉⲛⲓⲡⲉ, qui signifie *fer*. Cette ressemblance est séduisante, cependant elle a peu de poids dans le débat. Le mot copte ⲃⲉⲛⲓⲡⲉ, qui a une forme ⲡⲉⲛⲓⲡⲉ, ne me semble dériver d'aucun radical antique à nous connu. Le ⲃ et le ⲡ ne s'échangent pas en copte, surtout lorsque ces consonnes sont initiales ; d'un autre côté, le 𓈖 de flexion n'admet pas la voyelle ⲓ consécutive ; il se transcrit par ⲛ, ou par ⲙ devant certaines consonnes et notamment devant ⲡ, comme on le voit dans le copte ⲣⲙⲡⲉ, dérivé de l'égyptien 𓂋𓈖𓊪𓆳, ⲣⲛⲡⲉ, *année*.

Quoi qu'il en soit, le *baa en pe* ou *fer céleste* est la même chose que le *baa*, ou tout au moins une espèce particulière de *baa*, et probablement l'acier, à cause de son reflet bleuâtre. Les formules dont nous avons déjà parlé [1] : *avoir des membres* ou *des chairs de baa*, se présentent dans des textes de bonne époque sous la forme : *avoir des membres de baa en pe*. Dans le premier cas, c'est *avoir des membres de fer*, et, dans le second, *des membres d'acier*.

Les métaux étaient employés dans l'ancienne thérapeutique égyptienne. Parmi les remèdes de cet ordre

[1] Ci-devant, p. 53 et 61.

prescrits par le Papyrus médical de Berlin, je distingue les préparations de cuivre, si prônées par Dioscoride [1]. Les médecins de l'époque pharaonique, sur la foi d'un formulaire datant du commencement de l'ancien empire, les employaient contre l'incontinence d'urine. Voici la formule : *Vin*, *rouille de bronze* ([hieroglyphs]), *sel de mer; clystère pour quatre fois*. Les doses sont indiquées : on mettait autant de rouille que de sel [2].

Je ne sais ce que les médecins de nos jours penseront de ce remède vieux de six mille ans. En voici un second qui guérissait les plaies provenant de brûlures : *Baa du ciel rouillé avec eau de l'inondation, bassiner la personne avec cela* [3]. L'eau de l'inondation était probablement préférée à cause de l'argile et des autres matières terreuses qu'elle tient en suspension. Quoi qu'il en soit, on trouverait dans la médecine de Galien, de Dioscoride et du grand compilateur Pline l'indication de traitements analogues pour les plaies. Ulysse, pour guérir la blessure de Télèphe, y appliqua un emplâtre fait avec la rouille de la flèche qui l'avait frappé. D'après Pline, ce fut avec la rouille raclée sur la lame d'un glaive [4] que la cure fut opérée.

1 Dioscoride, liv. V, ch. 47 et suivants : *Æs ustum, flos æris*, *æris stercus, squama æris, ærugo, etc.* Ces substances entraient dans des médicaments pris à l'intérieur.

2 *Pap. méd. Berlin, Edid. Brugsch*, 19, 7. Dans la médecine moderne, l'oxyde de fer noir et le carbonate de fer sont employés contre l'incontinence d'urine.

3 Ibid., pl. 7, 12.

4 *Hist. nat.*, liv. XXXVIII, 15.

Les recherches que je viens d'exposer me semblent prouver que les Égyptiens ont connu le fer même avant l'aube de leurs temps historiques ; que, dès le quatrième millenaire avant notre ère, ils ont su l'employer à tous les usages auxquels nous l'employons actuellement, et même dans les préparations pharmaceutiques. Ils paraissent toutefois n'en avoir fait usage qu'avec une extrême réserve et pour des cas pour ainsi dire exceptionnels. A côté des motifs religieux qui ont pu contribuer à établir ou à entretenir cette réserve, il faut tenir grand compte du fait certain que le cuivre se trouvait en bien plus grande abondance que le minerai de fer dans le rayon d'approvisionnement de l'Égypte ; que de plus le cuivre et ses composés sont bien plus faciles à travailler, et qu'enfin les Égyptiens savaient donner à certains alliages du cuivre une trempe très-fine, ainsi que nous l'avons vu en parlant du bronze [1].

L'emploi du fer pour les sculptures décoratives des monuments religieux paraît du reste indiqué par des textes de l'époque gréco-romaine. On lit en effet sur les temples de cette époque qu'ils ont été : [2]

sculptés *avec* *le baa*, *ornés* *avec* *l'or*.

Le verbe  , ⲁⲃⲁ, signifie *graver*, *sculpter*, comme  , et  , groupes avec lesquels il s'échange dans plusieurs textes. On trouve souvent l'expression : *gravé* (ⲁⲃⲁ) *dans la perfection par le travail*

[1] Voir ci-devant, p. 51.
[2] Dümichen : *Kal. Ins.*, 60, lig. 6 et 7.

des sculpteurs [1]; *gravé* (ⲁⲃⲁ) *dans la perfection par un travail sans égal* [2]. Dans l'inscription qui relate la fondation du temple de Dendera, il est parlé d'*un grand plan de cette ville gravé* (ⲁⲃⲁ) *sur un mur* [3]. La phrase que nous avons citée textuellement ne présente donc aucune ambiguïté, et il n'est pas possible d'hésiter sur le sens de celle qui suit, dans laquelle un Ptolémée s'adresse au dieu : (Je t'ai fourni) *de bon fer (baa) pour sculpter* (ⲁⲃⲁ) *les murs de ton temple* [4].

Ainsi donc le *baa* désignait d'une manière générale le *fer* et l'*acier*, qui n'est qu'une transformation du fer; plus spécialement l'acier était désigné par l'expression *baa en pe* ou fer céleste. Mais il reste encore un problème : les textes parlent aussi du [hiéroglyphes] [5], *baa en to, fer de la terre*. Les Égyptiens paraissent avoir nommé ainsi quelque métalloïde qui n'appartenait pas nécessairement à l'espèce fer. Je ne connais du reste qu'un exemple de cette dénomination qui désigne nécessairement une substance précieuse ou brillante; il est dit que certains ornements ([hiéroglyphes]) sont de *baa en to*, et ces ornements sont cités après des *colliers de lapis vrai*.

1 Dümichen : *Alt. temp. Inschr.*, 63, 2.
2 Le même : *Alt. temp.* I, 109, 4.
3 Le même : *Bauurk*, p. 7.
4 Le même : *Hist. Inschr.* II, 50, b, 22.
5 Le même : *Hist. Inschr.* II, 56.

CHAPITRE III.

OUTILS DES ANCIENS ÉGYPTIENS.

Les plus anciens monuments que nous connaissions nous montrent les Égyptiens établis sur les rives du Nil, avec Memphis pour capitale ; ils nous apparaissent alors aussi avancés en civilisation qu'à aucune autre époque de leur histoire ; leur écriture est formée des mêmes éléments qu'elle conservera jusqu'à la fin ; déjà cette écriture admet quelques-unes des singularités qui dominèrent trente siècles plus tard dans l'orthographe des basses époques. Quant à la langue, elle n'est pas plus simple dans ses combinaisons que celle des temps postérieurs ; les élisions et les constructions elliptiques n'y sont pas moins fréquentes.

Si de légères nuances graphiques distinguent l'écriture des différentes époques ; si l'usage plus ou moins commun de certaines tournures de phrases forment des caractères paléographiques et archéologiques pouvant servir à distinguer l'âge des monuments, ces différences n'impliquent aucun changement considérable, et il demeure bien certain que les règles qui ont présidé à la formation de la langue et de l'écriture et qui en ont dirigé le développement pendant quarante siècles, étaient complètement définies dès le commencement de l'ancien empire. Aucun texte de cette époque reculée ne nous présente de traces de tâtonnements ; entre les plus extrêmes périodes de la durée de l'empire égyptien nous ne constatons nullement, en ce qui concerne le langage, des différences aussi saillantes que celles qu'on peut observer entre la langue de Rabelais et celle de Châteaubriand.

Le système de l'écriture suppose forcément un peuple avancé dans les sciences et dans les arts, un peuple ayant beaucoup observé, beaucoup étudié, beaucoup réfléchi, et dont l'esprit savait se plier aux combinaisons les plus compliquées. Aussi ne devons-nous pas être surpris de trouver en plein fonctionnement, aux temps de la construction des grandes pyramides, l'organisation religieuse, militaire et civile de l'Égypte.

L'espérance de découvrir sur les rives du Nil les traces certaines d'un âge de pierre antérieur à l'usage des métaux paraîtra bien précaire aussi longtemps qu'on n'aura pas retrouvé celles des débuts de la civilisation. Or, quand les Égyptiens se révèlent à nous, ils sont déjà en possession de tous les métaux dont ils firent usage jusqu'à la destruction de leur nationalité ; ils s'en servent pour l'agriculture, les arts, la guerre, la chasse, la pêche, la parure, etc.; ils fabriquent des harpes et des flûtes; leurs grands personnages portent au cou le riche collier d'or incrusté de pierreries que plus tard Joseph reçut des mains de Pharaon ; ils entassent chez eux les meubles et les vases précieux; couchés, ils ont pour se tenir la tête élevée ces sortes de chevets d'ivoire, d'ébène, etc., qui sont restés en usage dans quelques régions du haut Nil; ils cultivent la vigne, ils l'élèvent en treilles gracieuses et possèdent diverses espèces de vins ; ils taillent des statues de pierre dure, creusent des tombeaux et les couvrent de riches peintures, etc., etc.

Cet état de civilisation avancée ne s'est point improvisé tel quel ; il doit avoir eu une enfance. Comme nous ne découvrons sur le terrain de l'Égypte aucune trace de cette enfance, il est à présumer que la race égyptienne a fait ses débuts ailleurs que sur les rives actuelles du Nil. Si donc cette race a eu un âge de pierre, ce n'est point sur le sol égyptien qu'on peut espérer en rencontrer les monuments ; il y a plus de chance de les trouver dans la localité qui nous livrerait les témoignages des premiers essais de l'écriture et des plus anciens tâtonnements de l'industrie et des arts. On est ainsi logiquement conduit à penser que les instruments de pierre et d'os qu'on découvrirait dans l'Égypte actuelle n'ont pas, s'ils sont égyptiens, une antiquité plus grande que les monuments de l'époque historique auxquels ils seraient associés plus ou moins intimement, ou bien qu'ils proviennent d'une race autre que la race égyptienne, et, dans ce cas, rien ne permet de supposer qu'ils soient antérieurs à la période historique.

Les formes des outils, des armes, des ornements, etc., n'ont pas sensiblement varié en Égypte depuis les plus anciens spécimens que nous montrent les monuments. Nous ne connaissons pas mieux les débuts de l'industrie que ceux de l'écriture de ce pays. Cependant il peut n'être pas absolument sans intérêt de faire connaître les ustensiles et les armes en usage aux époques anciennes.

De même que la première arme a été un simple bâton, le premier instrument d'agriculture fut un morceau de bois dur à bout courbé et apointi. La houe ou pioche et la charrue ont été d'abord construites d'après ce modèle, que plus tard on arma de pierre ou de métal. C'est l'instrument dont la forme se rencontre le plus généralement dans tous les temps et dans tous les lieux [1]. Les Égyptiens de l'ancien empire s'en servaient et l'avaient introduit dans leur écriture sous deux formes, celle de la pioche , , *mer* et *an*, et celle de la charrue, , *hebi*. Sur les monuments anciens on trouve les modèles ci-après :

Herminette à dresser le bois [2] ;

Autre plus simple ;

Herminette employée par un charpentier en bateaux [3] ;

Herminette pour fabriquer l'arc et la flèche [4].

1 On n'en trouverait peut-être plus avec soc en bois; mais les Indiens Sioux utilisent encore l'os d'élan pour leurs outils d'agriculture. Les Indiens de l'Illinois se servaient de houes de silex. (Voyez : *Annual Report of the Smiths. Instit.*, févr. 1869.)

2 Lepsius : *Denkm.* II, 49, b, 2. *Ibid.*, 61.

3 *Ibid.*, et 108.

4 Prisse : *Mon.*, pl. 43. — Lepsius : *Aelt. Texte Todtb.*, 29.

 Houe ou pioche [1].

Dans ces sortes d'outils, la lame métallique est fixée sur la partie coudée ou simplement courbe du manche, au moyen de liens fortement serrés, quelquefois garantis eux-mêmes par une enveloppe de cuir. Le coude est tantôt une courbure naturelle, tantôt une saillie prismatique taillée dans le bois. Quelquefois un coin enfoncé entre le coude et la lame sert à rendre la ligature plus serrée ; lorsqu'on voulait donner à cet assemblage plus de résistance, on liait le manche au soc ou à la lame au moyen d'une corde transversale.

Un outil à peu près de la même forme, mais dont l'emmanchement est bien moins compliqué et moins solide, se voit entre les mains d'ouvriers qui malaxent ou divisent la terre à briques [2]:

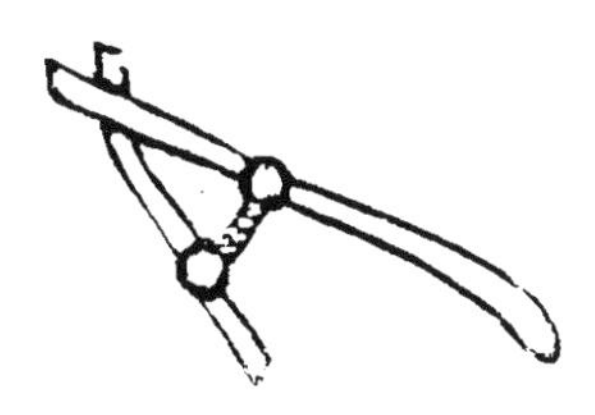

[1] *Denkm.* II, 7 en b.

[2] Prisse : *Hist. de l'art.* — Brugsch : *Hist. d'Égypte*, p. 106.

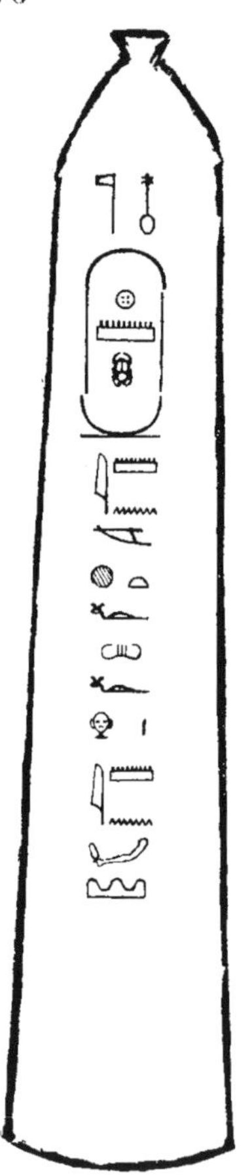

La lame de ces sortes d'instruments est plate et de la forme du dessin ci-contre, qui provient d'un outil votif de Tothmès III ainsi que nous l'apprend l'inscription où on lit: *Le dieu bon, Menkheperra, l'aimé d'Ammon, lorsqu'il a frappé les pieux dans Ammon-Sar*[1]. Cette lame ne peut être fixée qu'au moyen de liens; mais il y avait aussi des ajustages à douille pour le même genre d'outils. Voici le dessin d'un soc de houe de 15 centimètres de longueur appartenant au Musée de Leide[2] :

Ces deux instruments sont en bronze.

Charrue employée comme déterminatif dans l'inscription d'Imeri[3];

Charrue attelée de deux bœufs, guidée par un homme qui appuie les mains sur les deux manches;

1 Leemans : *Mon. égypt. du Musée de Leide*, 1re partie, pl. 80, 3.
2 *Ibid.*, fig. 5.
3 *Denkm.* II, 51.

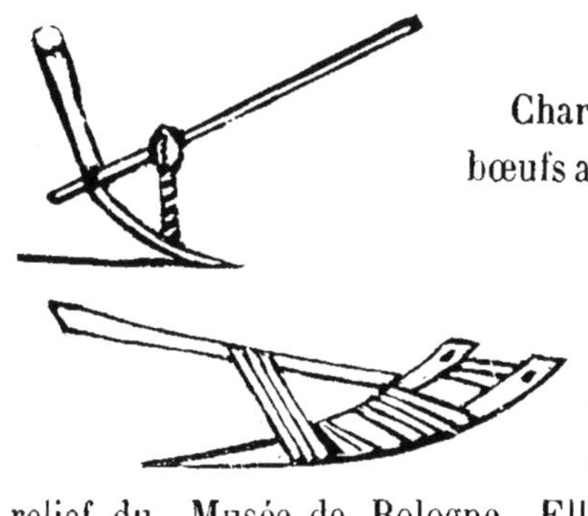

Charrue attelée de deux bœufs ayant un seul manche[1];

Charrue de l'époque des Thothmès, d'après un magnifique bas-relief du Musée de Bologne. Elle est tirée par deux bœufs et conduite par deux jeunes princes tenant l'un un long bâton, l'autre un fouet.

Le bœuf était l'animal le plus habituellement employé à tirer la charrue chez les Égyptiens; cependant ils employaient aussi le cheval à ce travail, ainsi que nous le verrons plus loin. L'homme y fut lui-même attelé, comme on le voit dans une scène d'agriculture du commencement du nouvel empire. Voici la forme de la charrue en cette occasion :

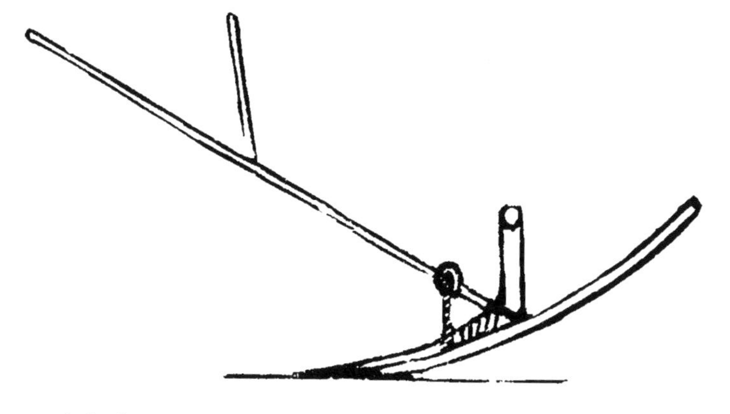

[1] *Denkm.* III, 10. *a*.

Deux hommes tirent sur la branche principale et deux sur le branchement latéral[1]; la traction des bateaux sur nos rivières s'effectue exactement par le même procédé.

La faucille  est de date tout aussi ancienne dans l'écriture. Les monuments nous la montrent aux mains des moissonneurs sous la forme qui a fourni l'hiéroglyphe et sous des formes un peu différentes :

(d'un tombeau de Gizeh)[2].

(scène de moisson)[3].

La fourche à trois dents était également en usage à la même époque.

L'instrument que nous avons assimilé à l'herminette et la hache étaient les outils caractéristiques de l'ouvrier en bois, menuisier ou charpentier. Employés dans l'écriture, ces deux outils servent de déterminatif au nom du menuisier  ; le ciseau plat et le ciseau à mortaiser avaient exactement la même forme et le même emmanchement que de nos jours.

Ciseau à manche de bois tourné[4];

1 *Denkm.* III, 10, a. Dans une autre scène, deux hommes tirent par le bout du timon, deux autres sur une corde fixée au bas du manche. En Égypte, le sol ne réclame qu'un labourage superficiel; au dire de Diodore on semait dans certains terrains sans labourer. (Liv. I, ch. 36.)

2 *Denkm.* II, 80.

3 *Ibid.*, 107.

4 *Aelt. Texte Todtb.*, pl. 29.

 Ciseau à manche rond[1].

[2]

Le Musée de Leide possède deux outils de cette nature portant la légende de Thothmès III ; ils ont le manche en bois, la lame en bronze ; dans l'un d'eux l'ajustage de la lame dans le manche est consolidé au moyen d'un lien.

Comme de nos jours, l'ouvrier frappait sur le manche au moyen d'un maillet de bois de cette forme[4] :

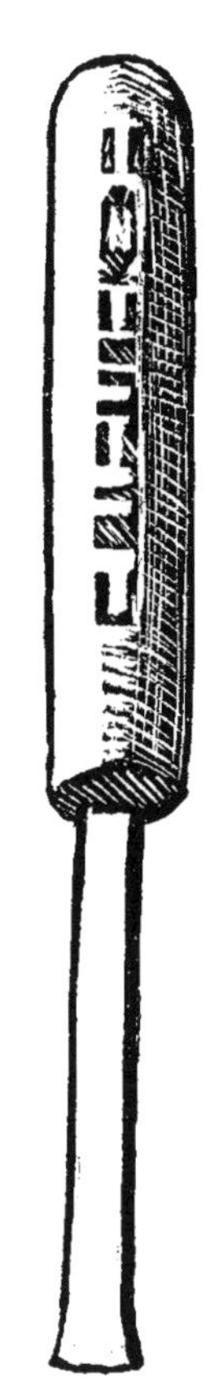

[3]

[1] *Tombeau d'Imeri. Denkm.* II, 49, b.

[2] Leemans : *Mon. ég., etc.*, pl. 90, fig. 159.

[3] *Ibid.*, pl. 90, fig. 157. Les légendes sont les mêmes que celle de la lame, page 76 ci-devant.

[4] *Denkm.* II, 108 et 126 ; il y avait des maillets à grosse tête arrondie et des espèces de battoirs tout semblables aux nôtres.

On avait deux sortes de scies, l'une à lame droite, semblable à nos scies à main [1] ; dans l'autre, les dents forment une courbe assez prononcée [2].

Parmi les instruments de l'ouvrier en bois se trouve tout l'assortiment moderne; les racloirs ou polissoirs de métal, le foret avec son archet, la corne à huile, etc.; ces outils sont aussi anciens que les autres, mais je n'en connais pas de spécimen daté avec certitude.

Il y a des haches d'un grand nombre de formes; le système à ailerons n'était pas inconnu, quoiqu'il ne fût pas très-usité. Généralement le fer de la hache était enfoncé dans une entaille du manche en bois et consolidé par des courroies; quelquefois l'entaille traversait tout le bois, et le fer de l'outil faisait saillie, mais le plus souvent elle n'allait qu'à mi-bois. C'est de cette manière qu'étaient emmanchées les haches d'abattage et d'équarrissage à manches courbes ou droits [3] :

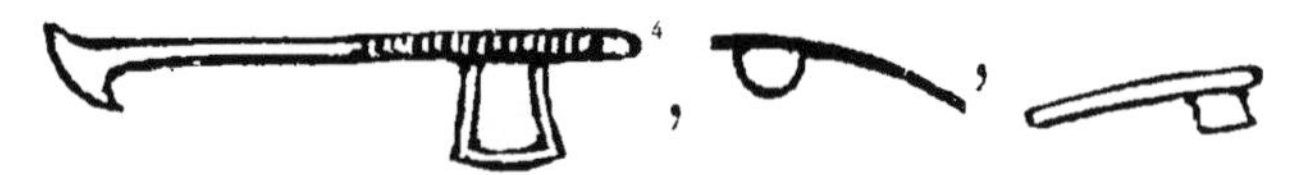

1 *Aell. Texte Todtb.*, 29. Les scies étaient emmanchées au moyen d'une soie introduite dans le manche.

2 *Denkm.* II, 49, b.

3 *Denkm.* II, 49, b; *Ibid.*, 108.

4 Prisse : *Mon. ég.* 46. Cette forme a fourni l'hiéroglyphe de l'idée d'un dieu.

On n'a pas encore trouvé de haches égyptiennes emmanchées au moyen d'un trou dans le fer. Cette forme existait probablement aussi. Le modèle le plus approchant que nous offrent les monuments est celui d'un fer dont le dos a été disposé en bandes recourbées et fortement appliquées sur le manche[1],

qui pénétrait ainsi dans une sorte de douille incomplète.

Ces sortes de haches se voient parfois entre les mains des soldats en campagne ; elles servaient d'armes au besoin [2], mais leur usage principal concernait les travaux d'approvisionnement de l'armée et de campement.

Les ouvriers en bois employaient aussi le couperet ou hache à lame étroite et allongée[3], emmanchée avec entaille et courroies.

Les formes des couteaux n'étaient pas moins variées que celles des haches ; ceux avec lesquels on démembrait les bœufs étaient à lame droite [4] ou courbe [5], [6]. Quelques-unes de

[1] *Aelt. Texte Todtb.*, 29.

[2] La hache sert de déterminatif au mot *armures* aussi bien qu'au nom du menuisier. (*Denkm.* III, 7, 2.)

[3] *Ibid.* 29. — *Denkm.* II, 61.

[4] *Denkm.* II, 10.

[5] *Denkm.* II, 12.

[6] *Denkm.* II, 35 et passim.

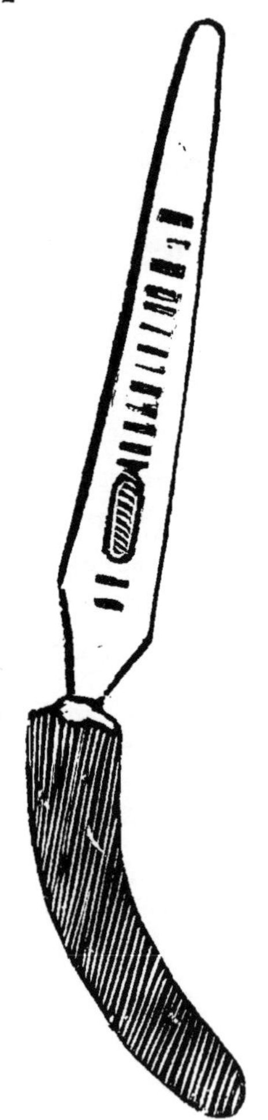

ces lames paraissent avoir eu un prolongement métallique qui tenait lieu de manche; lorsqu'elles étaient emmanchées, c'était au moyen d'une soie pénétrant dans un manche en bois ou en corne, comme, par exemple, le beau couteau du Musée de Leide, qui porte la légende de Thothmès III [1]; quelquefois la soie se prolonge jusqu'à l'extrémité du manche au bout duquel elle est rivée. C'est le cas d'un couteau du Musée égyptien de Turin, publié par M. B. Gastaldi [2].

Le Musée de Leide possède une lame de bronze absolument semblable à celle de nos couteaux ordinaires de table [3].

Les bouchers égyptiens portaient, au moyen d'un

1 Leemans : *Mon. égyp.*, Afd. II, pl. 90. Il y a au Musée égyptien de Florence un couteau tout semblable, avec le cartouche de la reine Makara (Hashepsou), sœur de Thothmès III.

2 *Su alcune antiche armi e strumenti, etc.*, Torino, 1870.

3 Leemans : *Loc. laud.*, pl. 90, nº 162.

cordon attaché à la ceinture, l'aiguisoir de métal que nous appelons fusil et dont la forme n'a pas été sérieusement modifiée depuis six mille ans ; il y en a de droits

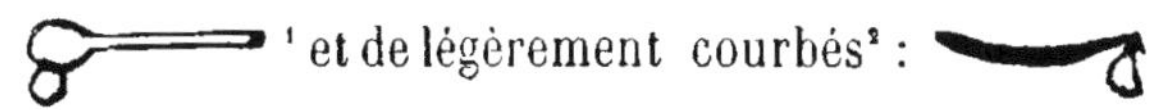

[1] et de légèrement courbés[2] :

Pour s'en servir, les bouchers saisissaient leurs couteaux de la main gauche et promenaient de la main droite l'aiguisoir sur le fil de la lame. L'aiguisoir a fourni l'hiéroglyphe , qui se rencontre dans les textes de toutes les époques.

Pour fendre le poisson destiné à être séché, les Égyptiens se servaient des couteaux ordinaires à lame courbe, mais ils avaient, pour les gros poissons, un instrument pareil à nos hachoirs ou tranchoirs [3].

Les sculpteurs et les tailleurs de pierre employaient de forts ciseaux de métal pareils à ceux dont on fait usage de nos jours ; il en existe de beaux spécimens en bronze au Musée de Leide[4] ; ils avaient aussi des burins

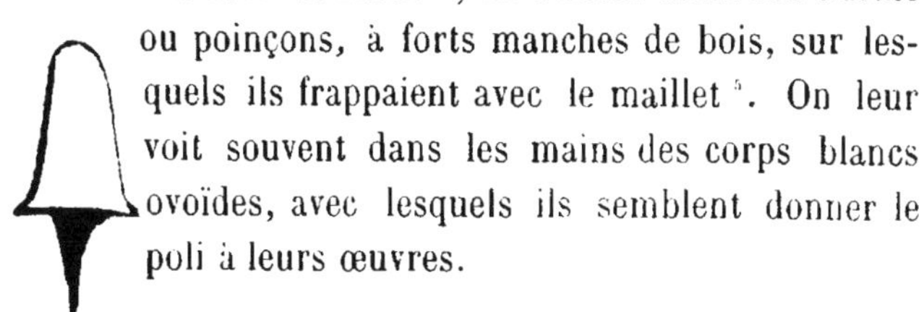

ou poinçons, à forts manches de bois, sur lesquels ils frappaient avec le maillet [5]. On leur voit souvent dans les mains des corps blancs ovoïdes, avec lesquels ils semblent donner le poli à leurs œuvres.

1 *Denkm.* II, 79.

2 *Ibid.*, 10 et 35.

3 *Denkm.* II, 10. Il y avait de ces hachoirs à lame très-élégamment ornée. (*Ibid.*, 66 et 77.)

4 Leemans : *Loc. laud.*, pl. 90. Le Musée de Boulaq en possède un qui date de la Ve dynastie. — Mariette : *Catal.*, 245.

5 *Aelt. Texte Todtb.*, 29.

Les Musées et les collections particulières possèdent en outre un nombre considérable de menus outils destinés à couper, à percer, à pincer, et d'autres dont l'usage ne se devine pas facilement ; parmi ces instruments figurent sans doute ceux du chirurgien, du barbier et de l'ouvrier en cuir. Le travail des peaux avait une grande importance dans l'Égypte ancienne. Le rasoir est figuré sur un bas-relief copié par Champollion[1]. C'est une lame large montée sur un manche mince . Le barbier, saisissant de la main gauche le sommet de la tête de son patient agenouillé, le rasait en tenant le manche de l'outil dans la paume et entre l'index et le doigt majeur de la main droite. Le Musée du Louvre possède un rasoir de bronze dont la forme est exactement semblable à celle des rasoirs anglais et dont le tranchant est bien conservé[2].

Les aiguilles à chas et les passe-lacets étaient usités ainsi que la navette et les autres instruments de l'art du tisseur. Mais les Égyptiens avaient un outil spécial qu'ils employaient à la préparation des momies. Dans l'origine, c'était une espèce de crochet à trois dents plus ou moins inclinées. Les plus anciens monuments le représentent sous cette forme comme déterminatif du mot *kras*, qui signifie *ensevelir*. Plus tard, il prit la forme dans laquelle la dent

1 Champollion : *Monuments*, pl. 365.

2 Un de nos plus habiles explorateurs des stations lacustres, M. Rabut, a pu se faire la barbe avec un rasoir recueilli dans une des palafittes du lac du Bourget.

inférieure est plus compliquée. On a pensé que cet instrument servait, à l'instar du crochet à tricoter, pour tresser les cordons formant quelquefois sur la figure des momies des masques admirablement ajustés ; mais des textes nombreux prouvent que cet outil servait à piquer, à percer, à graver. C'était l'outil de l'incrustation ; les temples étaient sculptés et incrustés, , et , par les [1] ; la peinture des statues était également confiée à ces mêmes artistes [2]. Conséquemment, les [3] étaient les décorateurs des coffres funéraires et n'appartenaient pas à la classe des paraschistes, auxquels revenait le soin de préparer le corps. Ceux-ci étaient l'objet d'une répulsion générale, tandis que la profession des était fort honorable ; ils avaient un rôle dans les cérémonies funéraires [4], aussi bien que les prêtres. Il faut conséquemment y voir les artistes décorateurs des coffres funéraires, qui étaient probablement aussi chargés de la préparation et de l'arrangement des parties symboliques de l'ensevelissement. L'outil compliqué qui désigne leur profession était sans doute à la fois un crochet, un poinçon et un instrument tranchant.

Les Égyptiens des plus anciennes époques aimaient la musique, les danses et les jeux ; ils connaissaient la

1 Dümichen : *Alt. Temp.* II, 12, 14 ; 45, 13, etc.—*Brit. Mus.*, Hierat. and demot. Inscr., I, pl. 23, N° 5629.

2 Champollion : *Monuments*, pl. 263.

3 Dümichen : *Kal. Inschr.*, 44, 18.

4 Champollion : *Monuments*, 244.

harpe à nombre de cordes très-variable, la flûte, le flageolet, le théorbe à une ou deux clefs et divers autres instruments; leurs gymnastes faisaient des tours de force et d'équilibre que les nôtres croient avoir inventés; des femmes et des enfants étaient aussi dressés à ces pénibles exercices. Ils aimaient avec passion un jeu analogue à celui des échecs ou des dames; le damier ou échiquier est représenté tantôt avec 21, tantôt avec 30 et même 36 cases, ce qui indique que le jeu admettait une grande variété de combinaisons. M. Prisse a publié [1] un de ces damiers composé d'un carré de 12 cases arrangées par trois rangs de quatre; à la suite du rang central, huit cases sont disposées sur une seule ligne, ce qui porte à 20 le nombre des cases. Les pions ou dames étaient en bois, en verre émaillé, en pierres dures, etc., et toujours de formes très-élégantes.

Les jouets à l'usage des enfants, la paume, les poupées articulées, etc., rappellent ceux de nos jours. A propos de ceux dont se servent les enfants des Indiens du Dakota, on a fait l'observation que, par leur analogie de formes avec ceux des Blancs, ils sont une preuve de l'unité d'intelligence entre les races les plus éloignées dans l'échelle de la civilisation [2]. La même observation peut être faite à propos des nations que séparent un grand nombre de siècles.

La navigation sur le Nil se faisait au moyen de bateaux de formes variées, conduits à la voile ou à la rame; les

[1] *Monum. égypt.*, pl. 49, fig. 4.
[2] *Annual Report Smiths. Instit. for* 1869, p. 36.

barques-magasins pour le transport des denrées, du bétail, des meubles et des marchandises sont très-ingénieusement disposées.

Les barques à voilure sont parfois ornées de sculptures. Tous leurs détails prouvent l'habileté des constructeurs égyptiens. Je passerai toutefois sous silence les produits industriels qui dénotent nécessairement un art traditionnel très-avancé ; les meubles de luxe, les insignes de commandement, la poterie, la verrerie sont dans ce cas. Non-seulement on trouve sous l'ancien empire des vases de formes élégantes et riches extrêmement variées, mais déjà on faisait usage de vases d'albâtre et de pierre dure. Le tour du potier, déjà figuré sur les monuments de cette époque, paraît remonter jusqu'aux temps mythologiques : c'est au moyen de cet instrument que Num (Chnumis) façonne l'argile dont il va former l'homme. Il y a quelque analogie entre cette idée et l'idée hébraïque qui fait naître l'homme des mains de Jehovah : עפר מןהאדמה, *limus de terra* [1].

Les analogies entre les peuples se caractérisent mieux par les objets de première nécessité, et surtout par ceux qu'a d'abord suggérés à l'homme la nécessité de s'abriter, de se couvrir, de se nourrir et de se défendre. De cet ordre et en première ligne sont les armes de guerre et les engins de chasse et de pêche.

Sous l'ancien empire, les armes principales étaient le bouclier, la lance ou la pique, l'arc et la flèche, et la

[1] *Genèse*, ch. 2, 7.

hache; ces instruments d'attaque et de défense sont tous figurés dans le titre du *préposé aux armes royales :* [1]. Mais indépendamment des flèches, les rois lançaient aussi la javeline, munie de cordons qui servaient peut-être, comme l'*amentum*, à augmenter la force du jet.

Depuis les temps les plus reculés, ils sont représentés sur les tableaux militaires frappant avec la hache d'armes des groupes de prisonniers qu'ils saisissent par la chevelure. Cette arme, qui est une combinaison de la massue qui assomme et de la hache qui fend, se voit déjà entre les mains de Snefrou, dans les bas-reliefs du Sinaï. Sa forme hiéroglyphique est [2] ou [3]. On en distingue bien tous les détails dans l'arme avec laquelle Amenophis II frappe les Asiatiques à Karnak [4] :

[1] *Denkm.* II, 72. — De Rougé : *Mém sur les mon. des premières dynasties*, p. 101. Le signe n'est pas toujours employé comme verbe; il signifie aussi *arme de guerre*, *armure*, et, sous cette acception, il est déterminé par la flèche, ou par le poignard, ou par la pique, etc.

[2] *Denkm.* II, 2, a.

[3] *Denkm.* II, 39.

[4] *Denkm.* III, 61.

On voit qu'elle est constituée par un sphéroïde de métal dans lequel est introduit un manche de bois; dans la masse métallique est insérée une lame courbe qui prolonge l'arme. L'ajustage de ces trois pièces est consolidé au moyen d'un treillis de bandelettes de cuir ; les Égyptiens excellaient à tresser ces sortes de réseaux; il nous reste de leur travail en ce genre des spécimens qui soutiennent la comparaison avec ce que les Anglais font de mieux de nos jours.

Ce terrible casse-tête était employé par les pharaons lorsqu'ils combattaient à pied, ce qui fut le cas le plus rare lorsque les chars de guerre eurent été inventés. Aussi devint-il surtout l'arme symbolique de la force et de la victoire. Tel fut aussi le cas pour le *khopesh* ou cimeterre à lame courbe, , hiéroglyphe dont la forme primitive rappelle celle de la cuisse d'un animal. L'hiéroglyphe de la cuisse, , le représente constamment dans les inscriptions, et c'est sans doute à raison de cette ressemblance que le nom de khopesh (cuisse) lui fut donné.

Le khopesh se compose essentiellement d'un manche de bois ou de corne plus ou moins orné et d'une lame de métal plus ou moins courbe. Sa forme la plus simple est à peu près celle d'une faucille[1] :

C'est probablement une arme de cette espèce que possède le Musée égyptien de Turin et dont voici la figure[2] :

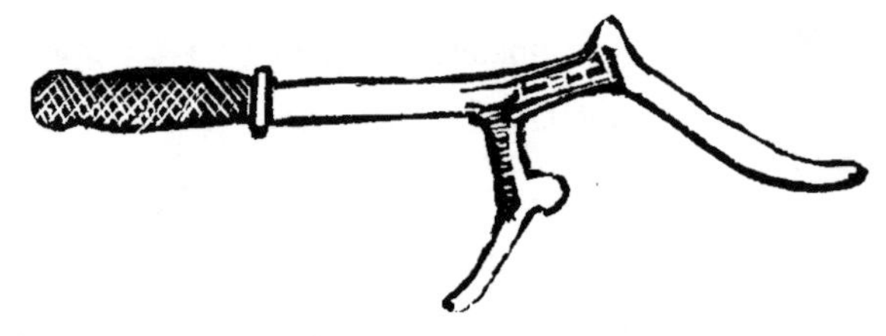

Cette arme est entièrement en fer et d'une seule pièce ; la lame, qui tranche des deux côtés, brille comme l'acier ; le manche est recouvert du fin réseau de lanières dont j'ai parlé tout-à-l'heure. S'il était possible d'attribuer une grande antiquité à cette belle arme, elle serait d'une importance décisive pour la solution de la question du fer en Égypte. Mais cette date ne sera jamais éclaircie. On sait d'ailleurs par le témoignage des monuments que l'usage du khopesh s'est conservé jusqu'aux basses époques. C'est l'arme que le dieu du temple présentait

[1] Au tombeau d'Amenophis II à Qourna. La légende explique que 360 khopesh de bronze furent consacrés avec un grand nombre d'autres armes et objets précieux. — *Denkm.* III, 64.

[2] Communication de M. F. Rossi, attaché à la conservation de ce Musée. Je dois de chaleureux remercîments à M. Rossi pour la complaisance qu'il a mise à faciliter mes recherches et mes études.

au pharaon en lui promettant la victoire. Le texte grec de Rosette la nomme ὅπλον νικητικόν. Il est donc bien certain qu'on en a fabriqué à une époque où le fer était devenu d'un usage vulgaire à peu près partout.

Les pointes de flèches trouvées en Égypte ou représentées sur les monuments offrent toutes les formes connues tant à l'époque historique qu'à ce qu'on est convenu d'appeler l'âge du bronze; il y en a de pyramidales comme les carreaux, avec ou sans ailerons; de plates, triangulaires, ou en forme de feuille, ou à ailerons. Elles sont en bronze, en fer, en silex, quelques-unes en os; mais il en est peu qu'on puisse dater avec certitude.

Sous l'ancien empire, la pointe de métal recevait le bois dans une douille :  [1]. D'autres flèches sont figurées sans armature terminale;  telles devaient être celles de bois durci au feu; mais ces sortes de flèches pouvaient aussi être armées d'un bout conique de métal ne faisant aucune saillie latérale. Un tableau de l'ancien empire montre un bœuf transpercé de part en part par une flèche de cette espèce[2].

L'emmanchement des lances était semblable à celui des flèches[3]:

Les Égyptiens étaient aussi armés du poignard, qui se portait à la ceinture. Cette arme n'a pas changé de

[1] *Denkm.* II, 108.
[2] *Denkm* II, 132.
[3] *Denkm.* III, 92.

forme jusqu'à nos jours. Voici le modèle d'un poignard de l'ancien empire dans sa gaîne[1] :

Celui de Ramsès II avait la poignée plus ornée : . M. Prisse d'Avennes a trouvé à Thèbes une arme de ce genre, à lame cannelée comme les damas d'Orient, et d'un bronze si dur que la lime y mord difficilement[2] :

Le manche de cette belle arme est mi-partie de corne et d'ivoire; deux trous y sont réservés pour passer le pouce et l'index lorsqu'on saisissait le poignard pour frapper.

Dans le système hiéroglyphique, le signe du poignard, , exprime l'idée *premier*, et se rencontre dans les textes les plus anciens.

Le sabre à longue lame courbe était aussi une arme de guerre des anciens Égyptiens; les Musées en possèdent quelques modèles en bois, qui proviennent de consécrations funéraires. Le modèle du sabre de l'un des rois Ta-aa, qui guerroyèrent contre les Pasteurs, fait partie des collections de Boulaq. Ce sabre a 1 m. 30 de

[1] *Aelt. Texte Todtb.*, 37.

[2] Prisse : *Mon. égypt.*, pl. 46.

longueur [1]. Sous le règne d'Horus (premiers siècles du nouvel empire), un officier conduisant des Nègres captifs est armé d'un glaive de cette espèce[2]:

Les Égyptiens n'avaient pas de coiffure militaire spéciale; soldats et citoyens portaient le bonnet rond, tantôt couvrant le cou:  , tantôt plus court et plus rond: . Les Amous avaient généralement la même coiffure, mais ordinairement retenue par un cordon lié par derrière. Les rois et les princes portaient des couronnes caractéristiques.

Sur les tableaux militaires on ne distingue pas de cuirasse dans l'équipement; cependant les Égyptiens en ont fait usage au moins à partir de l'époque de la XXIIe dynastie [3].

Les soldats, selon les corps auxquels ils appartenaient, portaient les mêmes armes, à l'exception de la hache casse-tête et du khopesh, qui étaient spéciaux aux pharaons [4].

L'arc, le javelot et la lance, ainsi qu'une espèce de

[1] Les objets votifs déposés dans les tombes n'étaient le plus souvent que des réductions ou des imitations économiques. Le sabre de métal du belliqueux chef égyptien n'a pas été enseveli avec lui ; il a dû servir à son successeur, qui continua l'œuvre de l'affranchissement de sa patrie.

[2] *Denkm.* III, 125.

[3] Voir ci-devant, p 50.

[4] Le khopesh était toutefois porté par les chefs militaires sous l'ancien empire.

grand coutelas, servaient pour la chasse. Dès les temps les plus reculés, les Égyptiens chassaient les oiseaux aquatiques avec un bâton courbé qu'ils lançaient avec force, de manière à le faire tournoyer au milieu d'un vol de gibier, [1]; quelquefois ce bâton avait un bout arrondi ou orné d'une tête d'oiseau[2] ou de serpent. Cet engin est encore en usage chez les sauvages de l'Australie, qui le nomment *bou-mérang*. Les filets de chasse et de pêche remontent aussi aux plus anciennes époques; ils sont absolument semblables à ceux dont on se sert aujourd'hui et se manœuvraient tout-à-fait de la même manière. La pêche à la ligne était également pratiquée [3]; les hameçons égyptiens avaient la même forme que les nôtres.

Les Égyptiens pêchaient aussi à la lance et au harpon. C'est avec le harpon [4] :

qu'ils attaquaient l'hippopotame; l'arme tenue de la main droite était lancée sur l'animal, tandis que la

1 *Denkm.* II, 106, 130, etc.
2 Prisse : *Hist. de l'art égypt.*; *Denkm.* III, 113.
3 *Denkm.* II, 130, XIIe dynastie.
4 *Denkm.* II, 127, id.

main gauche déroulait et retenait une corde attachée près du crochet du harpon, et qui servait à arrêter la victime dans sa fuite et à la retirer de l'eau lorsqu'elle avait épuisé ses forces[1]. Ce harpon a fourni l'hiéroglyphe , variante , qui exprime l'idée *un*, et , qui se trouve dans l'écriture de toutes les époques. Le Musée de Leide possède une pointe de harpon en bronze dont la forme rappelle celle des harpons en bois de renne des stations de l'âge de la pierre en Périgord[2] :

CHAPITRE IV.

SUR LES NATIONS CONNUES DES ANCIENS ÉGYPTIENS.

Les textes historiques du temps de l'ancien empire, aujourd'hui connus, sont peu nombreux. Les rois de cette époque n'avaient pas encore adopté l'usage de couvrir des tableaux de leurs triomphes les murailles des temples. Du reste, on ne compte aujourd'hui qu'un très-petit nombre de constructions remontant à cette

[1] Diodore décrit très-exactement cette manière de prendre l'hippopotame. (Liv. I, 35.)

[2] Leemans : *Mon. égypt.*, IIe partie, pl. 82, n° 59.

date reculée, sauf les hypogées et les pyramides qui ont perdu leur revêtement; aussi manquons-nous à peu près complètement de ces scènes historiques qui nous montrent, dès le début du nouvel empire, les pharaons aux prises avec les armées et les forteresses de leurs ennemis, et entassant dans le trésor de leurs palais les dépouilles des vaincus. Grâce à ces tableaux, nous possédons des renseignements sur les armes, les costumes, les meubles et les produits divers des nations alors contemporaines de l'Égypte; mais, pour les temps plus reculés, cette source d'information nous fait défaut, et nous ne pouvons que glaner quelques informations écourtées sur les monuments et dans les textes.

La tradition biblique fait de l'espèce humaine une famille unique commençant à Adam et à Ève, que Dieu créa adultes. Dès la seconde génération, cette famille se divise en deux branches hostiles après le meurtre d'Abel par son frère Caïn. Au déluge, elle disparaît presque tout entière, sauf la famille de Noé, qui hérite de l'unité de race. Cette unité n'est nullement altérée par la dispersion des hommes attribuée à un acte spontané de la volonté de Jehovah, réprimant une tentative d'insubordination de ses créatures. Dans ce système, on voit la famille humaine se scinder en nations distinctes, qui se développent indépendamment les unes des autres et parviennent à des degrés différents de culture intellectuelle ou de barbarie. Mais l'idée de l'unité de race n'est pas mise en question, et la dégradation de l'espèce nègre, qui occupe les derniers degrés de l'échelle, n'est elle-même qu'une altération résultant de la malédiction encourue par Cham.

Les traditions égyptiennes concordent d'une manière remarquable avec les données de la Genèse. Elles attribuent la dispersion des nations à l'un des épisodes de la révolte des méchants. Dans les beaux textes d'Edfou, publiés par M. Naville, nous lisons que le bon principe, sous la forme solaire de Haremakhou (Harmachis), triompha de ses adversaires dans la partie sud du nome Apollinopolite. De ceux qui échappèrent au massacre quelques-uns émigrèrent vers le Midi, ils devinrent les Coushites; d'autres allèrent vers le Nord, ils devinrent les Amou; une troisième colonne se dirigea vers l'Occident, ils devinrent les Tamahou; une dernière enfin vers l'Est, ils devinrent les Shasou [1].

Dans cette énumération, les Coushites comprennent les Nègres; les Tamahou englobent la race à peau blanche du nord de l'Afrique, des îles de la Méditerranée et de l'Europe; parmi les Amou comptent toutes les grandes nations de l'Asie centrale et orientale : la Palestine, la Syrie, l'Asie-Mineure, la Chaldée et l'Arabie; les Shasou sont les nomades, les Bédouins des déserts et des montagnes de l'Asie. Telle était pour les Égyptiens la

[1] Naville : *Mythe d'Horus*, pl. 21, 2. Cet historique est placé dans la bouche du dieu Haremakhou lui-même. Quoique le texte soit de basse époque, il reflète certainement la physionomie du mythe originel. Du reste, l'expression est fort claire :
[hiéroglyphes], *partirent quelques-uns d'entre eux pour le Midi*, *ce fut Cоush*, et ainsi de suite.

division des grandes familles humaines ; elles sont réduites à quatre dans le prétendu tableau des races qui décore le tombeau et le sarcophage de Séti I et qui fut imité dans l'hypogée de Séti II. Mais ce tableau n'a pas de signification ethnologique. Les Égyptiens de l'époque des Ramessides ne classaient pas les Nègres avant les Européens, qu'ils connaissaient alors fort bien; c'est dans la mythologie qu'il faut chercher les motifs de l'ordre adopté dans ce tableau : les Égyptiens, les Amou, les Nègres et les peuples du Nord (Tamahou)[1]. La légende, qui n'a, je crois, jamais été complètement traduite, offre quelques difficultés que les deux textes qu'on en possède[2] ne lèvent pas toutes. Voici ce qu'elle dit :

« Horus dit à ce troupeau de Phra qui est dans le « ciel inférieur :

« Égypte et Désert, honneur à vous, troupeau de « Phra, qui existez de par le Grand qui est au ciel ! que « l'air revienne à vos narines et s'abatte dans vos cof- « fres funéraires ! Vous avez pleuré et je vous ai rendus « heureux en votre nom d'hommes d'Égypte.

« Vous dont la grandeur est votre propre ouvrage, en « votre nom d'Amou ; Sekhet est pour eux ; c'est elle « qui sauve leurs âmes.

1 A El-Amarna, un tableau qui date du règne de Khou-en-Aten place les quatre personnages dans l'ordre suivant : Égyptien, Nègre, Amou et Tamahou. (*Denkm.* III, 97, d.)

2 *Denkm.* III, 135, 136. Sharpe et Bonomi : *The sarcoph. of Oimenephtah*, pl. 7. Les textes présentent tous des fautes qu'on peut attribuer au lapicide.

« C'est vous que je conduis ; je me complais dans la
« multitude issue de moi, en votre nom de Nègres ; ils
« sont à Horus, c'est lui qui sauve leurs âmes.

« Mon œil cherche qui vous êtes, en votre nom de
« Tamahou. Sekhet est pour eux ; c'est elle qui sauve
« leurs âmes. »

Les courtes mentions relatives à chaque peuple réclament des développements qui se rencontreront peut-être dans d'autres textes mythologiques. En attendant, on peut déjà noter que les races rouge, jaune, noire et blanche étaient indistinctement mises sous la direction et sous la protection des dieux de l'Égypte, et que place leur était faite à toutes dans le ciel inférieur. Aux Égyptiens et aux Nègres présidaient le grand dieu du ciel (Phra ou Ammon) et Horus. Sekhet, la déesse à tête de lionne, qui n'est qu'une forme d'Hathor et d'Isis, était la providence des Asiatiques, des Européens et des peuples des îles de la Méditerranée. L'énumération ne comprend plus les Shasou ou races errantes, qui, de même que les Poun ou Arabes, rentrent dans la famille des Amou. Quant à l'Inde et à la Chine, on ne trouve aucune trace de rapports directs ayant pu exister entre l'Égypte et ces contrées; mais il est très-vraisemblable que les Égyptiens les ont plus ou moins distinctement connues sous le nom de Toou-Neterou ou *pays divins*, et qu'ils ont pu en recevoir les productions et même en connaître les cultes par l'intermédiaire des Arabes. La navigation d'un Sésostris jusqu'à l'Inde avec une flotte de quatre cents voiles[1] est peut-être un fait historique, mais les monu-

[1] Diodore, I, 55.

ments étudiés jusqu'à présent nous font connaître seulement l'expédition de la reine Hashepsou (XVIIIe dynastie) qui précéda de près de dix-sept siècles celle d'Ælius Gallus, et qui eut beaucoup plus de succès; nous traiterons plus loin ce sujet important pour l'histoire. Quant à présent, nous nous bornerons à faire remarquer que ni les Ptolémées, ni les empereurs n'introduisirent dans les nomenclatures ethniques de désignations nouvelles plus spécialement applicables à l'Inde et à la Chine que celles qui se rencontrent dans les listes pharaoniques.

Mais, quoi qu'il en soit de leurs opinions en ce qui touche les races indo-chinoises, les Égyptiens considéraient tous les étrangers comme les rameaux du tronc commun dont ils étaient le rejeton principal; lorsque la race-mère se dispersa, à une époque demeurée dans le demi-jour de la mythologie, elle connaissait déjà les métaux, l'écriture, savait élever des édifices et possédait une organisation sociale et religieuse. Conséquemment, pour elle comme pour les Israélites, si quelques-unes des branches éparses de ce tronc unique, étaient descendues jusqu'à la barbarie et au sauvagisme, ce ne pouvait être que par suite de l'oubli de leur civilisation originelle. Aucun monument égyptien ne nous a encore parlé de populations incultes réduites à l'usage exclusif d'outils de pierre et d'os. Les Égyptiens n'ont pas été frappés, plus que les Grecs et les Romains, par l'état précaire de peuplades de cette espèce; nous verrons plus loin qu'ils ont été de tout temps familiarisés avec l'emploi des instruments primitifs que nous considérons aujourd'hui comme des monuments de l'âge préhistorique.

Les *Petti*. — Les premières désignations ethnologiques que nous rencontrons sur les monuments égyptiens désignent des races plutôt que des nations distinctes. L'ennemi que Num-Khoufou immole au Sinaï est nommé , c'est-à-dire *Petti*[1]. Ce nom signifie *arc*. Il n'était nullement spécial aux indigènes du Sinaï, mais se disait également de ceux des déserts situés à l'est et à l'ouest de la haute Égypte et de la Nubie. Sous le nom de *Petti de Nubie* et de *Petti de Khentannefer*, les Égyptiens désignaient des peuplades errantes, entre la Thébaïde et le pays de Coush (l'Éthiopie). Aussi les Petti, qui sont le

[1] Le signe trois fois répété qui forme ce nom a dans l'inscription dont il s'agit la forme 1 ; on le rencontre aussi sous celle de 2 , 3 , 4 , 5 , 6 , 7 , 8 , 9 , qui ne proviennent certainement pas d'un type unique, mais qui ont été d'assez bonne heure confondues dans l'usage. Les numéros 5, 6, 8 et 9 avaient radicalement la valeur phonétique *han*. Quant aux autres, ils se rencontrent tantôt avec la finale ou , *n*, tantôt avec l'addition , *ti*. Dans le premier cas, ils se prononcent *han*, et dans l'autre *petti*. Le nom de l'arc, en copte ⲡⲓⲧⲉ, s'écrit indifféremment , ou . Dans les bons textes pharaoniques, l'expression , *les Petti de Khenthannefer*, observe la différentiation graphique des signes *petti* et *han*. (Voyez *Denkm*. III, 12, *d*, 18, et 16, *a*, 7. Voyez aussi mon article dans la *Zeitschrift* de Berlin, 1867, 77). Si, malgré toute apparence, le phonétique *hanti* devait être conservé au lieu de *petti*, c'est qu'il y aurait eu une espèce d'arc du nom de *hanti*, mais le sens de la dénomination ethnologique resterait toujours le même.

plus souvent associés avec les peuples méridionaux, se trouvent-ils aussi joints à ceux du Nord. A Qourna, sous Séti I, ils sont figurés avec la coiffure et la barbe des Asiatiques. Sous Ramsès II, à Karnak, ils forment avec les Tahennou de la Libye un groupe spécial entre les peuples du sud et ceux du nord.

Les *Men* ou *Menti*. — Une autre race sinaïtique portait sous l'ancien empire le nom de [hiéroglyphes], *Menté, Menti*. On trouve les variantes [hiéroglyphes], [hiéroglyphes], [hiéroglyphes], [hiéroglyphes], etc.

D'après l'étymologie, ils seraient les habitants sédentaires (de [hiéroglyphes], *men, manere*). A l'expression *Petti de Nubie* dont nous venons de parler, celle de *Menti de Sati* fait antithèse dans les inscriptions historiques. Depuis Sahura jusqu'à Césarion, les souverains de l'Égypte se vantent d'avoir dompté ces deux races hostiles ; mais pas plus sous le fils de Cléopâtre, moins de cinquante ans avant notre ère, que 35 siècles auparavant, les noms de Petti, de Hanti (si l'on veut) et de Menti ne représentent des nations distinctes et localisées.

Les *Sati*. — Une autre dénomination ancienne est celle de Sati, qu'on rencontre sous les deux formes [hiéroglyphes], [hiéroglyphes]. Le mot égyptien *Sati*, de même que son dérivé copte ⲥⲁϯ, ⲥⲟⲧⲉ, signifie *flèche, lancer, décocher*. C'était l'ethnique commun des nations asiatiques. Dans sa campagne de Mageddo, Thothmès III combattait des Sati [1]. Thothmès II avait porté la limite septentrio-

[1] *Denkm.* III, 32, 21.

nale de l'Égypte aux extrémités de Sati. Les Khétas, les Ruten, les Kharou, les Perses, etc., étaient compris parmi les Sati. Cette dénomination des Asiatiques fut usitée jusqu'aux plus basses époques. Lorsque Ptolémée Evergète alla reprendre les dépouilles des temples de l'Égypte enlevées par les Perses, *il partit pour le pays de Sati*, selon l'expression de la partie hiéroglyphique du décret de Canope. La traduction littérale de cette phrase n'aurait pas offert en grec une clarté suffisante, aussi le texte grec dit seulement : ἐξστρατεύσας ὁ βασιλεὺς, *le roi ayant fait une expédition au-dehors*.

Il est conséquemment à présumer qu'à une époque où les Égyptiens, déjà avancés en civilisation, possédaient des armes variées, ils ont donné à divers peuples n'ayant que l'arc et la flèche des noms signifiant précisément *arcs* et *flèches*, et désignant deux races différentes. Mais cette explication n'est pas certaine. Si, par exemple, les peuplades dont il s'agit se désignaient elles-mêmes sous les noms de *Sati*, de *Petti* ou de *Hanti*, ces noms ont pu être écrits en hiéroglyphes au moyen des signes de la flèche et de l'arc qui les représentent phonétiquement alors même qu'aucune valeur figurative ni symbolique n'y serait attachée [1]. Ce point de difficulté ne sera jamais résolu, faute de monuments provenant directement de ces peuples, que seules les écritures de

[1] Le signe de la flèche engagée dans la peau d'un animal sert à écrire les mots : *rayons* (de lumière), *élancements*, *feu*, *pénis*, *coire*, *répandre*, *verser*, et d'autres encore, qui se prononcent tous ⲤⲎⲦ ou ⲤⲞⲦⲈ.

l'Égypte nous font connaître [1]. Le nom de Scythes, Σκύθαι, rappelle celui de *Sati :* ce nom, d'après la fable, remonte jusqu'à Scythès, fils de Jupiter, qui inventa l'arc et les flèches, ou à Scythès, fils d'Hercule, qui fut assez fort pour bander l'arc de son père. Au point de vue philologique, l'analogie est indiscutable ; mais on a tellement abusé de la philologie qu'on ne saurait jamais assez s'en défier. D'ailleurs, si les Scythes descendent des Sati, cette identification ne jetterait pas un grand jour sur l'histoire des premiers Asiatiques, car nous ne connaissons guère mieux l'antiquité des Scythes que celle des Sati.

Ce rapprochement servira toutefois à justifier l'iden-

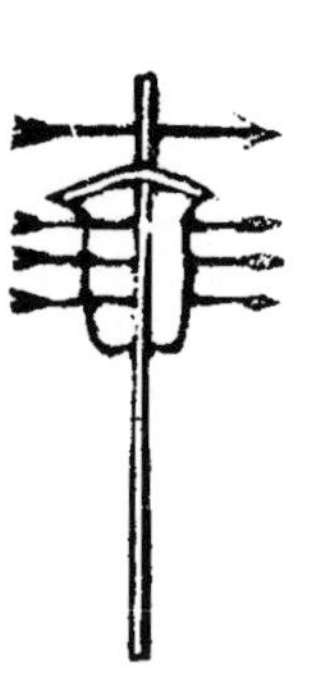

[1] Dans le tableau du siége de Dapour par Ramsès II (*Denkm.* III, 166) on voit, élevé sur le sommet de la forteresse assiégée, un trophée composé d'une espèce de bouclier traversé par trois flèches. Une quatrième flèche est engagée dans le dessus du support de l'insigne. Ce trophée est sans doute l'étendard de la nation, à moins que ce ne soit un signe de ralliement des nations syriennes pour demander du secours. Dans tous les cas, je ne crois pas qu'il y ait le moindre rapport d'origine entre cet insigne et l'insigne égyptien des Asiatiques, [hiéroglyphe], quoique une idée commune ait pu présider à son adoption chez l'un et l'autre peuple. Dans les bas-reliefs de Khorsabad, des forteresses assiégées par les Assyriens sont surmontées de gigantesques bois de cerf, qui doivent avoir eu la même signification que l'insigne de Dapour. Voyez Botta : *Mon. de Ninive,* pl 68 et 68 bis.

tification des *Sati* avec les [hieroglyphs],

[hieroglyphs], des anciens textes hiératiques dont le nom a pu se prononcer *Sakti* ou *Skati*[1], peut-être même *Senkti*, d'après la forme habituelle [hieratic], que les hiéroglyphes et même certaines variantes hiératiques décomposent souvent en [hieroglyphs]. Les sons sifflants *s, st, ts, ds, sd, sk* se sont échangés aux temps antiques[2]; *Sakti* est devenu Sati, de la même manière que Σκυθία a dégénéré en Scythie et se prononce *Schitia* en italien.

Jusqu'à présent les plus anciens renseignements tant soit peu circonstanciés que nous possédions sur les Sati ne remontent qu'à la XIIe dynastie (25 siècles A.-C.). Le premier roi de cette dynastie, grand chasseur de lions et de crocodiles, avait réduit les *Ouaoua* et les *Madjaou*, et fait courir les *Sati* comme des lévriers[3]. Mais ces succès n'empêchaient pas que ces Sati ne fussent de dangereux voisins pour ce prince, puisqu'il fut obligé de construire au Delta une muraille pour arrêter leurs déprédations. On lit dans l'histoire d'un personnage nommé Sineh[4], qui s'était échappé de la cour d'Ame-

[1] Voyez les *Pap. hiérat. de Berlin: Récits d'il y a 4.000 ans*, p. 52.

[2] Voir à ce propos le Mémoire de M. le docteur Hincks: *Mél. égypt.*, II, p. 273.

[3] *Pap. Sallier* II, 2, 10.

[4] Voir Goodwin: *The history of Saneha.*

nemha I à une époque déjà avancée du règne de ce pharaon, qu'après avoir traversé la muraille défensive, on s'engageait dans une région sans eau, puis on arrivait sur le territoire des Sakti ; le pays d'*Adema* ou *Aduma*, , était plus loin encore. Pendant qu'il se trouvait à Aduma le fugitif fut demandé par , Ammounensha, haq ou roi du Tennou supérieur ( ), et se rendit chez ce prince, auprès de qui d'autres Égyptiens avaient déjà trouvé asile. Le pays de Tennou était à quelque distance d'Aduma; on pouvait y arriver d'Égypte par mer, car l'envoyé du roi, qui porta au fugitif l'ordre de revenir, était accompagné d'embarcations. Néanmoins, ce pays faisait partie de la région des *Sakti*, car lorsque Sineh fit ses préparatifs de départ pour revenir en Égypte, il fut entouré de Sakti qui venaient lui faire leurs adieux et lui souhaiter bon voyage.

La contrée de Tennou avait elle-même des subdivisions. Après avoir donné à Sineh sa fille en mariage, Ammounensha lui assigna un domaine dans la meilleure partie de son pays. Ce district de choix se nommait Aéa, [1]. Il était riche en oliviers[2], ainsi qu'en

[1] Ce nom est composé de trois voyelles qu'on pourrait transcrire par d'autres sons ; il existe en égyptien un mot tout pareil qui signifie *pousses, rejetons*. C'est pour ce motif que le scribe l'a déterminé par le signe des plantes.

[2] , ΤΑΒ̄ΟΥ ; le déterminatif est un petit fruit rond avec une queue : c'est l'olive. Des traditions recueillies par Diodo-

vignes, et produisait, dit le texte, plus de vin que d'eau. Le miel y abondait ainsi que les figuiers [1] et toute espèce d'arbres fruitiers ; les deux principales sortes de céréales y croissaient en quantités illimitées ; il nourrissait toute espèce de bestiaux [2].

Ce riche pays n'était certainement pas éloigné de celui où, une douzaine de siècles plus tard, les explorateurs de Josué cueillirent les raisins, les figues et les grenades qu'ils montrèrent ensuite aux Israélites. Malheureusement, les espions hébreux ne prirent nul souci du nom local : ils l'appelèrent *Nahhal eschcol*, c'est-à-dire *vallée de la grappe*, à cause du magnifique raisin qu'ils en avaient rapporté [3]. Du reste, leur relation, quoique moins détaillée que celle de l'Égyptien,

re attribuaient à Osiris la découverte de la vigne, et celle de l'olivier à Thoth. Le *tab* et l'*aloli*, c'est-à-dire l'olivier et la vigne, sont fréquemment associés sur les monuments égyptiens depuis l'époque des pyramides. On voit, par les tableaux des hypogées, qu'au moment de la récolte, le *tab* se mettait en tas qu'on mesurait au boisseau ; quelquefois il est cité avec l'huile.

1 , BAK-OY ; *Bak-ou*; on trouve en copte BHT. Avec la plupart des égyptologues j'ai pensé que le *bak* était une espèce de palmier produisant la liqueur célèbre connue sous le nom de vin de palmier (*Médecine chez les Égyptiens; Mélanges égypt.* I, 73). Je suis convaincu aujourd'hui que c'est le figuier, le premier de tous les fruits doux découverts pour la nourriture des hommes (ATHÉNÉE, III, 2). Diodore en fait remonter l'invention à Bacchus, dont le mythe est intimement lié à celui d'Osiris. Les plus excellentes figues venaient d'Égypte et de Chypre ; on en fabriquait un délicieux sirop, c'est ce que les hiéroglyphes nomment le *bak doux* ; puis une liqueur fermentée et un excellent vinaigre, qui est le *bak vert* des textes.

2 *Pap. hiérat. Berlin* I, l. 79 à 85.

3 *Nombres*, ch. 13, 23 et sqq.

n'en constate pas moins l'étonnante fertilité et la richesse de la contrée : *elle est arrosée*, disent-ils, *de lait et de miel*[1].

Selon toute probabilité, Tennou correspondait à la partie maritime de la Palestine, et Aéa devait se trouver dans le triangle tracé par les villes de Hébron, Ascalon et Joppé. Joppé, *la belle*, la ville aux riches plantations, aux fruits excellents, paraît avoir été de tout temps fort appréciée des Égyptiens[2].

Mais ni les métaux usuels, ni l'or et l'argent ne sont cités parmi les productions du pays. Le voyageur égyptien ne les mentionne pas non plus dans l'énumération des richesses qu'il acquit au service d'Ammounensha. La vie pastorale dominait sans doute alors; elle dominait encore quelques siècles plus tard, au temps d'Abraham et de Lot, dont la principale richesse consistait en troupeaux de petit et de gros bétail et en tentes[3]. L'argent et l'or que possédait le premier de ces patriarches provenaient de son séjour en Égypte[4], où l'usage de ces métaux était alors très-répandu[5].

A Tennou, Sineh, chef militaire, gendre et favori du monarque, acquit beaucoup de biens; toutefois, comme nous l'avons dit, sa demeure ne contenait pas

[1] C'est en ces mêmes termes que Dieu avait décrit à Moïse le pays de Chanaan. (*Exode* III, 8.)

[2] Conf : *Voyage d'un Égyptien*, p. 250.

[3] *Genèse*, ch. 13, 6.

[4] *Ibid.*, ch. 13, 2.

[5] Amenemha I s'était construit une demeure ornée d'or avec voûtes de lapis et des murs constellés de pierreries et de bronze, etc. Les coffres funéraires de cette époque étaient entièrement dorés.

d'objets précieux, de meubles riches, de vases d'or et d'argent susceptibles de tenter un ennemi. On se battait alors pour se procurer du bétail, des vivres et des esclaves, et aussi pour la possession des pâturages. Telle était encore à peu près l'organisation du pays à l'époque où Lot et Abraham furent obligés de se séparer à cause de leurs nombreux troupeaux et des disputes de leurs bergers [1].

D'autres peuples, gouvernés aussi par des haqs ou rois, avoisinaient le pays de Tennou ; ces petits états se faisaient des guerres fréquentes, accompagnées du pillage des vaincus. L'Égyptien émigré se rendit fort utile dans ces expéditions ; il raconte lui-même qu'il s'emparait du bétail et des provisions de bouche de l'ennemi, tuait les hommes par le glaive et ramenait en captivité le reste de la population. L'état politique de la contrée ne s'était sans doute pas notablement modifié lorsque les quatre rois de la région trans-jordanique attaquèrent les rois de Sodome, de Gomorrhe, d'Adamah, de Tséboïm et de Tsoar (Ségor), et qu'Abraham, suivi de 318 de ses gens, ayant surpris les vainqueurs à Dan, les mit en déroute et les poursuivit jusque vers Damas. D'après le texte hébreu, les provisions de bouche sont spécialement citées dans le butin pris sur le vaincu : כל אכל, πάντα τὰ βρώματα [2]. C'est exactement l'expression égyptienne de la relation de Sineh : [hiéroglyphes].

[1] *Genèse*, ch. 73, 5 à 9. L'usage des puits donnait lieu aussi à des rixes fréquentes. (*Genèse*, ch. 26.)

[2] *Genèse*, ch 14, v. 8 et sqq.

Le document égyptien auquel nous avons fait les emprunts qui précèdent nous montre que, vers le XXVe siècle avant notre ère, l'or, l'argent, les vases de métal et généralement les objets de luxe étaient fort rares dans la Palestine. Mais les choses étaient bien changées sous ce rapport lorsque, sept à huit siècles plus tard, Thothmès III traversa le même pays en conquérant. Après la bataille qui eut alors lieu près de Mageddo, les Syriens, fuyant en déroute vers cette ville, laissèrent entre les mains des Égyptiens des chars d'or et d'argent. Lorsque Mageddo se rendit, cette ville paya une rançon d'argent, d'or, de lapis, de mafek et d'autres pierres précieuses, d'armes et de carquois de bronze [1], etc. C'est alors qu'apparaissent pour la première fois dans les textes les riches vases de métal d'origine phénicienne, les amphores, les patères, les sceptres et bâtons de commandement en ivoire, en ébène, en acacia, garnis d'or, les siéges de cérémonie, les tables marquetées, les vases assyriens ornés de figures d'animaux, les statues d'or et d'argent, l'argent et l'or monnayés en anneaux, etc., etc. Le progrès semble avoir été rapide ; mais Tennou était sans doute fort en retard sur la Phénicie et sur la Syrie septentrionale.

Toutefois, au temps du roi Ammounensha, les guerriers de Tennou étaient munis d'armes de métal. Le devancier du Goliath philistin, qui vint braver Sineh et qui succomba dans le combat singulier qu'il avait provoqué, portait un bouclier ( ), AKU, une

[1] *Denkm.* III, 31, 15 et suivantes.

pique ou javeline ([hieroglyphs]), **ⲩⲁⲃ**[1], et plusieurs dagues ou coutelas ([hieroglyphs]), **ⲛⲥⲟⲧ**. Tous ces mots sont égyptiens et ne nous font malheureusement rien connaître de la langue du pays de Tennou. Sineh avait entre autres armes le poignard nommé *baksou*, dont la forme nous est bien connue [2]: Avant le combat, il prit le soin d'aiguiser cette arme.

Nous avons vu que le peuple de Tennou faisait partie de ceux que les Égyptiens désignaient sous la dénomination générale de Sati ou de Sakti ; une circonstance du récit de Sineh prouve que ce peuple était aussi de la famille des [hieroglyphs], *Amou*[3], autre dénomination générale des Asiatiques qui paraît s'appliquer de préférence à la race sémitique. Le nom du roi *Ammounensha*, qui est le seul mot de la langue des Tennou que nous posséderons probablement jamais, se prête effectivement à des rapprochements sémitiques ; mais ces rapprochements seront toujours fort hasardeux ; l'égyptien paraît l'avoir transcrit en orthographe syllabique, c'est-à-dire avec des articulations redoublées, comme par exemple pour le mot ראש, *rosh*, *tête*, dont le Papyrus Anastasi I a fait *Roshaaou*. Ammounensha pouvait être tout simplement *Am-nash*, עמנש.

1 C'est ce qu'on a appelé plus tard [hieroglyphs], de **ⲩⲁⲃ**, *trente*.

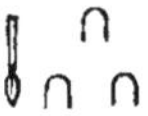

2 Lepsius : *Aelt. Texte Todtb.*, pl. 37.

3 Les témoins du duel de Sineh sont nommés des *Amou*.

Les *Petti* ou *Arcs*. — D'après les récits de Sineh, les peuples en hostilité avec les Tennou ou Sakti étaient des [hiéroglyphes], *Petti*. Je crois que c'est la même chose que les [hiéroglyphes][1]. L'écriture du Papyrus de Berlin n° 1 emploie pour ce nom une forme antique, mais qui n'est pas tout-à-fait exceptionnelle, comme c'est aussi le cas pour le nom des Sati dans ce document.

Il y a lieu de remarquer que dans ce groupe [hiéroglyphes], l'arc est figuré sans sa corde; mais l'arc avec la corde, [hiéroglyphe], est aussi dans les hiéroglyphes une très-ancienne désignation des peuples étrangers. Dans l'origine, un groupe de neuf peuples, tant du nord que du sud, était spécialement désigné sous le nom de *Neuf-arcs*; mais cet emploi particulier fit bientôt place à une acception plus générale, et le mot répondit à notre mot *Barbares*. Le nombre *neuf* fut cependant conservé le plus souvent, non pas comme pluriel d'excellence ou pluriel du pluriel, ainsi qu'on l'a supposé, mais avec le sens numérique *neuf*, et les Égyptiens disaient *un Neuf-arcs*, comme nous disons *un Cent-gardes, un Cent-suisses*. Ce qui le prouve, c'est que l'orthographe hiératique fait usage du chiffre 9, qu'on ne peut méprendre, comme en hiéroglyphes, pour la triplicité de la marque plurielle ı ı ı. Du reste, dès l'ancien empire, on trouve le signe *arc* quinze fois répété sous les pieds d'un Mantouhotep dans un bas-relief de l'île de Konosso, en Nubie[2]. Ailleurs, le groupe est

[1] Voyez ci-devant, p. 101.

[2] *Denkm.* II, 150.

représenté simplement par trois arcs [1], ce qui démontre suffisamment que le nombre neuf n'avait rien d'essentiel dans cette expression.

Une espèce d'arc portait en égyptien le nom de [hiéroglyphes], ϣⲙⲣ, *shemer;* ce nom semble fournir pour le copte ϣⲙⲙⲟ, *étranger*, une étymologie séduisante; quelques égyptologues ont, je crois, adopté cette idée, qui serait inattaquable au point de vue philologique si le phonétique ancien était réellement *shemer;* mais, outre que l'arc *shemer* n'apparaît pas avant l'époque de la XIXe dynastie sur les monuments, il y a des preuves que dans le groupe des *Neuf-arcs* le signe *arc* se prononçait *petti*. On trouve, par exemple, l'allitération [2]:

[hiéroglyphes]	[hiéroglyphes]	[hiéroglyphes]	[hiéroglyphes]
PETTI-PIT	POTPOT,	KHETOU	KHET-OUT,
Arcs-neuf	*massacrés*,	*Khétas*	*repoussés.*

Les Petti-Shou. — Le nom d'un autre peuple du nord par rapport à l'Égypte se rencontre indifféremment écrit avec l'arc à corde ou avec l'arc sans corde. C'est le [hiéroglyphes] ou [hiéroglyphes], *Petti-Shou* [3]. Il faut probablement traduire cette expression par : *le peuple étranger nommé Shou.*

D'après l'interprétation donnée par M. Jacques de

1 Dümichen : I *Hist. Inschr.*, pl. 9, 29 : 11, 7, etc.

2 *Denkm.* IV, 52. M. Jacques de Rougé a fait le premier cette remarque.

3 On le trouve aussi écrit avec l'arc à corde détendue. Dümichen : *Recueil* IV, 58, a.

Rougé de l'inscription du couloir d'Edfou, les [hiéroglyphes], *Shou*, seraient les *Shasou* et les *Atemitou* (*Édomites*). Mais ce texte ne me paraît pas mériter l'attention qu'il a soulevée ; il est rempli de confusion et d'impossibilités. Pour ce qui concerne les Shou, leur identification avec les Shasou et les Édomites repose sur des variantes moins que sûres de ces noms géographiques. Le nom de [hiéroglyphes], littéralement *Amti-ou*, n'a aucune ressemblance avec le groupe de bonne époque dans lequel on a reconnu l'Idumée [1]. Certains tableaux géographiques citent d'ailleurs à la fois les Petti-Shou et les Shasou.

Mais les Shasou s'étendaient sur un vaste territoire, de même que les Arabes errants de nos jours. On les trouvait auprès de Djor, sur la frontière nord-est de l'Égypte, aussi bien que dans les défilés du Liban, où leurs déprédations se faisaient sentir quatorze cents ans avant notre ère [2]. Il se pourrait que les Petti-Shou fussent un rameau de cette race établi non loin des frontières de l'Égypte. Dans les listes ethnographiques, ils sont assez constamment accolés aux Samou ([hiéroglyphes]), voisins occidentaux de la Basse-Égypte.

Mais il n'est pas absolument certain que les [hiéroglyphes] et les [hiéroglyphes] soient le même peuple, quoiqu'on trouve pour le premier nom la variante [hiéroglyphes], qui montre

1 Voir ci-devant, p. 106, fig. 5.

2 *Voyage d'un Égyptien*, p. 222.

que le pays produisait des métaux ou des minéraux précieux, comme [hieroglyphs], d'où provenait le *mestem* ou *kohol* pour peindre les cils et le dessous des yeux. Des Shou, nous ne savons rien que ce qu'en dit le texte d'Edfou rappelé plus haut. Quant aux Petti-Shou, une inscription [1] nous apprend qu'ils étaient de la famille des *Men* ou *Ment*, c'est-à-dire du peuple qui disputait aux Égyptiens la possession des mines du Sinaï. Meneptah Baienra les avait employés pour transporter sur des navires des grains pour la subsistance des Khétas, réduits à la disette [2], ce qui semble indiquer que ces Petti-Shou n'étaient pas très-éloignés des ports de Péluse ou de Gaza, où dut se faire le chargement des grains envoyés aux Khétas.

Les Petti-Shou fournissaient aux Égyptiens le *mestem* dès les temps de l'ancien empire. Cet ingrédient était tellement recherché que des expéditions étaient envoyées au loin pour le rapporter. Sous Osortasen II, de la XIIe dynastie, peu de temps après le retour en Égypte de l'émigré Sineh, un haut fonctionnaire, nommé Numhotep, fit partir son fils pour se procurer cette précieuse substance. Le fils exécuta l'ordre de son père et ramena en même temps trente-sept individus de la race jaune des Amou ou Sémites.

Les Amou de Nehra-si-Numhotep. — Les tableaux de Béni-Hassan, qui nous ont conservé la mémoire de ce fait important, nous font connaître d'intéressants

[1] Dümichen : *Recueil* IV, 58, b, 5.
[2] Dümichen : *Hist. Insch.* I, 3, 24.

détails sur le costume, les armes et quelques autres particularités de ces immigrants : ils sont armés de lances de bronze des deux formes ci-contre :[1][2]

D'après le dessin d'une troisième lance,[3] on voit que le manche de bois pénétrait dans la pointe de métal ; ils ont aussi l'arc de grande dimension, le carquois porté sur le dos, le bâton de chasse ou bou-mérang,[4] le casse-tête de bois[5], la hache à lame de bronze ajouré, sans doute imitée des Égyptiens, chez qui cette arme était en usage à l'époque contemporaine. Cette arme avait le manche en bois, droit ou légèrement arqué.[6] Les pièces de métal pénétrant dans le manche y étaient fixées au moyen de rivets. Un des Amou tient de la main droite un casse-tête en bois rouge, garni d'ébène aux deux

[1] *Denkm.* II, 141.
[2] *Ibid.*
[3] *Denkm.* II, 133 ; Prisse : *Hist. de l'art égypt.*
[4] *Denkm.* II, 133.
[5] *Denkm.* II, 141.
[6] *Ibid.*

extrémités, [1] qui ressemble à un bâton de commandement. Leur costume consiste tantôt en une espèce de tunique passée sur l'une des épaules et descendant jusqu'aux genoux, mais laissant les deux bras à découvert, tantôt en une simple jupe serrée autour de la taille. La tunique des femmes est semblable à celle des hommes, seulement elle tombe un peu plus bas. Ces costumes, qui sont tous faits d'étoffes rayées à couleurs éclatantes, sont bordés de franges et de galons. Ils ont une riche apparence. On y reconnaît sans peine la fameuse tunique bariolée que Joseph reçut de son père et qui excita si fort l'envie de ses frères. Des étoffes de ce genre témoignent d'un état très-avancé de l'art du tissage et de la teinture ; la robe du chef est surtout fort remarquable.

L'un des Amou est figuré jouant d'une espèce de lyre, qu'il touche à la fois avec le plectrum et avec les doigts. Ce musicien porte sur le dos une sorte de havresac, retenu au moyen de courroies passant sur les épaules. Le surplus des provisions est chargé dans des ballots sur des ânes très bien harnachés : l'un de ces animaux porte une espèce de selle à bords relevés, formant palanquin, dans laquelle sont assujettis deux enfants [2]. Les hommes sont chaussés de sandales liées sur le coude-pied avec des cordons noirs, et les femmes, de

[1] *Denkm*. II, 141.

[2] On trouvera plus loin une reproduction de cette scène.

bottines rouges fermées à la hauteur de la cheville au moyen d'un liseré blanc.

Tels sont les renseignements les plus détaillés que les monuments nous fournissent sur les races asiatiques antérieurement au XXe siècle avant notre ère, c'est-à-dire avant le développement de la richesse et de la puissance des Phéniciens, des Babyloniens et des Assyriens. Babylone et Ninive, si elles existaient alors, n'étaient probablement encore que de minces bourgades. Quelques siècles plus tard, lorsque Thothmès III les mit à contribution, elles passent encore presque inaperçues à côté de villes alors plus importantes, mais dont le nom est aujourd'hui pour nous un problème insoluble.

Malheureusement les textes dont sont accompagnées les scènes de Béni-Hassan ne nous donnent aucun détail qui nous permette de préciser d'un peu près la nationalité des Asiatiques amenés à Numhotep. Le rapport que présente à ce chef le scribe royal Neferhotep est conçu en ces termes :

« L'an 6, sous le règne du roi Sha-Kheper-Ra (Osor-
« tasen II) : compte des Amou ramenés par le fils du
« chef Numhotep, amenant du mestem des Barbares
« Petti-Shou : leur nombre est de 37. »

Au-dessus de la scène est inscrite cette légende : « Venu pour apporter du *mestem*, il amène 37 Amou. » Devant le chef asiatique, qui conduit une espèce de bouquetin ou d'antilope à peau rouge, ventre blanc et cornes noires, on lit :

Le haq du pays Absha,

ce qui nous laisse dans l'incertitude sur le point de savoir si Absha est le nom du chef ou celui de son pays.

Tout ce qu'il est possible d'affirmer, c'est que ces Asiatiques étaient assez proches voisins des Petti-Shou, producteurs du *mestem*, puisque c'est à l'occasion d'une expédition chez ce dernier peuple que l'officier égyptien les amena sur les bords du Nil.

Nous venons d'étudier les Asiatiques dans leurs relations avec l'Égypte au temps de la XIIe dynastie. Au-delà de cette date, les monuments nous font presque entièrement défaut. Nous avons expliqué que l'usage des inscriptions historiques officielles ne date guère que du nouvel empire. Les monuments biographiques auraient pu les suppléer dans une certaine mesure, mais on conçoit que ceux qui remontaient à trente siècles et plus avant notre ère n'ont pu échapper que par un hasard presque miraculeux à l'action destructive du temps et des hommes. Parmi ceux qui sont parvenus jusqu'à nous, j'en connais un seul qui puisse venir en aide à mes recherches actuelles. Je veux parler de la belle inscription dans laquelle un fonctionnaire nommé Ouna relate ses services sous le règne du roi Papi (Phiops) de la VIe dynastie. Ce beau monument, sorti des fouilles de M. Mariette, a été publié et très-bien expliqué par M. de Rougé [1]. On y lit que Papi, ayant formé une armée de plusieurs fois dix mille hommes, porta la guerre chez deux peuples désignés par les groupes [hiéroglyphes],

[1] *Mémoire sur les monum.*, etc., pl. 7, 8.

Amou, et [hieroglyphs], *Herou-Shaou*. M. de Rougé considère le premier nom comme une variante du groupe [hieroglyphs], qui sert à désigner les races araméennes[1]. Quant au deuxième nom, le savant académicien fait observer qu'il nomme nécessairement une contrée où les Égyptiens pouvaient arriver par mer Le texte toutefois parle seulement de l'emploi de barques pour le transport de l'armée, mais sans nommer la mer; il serait donc possible qu'il s'agît d'une peuplade du haut Nil.

Mais l'opinion exprimée par M. de Rougé est justifiée par un texte auquel ce savant ne paraît pas avoir songé. C'est une inscription de Médinet-Habou dans laquelle Ammon-Ra est représenté conduisant à Ramsès III quarante-cinq peuples vaincus liés par le cou. Voici le discours que tient le dieu au roi d'Égypte :

« Mon fils, issu de mes entrailles, toi que j'aime, « seigneur des deux mondes, Ramsès III, maître du « glaive sur la terre entière; les Petti de Nubie sont « étendus sous tes pieds.

« Je t'amène les chefs des contrées méridionales qui « t'apportent leurs enfants chargés sur leurs dos et tous « les produits précieux de leur pays. Laisse la vie à qui « tu voudras parmi eux, tue ceux que bon te sem- « blera.

« Je tourne ma face vers le Nord et je te comble de « merveilles : je t'amène *To-tesher* (*la Terre rouge*) « sous tes pieds; brise dans tes doigts les insensés;

[1] Voir ci-devant, p. 111.

« renverse les *Heroushaou* avec ton glaive victorieux. Je
« fais arriver à toi des nations qui ne connaissaient pas
« l'Égypte, avec leurs valises remplies d'or, d'argent,
« de lapis vrai et de toutes sortes de pierreries; le
« choix de ce que produit le *To-neter* est devant ta belle
« face.

« Je tourne ma face vers l'Orient et je te comble de
« merveilles; je les lie tous ensemble dans ta main; je
« réunis pour toi tous les produits de Poun; tous leurs
« tributs en kami, en ana précieux, en toute espèce de
« plantes odoriférantes sont en ta présence.

« Je me tourne vers l'Occident et je te comble de
« merveilles; ravage les pays des Tahennou: qu'ils
« viennent à toi courbés en adoration ou tombant en
« courant à tes cris terribles [1]. »

Ce texte est fort remarquable en ce que, au lieu des Kharou, des Shasou, des Khétas, des Ruten et de Naharaïn, ordinairement nommés dans ces sortes d'énumérations, il ne mentionne les peuples du nord que sous les noms de To-tesher ou *Terre rouge* et de *Herou-shaou*. Ce fait est tout-à-fait exceptionnel; mais comme il est daté dans la grande époque pharaonique, il mérite une confiance absolue. Ramsès III, qui a fait graver le monument, a affecté de se servir de noms déjà vieillis, peut-être pour justifier l'expression du discours d'Ammon, qui parle de peuples ne connaissant pas l'Égypte. Quoi qu'il en soit, la *Terre rouge* désigne les déserts voisins de l'Égypte moyenne et basse jusqu'à la limite de

[1] Dümichen : *Hist. Inschr.*, 17.

la Palestine, et les *Heroushaou* représentent les nations de l'Asie occidentale avec lesquelles les Égyptiens étaient à cette époque en relations très-suivies [1]. Les *Heroushaou* occupaient donc, plusieurs siècles avant les *Tennou*, les localités que l'histoire de Sineh nous a fait connaître [2]. On arrivait chez eux par mer, comme à Tennou. Voici la traduction du passage de l'inscription d'Ouna relative au voyage :

« Je partis encore dans des barques ( )
« avec cette armée; je pris terre ( )[3],
« à l'extrémité du territoire du pays, au nord de la
« terre des *Heroushaou*. »

Un autre passage donne quelques détails sur les productions du pays :

« L'armée alla en paix ; elle entra où il lui plut dans
« le pays des *Heroushaou*.

« L'armée alla en paix : elle réduisit le pays des
« *Heroushaou*.

« L'armée alla en paix ; elle renversa les postes
« fortifiés.

« L'armée alla en paix ; elle détruisit les oliviers et
« les vignes du pays.

« L'armée alla en paix : elle incendia (toutes les
« récoltes)[4].

1 Notre texte prouve aussi que les Heroushaou ne doivent pas être cherchés à l'occident de l'Égypte. Il ne peut donc être question sous ce nom d'un peuple de la Libye.

2 Voir ci-devant, p. 106.

3 Ce groupe signifie certainement *prendre terre*, *aborder*.

4 Lacune du texte.

« L'armée alla en paix ; elle y tua des guerriers par « plusieurs dizaines de mille.

« L'armée alla en paix ; elle y (prit des hommes, des « femmes et des enfants[1]) en très-grand nombre comme prisonniers vivants. »

D'après la suite du texte, on voit qu'il fallut cinq expéditions pour réduire la révolte des Heroushaou. Cette expression de *révolte* nous prouve que ce peuple avait déjà été soumis antérieurement à l'Égypte et que Papi avait eu à le ramener à l'obéissance ou à l'observation des traités.

Comme au temps de Sineh, le pays des Heroushaou, que nous supposons correspondre à Tennou et à la partie sud-ouest de la Palestine, produisait l'olivier et la vigne, ainsi que des céréales[2]. Le vainqueur ne ramena que des esclaves ; s'il eût trouvé dans le pays de l'or, de l'argent, des armes de choix, des vases ou des meubles de luxe, on devrait s'attendre à voir ces objets énumérés dans le butin. Nous retrouvons donc ici, 28 ou 30 siècles avant notre ère, des indices d'un état social qui ne se modifia pas notablement dans ce pays jusqu'au règne d'Amounensha et même jusqu'à Abraham.

Ainsi que l'a fait remarquer M. de Rougé, le nom des Heroushaou devint une appellation générique et traditionnelle. Il en fut ainsi surtout à l'époque des Lagides, pendant laquelle les scribes firent usage

[1] Lacune.

[2] Le texte de l'inscription d'Ouna a une lacune qui a enlevé l'indication des objets livrés à l'incendie. Dans d'autres textes, les blés et les récoltes sur pied sont désignés comme détruits de cette manière.

de tant de formules empruntées au style d'un passé glorieux, mais fort peu en harmonie avec l'abaissement de l'Égypte. On se rappelait cependant encore alors que les Heroushaou étaient un peuple du nord, qui, dans le passé, avait été un des envahisseurs de l'Égypte. Voici, en effet, les légendes d'une chapelle d'Hathor à Denderah, gravées sous Ptolémée Neos Dyonisios :

« 1° C'est le lieu secret de la déesse Ousor, dans le « temple de Denderah ; lorsque les Barbares sont venus « ici, aucun Amou n'y est entré, aucun Shasou ne « l'a souillé, aucun profane n'y a mis le pied.

« 2° C'est un lieu caché et mystérieux ; lors de « l'invasion, lorsque vinrent les Sati à Denderah, les « Fenkhou n'y pénétrèrent pas ; les Hanebou[1] (*Bar-* « *bares du nord, les Européens*) n'y vinrent pas ; les « Heroushaou n'y mirent pas le pied, etc[2]. »

A en juger d'après le nom de Sati donné à la Perse par le décret de Canope, l'invasion dont il est parlé dans ces légendes doit être celle des Perses. Ce qu'elles présentent de remarquable pour notre objet, c'est qu'elles n'énumèrent que des peuples du nord par rapport à l'Égypte et que les Heroushaou sont du nombre.

Phénicie. — Les informations que nous fournissent les hiéroglyphes sur la Phénicie tombent toutes dans les temps du nouvel empire. Avant cette date, c'est-à-dire antérieurement au XVIIIe siècle avant notre ère, les

[1] Il est bien certain que jamais ce groupe n'a représenté le nom des *Ioniens* pour désigner les Grecs.

[2] Dümichen : *Kal. Inschr.*, pl. 55.

indications qui peuvent concerner ce pays se confondent avec ce que les inscriptions de l'ancien empire nous apprennent des *Sati*, des *Ment*, des *Tennou* et des *Heroushaou*, dont nous nous sommes occupé dans le chapitre précédent.

Après l'expulsion des Pasteurs, les monuments nous introduisent dans un monde presque nouveau, chez lequel nous ne pouvons plus chercher les traces de l'enfance des sociétés ; l'étude de cette époque importante s'écarte ainsi du but spécial que nous avons en vue ; nous n'y consacrerons en conséquence que des aperçus sommaires.

Les *Kefat*, , ou Phéniciens, apparaissent pour la première fois sur les monuments vers l'époque de Thothmès III (XVIIe siècle avant notre ère). Ce conquérant recueillit, parmi les tributs qu'il avait imposés aux nations asiatiques, des vases qui sont spécifiés comme provenant du travail des *Kefat*. Il ne paraît pas toutefois que les armes de l'Égypte aient été alors tournées contre la Phénicie. Ce pays, centre d'un vaste commerce maritime, entretenait des relations amicales avec l'Égypte, qui en tirait un assez grand nombre de produits recherchés.

Ces produits sont détaillés dans la décoration du tombeau de Rekhmara à Thèbes[1] ; ils consistent en briques de *khesbet* (lapis) et de *mafek* (*turquoise*, *malachite*), or en anneaux, vases d'or et d'autres matières de modèles très-riches, rhytons en formes de têtes d'animaux, colliers, masses de métaux ou de pierres

[1] Hoskins : *Ethiopia* ; Wilkinson : *Manners and Customs*, I, 4.

précieuses, parfums et liqueurs, etc. Il s'y trouve aussi une dent d'éléphant. On voit par là que l'industrie célèbre de l'opulente Sidon date de bien des siècles avant Homère ; quelques-uns des objets, tels que le lapis, le *mafek* et la dent d'éléphant n'appartenaient pas aux productions du pays ; mais ils nous prouvent que les Phéniciens étaient dès cette époque reculée en relations commerciales avec l'Arabie et avec l'Asie centrale, tandis que des textes précis nous les montrent associés aux peuples des îles de la Méditerranée, qui commencent alors à se montrer sur le théâtre de l'histoire. L'inscription de Rekhmara dit positivement que les chefs de la Phénicie et des îles du milieu de la mer sont venus paisiblement et spontanément offrir des présents à Thothmès III.

Parmi les personnages figurés sur ce monument, il en est qui portent la tunique à rayures et à franges des peuples de la Grèce et des îles, avec une coiffure à bandeau et à longues tresses pendantes, qui rappelle celle des Libyens et des peuples à peau blanche du nord de l'Afrique, et les brodequins des Étrusques. D'autres, notamment le porteur de la défense d'éléphant, ont la coiffure des Amou, c'est-à-dire des races syro-araméennes, mais avec la même tunique. Les Phéniciens devaient, en effet, tenir par leurs mœurs et par leurs costumes à l'une et à l'autre des deux races auxquelles ils servaient d'intermédiaires. Cependant, sur les piliers de Soleb [1], où ils sont figurés parmi les conquêtes d'Aménophis II, ils ont la coiffure, la barbe et la physionomie des Asiatiques.

Dans le fait, le nombre des documents originaux qui citent les *Kefat* est plus restreint que ne le feraient supposer les rapports qui ont dû exister entre la Phénicie et l'Égypte; mais cette pauvreté de renseignements ne peut jeter aucun doute sur une assimilation justifiée par un monument bilingue aussi important que le décret de Canope; c'est encore pour nous un motif de nous défier de l'insuffisance apparente des sources monumentales; peut-être d'ailleurs que des inscriptions aujourd'hui détruites parlaient avec plus de détails des *Kefat*; peut-être quelque nouvelle trouvaille nous mettra-t-elle aux mains des textes nouveaux qui changeront notre pauvreté en richesse. Mais à ce que nous savons des *Kefat* il convient d'ajouter ce que les monuments nous disent du pays de Tsahi ou Tsaha (,), qui comprenait une partie de la Phénicie et de la Syrie septentrionales, notamment l'île d'Arad. Tsahi fut le théâtre de plusieurs campagnes victorieuses de Thothmès III. L'Égypte en retirait des tributs en bétail de choix, chevaux, céréales, vins, bak ou liqueur de figues, vases de riche travail en métaux précieux, pierreries, etc. On voit qu'il s'agit d'un peuple industrieux et commerçant. D'autres objets sont encore plus significatifs : ce sont les bois de construction que les habitants

[1] *Denkm.* III, 88; *Ibid.*, 63. Conf. S. Birch : *Mémoire sur une patère égyptienne du Musée du Louvre.*

de Tsabi exportaient au XVIIe siècle avant notre ère, comme les Tyriens le faisaient à l'époque de Salomon. Ils fournissaient aussi à l'Égypte des barques désignées sous le nom remarquable de Kefat [hieroglyphs] ou *phéniciennes*.

Il paraît du reste que le pays de *Kefat* était compris dans les limites du territoire de l'Asie occidentale auquel les Égyptiens avaient donné le nom de Khar ([hieroglyphs])[1]. En effet, les vaisseaux étrangers qui amenaient en Égypte les produits de l'Asie sont appelés par les textes *navires de Khar*; c'est à *Khar* que les pharaons envoyaient leurs propres navires pour se procurer les mêmes objets[2]. Pour les Égyptiens, le pays de *Khar* commençait à Djor, sur la limite orientale de l'Égypte, et s'étendait jusqu'à Aup, localité à retrouver au nord du Liban[3]. Entre le torrent d'Égypte et Naharaïn vivaient les deux races des *Khar-ou* et des *Kati-ou* ou *Katou*, qui comprenaient l'ensemble des peuples ligués contre Thothmès III[4]. On sait que ce territoire s'étendait au moins jusqu'à Damas et à l'Oronte.

La géographie de l'Asie avait pris dès-lors une physionomie que ne nous faisaient pas prévoir les monuments de l'ancien empire; les peuples avec lesquels les pharaons se mesurent en Asie sont aussi avancés en civilisa-

[1] De ce nom adouci en *Shar* a pu dériver celui de Συρία, *Syrie*.

[2] *Pap. Anastasi IV*, 3, 10.

[3] *Pap. Anastasi III*, 1, 10.

[4] *Denkm.* III. 31, b. 22, 23.

tion que les Égyptiens eux-mêmes; nous n'avons donc plus rien à leur demander concernant l'enfance des sociétés, qui fait l'objet spécial de notre étude.

Assyrie, — *Babylonie.* — Nous passerons rapidement aussi sur ce qui regarde les *Ruten* ou *Rutennou* ( ), qui correspondent aux Assyriens et aux Babyloniens. Les Rutennou dominèrent la Syrie entière jusqu'au développement de la puissance des Khétas. Leurs premiers conflits avec l'Égypte datent du règne de Thothmès I, deuxième successeur d'Ahmès I. Ce pharaon porta ses armes au moins jusqu'à Naharaïn, où il avait érigé une stèle en monument de ses victoires; son fils Thothmès III, dans sa campagne de l'an 33, en plaça une à côté de celle de son père et une autre sur la rive gauche du fleuve, sans doute de l'Euphrate. Dans cette même campagne, Thothmès III entra dans la ville de Ninive (, *Ninié*), dont le nom n'a obtenu qu'une simple mention. Cette capitale n'avait point encore atteint alors l'importance qui la rendit si célèbre; quant à Babylone ( ), *Babel*, elle n'est citée qu'à l'occasion du magnifique émail bleu que les Égyptiens en tiraient. Une ville portait le nom d'Assour ( ). C'est là qu'était centralisé le commerce du vrai lapis-lazuli (*khesbet*); les textes citent comme un objet digne de mention spéciale une grosse pierre de lapis pesant 20 outen et 9 kati (un peu moins de 2 kilogrammes), que le chef d'Assour livra en tribut à Thothmès III; les vases d'Assour étaient renommés.

On trouve aussi parmi les produits du Rutennou apportés en tributs en Égypte : des chars d'or incrustés de pierreries, des patères d'or avec méandres, des outils d'or incrustés de lapis, des harnais d'airain incrustés d'or, et des cuirasses d'or marquetées, des traîneaux, des bois rares, de l'or et de l'argent, du cuivre, du plomb, des pierreries, etc. Le bétail et les produits du sol, tels que les grains, le vin, le bak vert et un grand nombre de fruits délicieux figurent aussi parmi les tributs assyriens.

On voit qu'au XVIIe siècle avant notre ère, époque à laquelle nous perdons dans les hiéroglyphes la trace des Assyriens, ce peuple était arrivé à un haut degré de luxe et de puissance. Pour retrouver des indices de sa formation en groupe national distinct dans la grande race des *Sati*, il faudra chercher ailleurs que dans les écritures égyptiennes. Les cunéiformes y suppléeront peut-être. Le déchiffrement des textes de cette espèce semble avoir fait de grands progrès dans ces dernières années. On remarque dans les traductions publiées par M. George Smith et Fox Talbot, en Angleterre, un esprit de critique et de sincérité de nature à inspirer la confiance. Malheureusement l'écriture cunéiforme ne possède pas les signes figuratifs qui nous ont servi en quelque sorte de vocabulaire pour l'étude des hiéroglyphes. Dans la science égyptologique, nous avons procédé du connu à l'inconnu, et l'abondance des éléments connus s'est trouvée telle, que nous avons pu progresser presque à coup-sûr. Cette marche a été tellement rigoureuse que la découverte du décret bilingue de Canope, qui nous a livré 37 lignes d'hiéroglyphes traduites en 76 lignes de grec, ne nous a presque rien appris que nous n'eussions déjà découvert, et n'a fourni aucune arme, aucun moyen de critique à quelques adversaires ardents de la méthode, derniers restes d'une génération qui disparaît.

Cependant l'égyptologie a failli faire fausse voie : à défaut d'un travail suffisant, certains représentants officiels de cette science en étaient arrivés à conclure qu'il fallait renoncer à l'espoir d'aller plus loin que Champollion : ils étaient persuadés que l'on ne pénétrerait jamais le sens du plus grand nombre de mots, ni les règles de la syntaxe. A l'aide de quelques mots déchiffrés au moyen de l'alphabet découvert par l'auteur de la méthode et expliqués au hasard de leur assonnance avec des mots coptes, ces peu laborieux investigateurs se formaient une vague idée du contenu des textes, et, leur thème fait, bâtissaient des traductions hardies dont une imagination trop complaisante avait fait tous les frais. Heureusement qu'une vive impulsion donnée aux études sérieuses a renversé subitement cet échafaudage, dont il n'est pas resté trace.

Mais le goût pour la science facile ne se perd pas aisément ; il est à craindre qu'il ne cherche un refuge dans les cunéiformes, dont le système graphique n'offre pas les mêmes facilités de vérifications et de critique que les hiéroglyphes. On m'excusera si, au nom des plus précieux intérêts de la vérité, je me permets de signaler un écueil aux adeptes d'une science qui m'est étrangère. Depuis bientôt vingt ans que je m'occupe à retrouver les mots et les formes d'une langue perdue, je crois avoir acquis quelque expérience dans ce travail ardu, et j'affirme de la manière la plus absolue que le système d'interprétation qui consisterait à déchiffrer l'écriture d'une langue inconnue pour en lire les mots, et à chercher ensuite les mots analogues dans le vocabulaire d'une langue connue, conduit inévitablement aux plus grossières erreurs, lors même que les lectures seraient exactes. Ce système est celui au moyen duquel M. Uhlmann a retrouvé du copte pur dans l'inscription hiéroglyphique de Rosette; le même aussi qui a permis à M. Parrot de traduire les hiéroglyphes avec un dictionnaire chaldéen. Le Révd. Ch. Forster n'a pas procédé autrement pour transcrire en arabe et traduire littéralement trente-huit des inscriptions du Sinaï, relatant le passage de la Mer-Rouge, la manne, les cailles miraculeuses, la bataille de Rephidim, etc.

Soumis à ce mode d'investigation, les hiéroglyphes avaient de leur côté livré le récit des plaies d'Égypte, le vol des bijoux des Égyptiens, le passage de la Mer-Rouge, le mystère de l'âne, la purification avec l'hysope, etc., etc. Les journaux religieux eurent le tort d'accueillir ces prodigieuses découvertes. Mais aujourd'hui les choses ont changé de face: un auteur, qui prétend s'être inspiré des derniers progrès de l'archéologie, a découvert « *que* « *les Israélites étaient un peuple essentiellement poly-* « *théiste; qu'ils adoraient Jahveh sous la forme d'un* « *taureau de métal fondu; qu'après les sacrifices humains,* « *la prostitution sacrée est ce qui caractérise essentielle-*

« *ment la religion primitive des Béni-Israël*, et ainsi de « suite. »

Ces singulières découvertes lui sont suggérées principalement par la lecture de travaux récents dans le domaine de l'assyriologie ; et d'ailleurs ce n'est pas encore le fond du sac, car il nous affirme que le déchiffrement des inscriptions cunéiformes et l'étude des monuments de la Chaldée, de l'Assyrie et de la Phénicie nous offriraient bien d'autres sujets de méditation si nous interrogions ces SCIENCES (sic) sur les plus vieux mythes cosmogoniques des peuples sémitiques [1].

Nous éprouvons un certain soulagement à voir que les hiéroglyphes sont mis hors de cause dans cette ardente attaque contre le fondement des croyances chrétiennes. Cela tient probablement à ce que les égyptologues n'hésitent pas à rétablir les faits dénaturés par l'erreur dans le domaine qui leur est propre. Nous invitons les assyriologues sérieux à pousser de leur côté le cri d'alarme, et à maintenir leur science au-dessus de la portée des enthousiastes qui en abusent. A notre point de vue, refouler l'erreur en matière si grave c'est plus qu'un droit, c'est un impérieux devoir.

Cette digression, quoique un peu longue, ne paraîtra pas déplacée, nous l'espérons du moins, dans un ouvrage qui tend à combattre les exagérations des idées nouvelles dans quelque direction qu'elles se produisent. Rentrant dans notre sujet, nous dirons quelques mots des ren-

[1] Jules Soury : *La Bible d'après les nouvelles découvertes archéologiques*. Revue des Deux-Mondes. 1872. p. 572.

seignements historiques que les cunéiformes nous donnent sur l'antiquité des Assyriens et des Babyloniens.

Aucune date approximative ne peut quant à présent être fixée dans un règne quelconque au-delà de l'année 1475 avant notre ère, qui tombe dans le règne de Kara-Indas. Mais une inscription d'Assurbanipal, roi d'Assyrie (VIIe siècle avant notre ère), cite une conquête de la Babylonie faite par un Élamite nommé Kudur-Nanh'undi, 1635 ans avant la prise de Suse, c'est-à-dire en l'an 2280 avant notre ère. Cette conquête serait le plus ancien événement cité par les textes cunéiformes, qui parlent cependant de 350 rois ayant régné avant Sargon, et qui font aussi mention d'une époque mythologique [1]. Nous ne voyons jusqu'à présent aucun témoignage sérieux d'une époque quelconque de l'histoire d'Assyrie exigeant des limites plus vastes que celles de la chronologie égyptienne. Mais il y a dans les cunéiformes comme dans les hiéroglyphes une source toujours ouverte d'informations nouvelles.

En attendant que les assyriologues découvrent quelques renseignements sur l'enfance des peuples de l'Asie centrale, nous pouvons dès-à-présent signaler dans la grande époque historique de l'Assyrie (VIIe et VIIIe siècle avant notre ère) des faits analogues à ceux que nous constaterons chez les Égyptiens de toutes les époques, relativement à l'emploi des armes et des instruments de pierre et d'os concurremment avec ceux de métal ; des

[1] George Smith : *Early history of Babylonia*. Trans. of the Soc. of bib. Arch., 1872.

haches du type de Saint-Acheul étaient à cette époque usitées en Babylonie ; on peut voir au Louvre le moulage d'un de ces instruments rapporté par M. Taylor ; des éclats d'obsidienne trouvés au même endroit ont été également déposés dans le même musée.

Sous les grands taureaux de pierre de Khorsabad, qui pèsent 15000 kilogr., M. Place trouva une grande quantité d'objets précieux, tels que des bracelets et colliers de cornaline, d'émeraudes, d'améthyste et d'autres pierres dures parfaitement polies et taillées en forme de grains ou de têtes d'animaux, et des scarabées avec inscriptions phéniciennes ; associés à ces monuments d'un art avancé, M. Place découvrit deux couteaux de silex noir semblables à ceux du Mexique et surtout de Bethléem, et une foule de grains de colliers formés de coquilles ou de simples petits cailloux troués [1]. Voilà bien une notable partie de l'outillage des temps considérés comme préhistoriques, rassemblée et enterrée à dessein dans les fondations d'un monument dont toutes les pierres portent le nom de Sargon (VIIe siècle avant notre ère). Nous verrons qu'un outillage de ce genre était encore utilisé par les Égyptiens des époques historiques ; cela nous dispense de chercher des hypothèses pour en expliquer la présence en Assyrie ; mille ans avant Sargon, l'industrie des métaux dans ce pays fournissait les riches produits que nous avons énumérés quelques pages plus haut [2]. Nous verrons, dans la suite

[1] *Congrès international d'anthrop. et d'arch. préhist.*, 1867, 1, 118. — V. Place : *Ninive et l'Assyrie*, texte, 192.

[2] Pages 129 et 130 ci-devant.

de ces études, les conséquences qu'il est permis de tirer de ces remarquables rapprochements.

Cousl, —*Éthiopie.*—Le nom hiéroglyphique de , *Cousli*, est le seul ethnique égyptien qui ait son analogie dans les listes de Moïse. En hébreu, comme en chaldéen et en syriaque, כוש, *Cousl*, désigne l'Éthiopie. Au dire de l'historien Joseph, les Éthiopiens de son temps se nommaient encore eux-mêmes *Coushites*, et étaient désignés ainsi par toutes les nations de l'Asie [1].

Pour les Égyptiens, les Coushites comprenaient soit l'ensemble des peuplades vivant au sud de l'Égypte, soit au moins un groupe notable de ces populations. Ils n'ont pas eu connaissance de Coushites d'Asie, et rien, dans les textes, n'autorise à penser qu'ils aient jamais limité l'emploi du nom de Cousli à l'Éthiopie de Méroé. Presque tous les pharaons ont guerroyé dans cette direction, et, à propos de la moindre expédition dirigée contre les Nègres d'au-delà de la première cataracte, se vantent d'avoir écrasé *la vile Cousl*. Thothmès III, en plaçant Cousl en tête de la liste de cent quinze peuples du sud soumis par ses armes [2], ne fait pas entendre qu'il ait eu affaire à cent quatorze peuples indépendamment des Éthiopiens, mais il énumère, sous la rubrique *Cousl*, différents peuples que les Égyptiens comprenaient sous ce nom générique, et dont les noms particuliers, presque tous très-obscurs, sont habituellement passés sous silence dans les inscriptions moins prolixes.

[1] *Antiq. Jud.*, lib. I, ch. 6: *χουσαιοι*.

[2] A Karnak. Dümichen: *Hist. Inschr.* II, 37.

La Nubie proprement dite, ou *To-Kenus*, commençait au sud d'Apollinopolis Magna (Edfou); Khenthannefer comprenait les régions situées au-dessus de la première cataracte ; plus loin, dans le sud, venait le groupe plus spécialement désigné par *Cousk*. Le nom commun de tout cet ensemble était : *le pays méridional* ou les *nations méridionales*.

D'après les textes, Khenthannefer fournissait à l'Égypte de belles pierres ; il y a conséquemment lieu de penser que le pays ainsi désigné s'étendait jusqu'aux carrières de Syène.

De Coush, les Égyptiens tiraient de l'or, une pierrerie nommée *hertès*, dont il existait deux variétés principales, l'une blanche, l'autre rouge ; de l'ivoire, de l'ébène, des peaux d'animaux, sans parler des esclaves nègres et du bétail. Conséquemment Coush était en rapports avec la région de l'éléphant, qui s'étendait peut-être alors plus au nord que de nos jours.

Les monuments de l'ancien empire mentionnent assez rarement le nom de Coush. Pour avoir quelques informations un peu certaines, il faut descendre jusqu'à la XIIe dynastie. Sous Osortasen I, un fonctionnaire nommé Améni fut envoyé avec une expédition militaire dont l'objet était de réduire Coush. Cet officier rapporte qu'il traversa ce pays et en emporta les limites en ramenant un butin considérable. Après avoir reçu la récompense de ses services, il repartit volontairement, à la tête d'une faible troupe, pour aller chercher de l'or : il était accompagné du fils du roi et de quatre cents guerriers d'élite. L'expédition s'accomplit heureusement ; les soldats ne se trouvèrent pas trop peu nombreux, et Améni revint chargé d'or. Il fit plus tard une seconde expédition pour conduire de l'or à Coptos. Cette fois, il commandait à six cents hommes, qu'il avait enrôlés dans sa province, le nome de Sahou, de l'Heptanomide. Un prince de la famille royale, nommé Osortasen, l'accompagnait encore [1].

Osortasen III porta jusqu'à Semneh la frontière méridionale de l'Égypte ; il se vante d'avoir avancé la limite que lui avaient transmise ses prédécesseurs. L'inscription qu'il fit graver à Semneh sur la rive du Nil est fort curieuse. Nous en citerons les dernières phrases, qui nous feront apprécier l'énergie de ce monarque belliqueux :

« C'est que le Nègre est tombé de bouche ; il ne « répond pas ; il s'est mis à fuir, comme si un crocodile « le poursuivait ; en fuyant il marche plus vite que le « crocodile. Certes, ce ne sont pas des hommes dignes « d'égards ; ce sont des misérables, des cœurs insensés. « Je suis venu les voir moi-même, sans feinte. Je me « suis emparé de leurs femmes, j'ai saisi leur popula- « tion sortie vers leurs puits ; j'ai frappé leurs trou- « peaux ; j'ai dévasté leurs récoltes en y mettant le « feu. Par la vie de mon père ! je dis la vérité ; il n'est « pas d'assertion sortie de ma bouche qu'on puisse « contredire.

« Donc, s'il arrive qu'un de mes fils renforce cette « frontière que j'ai établie, il est vraiment mon fils, sa

[1] *Denkm.* II, 122.

« génération vient de moi ; il est l'image du fils qui a
« vengé son père [1], qui a renforcé la frontière de celui
« qui l'a engendré. Mais celui qui la laissera tomber, qui
« ne la défendra pas par les armes, il n'est certes pas
« mon fils, sa génération, certes, n'est pas de moi [2]. »

Le sort des Nègres de la Nubie et du Soudan n'a guère changé depuis quarante-cinq siècles ; le terrible Defterdar-Bey n'était que le continuateur de la politique des plus anciens pharaons à l'égard de ces malheureuses populations, auxquelles déjà on semblait dénier la qualité d'hommes, comme pour s'excuser de les traiter en bêtes fauves.

Les Nègres cependant ne fuyaient pas toujours ; après le départ du pharaon vainqueur, ils revenaient sur leurs territoires, et recommençaient leurs déprédations contre les établissements égyptiens [3]. On voit par les recommandations d'Osortasen III que la tâche de défendre contre eux les frontières de l'Égypte était sérieuse.

Du reste, il existait aussi entre les deux races quelques relations pacifiques ; les Égyptiens appréciaient le travail des Nègres et souvent les prenaient à gages. D'un autre côté, le bétail de l'Éthiopie était nécessaire à l'approvisionnement de l'Égypte. Aussi les restrictions commandées par la sécurité de la frontière étaient-elles calculées de manière à ne pas gêner ces utiles rapports. Voici la traduction de l'ordre royal qui réglait la police

[1] Horus, le type égyptien de la piété filiale.

[2] *Denkm.* II, 136.

[3] Une des misères du cultivateur égyptien provenait des exactions commises par les Nègres errants.

des communications internationales à Hah (Semneh) :
« Frontière établie en l'an VIII sous la majesté du roi
« de la haute et de la basse Égypte Shakeoura (Osor-
« tasen III), vivificateur éternel.

« Afin qu'aucun Nègre ne la franchisse en naviguant,
« sauf dans les barques de toute espèce de bétail des
« Nègres, et à l'exception du Nègre qui viendrait se
« mettre à gages à Aken, y étant appelé ; qu'il leur soit
« fait au contraire toute espèce de bien.

« Qu'il ne soit permis à aucune barque de Nègres
« de passer devant Hah, à jamais [1]. »

Cette espèce de convention internationale date de plus de quarante siècles, et l'emporte ainsi de beaucoup en antiquité sur le célèbre traité conclu entre Ramsès II et les Khétas [2]. Quoiqu'il ne puisse, sous le rapport de l'importance, être comparé à ce dernier document, ce texte présente cependant un intérêt considérable au point de vue de la question qui nous occupe. Il nous apprend en effet que les Nègres du haut Nil possédaient des barques nommées [hiéroglyphes], KAA, assez grandes pour être employées par eux à transporter le gros bétail. Ce nom de *Kaa* ne se rencontre dans aucun autre texte égyptien ; c'est probablement celui dont se servaient les Nègres eux-mêmes. Peut-être en retrouverait-on des traces dans les dialectes de la Nubie ou du Soudan.

Ainsi donc, nous pouvons tenir pour certain que,

[1] *Denkm.* II, 136.

[2] Traduit et expliqué complètement dans Chabas et Goodwin : *Voyage d'un Egyptien*, etc., p. 332.

vingt-cinq siècles avant notre ère, les tribus du haut Nil n'en étaient pas réduites à l'usage exclusif des outils de pierre et de bois ; ce n'est point encore chez elles que nous trouvons les indices d'un âge de pierre tel qu'on le définit généralement.

L'intelligence des Nègres pour certains travaux les faisait dès-lors rechercher comme esclaves par les Égyptiens ; les textes parlent fréquemment des excellents Nègres de Coush. Ramsès III en ramena de Teraouaï et d'Arami, deux localités dans la direction du Soudan, et se choisit parmi eux des cochers, des écuyers et des officiers chargés de porter l'ombrelle derrière lui[1]. Un papyrus du Musée britannique[2], qui énumère longuement les objets que les Égyptiens importaient du dehors, parle des chefs de corvées des excellents Nègres de Coush pour le service de porte-ombrelles, et explique qu'ils étaient chaussés de sandales blanches et tenaient à la main des sacs contenant leurs *karmoth* ( )[3]. Il serait intéressant de savoir ce qu'étaient ces *karmoth*, dont le nom est déterminé par le signe des pierres ; la question est difficile à résoudre, mais il faut dès-à-présent renoncer à y voir des outils de l'âge de pierre ; car les Libyens et leurs confédérés les Grecs, les Sicules, les Sardiniens et les Toscans possédaient aussi des *karmoth*, qui furent livrés

[1] *Denkm.* III, 218.
[2] *Pap. Anast.* IV.
[3] Ce mot semble appartenir à la famille des langues syro-araméennes.

aux flammes avec le camp de tentes en peaux de cette confédération. Dans le texte qui nous rapporte ce fait [1], le mot *karmoth* est déterminé par le signe des minéraux, ° ııı. Les Égyptiens vainqueurs, chargés d'un butin précieux dans lequel figuraient des armures de bronze, des patères d'argent et 3174 vases divers, n'attachèrent aucun prix aux *karmoth* et les abandonnèrent dans l'incendie du camp ennemi.

Coush fournissait principalement à l'Égypte des produits naturels, des Nègres et du bétail; les expéditions modernes des pachas qui tenaient la place des pharaons n'ont pas eu non plus d'autre mobile. De tout temps les régions du haut Nil ont passé pour être riches en minerai d'or; toutefois, les recherches modernes n'ont pas répondu à l'opinion qu'on s'en était faite. L'or était probablement beaucoup plus abondant dans l'antiquité, quoiqu'on doive tenir pour une exagération démesurée le compte de l'or du pays des Nègres, apporté au temple d'Ammon par Ramsès III. Le dieu Thoth est représenté dans l'action de peser cette masse de métal précieux à côté de laquelle est inscrit le chiffre vertigineux de [hiéroglyphes], *trente millions de millions* [2]. Les annales de Thothmès III donnent des renseignements plus sérieux; on n'y trouve pas de quantité supérieure à

[1] Dümichen: *Hist. Inschr.* V, 62. De Rougé: ***Mémoire sur les attaques***, etc., p. 12.

[2] Dümichen: *Hist. Inschr.* II, 47, 6. — Diodore (I, 49), en décrivant le tombeau d'Osymandias, parle de l'énorme quantité d'or que ce roi offre au dieu du temple (32 millions de mines, un peu moins de 200 millions de francs).

300 kilogrammes d'or, comme tribut d'Ouaoua; en comptant la même quantité pour Coush, on aurait 600 kilog. comme maximum de la récolte annuelle de l'or, sous la XVIIIe dynastie, dans les régions du haut Nil.

L'industrie de Coush n'était pas telle que les Égyptiens en recherchassent les produits; nous avons vu cependant, dans les études qui précèdent, que les Nègres savaient construire de grandes barques; leur pays produisait en abondance les bois nécessaires, et c'est pour ce motif que, dès la VIe dynastie, les Égyptiens avaient fondé des chantiers à Éléphantine et à Abha. Leurs rapports avec les Égyptiens durent au surplus les initier aux connaissances les plus indispensables; on peut admettre, sans grande chance d'erreur, que ces populations sont aujourd'hui, à peu de chose près, au même état de civilisation que 25 siècles avant notre ère.

Au temps de la XIIe dynastie, ces relations étaient déjà fort anciennes. L'inscription d'Ouna, à laquelle nous avons déjà fait quelques emprunts [1], nous donne à ce sujet des renseignements très-importants. Pour composer la nombreuse armée qu'il envoya combattre les Hérousha ou, Papi ordonna des levées dans l'Égypte méridionale tout entière, à commencer à Abou (Éléphantine) [2], ainsi que dans l'Égypte sep-

[1] Ci-devant, page 119.

[2] Éléphantine fut longtemps la limite de l'Égypte. Devenus maîtres du pays, les Perses, et plus tard les Romains y entretenaient des garnisons. L'inscription d'Ouna prouve que sous Papi, trente siècles avant les empereurs, la frontière était déjà établie au même endroit.

tentrionale, dans les domaines des temples et dans d'autres localités, qui probablement jouissaient d'un privilége d'exemption en temps ordinaire. Aux soldats fournis par l'Égypte furent adjoints un grand nombre de Nègres recrutés dans six localités du territoire situé au sud de la frontière. De ces localités, nous connaissons *Ouaoua*, qui n'était pas fort éloigné de Syène et qui dans la liste de Thothmès III occupe le vingt-troisième rang après Coush : et *Kaam*, qui, dans la même liste, vient le soixante et onzième. Ce dernier pays devait être plus loin dans le sud.

L'influence du voisinage de l'Égypte sur les Nègres se manifeste clairement dans les produits de leur industrie sous la XVIIIe dynastie. Depuis les conquêtes de Thothmès III, l'Éthiopie resta pendant quelque temps tributaire de l'empire des pharaons. Malgré les troubles qui paraissent avoir altéré l'ordre dynastique sur la fin de cette période, la suzeraineté de l'Égypte ne continua pas moins à être reconnue. Amentouonkh, pharaon qui transporta le siége du gouvernement à Hermonthis, est représenté sur un monument de Thèbes recevant les tributs de l'Assyrie et de Coush. Les chefs éthiopiens lui amènent de grandes quantités d'or, de lapis, de khenem vert et rouge, des peaux de léopard, des plumes d'autruche, des girafes, des bœufs à cornes terminées par un ornement en forme de mains humaines, etc. Un bœuf porte, assujetti entre ses cornes, un vase de forme allongée dans lequel on distingue des poissons nageant dans l'eau; de petits arbustes garnissent le couvercle de ce singulier récipient. Ces animaux étaient les curiosités du pays, car le bétail ordinaire remplit en même temps de grandes barques de transport; d'autres barques amènent des chevaux rouges et des Nègres, les bras liés.

Les objets travaillés témoignent de l'influence directe de l'Égypte ; ils consistent en ombrelles semi-circulaires, ornées de peintures et garnies tout autour de plumes d'autruche ; le costume des chefs et surtout celui des femmes sont des imitations très-exactes des vêtements égyptiens ; il en est de même des colliers et des bracelets ; les boucles d'oreille seulement sont de plus forte dimension[1].

Mais le travail d'imitation est surtout remarquable dans le char qui amène la femme ou la fille de l'un des chefs. Ce char, plus étroit et plus élevé que ceux des Égyptiens, est garni latéralement de deux cylindres ornementés qui figurent les gaînes dans lesquelles, sur les chars de guerre des pharaons, sont déposés, à portée de la main, les flèches et les javelots pour le combat.

Il n'entre nullement dans notre plan de pousser jusqu'aux époques relativement modernes l'étude des monuments relatifs aux Coushites ; nous citerons cependant *in-extenso* un ordre royal adressé par l'un des Ramsès de la XXe dynastie au haut fonctionnaire égyptien qui avait la surintendance des affaires avec l'Éthiopie et qui portait le titre de fils royal de Cous,

[1] Nous avons vu que les Nègres étaient très-appréciés comme flabellifères (ci-devant, p. 209). Sur une stèle de Bologne on voit des Nègres portant aux oreilles d'énormes anneaux.

lors même qu'il n'appartenait pas à la famille du pharaon. Ce document, qui existe en original au Musée égyptien de Turin, consiste en une page de belle écriture hiératique dont j'ai pris copie pendant ma mission en Italie. En voici la traduction littérale :

« Celui qui tient en respect des centaines de mille,
« l'épervier d'or, très-valeureux, qui possède les deux
« pays, le chef suprême, vie-santé-force, celui qui
« calme véritablement, qui donne la paix aux deux
« pays, le roi de la haute et de la basse Égypte, sei-
« gneur des deux pays, Menmara Sotep-en-Ptah, fils
« du soleil Ramsès Shaemuab Meriamen, hak divin
« d'Héliopolis, santé-vie-force ;

« Ordre royal au fils royal de Cousch, basilico-
« grammate de l'armée, intendant des greniers, le
« capitaine Pinahsi[1], des auxiliaires étrangers du roi :

« Cet ordre royal t'est porté pour te dire ceci :

« J'envoie Inousa, le majordome, contrôleur royal[2],
« le faisant partir pour les affaires du roi, son seigneur ;
« il part pour les exécuter dans le midi. Le rescrit
« du roi, ton seigneur, arrivant à toi, joins-toi à lui[3],
« afin de le faire remplir les ordres du roi, son sei-
« gneur, pour lesquels il part.

« Tu examineras le palanquin de la Grande-Déesse ;
« tu le feras consolider ; tu le chargeras sur une barque ;

1 Ce nom signifie : *Le Nègre.*

2 [hieroglyphs]. Voyez : *Spoliation des hypogées*, Mél. égypt. III, p. 167.

3 Litt. : *Fais un avec lui*

« tu l'amèneras avec lui[1], à l'endroit où est le roi. Tu
« feras apporter des pierreries *hertès*[2], *khenem*, *anutekou*
« avec *asmer*, ainsi que beaucoup de fleurs de *katsa* et
« de fleurs de lapis, à l'endroit où est le roi, afin d'en
« remplir la main des artistes. Ne sois pas négligent
« pour les ordres que je t'envoie. Sache que j'envoie
« (quelqu'un) pour t'examiner[3].

« Ceci est envoyé comme instructions; c'est le roi
« qui l'écrit en l'an 17, le 23 du quatrième mois de
« (*effacé*). »

On voit par là que les gemmes d'Éthiopie étaient encore fort recherchées par les Égyptiens de l'époque des Ramessides; leur réputation s'étendait même plus loin, car la pierre précieuse d'Éthiopie, nommée פטדת כוש, *Pitdath-Cousch*, est spécialement désignée par le livre de Job[4] dans l'énumération des substances précieuses qui, malgré leur valeur, ne peuvent être comparées à la sagesse. On croit que c'est la topaze; mais l'identification des expressions hébraïques de cet ordre présente presque autant de difficultés que celle des groupes égyptiens.

La circonstance que le naos portatif, [hiéroglyphes], de la Grande-Déesse se trouvait dans le haut Nil, d'où on

[1] Avec Inousa.

[2] Voir ci-devant, page 137.

[3] Cette surveillance des fonctionnaires égyptiens les uns par les autres est un fait qui nous a été révélé par plusieurs autres textes. Pinahsi devait stimuler et surveiller Inousa, et un autre officier surveillait Pinahsi.

[4] Ch. 28, v. 19.

dut l'amener dans une barque, semble indiquer que le travail des bois éthiopiens s'était continué sur place depuis l'époque où Papi faisait construire des barques de toute espèce à Éléphantine et à Abha. Certaines barques égyptiennes sont d'une extrême élégance et très-richement ornées de peintures, de sculptures et d'incrustations. Tel est notamment le cas de celles qui amènent les tributs de l'Éthiopie à Amentouonkh ; elles donnent une haute idée de l'ébénisterie égyptienne. Il est vraisemblable que des établissements pour la construction de ces barques et la confection des meubles de luxe étaient installés sur le Nil, à proximité des localités qui produisaient les bois convenables.

A l'égard de l'incrustation en pierres précieuses, on n'en confiait pas le soin aux ouvriers de ces établissements éloignés ; les gemmes étaient apportées séparément par des fonctionnaires de rang élevé, et livrées seulement aux artistes spéciaux de l'Égypte.

[hieroglyphs], *Poun*. [hieroglyphs], *To-Neter*. — *L'Arabie*. — Poun, To-Neter et Toou-Neterou désignent dans les hiéroglyphes les pays situés sur la rive orientale de la Mer-Rouge, et dont quelques districts se trouvent au nord par rapport à l'Égypte. C'est pour ce motif que Poun et To-Neter sont parfois exceptionnellement désignés comme peuples du nord, quoique leur qualification habituelle soit celle de peuples de l'Orient.

Nous avons expliqué plus haut que, si les Égyptiens ont eu connaissance des régions de l'Inde et de la Chine, ce ne peut être que par le groupe [hieroglyphs], TOOU-NETEROU, *terres divines*, qu'ils les ont désignées dans leurs écritures [1]. Dans certains textes le groupe [hiéroglyphes], *toou neterou*, forme plurielle, est employé concurremment avec *To-Neter*, forme singulière, et s'applique manifestement à des localités différentes.

La forme plurielle semble n'être qu'une extension de la désignation géographique des contrées situées à l'est de la Mer-Rouge, extension qui comprendrait d'une manière générale les régions situées au-delà de l'Arabie, du côté de l'Orient ; les produits de Toou-Neterou étaient les mêmes que ceux de To-Neter et de Poun ; ils consistaient en métaux précieux, pierreries, bois odoriférants, parfums recherchés. Un texte précis nous apprend d'ailleurs que To-Neter comprenait de nombreux pays produisant toute espèce de pierreries [2].

La substance qui donnait le plus grand poids à l'identification de Poun et de To-Neter avec l'Arabie, porte en hiéroglyphes le nom de [hiéroglyphes], кııı, *Kami*. On a cru que c'était la gomme arabique, en grec Κόμμι, en latin *gummi ;* le nom égyptien admet, en effet, parfaitement cette assimilation, à laquelle il faut cependant renoncer. Le *kami* des hiéroglyphes est un parfum qui s'importait de Poun, comme l'*ana* ou *anti*, en tas énormes. Le *kami* de To-Neter pouvait recevoir des formes de fantaisie. On le voit, par exemple, sous celle d'obélisques et de veaux couchés dans les tableaux des

[1] Voir ci-devant, p. 99.

[2] Dümichen : *Hist. Inschr.* II, 38, c. 1.

objets précieux dont Ramsès III enrichit le trésor de Médinet-Habou [1]. C'était, de même que l'*ana*, le produit d'un arbre de haute tige, et peut-être même d'une espèce d'*ana ;* car, dans l'énumération des tributs rapportés de To-Neter par la reine Hashepsou, le *kami* est nommé [hiéroglyphes], *kami d'ana*. Avec le *kami* on parfumait les objets [2] ; on le respirait avec délices [3], ce qui ne saurait être le cas de la gomme [4]. Mais cette rectification laisse subsister l'identification de Poun et de To-Neter avec l'Arabie. Cette identification, d'abord proposée par M. Brugsch, est assurée par la circonstance que les routes de ces régions à l'usage des Égyptiens de l'ancien empire traversaient le désert arabique et aboutissaient à un port de la Mer-Rouge, d'où l'on gagnait sur des navires les ports de To-Neter [5]. L'une de ces routes partait de Coptos dans la Thébaïde et atteignait la Mer-Rouge au point qui fut plus tard Leukos-Limen, aujourd'hui Qoceyr. Les pharaons s'efforcèrent en tout temps d'améliorer le passage du désert et de rendre de plus en plus faciles les communications avec un pays qui fournissait à l'Égypte un si grand nombre d'objets devenus indispensables à ses

[1] Dümichen : *Hist. Inschr.* I, pl. 32. Ce sont des résines moulées, selon toute apparence.

[2] *Pap. Anast.* IV, 3, 8 ; *Denkm.* III, 230.

[3] Dümichen : *Hist. Inschr.* II, 40, 5.

[4] Kircher donne **KOUH** comme nom copte de la gomme. Si ce mot désigne effectivement la gomme, c'est par imitation du nom grec et non du groupe égyptien.

[5] *Voyage d'un Égyptien*, p. 56.

habitudes de luxe. D'après une stèle gravée sur les rochers d'Hammamat, Ramsès IV ouvrit au desert un chemin qui rendit facile l'accès de la route de To-Neter, et qu'on ne connaissait pas auparavant [1].

Les régions de Poun et de To-Neter ont été en relations avec la mythologie égyptienne. Rannou, la déesse-serpent, qui présidait aux récoltes, venait de Poun [2]; elle était sœur de Hapi-Taureau, qui est une personnification d'Osiris-Nil. Aussi les pharaons sont-ils quelquefois appelés *Hapi de l'Égypte, Rannou de tout le pays* [3]. C'est Hapi-Taureau qui, dans certains cas, donne les produits de To-Neter [4]. Quant à la déesse Rannou, le plus souvent figurée sous forme de serpent, elle était regardée comme possédant une puissance surnaturelle particulière. On préparait, sous son invocation, des rouleaux magiques et des adjurations qui servaient à assurer l'inviolabilité des clôtures et à guérir les maladies [5].

Le dieu farouche Reshep, l'associé de la syrienne Anaïtis, était aussi une importation mythologique de Poun; il avait pour femme Atuma, déesse dont le nom pourrait signifier l'Édomite [6].

Les dieux difformes et hideux, dont Bèsa est le type le plus multiplié, semblent venus en droite ligne de l'Inde

[1] *Denkm.* III, 219.

[2] *Pap hiérat. Leide*, 345, pl. 132, III, 7.

[3] Dümichen: *Temp. Inschr.* I, 51.

[4] Sharpe: *Eg. Insc.*, 73.

[5] *Pap. Mag. Harris*, pl. B, 2. — *Pap. hiérat. Leide*, 345, pl. 132, 3, 7.

[6] *Pap. hiérat. Leide*, 345, v. 6.

et de la Chine ; les textes égyptiens-les font arriver de Poun [1] et de To-Neter [2]. C'est effectivement par l'Arabie, ainsi que nous l'avons déjà expliqué, que les Égyptiens devaient communiquer avec l'Indo-Chine. Cette bestiale figure du dieu trapu, à longues oreilles, à bouche largement béante, d'où sort quelquefois une langue démesurée, s'éloigne en effet des conceptions ordinaires des Égyptiens, tandis qu'elle rappelle invinciblement la physionomie et l'attitude de plusieurs divinités de l'Inde et de la Chine. Bésa est évidemment un dieu d'emprunt, dont les Égyptiens ont altéré fondamentalement le caractère lorsqu'ils l'ont fait présider à la toilette et aux recherches sensuelles. Ce dieu de farouche apparence n'a pas eu de rôle dans la guerre typhonienne ; il n'apparaît dans aucune scène de carnage ; ses attributions sont de la nature la plus pacifique : il aide aux accouchements, préside aux cosmétiques et joue du tambourin en signe d'allégresse. Tel n'est pas le cas des autres dieux monstrueux du panthéon de l'Égypte, et en particulier du dieu Sekah, dont voici la sinistre figure. Celui-ci résidait au fond du puits des damnés [3] ; et son rôle était celui de bourreau, ainsi que l'annonce sa physionomie.

De l'Égypte, Bésa est passé aux Ruten (Assyriens),

[1] *Denkm.* IV, 85.

[2] *Ibid.* 65.

[3] *Denkm.*, 206, a. — *Todtb.*, 14, 5 à 6. D'autres dieux hideux ont été figurés, surtout aux basses époques.

aux Phéniciens et aux Cypriotes, dont les imitations sont tellement exactes qu'on doit les regarder comme des calques du type égyptien. Des figures fort analogues ont été d'ailleurs recueillies en Grèce, en Étrurie, en Sicile, etc. Vraisemblablement elles ne sont que des dérivations du même type. Le Tonatiuh des anciens Mexicains, qui présente à peu près les mêmes caractères, est certainement étranger à toute tradition égyptienne ; mais il plaide en faveur des anciennes relations qu'on suppose avoir existé entre la Chine et l'Amérique centrale [1].

Indépendamment des divinités empruntées au panthéon de l'Arabie et de l'Inde, certains dieux de l'Égypte paraissent avoir été eux-mêmes liés à Poun et à *To-Neter* par quelques incidents de leur histoire. Des épisodes de la guerre typhonienne ont eu ces contrées pour théâtre ; aussi Horus, et Isis sous sa forme guerrière d'Hathor, sont-ils fréquemment mis en rapport avec ces deux régions ; il en est de même de l'*Œil de Phra*, qui fut pendant la guerre typhonienne le compagnon d'Osiris et d'Horus. L'inscription de Nysa : « *Je suis Osiris, qui « ai parcouru toute la terre jusqu'aux lieux inhabités « des Indes* [2], » semble dès-lors reposer sur des traditions réellement égyptiennes.

Le chapitre 17 du Rituel parle d'un dieu ayant la figure d'un chien courant (*Tasem*) avec des sourcils humains, et dont la fonction est de dévorer les corps

[1] Voyez : De Longperrier : *Musée Napoléon III*, pl. XIX ; — Hyacinthe Husson : *Mythes et monuments comparés, etc.*

[2] *Diodore de Sicile*, I, 55.

des damnés. La glose explique que le nom de ce démon est : *le dévorateur des millions*, et qu'il fait sa résidence dans une localité de Poun. Il y a là sans aucun doute un souvenir de quelque événement de la lutte entre Horus et Set sur le territoire de l'Arabie. Le chien de l'espèce *tasem* est au nombre des produits de Poun que les Égyptiens recherchaient. Des animaux de cette espèce avaient accompagné Horus dans quelques-unes de ses expéditions : aussi est-il question dans le Rituel des *Tasemou* d'Horus, et le défunt, qui devient un Horus lui-même, est censé se servir de ces animaux comme l'avait fait le fils d'Osiris [1].

La grande déesse de Poun est citée dans les papyrus de l'ancien empire en même temps que Nou, la grande, et tous les dieux de l'Égypte et du pourtour de la Méditerranée [2]. On voit par là qu'à une très-haute antiquité les Égyptiens avaient établi des relations avec les riverains des deux mers qui touchent à leur territoire. Le fond de leur doctrine religieuse était la notion d'un dieu créateur unique, incréé et éternel, dont la forme ne pouvait être figurée ni connue, mais dont chaque attribut était personnifié et représenté symboliquement de diverses manières : les dieux de l'Arabie, de la Syrie, des îles et des côtes septentrionales et méridionales de la Méditerranée purent être admis sans difficultés dans ce panthéon élastique où s'entassaient des millions

[1] Totdb. 13, 2. Le Tasem est le type de la rapidité. On trouve maintes fois dans les textes : *Courir comme le Tasem ; agile comme le Tasem, rapide comme la lumière et comme l'ombre.*

[2] *Pap. Berlin*, N° 1, lig. 210, 211

d'attributs divinisés. On ne trouve chez les Égyptiens nul indice du fanatisme religieux qui caractérisa les Hébreux et les Arabes mahométans; ils n'eurent pas de répugnance à inscrire les noms des divinités étrangères sur les murailles du temple d'Ammon, ni même à leur présenter des offrandes dans le sanctuaire.

Les inscriptions de l'ancien empire ne nous donnent presque aucun détail concernant les produits manufacturés de Poun; dans l'origine, et à en juger d'après les inscriptions, les Égyptiens en tiraient seulement des aromates. Une inscription du règne de Sonkh-Kara, de la XIe dynastie, nous relate l'envoi de vaisseaux à Poun pour recueillir de l'*ana*; l'itinéraire à travers le désert arabique est donné en détail jusqu'au port de la Mer-Rouge, où l'envoyé royal fit construire des navires de transport[1]. Il n'est pas question, en ce qui concerne Poun, d'aucun autre produit que l'*ana*.

Mais il ne faut rien conclure du silence des monuments en ce qui touche l'industrie de l'Arabie dans le troisième millénaire avant notre ère. Les rapports mythologiques dont nous venons de parler montrent suffisamment qu'au moins une partie de ce pays, probablement la partie maritime, était alors parvenue à un certain degré de culture. Il est permis d'espérer que des textes positifs nous éclaireront plus tard sur ce point.

Quant à présent, nous manquons de renseignements circonstanciés sur ce qu'était le pays antérieurement au XVIIe siècle avant notre ère. Le premier document

[1] *Denkm.* II, 150, a. *Voyage d'un Égyptien*, p. 56.

détaillé date du règne de la reine Hashepsou, qui envoya l'expédition dont nous avons déjà dit quelques mots. Il est regrettable que la publication que M. Mariette doit faire des magnifiques bas-reliefs d'El-Assassif ait éprouvé des retards, car nous sommes obligés encore aujourd'hui de nous en tenir aux planches qu'a publiées M. Dümichen dans ses deux magnifiques ouvrages : *Die Flotte einer ægyp. Kœnigin* et *Historische Inschriften, etc., zweite Folge*, et malheureusement ces planches ne donnent ni la totalité des scènes, ni l'ordre de leur arrangement.

L'expédition en question était purement pacifique, bien qu'elle fût accompagnée d'une force militaire. Voici le titre général des tableaux sculptés à El-Assassif :

« Navigation sur le Ouat-Oer. Heureux départ pour « To-Neter et abordage en paix à Poun.

« Par les troupes du seigneur des deux mondes, selon « la parole du seigneur des dieux, Ammon, seigneur des « trônes du monde dans Thèbes, pour lui ramener les « merveilleux produits de tout ce pays.

« D'après l'extrême amour qu'il a pour (la reine « Hashepsou[1]).

« Jamais on ne vit rien de semblable du temps « d'aucun roi ayant existé en ce pays à jamais. »

A côté de cette légende sont figurés des vaisseaux égyptiens à trente rames, avec mâts, vergues et voiles : ils naviguent sur une eau dans laquelle on aperçoit, assez exactement dessinés, les poissons et les crustacés de la Mer-Rouge. Le mot [hiéroglyphes] OUAT-OER, *grand bassin*,

[1] Les mots entre parenthèses ont été martelés et remplacés par la légende de Ramsès II ; mais la restitution du texte est facile.

ne nommait donc pas seulement la Méditerranée. Des matelots déchargent des vivres et de grandes jarres pour le service de l'expédition de débarquement.

Une autre scène représente les mêmes vaisseaux qu'on charge des produits recueillis par l'expédition, et que la légende énumère en ces termes :

« Chargement de navires en très-grand nombre avec « les merveilles du pays de Poun et toute espèce d'ex- « cellent bois de To-Neter, des monceaux de *kami d'ana*, « des sycomores qui produisent l'*ana* vert, de l'ébène, « de l'ivoire, de l'or, de l'agate[1] du pays d'Amou, des « blocs de bois de *tasheps*, du parfum *ahem*, de l'en- « cens, du *mestem* (*kohol*), des singes *ani*[2], des singes « *kafu*[3], des chiens lévriers (*tasem*), des peaux de « panthère du midi, des ouvriers et leurs enfants. « Jamais aucun des rois qui ont existé depuis le commen- « cement du monde n'avait apporté choses semblables. »

Une troisième scène représente l'expédition rentrant à Thèbes. Les barques naviguent sur le Nil, qui est caractérisé par ses poissons. On lit dans la légende :

« Navigation et retour en paix ; abordage triomphal à « Apetou (Thèbes) par l'armée du seigneur des deux « mondes ; à sa suite sont les chefs de ce pays (de *Poun*) ; « ils apportent ce qui jamais n'avait été apporté par les « seigneurs rois d'Égypte, en fait de merveilleux pro- « duits de Poun. »

1 [hieroglyph]. M. Dümichen corrige en [hieroglyph], *argent* ; il a peut-être raison ; mais toutes les copies sont d'accord sur le groupe [hieroglyph].

2 Cynocéphalus Hamadryas.

3 Cynocéphalus Babuinus.

Nous venons de dire que les dessins de M. Dümichen ne sont pas complets. Après le déblaiement opéré par M. Mariette du monument d'El-Assassif, des touristes peu scrupuleux en détachèrent quelques blocs ; l'ordre des scènes en fut altéré ; on en jugera par ce fait que le savant allemand n'y retrouva plus le bloc qui figurait, près de son âne, la femme du chef de Poun, descendue de sa monture à la rencontre du chef égyptien ; l'ensemble de ce tableau, sans contredit l'un des plus curieux de tous, m'est connu par de magnifiques estampages que j'ai vus entre les mains de M. Prisse, et qui donnent une idée de ce que pourra être la publication de M. Mariette.

La princesse arabe, dont je reproduis ici le portrait d'après ces estampages, s'incline devant l'envoyé du pharaon. De forts replis graisseux retombent sur ses bras, sur son abdomen, et principalement sur ses jambes, qui sont de dimensions monstrueuses[1] ; elle est nue jusqu'à la ceinture ; une courte

[1] De nos jours l'épouse favorite de Vouazérou, frère du roi du Karagoué, l'eût emporté en embonpoint sur la princesse arabe. *Elle n'aurait pu*, dit le voyageur Speke, *se tenir debout ; elle en eût été empêchée au besoin par le seul poids de ses bras, aux jointures desquels pendaient, comme autant de puddings trop délayés, une chair abondante et molle.*

jupe serrée à la taille lui descend jusqu'à mi-jambes; elle porte un collier et des bracelets de jambes et de bras: sa chevelure est retenue par un simple bandeau.

L'âne qui servait de monture à cette remarquable personne a pour tout harnachement une espèce de coussin lié par deux sangles à un système d'attaches passant devant le poitrail et sous la queue de l'animal [1], mais non pas sous le ventre; aussi, pour empêcher cette selle primitive de glisser de côté, l'ânier la retient avec la main en attendant que sa maîtresse soit remontée.

Au-dessus de l'âne, on lit ce qui suit :

L'âne portant sa femme [2].

M. Dümichen, qui n'avait pu voir la femme, a été conduit à traduire: *L'âne porte sa charge*, et à donner ainsi au groupe [hiéroglyphe], **ϩιωε**, une valeur nouvelle, résultat d'une erreur matérielle. Ce savant eût pu signaler lui-même cette erreur lorsque, dans une publication subséquente, il a reproduit l'estampage de la princesse arabe [3].

La chance d'erreurs résultant du défaut d'enchaînement des scènes se retrouve probablement dans l'éparpillement des légendes hiéroglyphiques. Celles que

[1] Les ânes de Poun, chargés de fardeaux, ont le même système d'harnachement.

[2] Ceci suit la légende du chef de Poun.

[3] *Resultate*, etc., pl. 57. Cette rectification est d'autant plus nécessaire que, d'après M. Dümichen, M. Brugsch a accepté dans son dictionnaire le sens *charge* pour le groupe *femme*.

M. Dümichen a publiées dans *Die Flotte*, etc., sont fragmentaires et m'avaient égaré avant que j'eusse aperçu celles que le même savant a insérées dans son deuxième recueil d'*Inscriptions historiques* (pl. 19 et 20). Ces textes, qui ont été martelés par Ramsès II pour y substituer sans doute ses propres louanges, ont été copiées et reconstituées dans leur ordre avec une extrême habileté par le jeune égyptologue allemand. Il faut observer seulement que le dessinateur, trompé par la direction des hiéroglyphes, qui est rétrograde, a numéroté à contresens les lignes 1 à 6 de la planche 20. Ces six premières lignes doivent conséquemment être lues en commençant par la ligne marquée 6 jusqu'à celle marquée 1, qui termine le préambule. En abrégeant un peu les titres royaux et supprimant quelques courts passages trop martelés pour être déchiffrés, voici ce que je lis dans ces textes :

« Le roi de la haute et de la basse Égypte, Makara,
« l'alliée d'Ammon qui l'aime, qu'il a fait hériter de la
« royauté des deux pays, à laquelle il a soumis le cir-
« cuit du Soleil, le domaine de Seb et de Nou; contre
« elle ne se soulèvent point les Barbares du midi ; à elle
« ne résistent pas les Barbares du nord. Le ciel et
« toutes les nations créées par Dieu la servent sans
« exception avec joie; leurs chefs lui offrent spontané-
« ment les bons produits de leur pays chargés sur leurs
« dos : ils lui font présent de leurs enfants, qu'ils
« amènent pour qu'il leur soit accordé le souffle de la
« vie[1]. Tel est l'effet du grand amour d'Ammon qui a

[1] Cela signifie : *la permission de vivre.*

« placé toutes les régions sous les pieds du roi lui-
« même, le roi de la haute et de la basse Égypte,
« Makara.

« La Majesté royale avait formé un vœu relativement
« aux Marches de l'ana; sa volonté fut entendue dans
« le lieu grand; c'était la parole du dieu lui-même :
« qu'on explore les routes de Poun ; qu'on s'engage sur
« les chemins qui mènent aux Marches de l'ana.... ,

« Afin d'en amener les produits merveilleux à ce
« dieu, créateur des beautés de la reine [1].

« On exécuta tout ce qui avait été ordonné par ce dieu
« auguste. »

On voit par ce préambule que la virile sœur de Thothmès II, régente pendant la minorité de Thothmès III, avait spontanément conçu l'idée de pénétrer dans l'intérieur de l'Arabie, et qu'elle se fit encourager à cette entreprise par un oracle du dieu Ammon. On remarquera que cette reine, dont le nom complet est Num-Ammon Hashepsou, et le prénom Makara, affecte continuellement de se servir des titres masculins; elle est appelée *le roi* et non *la reine*, quoique les pronoms personnels et possessifs qui la représentent dans les textes soient généralement du féminin ; ces prétentions masculines donnent lieu à des formules très-singulières ; c'est ainsi que, dans l'expression *Sa Majesté elle-même*, [hiéroglyphes], les termes *Sa Majesté* ont le possessif

[1] C'est-à-dire du *créateur de la reine* : les qualités physiques et morales servaient d'expression d'honneur et de politesse pour désigner les rois et les grands personnages.

masculin, et ils sont suivis du pronom féminin *elle-même;* l'anglais *His Majesty herself* rend bien compte de cette anomalie intentionnelle.

La suite de l'inscription est un discours d'Ammon glorifiant sa protégée.

Voici ce que dit Ammon-Ra, seigneur des trônes du monde :

« Viens en paix, ma fille, celle qui occupe tout-à-
« fait mon cœur, roi de la haute et de la basse Égypte,
« Makara : tu m'as fait des fondations pieuses; tu as
« purifié le siége des grandes familles divines dans ma
« demeure[1]..... Ta royauté, ô roi de la haute et de la
« basse Égypte, Num-Ammon Hashepsou, a multiplié
« les dotations des cérémonies..... Tu as satisfait mon
« cœur en tout temps. Aussi, je te donne toute la
« plénitude de vie qui est en moi, toute la force qui est
« en moi, toute la joie qui est en moi. Toutes les eaux,
« toutes les terres, toutes les nations, fais-en ton bon
« plaisir. Je décrète qu'elles t'adorent à jamais.....

« Je te donne Poun et la région inconnue, jusque
« dans les pays des Dieux[2] et dans le To-Neter. On ne
« peut entrer dans les Marches de l'ana; il n'y a pas
« d'hommes qu'on puisse entendre bouche à bouche
« pour parler à ceux qui habitent ce pays; on n'en

1 La reine avait fondé ou embelli le temple d'Ammon à El-Assassif; c'est à cette occasion qu'elle consacra le grand nombre d'outils votifs dont nous avons parlé. Thothmès III, ayant secoué le joug de cette tutrice ambitieuse, revendiqua cette fondation.

2 Ce passage est conjectural; il s'agit probablement des pays situés au-delà de l'Arabie, de l'Inde, par exemple : voir ci-devant, p. 118.

« avait point apporté les merveilleux produits à tes
« pères les rois d'Égypte depuis le temps du dieu Ra
« et des anciens rois..... On n'y avait pas pénétré, à
« l'exception de tes émissaires. Tu y fis entrer ton
« armée, la guidant sur les eaux, sur la terre, sur les
« fleuves; paisiblement elle pénétra dans les Marches de
« l'ana; c'est le lieu sacré de To-Neter, et pour moi un
« endroit de délectation.

« C'est moi qui les introduisis, ainsi que ta mère
« Hathor, la grande souveraine de Poun, la déesse à la
« très-mystérieuse puissance, la régente de tous les
« dieux.

« Ils prirent de l'ana autant qu'ils en voulurent; ils
« chargèrent à leur gré des vaisseaux avec les arbres à
« *ana vert* et avec toute espèce d'excellents produits et
« ce pays.

« Les habitants de Poun, qui ne sont pas des hommes,
« et les Sauvages de To-Neter s'y prêtèrent de bonne
« grâce; ils livrèrent leurs richesses..... Ils vinrent
« paisiblement, par la volonté du seigneur de tous les
« dieux, apportant par eau les merveilleux produits et
« toute espèce de bonnes choses de ce pays. »

D'autres inscriptions, que je ne connais que par les citations tronquées de la première publication de M. Dümichen, contenaient quelques détails additionnels, notamment sur les ordres donnés par la reine pour l'organisation de l'expédition; les instructions dictées à l'envoyé royal lui prescrivaient spécialement d'exploiter les bois de To-Neter, d'arracher des sycomores à parfum et de les amener en Égypte [1]. L'exécution de cette partie de la mission fut accomplie avec soin ; trente-et-un de ces arbres précieux furent déracinés, plantés dans des bacs et chargés sur les navires égyptiens ; parmi ces arbres, quelques-uns portaient de l'ana vert, selon l'attestation d'un autre fragment d'inscription. On voit, en effet, trois espèces d'arbres de la même famille parmi ceux que les Égyptiens avaient recueillis, savoir : 1° l'arbre dépourvu de feuilles ; 2° l'arbre avec ses feuilles ; 3° et enfin l'arbre sur lequel on aperçoit, indépendamment du feuillage, des corps irréguliers, anguleux, adhérents à l'écorce du tronc et à la naissance des branches latérales. Ces corps, dont voici les formes générales :  , représentent évidemment la gomme ou résine qui s'écoule par une incision faite au bois [2]. L'*ana* ou produit de l'arbre est, en effet, représenté sous des formes identiques après la récolte, soit en paniers, soit en vases, soit enfin en tas énormes déposés sur le sol.

Les scènes d'El-Assassif donnent plusieurs fois des représentations, en dimensions assez grandes, des arbres

[1] Dans l'intérieur de l'Arabie, au témoignage de Diodore, on trouvait des forêts épaisses où croissaient les arbres qui portent l'encens et la myrrhe, etc. *Liv.* III, 46.

[2] C'est ainsi que se recueillent les baumes et les résines, et en particulier la myrrhe et l'encens d'Arabie, au dire de Pline. (*Hist. nat.* XII, 14 et 15.)

dont il s'agit ; mais on ne peut assez compter sur l'exactitude de ces dessins pour y chercher les particularités qui permettraient d'en distinguer les caractères botaniques. Cette recherche serait toutefois possible au naturaliste qui s'aiderait des détails circonstanciés donnés par la liste des onze *anas* sacrés, des trois *anas* profanes et des deux *anas* d'Éthiopie, nommés *kheses* et *kheskhes*, dont l'usage était interdit dans les temples. Cette étude ne saurait trouver place ici, mais elle mérite un travail spécial, dont quelque nouveau Burton pourrait tirer parti pour résoudre le problème. Bornons-nous à dire que les *anas* sacrés sont en morceaux de grosseurs diverses, jusqu'à celle d'un œuf de pigeon ; leur couleur est celle de l'or, ou rouge foncé ou rouge pâle ; il y a de l'*ana* dur, du mou, du sec, de l'humide. L'un d'eux, qui vient de chez les Amou, perd en jus un quart de son poids quand il est pilé. On voit que les naturalistes trouveront dans nos textes des points de repère assez significatifs.

Tel est, après l'or peut-être, l'objet principal qui déterminait les Égyptiens à entretenir des relations avec Poun. On retirait de l'ana un parfum exquis que l'on considérait comme l'une des offrandes les plus honorables à faire aux dieux. L'*ana* était aussi d'un grand usage comme cosmétique. Au retour de l'expédition d'Arabie, la reine se hâta de choisir le meilleur *ana* et d'en préparer de ses propres mains une essence dont elle s'oignit tous les membres : l'odeur de cette essence, nous dit le texte, *est comparable à la rosée divine ; c'est le parfum qui s'exhale dans Poun*[1]. *La peau devient comme formée d'or et d'ivoire et rayonne comme les étoiles, etc.* Voilà une préparation que nos parfumeurs feraient bien de retrouver[2].

Avec l'*ana*, c'est l'or qui constituait le produit le plus important de l'Arabie aux temps de la XVIIIe dynastie[3] : dans les scènes d'El-Assassif, les chefs de Poun, prosternés devant la reine, ont derrière eux une grande corbeille remplie du précieux parfum et d'anneaux d'or. L'or était apporté soit en anneaux séparés ou liés les uns aux autres, soit en poudre d'or dans des sacs ; d'autres tableaux figurent des produits accessoires tels que l'ébène, en gros blocs noueux, les tas de défenses d'éléphant, le *mestem* ou kohol de Poun, variété qui paraît avoir été moins estimée que celle des Petti-Shou ; une autre substance nommée *kash* ( ) en morceaux de même forme, mais un peu plus gros que l'*ana*, et enfin le gros bétail.

[1] Lucien, dans son traité de la *Déesse Syrienne*, parle aussi des parfums dont l'air de l'Arabie est imprégné. Pline dit que l'odeur de l'encens et de la myrrhe est tellement persistante que, pour s'en débarrasser, les Arabes brûlent du styrax dans des peaux de chèvres. Strabon cite aussi des faits du même genre. Voyez Diodore, II, 49 ; III, 46.

[2] L'une des félicités que quelques textes promettent aux défunts justifiés consiste à respirer l'*ana*.

[3] Diodore mentionne plusieurs fois l'or apyre des Arabes (II, 49). Il dit que les indigènes faisaient des bracelets et des colliers avec des morceaux de minerai de cet or, enfilés et entremêlés de pierres précieuses (III, 45) ; et il ajoute que, ne possédant ni cuivre, ni fer, les Arabes achetaient ces métaux aux marchands étrangers moyennant un poids égal d'or. Il est bon de se rappeler que cet historien est un guide très-peu sûr.

Parmi les produits fabriqués figurent des colliers se fermant au moyen de cordons,  ; de gros anneaux,  , probablement de métal (bracelets ou périscélides) ; des chaînettes,  , terminées par des cordons ; des poignards avec le baudrier qui sert à les porter  ; des haches de forme très-simple  : des bâtons à bouts arrondis, espèces de massues ainsi figurées :  ; la même arme se voit en dimension réduite : , dans les mains de quelques-uns des habitants de Poun ramenés par l'expédition. Un Nègre, servant d'escorte à un conducteur de tigre, porte aussi la hache : [1].

D'autres tributs sont apportés dans de gros sacs dépourvus de légendes ; ils font sans doute partie des

[1] Au dire de Strabon, les armes des Arabes étaient le glaive, la fronde, la hache à deux tranchants, la lance et l'arc ; mais ce renseignement se réfère à une époque bien postérieure.

objets mentionnés dans le titre général que nous avons traduit ci-devant [1], tels que l'agate, l'encens et l'*ahem* [2]. Ces deux dernières substances sont des aromates manufacturés, qui montrent que les anciens Arabes savaient préparer eux-mêmes leurs parfums et leurs essences. L'*ahem* était le onzième et dernier des *anas* dont l'usage fût autorisé dans les temples; il provenait, comme les dix autres espèces, de l'arbre, que nous avons nommé sycomore à cause du copte ⲛⲟⲩϩⲉ, qui a cette valeur: il n'y a là, dans le fait, qu'une ressemblance de nom.

Les Égyptiens avaient un profond mépris pour les habitants de Poun, auxquels ils refusent la qualité d'hommes: ; *les Poun, non des hommes*, disent nos textes; quant aux habitants de To-Neter, ils les appellent , *Khebsou*. Ce nom est l'expression phonétique du signe lorsque ce signe est employé pour désigner les nations étrangères, ainsi qu'on le voit dans l'énumération: [3], *eaux toutes, terres toutes, Barbares tous*. C'est comme s'ils les traitaient de *Sauvages*. En faisant le portrait de la femme de l'un des chefs principaux, ils l'ont représentée absolument difforme [4]: ils n'ont pas tenu non plus à donner une haute

[1] Page 157.

[2] Les textes de dates moins anciennes citent encore d'autres substances comme produits de Poun et de To-Neter.

[3] Dümichen: *Insc. hist.* II, pl. 20, 15.

[4] Voir ci-devant, page 158.

opinion de la partie masculine de la population arabe. Les hommes qu'ils représentent employés au transport des arbres à *ana* [1], et même les chefs agenouillés, dans la posture ci-dessous, devant la reine, ont l'apparence rude et grossière : trois plis très-apparents, des rides profondes, ou plutôt des incisions formant tatouage, défigurent ces personnages. La mise de l'un et de l'autre

sexe consiste en un simple pagne ou pièce d'étoffe roulée autour de la ceinture et descendant, pour l'homme, au-dessus du genou, et, pour la femme, un peu au-dessous. Une espèce de bandeau retient la chevelure, qui paraît fort abondante. Le narrateur égyptien insiste avec complaisance sur le fait que les habitants de Poun, *qui ne sont pas des hommes*, n'opposèrent aucune résis-

[1] Dans une de ces scènes, un officier égyptien gourmande la lenteur des porteurs arabes : *Pressez vos pas*, leur dit-il, à quoi les Arabes répondent : *Permets ! c'est très-lourd.*

tance ; ils livrèrent de bonne volonté ce qu'on leur demanda ; sous ce rapport, la race arabe était encore la même au temps d'Auguste. En racontant l'expédition d'Ælius Gallus, Strabon fait l'observation que les Arabes ne sont belliqueux ni sur terre, ni sur mer : *omnes imbelles sunt, et armis imperite usi sunt.* Dans une seule bataille Ælius Gallus aurait tué dix mille Arabes, en perdant seulement deux Romains.

Malgré la grossièreté des traits et l'extrême simplicité du costume, on reconnaît facilement le type de la race syro-araméenne ; le système ethnologique de la Genèse, qui fait descendre les Hébreux et les Arabes d'un même père, reçoit ici l'éclatante confirmation d'un monument qui n'est pas de beaucoup postérieur à Abraham. Ce type ne se rencontre pas chez les races de la rive occidentale de la Mer-Rouge ; celles-ci faisaient partie des Coushites, au nez court, aux lèvres épaisses, à la peau variant du brun rougeâtre jusqu'au plus beau noir. C'est donc à tort qu'on a supposé que le pays de Poun comprenait les deux rives de cette mer. Mais il est parfaitement certain qu'entre les Poun et les Coushites, des relations très-intimes étaient établies de toute antiquité à travers la Mer-Rouge, comme encore aujourd'hui entre les Arabes d'une part, et l'Afrique centrale, l'Abyssinie et le Soudan de l'autre part. C'est pour ce motif que les produits de Poun sont souvent associés à ceux de Cousch ; c'est de Cousch que le pays de Poun se procurait des Nègres de choix. Un fait remarquable, et qui tenait peut-être aux traditions mythologiques que nous avons rappelées, est signalé dans les inscriptions du grand temple à Médinet-Habou ; on y lit qu'un Nègre de Poun avait un rôle dans la grande panégyrie de Khem-Taureau. A cette occasion, on apportait au roi une faucille de bronze noir incrustée d'or, avec laquelle il coupait la gerbe présentée à l'animal, symbole du dieu [1]. Le Nègre ou le prêtre qui en remplissait le rôle, prononçait l'invocation à Khem, *venu des pays étrangers sous la forme d'un taureau* [2].

L'ancienne race arabe était donc encore étrangère aux habitudes du luxe vers le XVIIe siècle avant notre ère ; mais ce fait ne prouve pas qu'elle fût ignorante et mal douée ; le contraire peut être déduit de la circonstance que les Égyptiens en ramenèrent des travailleurs ; non plus des domestiques et des esclaves comme de chez les Nègres, mais des ouvriers de professions manuelles. Telle était la politique constante de ce peuple habile, qui, non content de se procurer les meilleures productions des pays voisins, enrôlait aussi leurs meilleurs ouvriers pour acclimater sur les rives du Nil la fabrication des produits utiles ou agréables. Les ouvriers ramenés par l'expédition de la reine Hashepson [3] sont désignés par le groupe [hiéroglyphes], qui a pour variante [hiéroglyphes], et se prononce *merou*. Les textes qui nous parlent de ces travailleurs avec quelques détails sont

[1] *Denkm.* III, 212, 213, *ibid.*, 166, 167.

[2] Cette légende lie le mythe de Khem à celui d'Osiris, qui est Hapi-Nil, venu de Poun sous forme de taureau. Voir ci-devant, p. 151.

[3] Voir le texte traduit, page 157 ci-devant.

presque tous relatifs au tissage des étoffes. Sous l'ancien empire, les riches particuliers avaient à leur service des ouvriers de toutes les professions ; dans une scène de tissage, la légende du chef de corvée est [hieroglyphs], MER-MER-T, *l'intendant du tissage*[1]. Le papyrus Anastasi VI, qui est de l'époque des Ramsès, traite de réclamations relatives au détournement de MEROU de l'un et l'autre sexe, ainsi qu'à la propriété du travail de ces individus, consistant en étoffes dont le papyrus donne un compte détaillé. Une autre liste d'étoffes fabriquées par les MEROU pour le temple d'Ammon à Thèbes se trouve dans les grandes inscriptions de Thothmès III à Karnak[2]. Cependant, et quoique d'autres textes encore mettent ces travailleurs en rapport avec la confection des étoffes[3], je ne pense pas que telle fut leur occupation exclusive ; il y avait aussi des cultivateurs parmi eux et des gens chargés du soin des bestiaux. On voit dans la stèle du Songe que les prisonniers faits par Bakara Nouat-Mériamon, ayant obtenu la vie-sauve moyennant soumission à l'autorité royale du vainqueur, s'obligèrent à travailler pour lui ; voici leurs paroles : *Nous repartirons pour nos villes ; nous commanderons des* MEROU, *nous fabriquerons, nous travaillerons pour le temple.*

Les chefs de Poun, qui avaient volontairement accompagné en Égypte l'expédition de la reine, furent reçus avec distinction. On leur offrit le *vin d'honneur* à leur

1 *Denkm.* II, 126.
2 *Denkm.* III, 30, b. — Brugsch, *Recueil*, etc., 43.
3 Notamment : Mariette, *Abydos*, 8, 88.

arrivée, ce qui n'aurait certainement pas été fait pour les Nègres. L'une des scènes d'El-Assassif représente l'envoyé égyptien faisant la reconnaissance des produits de Cousli et de To-Neter, qui doivent être présentés à sa souveraine et déposés dans le temple d'Hathor. Derrière ce personnage se voit un pavillon dont la légende suivante explique l'usage :

« Préparation du pavillon de l'envoyé royal et de son « armée (de retour) des Marches de l'ana, de Poun et « des régions du Ouat-Oer, pour recevoir les *Oérou* de « ce pays et leur offrir le haq, le vin, les viandes et « toute espèce de bons fruits de l'Égypte, ainsi que « l'avait ordonné le souverain [1]. »

Tels étaient les Arabes d'il y a trente-cinq siècles ; tels ils étaient probablement dans le troisième et dans le quatrième millénaire avant notre ère. On savait peu de chose de l'intérieur de leur pays, protégé qu'il était par une ceinture de déserts plus encore que par l'inhospitalité ou la valeur de ses habitants. Attirés par ses produits recherchés, des marchands aventureux appartenant aux peuples du voisinage, tels que le Sinaï, la Syrie, la Chaldée, Cousli, etc., s'y introduisaient pour faire le commerce. Les inscriptions monumentales nous parlent de ces relations ; elles constatent que l'Égypte recevait par la voie des Amou ou Asiatiques beaucoup de produits de Poun. Mais l'Égypte prenait aussi une part directe à ce commerce périlleux. C'est ce que nous apprend le discours d'Ammon à la reine : *Personne ne*

[1] Dümichen II : *Hist. Inschr.* X

pénétrait dans ce pays, à l'exception de tes émissaires. Le mot qui exprime l'idée *émissaires* dans le texte hiéroglyphique est [hiéroglyphes], SMEN ; il est déterminé par l'image d'un homme en marche, portant un paquet à l'aide d'un bâton passé sur l'épaule. Ces explorateurs hardis [1] voyageaient seuls ou en caravanes comme les Midianites qui achetèrent Joseph, et qui allaient du Hauran en Égypte, portant sur leurs chameaux du *nekoth*, du *tséri* et du *lât* [2], parfums aussi difficiles à identifier que ceux dont les hiéroglyphes nous donnent les noms.

Dans tous les temps, mais surtout dans l'antiquité, l'appât du gain a été le principal mobile des voyages lointains Les marchands arabes connaissaient l'intérieur de l'Afrique bien longtemps avant les expéditions des Speke, des Burton, etc. Quand César voulut se rendre compte des ressources de la Grande-Bretagne, il ne trouva chez les Gaulois aucun renseignement sur les peuples qui habitaient ce pays, ni sur son étendue, ni sur ses ports. Il n'y avait eu jusqu'alors que des marchands qui eussent osé en approcher [3].

Les bas-reliefs d'El-Assassif nous montrent ce qu'était un village des Poun sur le bord de la Mer-Rouge il y a trente-cinq siècles : il consistait en une suite de huttes

1 Un papyrus parle des dangers que couraient les marchands de cette classe, et dit qu'avant leur départ pour l'étranger ils disposaient par testament de tout ce qu'ils possédaient.

2 *Genèse*, ch. 37, 25.

3 César : *Guerre des Gaules*, liv. IV

pareilles à celle de la vignette ci-contre, espacées sur un emplacement où croissent des dattiers et des arbres de l'espèce *avicennia tomentosa ;* le bétail est accroupi sous les arbres, où voltigent des oiseaux de l'espèce *cinnyris metallica* [1]. Les huttes sont très-remarquables en ce qu'elles sont élevées sur des pieux. Pour arriver à leur unique ouverture, on se servait d'une échelle tout-à-fait pareille à nos échelles communes. Il ne s'agit point ici de constructions sur pilotis, ni de rien qui rappelle les cités lacustres, car le sol sur lequel poussent les palmiers et où le bétail se repose sous l'ombrage, n'est évidemment jamais couvert par les eaux. Toutefois, elles étaient ainsi élevées par mesure de défense soit contre les attaques de l'homme, soit contre celles des animaux. Ces demeures dont on retrouve encore les analogues dans les Toqûl du Soudan [2], sont bien supérieures sous tous les rapports aux cabanes qu'aux temps romains les Arabes voisins du golfe élanitique se bâtissaient sur des arbres, à cause de la multiplicité des bêtes sauvages [3]. Elles l'emportent aussi sur les huttes de paille des Marcomans, telles qu'on les voit figurées sur la colonne Antonine.

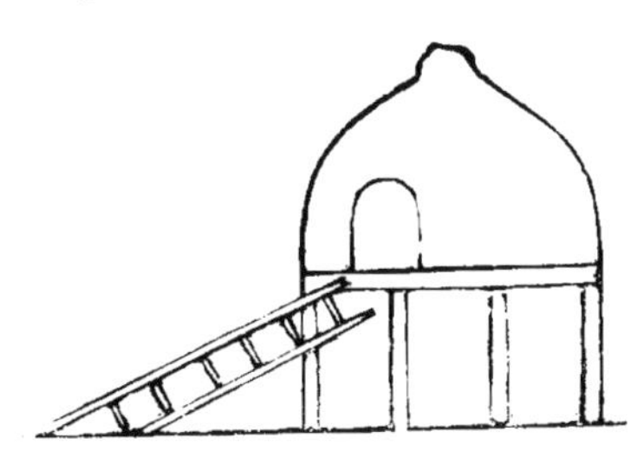

De même qu'à l'époque romaine il y avait, au dire

1 Dümichen : *Die Flotte*, etc., pl. XV.
2 Le même : *ibid.*, *Erlaut.*, p. 19.
3 Strabon : *Geog.*, liv. XVI. — Diodore, liv. III, 42

de Strabon, des Arabes vêtus de peaux et logeant sur des arbres, et d'autres tels que les Sabéens de Mariaba, habitant des demeures somptueuses, avec portes, murailles et toitures ornées d'or, d'argent, d'ivoire et de pierreries, de même aussi l'expédition de la reine Hashepsou, en pénétrant dans le pays, a pu rencontrer des villes mieux construites que les villages de la côte. Nos textes ne nous disent rien à cet égard. L'endroit où les Égyptiens parvinrent est désigné sous le nom de [hiéroglyphes], *Khet ana*. Le mot *khet* est déterminé par un escalier; c'est pour ce motif que je l'ai traduit par *Marches*, mot qui présente aussi un double sens; mais je crois que l'escalier n'est ici qu'un déterminatif phonétique, et qu'il faut prendre le mot dans son acception ordinaire de [hiéroglyphes], qui signifie *terre sèche et dure*, et qui désigne aussi l'aire sur laquelle on battait les grains; si les Égyptiens avaient voulu caractériser un plateau élevé, à terrain pierreux, le mot *khet* serait bien choisi, et l'emploi des degrés, comme déterminatif, s'expliquerait d'une manière satisfaisante. Mais il ne faut pas attacher trop d'importance à ces indications. Tout ce que nous savons, c'est qu'on donnait ce nom de *Khet ana* à la région où croissaient les arbres produisant le parfum *ana*, et qui, pour ce motif, était le lieu sacré de To-Neter.

Nous ne sommes d'ailleurs pas mieux renseignés sur les villes d'Aarena, d'Asca, d'Athalla et de Marsyaba qu'Elius Gallus rencontra dans sa marche de six mois depuis la Mer-Rouge, dans la direction du pays des aromates, ni sur celles d'Anagrana, de Chaalla, de Malotha et de Negra, qu'il visita pendant sa retraite qui ne dura que soixante jours. Lorsqu'il fut obligé de lever le siége de Marsyaba, ses prisonniers lui affirmaient qu'il n'était plus qu'à deux journées de marche de la région des aromates. Cette région était vraisemblablement la même que celle que les hiéroglyphes nomment les *Marches de l'ana*. Les villes du royaume de Saba, que Pline dit être placées sur la côte de la Mer-Rouge: Marana, Marma, Corolia et Sabatra, ne nous sont pas moins inconnues. Mariaba, la capitale, reste également un problème sans solution, malgré l'indication qui la place dans un golfe de quatre-vingt-quatorze milles d'étendue [1].

Nations de l'Ouest et du Nord. — Par le fait de la rareté des monuments, nos connaissances sont très-limitées en ce qui concerne les rapports de l'Égypte avec les nations occidentales et septentrionales au temps de l'ancien empire.

Dès le commencement du nouvel empire, ces deux groupes de peuples sont souvent compris sous l'appellation commune de *Tamahou*, [hiéroglyphes]. Quelques-unes des variantes orthographiques de ce nom se rapprochent beaucoup de [hiéroglyphes], TO-MEHOU, *peuples du nord*. Telle a été dans l'origine la signification radicale du mot, et c'est sans doute pour ce motif que le groupe [hiéroglyphes], *tamahou*, a été employé pour ex-

[1] Pline: Liv. VI, 28.

primer l'idée *nord* dans une énumération des points cardinaux [1]. Néanmoins il comprend aussi les nations de l'ouest de l'Égypte, ainsi que nous l'avons vu dans la citation empruntée au mythe d'Horus [2].

Quoique je ne l'aie encore rencontré que sur des monuments postérieurs à Ahmès I, je ne doute pas que le nom de Tamahou n'ait été connu aux époques antérieures. Mais ce que nous savons d'une manière certaine, c'est que les Égyptiens de l'ancien empire désignaient sous le nom de *Hanebou* les peuples des pays septentrionaux.

La définition des Hanebou est donnée en ces termes par l'inscription d'Edfou dont nous avons déjà parlé [3]: *Hanebou, nom qu'on donne aux îles* ([hiéroglyphes], copte **ⲙⲟⲩ**, *insula*) *de la mer et aux très-nombreux pays du nord qui vivent d'eau de rivière.* L'orthographe hiéroglyphique de ce nom, [hiéroglyphes], *Haounebou*, signifie littéralement *tous ceux qui sont derrière*, c'est-à-dire *tous ceux qui sont au nord.* La plante [hiéroglyphe] [4], qui figure quelquefois seule dans le groupe ([hiéroglyphes]), est d'ailleurs un hiéroglyphe spécial de l'idée nord. Ce nom a désigné les Grecs aux basses époques, sans toutefois perdre sa signification générale; mais il n'a jamais servi,

1 Dümichen: *Recueil* IV, 78, b., a.

2 Ci-devant, p. 97.

3 Ci-devant, p. 114.

4 Cette plante ne devrait régulièrement pas avoir une fleur trilobée; malgré l'inexactitude de ce détail, les égyptologues comprendront qu'il s'agit uniquement de la plante du nord.

comme on l'a prétendu, à écrire le nom des Ioniens[1] : la corbeille y figure pour l'idée *tout* (ⲛⲏⲃ, ⲛⲓⲙ), et non pour l'initiale *n*; quelquefois elle est remplacée par les signes d'Horus et de Set ou des deux Horus placés sur la même corbeille, exprimant le son ⲛⲏⲃ et l'idée *seigneur*, qui répondait à la même articulation.

Le pharaon Sonkhkara, qui envoya à Poun une expédition maritime plus de vingt-cinq siècles avant notre ère, se vante d'avoir fait faiblir les Hanebou :[2]. La puissance navale des Égyptiens, qui s'est révélée à nous dès l'époque de Papi[3], était donc encore florissante dans les siècles suivants ; elle comprenait alors des flottes équipées pour l'attaque des îles de l'Archipel, et peut-être même pour porter la guerre jusque sur le continent européen. Ce renseignement concorde bien avec celui que nous a fourni le papyrus n° 1 de Berlin, où nous trouvons les dieux des îles de la Méditerranée invoqués avec ceux de l'Égypte :

que Oer, dame de Poun, Nou, Haroer,
Phra, les Seigneurs de l'Égypte et des îles
du Ouat-oer donnent vie heureuse à tes narines.

[1] Voir ci-devant, p. 124.
[2] *Denkm.* II, 150, a. 7.
[3] Voir ci-devant, p. 119.

Nous avons reconnu précédemment que le mot OUAT-OER désigne aussi la Mer-Rouge. Ce mot signifie littéralement *grand bassin* [1], et, de même que notre expression *mer*, peut s'appliquer à toute grande étendue d'eau ; mais il nommait plus spécialement la Méditerranée, la plus grande mer à proximité de l'Égypte.

Il ne saurait exister le moindre doute à ce sujet, car, ainsi que l'a déjà fait observer M. de Rougé, le Ouat-oer est désigné par une inscription comme étant la mer où se perd le Nil. Un texte précis nous parle d'ailleurs *de la résidence des rois grecs qui est sur la lèvre (côte) du Ouat-oer, et dont le nom est Rakoti* (Alexandrie) [2].

La Méditerranée était désignée par le nom de Ouat-oer même à l'époque mythologique. Il en est question au calendrier Sallier, dans un passage où l'on voit que Set reçut des renforts par cette mer [3] pendant sa guerre contre Horus.

Nous devons, en ce qui concerne les temps de l'ancien empire, nous contenter de signaler le fait que les Égyptiens parcouraient dès-lors la Méditerranée et avaient des rapports avec les peuples qui habitaient les îles et les côtes de cette mer. Ces relations n'avaient pas

1 Voir S. Birch : *Mémoire sur une patère égyptienne.*

2 Sharpe : *Eg. Insc.*, 73, 9.

3 *Pap. Sallier* IV, 6, 5. — Chabas : *Calendrier des jours fastes*, p. 42. Une indication encore plus précise de la situation d'Alexandrie *sur la lèvre de la Méditerranée (Ouat-oer)* se trouve dans le décret de Ptolémée Lagus traduit par M. Brugsch.

toujours été d'une nature pacifique, puisque, sous la XIe dynastie, ces peuples avaient dû faiblir devant les armes de l'Égypte.

Dans les rares documents que nous possédons relativement à cette époque, nous ne rencontrons aucun nom de peuple, sauf celui de Hanebou, qui n'est alors qu'une appellation générale des peuples du nord. Il n'en faut pas toutefois conclure que les insulaires de la Méditerranée et les Européens ne formassent pas alors des nations distinctes et indépendantes. C'est là une question réservée, sur laquelle la découverte d'un morceau de papyrus pourra quelque jour nous permettre de jeter de la lumière. Pour le moment il nous faut descendre dans le nouvel empire où nous allons nous trouver en contact avec des peuples qui ont laissé un nom dans l'histoire.

Le peuple à peau blanche qui habitait la côte de la Méditerranée à l'ouest de l'Égypte portait le nom de *Tahennou* (ou), c'est-à-dire le peuple *Tahen* ou *à teint clair* [1]. Il apparaît sur les monuments dès le commencement du nouvel empire. Les Thothmès et les Aménophis portèrent les armes de ce côté. Les Tahennou sont caractérisés par leur chevelure en partie rasée sur le côté de la tête, mais avec une longue tresse qui passe en avant de l'oreille et tombe

[1] Nous avons dit plus haut que la substance nommée en égyptien *Tahen* est le verre ou le cristal transparent (voir page 45).

jusque sur les épaules[1]. Hérodote donne de curieux

détails sur la chevelure des peuples de la Libye ; d'après cet historien, les Maces se rasaient les côtés de la tête et laissaient croître leurs cheveux sur le milieu du crâne ; les Machlies les portaient derrière la tête, les Auséens par-devant[2]. Cette disposition si singulière de la chevelure paraît avoir frappé les Égyptiens comme les Grecs. Sur les monuments elle forme un caractère auquel il est toujours facile de reconnaître les peuples libyens, qui d'ailleurs l'imitaient dans le couvre-chef dont ils faisaient

[1] La vignette provient d'un dessin de M. Prisse d'Avennes ; les deux plumes sur la tête sont un insigne militaire.

[2] Liv. IV, 168

usage, ainsi qu'on peut le remarquer dans la vignette suivante[1].

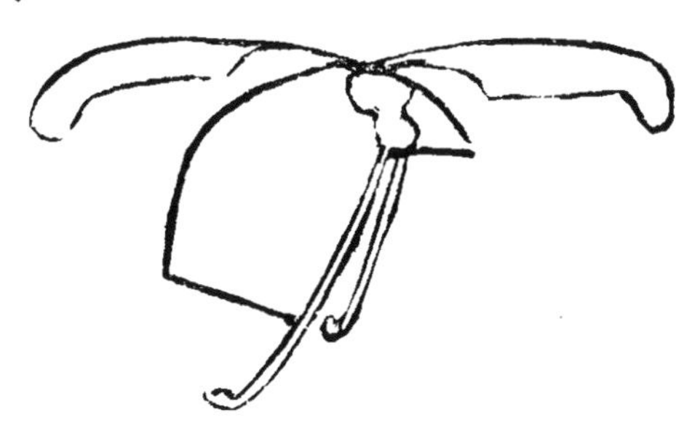

Dans les textes de cette époque le nom de *Tahennou* est souvent remplacé par celui de *Tamahou*, dont nous venons d'expliquer la signification générale : *peuple du nord*; mais les *Tahennou* ne sont qu'une branche des *Tamahou;* ce nom est spécial aux races blanches du nord de l'Afrique; celui de *Tamahou*, au contraire, quoique pouvant s'appliquer aux mêmes Africains, se disait aussi des peuples de l'Europe et des îles de la Méditerranée.

Au tableau des quatre races composant le troupeau de Phra[2], la race septentrionale ne porte que le nom de Tamahou ; elle est caractérisée par sa chevelure, qui est arrangée comme celle des Tahennou, ou

[1] Bas-relief de Karnak représentant Ramsès II frappant un Tahennou de sa pique. Prisse : *Histoire de l'Art égyptien.*

[2] Voir ci-dessus, p. 98.

représentée par une coiffure qui rappelle la même disposition des cheveux [1].

Sous le grand conquérant Thothmès III, les noms particuliers des peuples compris sous ces noms de races n'étaient pas encore usités chez les Égyptiens ; les monuments de cette époque les désignent encore sous les noms de Tamahou, de pourtour du grand circuit d'îles de la grande mer, etc. Voici l'énumération telle qu'elle est donnée dans le discours d'Ammon à Thothmès III sur une stèle découverte par M. Mariette, dont MM. de Rougé et Birch ont publié séparément des traductions [2], avec lesquelles je ne suis pas complètement d'accord :

1° Tsahi (*l'une des désignations du nord de la Syrie*);

2° Ceux qui habitent Sati (*les Asiatiques*);

3° Les Amou du Rutennou (*les Sémites assyriens*);

4° L'Orient, et en particulier Toneter (*l'Arabie*);

5° La Phénicie et le pays d'Asi :

6° Ceux qui habitent leurs îles et les terres de Maten ;

7° Ceux qui habitent les îles dans la Grande-Mer (*la Méditerranée*) ;

8° Les Tahennou et les îles Outena (?) ;

9° Les extrémités des terres et le tour du grand pourtour ;

10° Ceux qui habitent les Haou, et les Heroushas ;

11° Les Petti de Nubie jusqu'à l'Arménie (?).

1 *Denkm.* III, 136 et 204.

2 Archæologia. XXXVIII. — Rev. arch., 1861, vol. IV.

Rien n'est moins clair et moins méthodique que ce dénombrement, où les désignations générales alternent avec des ethniques spéciaux. Aussi ne faut-il pas essayer d'y trouver un classement géographique bien ordonné ; en pareil cas, les pharaons aimaient à se servir de noms pompeux, plutôt que de désignations exactes. Il semble toutefois que les cinq premiers articles concernent exclusivement des peuples habitant le continent asiatique ; il n'y a d'incertitude que pour le pays d'Asi, dont les produits rappellent à la fois ceux de l'Assyrie, de l'Arabie et de l'Éthiopie. Associé à Kefat (la Phénicie), Asi était probablement un peuple commerçant et navigateur, qui se procurait par voie d'échange des objets étrangers à son sol. Cette nation n'est guère citée sur les monuments qu'à raison de ses produits ; cependant elle figure dans le tableau des conquêtes de Séti I [1]. Nous n'aborderons pas le problème ardu qui consisterait à en déterminer exactement la situation, et nous nous contenterons de l'indication générale que nous livre le monument de Thothmès en la groupant avec des peuples incontestablement asiatiques.

Après les cinq articles relatifs à l'Asie, l'énumération que nous étudions en donne quatre, qui ne peuvent se rapporter qu'à l'ouest et au nord de l'Égypte ; ce sont :

1° *Ceux qui habitent leurs îles* [2] *et les terres de Maten* ([hiéroglyphes]).

[1] *Denkm.* III, 129.

[2] Le signe [hiéroglyphe] que donne la copie de l'inscription doit être corrigé en [hiéroglyphe].

Cette désignation est un autre problème très-difficile à résoudre avec les documents dont nous disposons. Maten figure à Soleb [1] dans les conquêtes d'Aménophis II entre les *Menti de Sati*, c'est-à-dire les Asiatiques, d'une part, et les *Tahennou* ou Libyens, de l'autre. Ce pays occupe aussi une position distincte dans la grande liste de Thothmès III, où il est expressément désigné comme peuple du nord [2]. On peut provisoirement y voir la partie maritime de l'Asie-Mineure, associée par notre monument aux îles voisines : la Crète et les Cyclades.

2° *Ceux qui habitent les îles dans l'intérieur de la Grande-Mer.*

Des textes de date postérieure nous montrent que les Sardiniens et les Sicules appartenaient à ce groupe, qui comprenait sans doute aussi toutes les populations insulaires, depuis Chypre jusqu'aux Baléares.

3° *Les Tahennou et le pays des îles Outena*, c'est-à-dire les habitants de la Libye et de la Mauritanie, et un groupe d'îles nommées [hiéroglyphes], *Outena*, dont on ne trouve aucune autre mention sur les monuments.

4° *Les extrémités des terres* ([hiéroglyphes])[3], *et le pourtour du grand circuit* ([hiéroglyphes]).

[1] *Denkm.* III, 88, b.

[2] Dümichen : II *Hist. Inscr.*, 37, d.

[3] M. de Rougé a lu : *Les extrémités de la mer*. C'est une erreur manifeste ; dans ce texte, l'eau est désignée par les trois lignes ondulées, et *les terres* par trois lignes droites. Comparez pour l'eau lig. 7 et 17, et pour les terres, lig. 3, 11 et 20 de l'inscription. M. S. Birch ne s'y est pas trompé.

Le *grand circuit* désigne le pourtour de la Méditerranée; nous en possédons une preuve directe dans les variantes du nom d'une localité comprise dans le nome de Nubie qui offre les deux formes [hiéroglyphes] et [hiéroglyphes][1]. Un texte nous apprend que le *grand circuit* s'étend jusqu'aux deux montagnes mystérieuses ([hiéroglyphes]), et nous donne ainsi une désignation hiéroglyphique des colonnes d'Hercule; malheureusement ce texte est de basse époque[2].

Le *grand circuit* représentant, ainsi que nous venons de l'expliquer, les nations riveraines de la Méditerranée, doit se trouver fréquemment associé dans les textes aux îles de la même mer. C'est en effet ce qui arrive; en résumant l'énumération des nations soumises à Ramsès III, les inscriptions nomment: *tous les pays de plaine, tous les pays de montagne, le grand circuit et les îles de la Grande-Mer*[3].

Les [hiéroglyphes], ou *extrémités des terres*, désignent ordinairement les pays les plus reculés par rapport à l'Égypte[4]. D'après le Rituel, c'était le domaine spécial du dieu Seb. On trouve cette expression usitée à propos des limites septentrionales de la Syrie; mais, dans notre texte, elle semble se référer aux pays situés au-delà de

[1] Texte géographique d'Edfou discuté par M. J. de Rougé.

[2] Dümichen: IV *Recueil*, etc., 60, 60.

[3] Le même: II *Hist. Inschr.*, 47, d.

[4] *Denkm.* III 31, 12. — *Pap. Anast.* I, 17, 1. — *Voyage d'un Égyptien*, 280. — *Denkm.* III, 195, a, etc.

la Méditerranée, c'est-à-dire aux côtes occidentales de l'Afrique et de l'Europe, dont les Égyptiens avaient sans doute une vague connaissance.

Les deux derniers paragraphes du texte en discussion ne nous fournissent aucune information précise. L'un d'eux n'est qu'une indication générale des peuples du nord et du sud, depuis les Petti de Nubie[1] jusqu'à [hiéroglyphes], région septentrionale que des textes de basse époque assimilent à Naharaïn, mais qui est cependant distincte de la Mésopotamie. Quoi qu'il en soit, ce pays ne figure dans notre texte que comme localité reculée du nord par opposition aux Petti de Nubie représentant le midi de l'Égypte.

L'autre paragraphe met de même en opposition *ceux qui habitent les Haou*, [hiéroglyphes][2], et les *Heroushas*, peuple asiatique que nous avons déjà étudié[3].

Nous aurons l'occasion de discuter le groupe [hiéroglyphes] dans la suite de cette étude ; littéralement, ce mot signifierait *le commencement des eaux;* il désigne, selon toute apparence, l'embouchure des rivières dans la mer et les golfes profonds. Il semble que le texte ait eu en vue les populations du littoral. Les deux derniers articles rendent simplement l'idée : *Toutes les*

1 Voir ci-devant, page 101.

2 Le texte a [hiéroglyphes], ce qui ne signifierait rien ; dans ce texte le pronom [hiéroglyphes] a toujours la marque plurielle, qui manque ici.

3 Voir ci-devant, page 119.

populations maritimes et toutes les populations continentales, depuis la Nubie jusqu'au nord de l'Asie.

Ce qu'il nous importe de remarquer dans ce texte, c'est qu'il ne désigne pas encore les peuples de la Méditerranée par les noms qu'ils se donnaient eux-mêmes et qu'on retrouve dans l'histoire. Il n'en faut pas conclure, ni que ces noms n'existaient pas encore aux temps des Thothmès, ni qu'ils fussent inconnus aux scribes égyptiens. Ce n'est, en effet, que sous les Ramsès que la langue de l'Égypte admit une large proportion de mots empruntés aux langues des peuples voisins.

Les Libou ou Libyens n'apparaissent dans les écritures de l'Égypte que sous le règne de Ramsès II ; un papyrus les montre étendus sous les pieds de ce pharaon [1]. D'après une stèle datée de sa deuxième année, il aurait alors *abattu les Sati, pris leurs villes, foulé aux pieds les Barbares du nord et les Tahennou (Libyens), et détruit les combattants du Ouat-oer, qui est le grand bassin du nord* (la Méditerranée) [2]. Cette limite (XIVe siècle avant notre ère) n'est toutefois pas définitive, quoiqu'elle soit antérieure de sept siècles à la première mention des לובים, *Loubim*, dans la Bible.

[1] *Pap. Anastasi* II, 3, 2. Le texte est mutilé; il pourrait se faire que la mention se rapportât à Baï-en-Ra, fils de Ramsès II.

[2] *Denkm.* III, 175, g. Le nom des *Tahennou* est écrit : *Tamahennou*, ce qui constitue une combinaison de *Tamahou* et de *Tahennou*. Mais c'est plus probablement le résultat d'une erreur du lapicide.

La coiffure des Libyens ressemble à celle des Tahennou et des Tamahou [1]. D'autres rameaux de la famille des *Tahennou* se montrent à la même époque ; ce sont les *Mashaouasha* et les *Kahaka*, qui fournissaient des mercenaires à Ramsès II [2].

D'après les documents aujourd'hui connus, les nations situées à l'ouest de l'Égypte n'ont commencé à prendre de l'importance militaire que dans la dernière partie du règne de ce pharaon ; on ne reconnaît, en effet, aucune de ces nations dans la puissante alliance qui se forma contre lui peu d'années après son accession à la couronne, sous l'impulsion des Khétas ; mais on y trouve déjà des peuples qui ne figuraient pas auparavant parmi les adversaires de l'Égypte ; le chef de Khaleb (Alep), qui commandait à 18000 combattants, avait pour compagnons celui d'Aratou (*Arad*) ; celui de Masa (*Mysie*) ; celui d'Eiouna ou de Maana (*Ionie* ou *Mœonie*) ; celui de Leka (*Lycie*), et celui de Dardani (*Dardanie*). Plusieurs autres noms sont d'une identification moins facile ; mais il est évident, ainsi que M. de Rougé en a exprimé l'opinion, que la confédération comprenait toute l'Asie occidentale. Nous voyons alors l'Égypte pour la première fois en contact hostile avec les Grecs de l'Asie-Mineure, qui, deux siècles environ plus tard, s'associeront pour résister à ceux de l'Europe devant les murs de Troie.

[1] Voir ci-devant, p. 182 et 183.

[2] *Voyage d'un Égyptien*, p. 52.

Mais l'importance croissante des nations septentrionales par rapport à l'Égypte s'était manifestée dès l'époque des Aménophis et des Thothmès. Sous Thothmès I, les *Hanebou* sont représentés comme brisés par les armes du pharaon, et les *Herousha*s prisonniers travaillent à embellir Thèbes [1]. Aménophis III écrase sous son siége royal neuf peuples, en tête desquels sont placés les mêmes *Hanebou* [2]. Nous n'en sommes encore qu'aux désignations générales, mais les ethniques classiques ne tarderont pas à faire leur apparition.

Le peuple de l'Europe dont on trouve, à la date la plus ancienne, le nom sur les monuments de l'Égypte, est le Shardana ([hiéroglyphes]) ou *Sardinien*, qui occupait déjà l'île de Sardaigne. Dans l'armée que Ramsès II forma pour résister à la confédération asiatique dont nous venons de parler, des Sardiniens servaient comme auxiliaires. Le texte du récit poétique de la campagne, qu'on appelle le poëme de Pentaour depuis la traduction qu'en a faite M. de Rougé, dit expressément que ces Sardiniens étaient des prisonniers faits par Ramsès II lui-même [3]. Comme la campagne en question est de l'an V, on est obligé de reconnaître qu'avant cette date, c'est-à-dire tout au commencement de son règne, Ramsès II a eu à combattre les Sardiniens. Les monuments ne nous ont pas encore fourni d'autres traces de cette première lutte. Ce que nous savons d'une

[1] *Denkm.* III, 5.

[2] *Ibid.*, 77.

[3] De Rougé : *Bib. Intern. univ.* 161, II, d'après les fragments de Karnak.

manière bien certaine, c'est que ce peuple possédait déjà une marine militaire vers le XVᵉ siècle avant notre ère. Dans la suite de son règne, Ramsès II continua à utiliser les services des auxiliaires sardes [1].

Ramsès II triompha de la ligue puissante organisée par les Khétas ; mais désormais les peuples de l'ouest et du nord de la Méditerranée avaient pris connaissance des richesses immenses entassées sur les rives du Nil par une civilisation de longue date ; leurs attaques se renouvelèrent comme il arriva de celles des Barbares contre l'empire romain, et l'Égypte succomba bien des fois dans cette lutte implacable avant de passer définitivement sous la domination des Macédoniens.

Toutefois les victoires de Ramsès II et le traité qu'il conclut avec les Khétas en l'an XXI de son règne paraissent avoir assuré à l'Égypte une assez longue période de tranquillité. Aucune guerre considérable ne signala ses dernières années. Son fils Meneptah-Baïenra lui succéda tranquillement, et put, dès son accession à la couronne, se livrer aux travaux de la paix. Une inscription de l'an Iᵉʳ de ce prince nous le montre développant et dotant richement les temples de Silsilis dans la haute Égypte [2]. Mais les textes historiques de son règne sont très-peu nombreux ; un seul événement important y est mentionné, et malheureusement nous n'en avons pas la date précise. A en juger par la rareté des monuments, on doit admettre que le règne de ce prince ne fut pas de longue durée ; ce serait donc seulement un petit nombre

1 *Voyage d'un Égyptien*, p. 67.
2 *Denkm.* III, 200, d.

d'années après la mort du grand Ramsès qu'aurait eu lieu l'événement dont nous allons parler et qui amena pour la première fois sur le théâtre de l'histoire des populations européennes dont les textes n'avaient encore fait aucune mention.

Séti I et Ramsès II avaient eu à combattre les Tahennou ou Libyens, et, dans ses guerres contre les Khétas, ce dernier pharaon avait rencontré dans les rangs de ses adversaires quelques-unes des populations grecques de l'Asie-Mineure. Les Khétas, épuisés ou découragés, respectèrent le traité qu'ils avaient conclu avec le pharaon ; mais les Libyens, voisins territoriaux de l'Égypte, n'attendaient qu'une occasion favorable pour recommencer leurs entreprises contre le pays riche et fertile qu'arrosent les branches du Nil. Renseignés par leurs mercenaires, qui formaient dès-lors une partie des forces militaires de l'Égypte, et aussi par leurs tribus tolérées sur les lisières du Delta, ils mirent à profit l'avénement d'un règne nouveau et la désorganisation matérielle et morale qui est toujours le fruit d'une longue paix et des jouissances énervantes du luxe.

Sur la fin du XIVe siècle avant notre ère, dans les premières années du règne du pharaon Meneptah-Baïenra, le roi des Libyens, Marmaïou, fils de Teit ou Deid, se mit à la tête d'une confédération des peuples du littoral méditerranéen comprenant, indépendamment des Libyens et de leurs voisins les Mashouashas et les Kahakas, les Shardanas (Sardiniens), les Shekulshas (Sicules), les Tourshas (Étrusques), les Likou (Lyciens), les Akaouashas (Achaïens). L'armée des confédérés s'établit sur la limite de la basse Égypte.

Le monument de Karnak qui relate cette guerre a été copié partiellement par M. Brugsch [1] et par M. Lepsius [2], et, dans son entier, par M. Dümichen [3]. Cette inscription, malheureusement très-fruste et très-incomplète, a fait l'objet d'un important Mémoire de M. de Rougé, inséré dans la *Revue archéologique* [4]. Le savant académicien paraît avoir pris lui-même une autre copie de cette inscription; toutefois, dans les traductions qu'il en donne, il se réfère constamment à celle qu'a publiée M. Dümichen. Mais il résulte des observations de M. de Rougé que cette copie laisse beaucoup à désirer comme correction, et que d'ailleurs, dans son état actuel, chaque ligne du texte a perdu dans le haut un quart et jusqu'à un tiers de sa hauteur.

Malgré ces regrettables lacunes, il est possible de se rendre compte du contenu de l'inscription dans presque toutes ses parties. M. de Rougé l'a analysée avec beaucoup de sagacité dans le Mémoire que nous venons de citer. Une traduction suivie, quoique forcément fragmentaire, ne sera pas toutefois inutile, d'autant plus qu'il existe entre mes vues et celles de mon savant collègue certaines divergences qui ne sont pas sans importance. Les textes égyptiens qui nous parlent des nations européennes sont les titres les plus anciens de

1 *Das Ausland*, Bl. 25.
2 *Denkm.* III, 199, a.
3 I *Hist. Inschr.*, 1 à 5.
4 Année 1867.

notre propre histoire; à ce point de vue ils sont extrêmement précieux. Je les soumettrai tous à une étude attentive en les réunissant dans cet ouvrage, parce que nous y trouverons, relativement à l'état de nos ancêtres d'il y a trente-deux siècles, des renseignements que rien ne saurait suppléer.

Dans la traduction qui suit j'abrège les titres du monarque, qui se lisent : *Le roi de la haute et de la basse Égypte Meriamen Baïenra, fils du Soleil, Merienptah Hotephima, vivificateur*. A cette longue énumération, qui se répète souvent, je substituerai le nom de Meneptah I, sous lequel ce pharaon est désigné par les égyptologues. Pour lier le sens interrompu par la perte du haut de toutes les lignes, je placerai entre crochets les restitutions les plus vraisemblables, ou du moins celles qui ajoutent le moins au sens du contexte. De ce côté, d'autres hypothèses pourront être proposées; l'essentiel est de n'introduire aucun fait important dans ces restaurations du texte perdu. Voici ma traduction :

1 (Les nations réunies par le chef des Libyens, à savoir) :

Les Achaïens, les Étrusques, les Lyciens, les Sardiniens, les Sicules, peuples septentrionaux venus de toutes les terres

2 (du grand pourtour de la Méditerranée, le roi Meneptah I les a vaincus) par la vaillance de son père Ammon. C'est que ce dieu bon.....

3 ....., tous les dieux lui servent de sauvegarde. Le monde entier est dans la crainte à la vue du roi Meneptah I.

4 (Mais lorsqu'il arriva au trône les Barbares menaçaient l'Égypte), l'abattement s'était fait dans les terres arrosées par le Nil; elles voulaient se soumettre à l'ennemi qui avait violé toutes les frontières du pays les armes à la main.

5 (Mais le roi), dont tous les actes sont réellement comme des souffles de vie, a forcé les hommes à détester le repos; sa valeur prépondérante

6 (les a ranimés; il prit des mesures) pour protéger Héliopolis, la ville de Tum, pour défendre Memphis, la forteresse de Tonen, et pour remettre en bon état ce qui était désorganisé.

7 ..... (Il établit des postes) devant Pa-Baris, aux environs du canal Shakana, au nord de l'étang d'Horus;

8 ..... (sur un terrain) non cultivé qu'on avait laissé en pâturages à cause des Barbares. Cet endroit était infesté dès le temps des ancêtres. Tous les rois de la haute Égypte s'étaient reposés dans leurs monuments;

9 quant aux rois de la basse Égypte, ils étaient restés au milieu de leurs villes, entourés par les huttes de la corruption; leur armée, elle n'avait pas d'auxiliaires pour leur répondre!

10 Il arriva (que le roi Meneptah I) fut élevé sur le trône d'Horus; il avait été donné pour faire vivre les hommes; il était arrivé en roi pour prendre soin des humains; en lui était une vaillance à le (faire triompher de ses ennemis).

Le roi (se transporta)

11 ..... dans le pays de...mabaïr; il donna des ordres

à l'élite de ses auxiliaires; il envoya sa cavalerie de tous côtés, ses émissaires (épièrent.....)

12 (Le roi se prépara à combattre de sa personne), car il ne regarde pas à des centaines de mille le jour de la bataille.

Son infanterie partit avec ardeur, en bel ordre, conduisant des auxiliaires à toute localité.....

13 ..... au... mois de l'été. il arriva que le vil chef des misérables Libyens, Marmaïou, fils de Deid, descendit du pays des Tahennou avec ses auxiliaires,

14 (les Mashuashas, les Kehaks), les Sardiniens, les Sicules, les Achaïens, les Lyciens et les Étrusques, du premier choix de tous les guerriers et de tous les héros de chaque pays. Il amenait avec lui sa femme et ses enfants,

15 (ainsi que ses généraux) et les grands officiers de son campement. Il arriva à la frontière de l'ouest, dans les plaines de Pa-ari-sheps.

Alors le roi devint furieux contre eux comme un lion.....

16 (Il réunit ses officiers et leur dit) :

Je vous fais entendre la parole de votre seigneur et je vais vous apprendre ceci, à savoir :

Je suis le souverain qui vous garde; je veille pour étudier

17 (ce qui est utile à votre bien-être; je suis un père), en est-il parmi vous un semblable pour faire vivre ses enfants? Vous tremblez comme des oies; vous ne savez pas ce qu'il est bon de faire; on ne répond pas

18 (à l'ennemi, et l'Égypte) désolée est abandonnée aux incursions de toutes les nations ; les Barbares dévastent ses frontières ; des révoltés la violent chaque jour ; tout le monde pille ;

19 les ennemis dévastent nos hâvres mêmes ; ils pénètrent dans les campagnes de l'Égypte ; le Nil les arrête-t-il ? ils demeurent des jours et des mois ; ils s'établissent

20 (dans le pays). Il est arrivé qu'ils sont parvenus jusqu'aux montagnes du pays d'Outi, qu'ils ont ravagé le pays de To-ahu, en exacte analogie (de ce qui s'est passé) dès les rois appartenant à d'autres temps, aux époques inconnues

21 (qui furent autrefois. Aujourd'hui ils arrivent nombreux) comme des reptiles. Ne pourra-t-on pas les faire ramper en arrière, ces amis de la mort, ces haïsseurs de la vie, dont le cœur voudrait

22 (achever la ruine de l'Égypte? Ils suivent) leur chef ; ils passent leur temps sur la terre à combattre pour remplir leurs ventres à satisfaction ; ils sont venus dans le pays d'Égypte pour y chercher leurs provisions de subsistance ; leur intention

23 (est de s'établir en Égypte), mais la mienne est de les prendre comme des poissons sur leurs ventres ; leur chef est tout le portrait d'un chien ; c'est un homme ignoble, sans cœur ; il ne se rassiéra pas

24 (sur son trône) ; je les ferai fuir jusqu'au pays des Petti-Shou, que j'ai employés à conduire des grains dans des barques pour nourrir le pays de Khéta. Je suis celui à qui les dieux ont imparti tous les dons.

25 (Le monde entier est) sous moi, le roi Menep-

tah I. Par ma prospérité, par la prospérité (d'Ammon), je suis puissant, en roi des deux mondes.

26 (Je délivrerai) la haute et la basse Égypte ; Ammon, celui qui est dans Thèbes, est propice : il rejette derrière lui les Mashaoushas et (leurs auxiliaires ; ils ne) reverront pas le pays de Tamahou.

27 Que l'on fasse placer les corps auxiliaires en avant pour frapper la nation des Libyens ; qu'ils partent, la main de Dieu étant avec eux, Ammon lui-même leur servant de bouclier ; et voici l'ordre pour le pays d'Égypte : qu'il soit dit

28 (à l'armée) de se réunir dans quatorze jours.

Alors S. M. vit en songe comme une statue de Ptah se tenant pour empêcher le roi d'avancer ; elle était de la hauteur.....

29 ..... elle lui dit : Aie soin de demeurer ; et lui donnant le khopesh [1] : Éloigne de toi la déjection de ton cœur.

S. M. lui dit : Alors

30 (que dois-je faire ? Elle lui répondit : Fais partir) ton infanterie, et que des cavaliers en nombre soient envoyés devant elle sur la zône des défilés du nome de Pa-ari-sheps.

Alors le vil chef (des misérables

31 Libyens donna à ses auxiliaires des ordres) la nuit du 1er épiphi, au lever du soleil, pour se rencontrer ensemble.

Le vil chef des misérables Libyens vint à la date du 3 épiphi ; il amenait (son armée contre les soldats

32 de S. M.) pour les frapper. L'infanterie de S. M.

[1] Voir ci devant, page 89.

s'élança avec sa cavalerie. Ammon était avec eux ; Noubi leur prêtait sa main ;

33 chacun d'eux (combattit valeureusement), les ennemis furent renversés dans leur sang : il n'en resta pas. Les auxiliaires de S. M. firent six heures de massacre parmi eux ; on les passa au tranchant du glaive.

34 . . . .

Tandis qu'ils combattaient, le vil chef des Libyens (les aperçut) : alors il eut peur, son cœur défaillit, et il se mit à courir

35 (pour sauver sa vie, de toute la vitesse de ses) pieds ; son arc et son carquois dans sa précipitation (restèrent) par derrière, ainsi que tout ce qu'il avait sur lui : un violent désespoir s'empara de lui ; une grande terreur circulait dans ses membres.

36 Alors on massacra (ses gardes, et l'on s'empara) de tout ce qu'il possédait : ses monnaies, son argent, son or, ses vases de bronze ( ), les parures de sa femme, ses siéges, ses arcs, ses armures, tout ce qu'il avait amené

37 de son pays en bœufs, chèvres, ânes..... (On chargea un officier) du palais de les conduire, ainsi que les prisonniers.

Cependant le vil chef des Libyens précipitait ses pas pour fuir, ainsi qu'un

38 certain nombre d'hommes d'entre les misérables Libyens qui avaient échappé au carnage.

Mais les officiers qui étaient sur les chevaux de S. M. se mirent après eux. Les fugitifs tombèrent

39 (sous leurs glaives); ils massacrèrent (tous ceux qu'ils atteignirent).

On n'avait pas vu cela au temps des rois de la basse Égypte, lorsque le pays d'Égypte leur appartenait et que le Fléau se tenait debout,

40 à l'époque des rois de la haute Égypte. On n'avait pas pu les repousser alors. Cet état de choses dura (jusqu'à ce que les dieux fussent touchés) de l'amour de leur fils et qu'ils voulussent que l'Égypte fût gouvernée par son seigneur, afin de restaurer les temples de l'Égypte, selon les prescriptions

41 de la valeur divine pour la suite des années.

(L'intendant) des hâvres de l'occident envoya à S. M. un message disant : Il est arrivé que le misérable Marmaiou est parti en fuyard ; sa vile personne m'a échappé à la faveur de la nuit...

42 ..... Tous les dieux l'ont abattu par rapport à l'Égypte ; les promesses qu'il s'était faites ont manqué ; toutes ses paroles se sont répandues sur sa propre tête ; on ne connaît pas son sort, s'il est mort ou vivant.

43 (Mais tu l'as détruit) dans son pouvoir ; s'il vit, il ne se relèvera pas ; c'est un misérable, odieux à ses soldats ; c'est toi qui les conduiras pour faire immoler

44 (ceux qui lui seraient restés fidèles) dans le pays des Tamahou ; ils en mettront un autre à sa place parmi ses frères, qui le combattra, et il le verra, lui, le rebut des chefs...

45 Les troupes auxiliaires, l'infanterie, la cavalerie et ceux qui étaient dans les jeunes pleins d'ardeur

46 (revinrent poussant devant eux) des ânes chargés

de phallus coupés de la nation des Libyens, ainsi que des mains de toutes les nations qui étaient avec elle, contenues dans des peaux ou en bouquets...

47 ..... Alors le pays entier fit retentir des cris de joie jusqu'au ciel; les villes et les (campagnes) furent dans l'exaltation des prodiges qui étaient arrivés. Les canaux

48 (regorgèrent de richesses et de provisions amenées comme tributs sous le contrôle, afin que S. M. vît (les résultats de) ses victoires.

Compte des prisonniers ramenés de ce pays du Libyen et des nations qu'il avait amenées avec lui; pareillement des objets de toute espèce

49 (provenant du butin fait sur l'ennemi) et conduits au double magasin du roi Meneptah I, depuis les Tahennou qui étaient dans la ville de Pa-ari-sheps et dans les places supérieures du pays jusqu' (au fort) de Meneptah Hotephima.

50 Généraux libyens tués dont on a rapporté les phallus coupés. . . . . 6 individus.

Fils des chefs des alliés du chef des Libyens, tués et dont on a apporté les phallus coupés. . . . (.....)

51 Libyens tués, dont on a rapporté les phallus coupés. 6359

Total : fils de chefs, grands. . . . . . . (.....)

52 (Chefs et fils de chefs) des Sardiniens, des Sicules, des Achaïens et des nations de la mer, qui n'avaient pas eu les phallus coupés. . . . . (.....)

53 Ceux dont on a coupé les phallus :

Sicules. . . . . 222 individus.

Ce qui a fait. . . . . 250 mains.

Étrusques. . . . . 542 individus.

Ce qui a fait. . . . . 890 mains.

Sardiniens. . . . . (........)

Ce qui fait. . . . . (..... mains).

54 Achaïens qui étaient avec eux [1] et dont on n'a pas coupé les phallus; tués et dont on a apporté les mains. . . . . (... .....)

.... qui étaient avec eux et dont on n'a pas coupé les phallus. . . . . (........)

55 . . . .

dont on a apporté les phallus coupés à l'endroit où était le roi. . . . . 6111 individus.

Ce qui fait phallus coupés. . . . . (.....) [2]

56 .... dont on a apporté les mains. . . . . 2370 individus,

Sicules, Étrusques, venus avec les misérables Libyens,

57..... Kahakas et Libyens amenés en prisonniers vivants. . . . . 218 individus.

Femmes du vil chef des Libyens qu'il avait amenées avec lui (prises) vivantes :

Femmes libyennes. 12

58 Total de ce qui fut amené (de prisonniers vivants). 9376

[1] La copie de M. Dümichen donne : *qui étaient avec nous*, mais les Égyptiens n'auraient pas coupé les mains de leurs auxiliaires.

[2] Un texte de Médinet-Habou donne un chiffre de 12535 mains et phallus coupés, qui peut se rapporter à cette guerre.

Armes qui étaient en leurs mains et qu'on a ramenées avec les prisonniers :

Couteaux de bronze des Mashuashas. . . 9111

59.................. des. 120214

Chevaux qui étaient avec le chef des Libyens, ainsi qu'avec les enfants du chef des Libyens, ramenés vivants. . . . . (.....)

Objets. . . . . (.....)

60 (On en donna une part aux) Mashuashas qui étaient dans la puissance de S. M. et qui combattirent les vils Libyens.

Bœufs divers. 1308

Chèvres. . . . . (.....)

61 . . . .

..... divers 54

Coupes d'argent à boire. . . . . (.....)

Autres vases . . . . (.....)

Coutelas. 103

Cuirasses de bronze. . . . . (.....)

Dagues de bronze. . . . . (.....)

Vases divers. 3174

On présenta

62 (ce butin à S. M.......

.....) et l'on mit le feu dans le camp à leurs tentes de peaux et aux *karmoth* de leur seigneur.

Le surplus de l'inscription n'est qu'un discours où Meneptah recommence sa propre glorification, à laquelle les grands de l'Égypte ajoutent leurs hyperboliques adulations. Cette partie du texte n'a rien qui nous intéresse.

Mais dans son ensemble le document que je viens de traduire présente une grande importance. Nous allons en rassembler les données principales.

La relation de l'invasion de la confédération libyenne et des mesures que prend le roi pour y résister est précédée d'un aperçu de la situation de l'Égypte. Meneptah ne cherche point à l'embellir, car son triomphe n'en sera que plus signalé. Il dépeint d'abord l'Égypte comme très-affaiblie et tellement déchue de son antique patriotisme, qu'une partie du pays voulait se soumettre à l'ennemi, qui avait violé toutes ses frontières par les armes. On s'aperçoit aisément qu'il ne s'agit pas encore des Libyens ni de la frontière de l'ouest, mais de toutes les frontières de l'Égypte, que le relâchement de la discipline et la négligence des mesures de défense laissaient exposées à toutes les incursions. Meneptah, ce dieu dont tous les actes sont reconnus être des souffles de vie, réagit contre cette inertie de ses sujets et prit des mesures pour garantir Héliopolis et Memphis et pour réparer ([hiéroglyphes]) toutes les ruines.

Le roi fit aussi certains ouvrages indiqués par un groupe dont il ne reste que les signes [hiéroglyphes], en avant de [hiéroglyphes], *Pa-Bars* ou *Pa-Baris*, *la demeure* de la déesse *Baris* ou *Baalis* dont il est question dans le *Calendrier des jours fastes et néfastes*[1]; cette déesse, dont la panégyrie était célébrée le 4 de phar-

[1] *Pap. Sallier* IV, 4, 9; 8, 8; 15, 3; 15, 8. — Chabas: *Calendrier des jours fastes*, p. 25, 50, etc.

mouti, était une forme de Sekhet, appelée aussi *la grande* et *l'unique*, et très-probablement la même que Bast. Sekhet est constamment désignée comme la compagne aimée de Ptah de Memphis, et Baris aussi bien que Bast est expressément nommée: *Dame de Onkh-to*, c'est-à-dire de l'un des quartiers de Memphis, la cité de Ptah [1].

Il y a donc la plus grande vraisemblance que la localité nommée *Pa-Baris* est identique à celle que les textes appellent *Pa-Bast*, c'est-à-dire Bubastis (פיבסת, *Pi-Beset* de la Bible). Après nous avoir parlé d'Héliopolis et de Memphis, il est tout simple que le pharaon mentionne Bubastis, qui était l'un des points principaux de la ligne de défense du côté de l'est [2]. Si toutefois Pa-Bast était autre que Pa-Bars ou Pa-Baris, il faudrait toujours chercher cette dernière localité à l'orient du Delta, comme *Pa-Astarta* [3].

Le lieu où Meneptah exécuta les travaux dont la désignation précise est perdue pour nous est d'ailleurs situé dans une localité richement arrosée: , *aux environs* (ad partes) *du Shakana*, *au nord de l'étang d'Horus* (*Shet-Hor*) [4]. Bubastis

1 *Pap. Sallier* IV, 1, 8.

2 Ezéchiel (30, 17) cite à la fois *On* (Héliopolis), et *Pi-Beset* (Bubastis).

3 *Pap. Anastasi* IV, 6, 4. Voir *Voyage d'un Égyptien*, 9.

4 La copie de M. Dümichen donne au lieu de . Ce serait alors l'étang ou le lac A. Ce nom est invraisemblable, tandis que la confusion des deux signes est aisément explicable.

est à 30 kilomètres au nord du Birqet-el-Hag, ou *lac des pèlerins*, lieu actuel du rendez-vous des pèlerins de la Mecque. Le pays adjacent est traversé par les bouches tanitique et pélusiaque du Nil, ainsi que par l'ancien canal qui allait du Nil à Arsinoë sur la Mer-Rouge; nous ne serions donc pas embarrassés pour chercher l'application des noms de canal et de lac ou d'étang que nous rencontrons dans notre texte. Le Shakana n'est mentionné dans aucun autre document; en ce qui concerne l'*Étang d'Horus*, il y a lieu de remarquer que ce nom est du nombre de ceux qui ont pu être multipliés par la piété des Égyptiens. Il est plusieurs fois cité par les textes, entre autres par le papyrus Anastasi III, qui le signale comme une localité fournissant du sel[1]. La troisième division topographique du XIVe nome de la basse Égypte portait précisément le nom de *Shet-Hor* (étang ou lac d'Horus). Or, on sait que la métropole de ce nome, Djor ( ), était placée sur la route d'Égypte en Asie; c'était un nome frontière. Les Hébreux, lors de leur Exode, avaient dû partir par cette route, qui traversait leur principal établissement de Gessen ou du moins ne s'en éloignait pas sensiblement.

La suite de notre texte donne d'intéressants détails sur des localités dont la lacune du haut de la ligne 8 nous empêche de reconnaître la liaison avec celle que nous venons d'étudier. On n'a du reste aucun motif de penser que le rédacteur de l'inscription ait quitté

[1] Page 2, lig. 8, 9.

l'orient pour l'occident ; il est plus naturel d'admettre qu'il continue la description topographique des localités sur lesquelles le pharaon a établi des retranchements ou des postes fortifiés , puisqu'il s'agit d'ouvrages de défense :

« Ces localités, ou du moins l'une d'elles, étaient un « lieu non cultivé, qu'on avait laissé en prairies de gros « bétail à cause des Barbares. Cet endroit était infesté « dès le temps des ancêtres, alors que les rois de « la haute Égypte reposaient dans leurs monuments, « au temps où les rois de la basse Égypte, au milieu de « leurs villes, étaient environnés des demeures de la « corruption ; leurs soldats, ils n'avaient pas d'auxiliaires « pour leur répondre. »

Tous les égyptologues sont aujourd'hui d'accord de reconnaître dans Ramsès II le pharaon au long règne, qui fit élever Moïse, et, dans son fils Meneptah I, celui sous le règne duquel s'accomplirent les événements de l'Exode. Sous Ramsès II les Hébreux avaient déjà été soumis à de pénibles corvées [1] ; mais, selon les termes de l'Écriture, ils continuèrent à se multiplier. A l'accession de Meneptah, ils étaient devenus redoutables par leur nombre et par leur force. Ils constituaient l'un des grands embarras que le passé léguait au nouveau pharaon ; il semblerait dès-lors tout naturel que cette complication grave de la situation politique de l'Égypte fût mentionnée dans l'espèce de revue rétrospective qui sert de préface au récit des triomphes de ce prince.

[1] Chabas : *Les Hébreux en Égypte.* — *Ramsès et Pithom*, dans *Mélanges égyptol.*, 1re et 2e série.

Ramsès II avait cédé aux Israélites les pâturages de la vallée de Gessen. D'après la Genèse [1], Gessen était sur la limite de l'Égypte et du désert, car c'est là que Joseph alla recevoir son père Jacob arrivant d'Hébron. Conséquemment ce territoire était, de toute l'Égypte, le lieu le plus exposé au passage de l'ennemi et aux déprédations des hordes de pillards. De tout temps les Sati, les Shasou, les Petti, les Men, etc., l'avaient parcouru et dévasté. On ne le mettait pas en culture, car on n'était pas sûr d'y recueillir la récolte ; mais, abondamment arrosé, il formait d'excellents pâturages sur lesquels les pharaons entretenaient de nombreux troupeaux [2]. En y établissant les Israélites, Ramsès II agissait en politique habile, parce qu'il était présumable que les Asiatiques respecteraient ou du moins ménageraient une population de leur race et de leur langue ; mais les Hébreux prospérèrent, se multiplièrent, devinrent forts et remplirent le pays [3], à tel point que le pharaon put reconnaître qu'ils étaient devenus *plus nombreux et plus puissants que les Égyptiens* [4].

Dans notre texte, le scribe fait allusion au même danger, et signale ironiquement la nonchalance des rois, qui dans la haute Égypte semblent ne s'occuper que de leur sépulture, et dans la basse Égypte demeurent inactifs dans

[1] Ch. 46, 29 ; 47, 1 et 6.

[2] *Genèse*, 47, 6. Les frères de Joseph furent préposés aux troupeaux de Pharaon.

[3] *Exode*, 1, 7.

[4] *Ibid.*, 1, 9.

l'intérieur de leurs villes, environnés des *demeures de la corruption* : ,
ϹⲀⲘⲞⲨ-ⲦⲞ Ⲏ ⲔⲀ [1] ; puis il ajoute sur le ton de la raillerie : *leur armée, elle n'avait pas d'auxiliaires pour leur répondre* (c'est-à-dire pour leur résister), caractérisant ainsi la faiblesse de l'organisation militaire de l'Égypte.

Si Meneptah critique ses devanciers, c'est qu'il se propose de suivre une politique tout opposée. Dans l'Exode [2], il exprime l'idée qu'une guerre survenant, les Hébreux ne manqueraient pas de se joindre à l'ennemi ; aussi notre texte nous le montre disposant des moyens de défense dans la partie de l'Égypte que nous savons avoir été l'établissement principal des Israélites.

Tout concourt donc à faire penser que nous avons enfin sous les yeux quelques lignes d'hiéroglyphes faisant allusion aux événements qui déterminèrent l'Exode. En pareille matière, il est impossible de se montrer tout-à-fait affirmatif ; mais les analogies sont si frappantes qu'elles ne peuvent manquer de faire impression sur les esprits éclairés. Il est aisé de comprendre au surplus que Meneptah n'a pas dû dévoiler ses plans d'une manière trop évidente ; il en dit juste assez pour montrer sa perspicacité et se préparer le mérite d'un succès ; on ne doit pas s'attendre non plus à rencontrer sur les

1 ϹⲀⲘ-ⲦⲞ désigne ordinairement un *tumulus*, un *tombeau* ; mais dans ce cas il est déterminé par le signe de l'ensevelissement. Avec le déterminatif *demeure*, c'est une *fosse*, un *cachot*, une *misérable habitation*. ⲔⲀ est le copte ⲔⲰ, *vitium*, *corruptela*. Les Égyptiens appelaient les Pasteurs *peste*, et les Hébreux, *lèpre*.

2 Liv. I, 10.

monuments égyptiens un récit circonstancié de la sortie des Hébreux, qui fut un grave échec pour la politique égyptienne. Toutefois Ramsès III, qui releva la puissance de l'Égypte et lui rendit toute sa splendeur, pourrait bien avoir fait, sur quelques monuments, des allusions aux infortunes de l'un de ses prédécesseurs immédiats. Jusqu'à présent les documents les plus importants de l'histoire de ce règne ne sont pas à la disposition des égyptologues.

Après avoir parlé des mesures militaires prises par le pharaon pour assurer la tranquillité de l'Égypte pendant la guerre, le narrateur passe enfin aux préparatifs faits contre les Libyens, qui à ce moment n'avaient pas encore fait franchir à leur armée la frontière occidentale de l'Égypte. Cette partie de l'inscription débute par le mot [hiéroglyphe], *il arriva que, il y eut, il se fit*, dont on peut voir l'emploi au commencement des phrases dans le papyrus Salt[1]. Après ce groupe la lacune interrompt le texte, mais il est question ensuite du roi élevé sur le trône d'Horus, à qui il a été donné de faire vivre les humains et qui est devenu roi pour avoir soin d'eux; c'est suffisamment dire que Meneptah a pris les mesures nécessitées par les circonstances; puis, nous rencontrons une nouvelle lacune dans laquelle se trouvaient relatés les premiers actes du roi: *Le roi fut à..... le pays de... mabaïr*[2], *où il organisa les corps d'élite de ses auxiliaires,*

[1] Birch et Chabas: *Plainte contre un malfaiteur; Mél. Égypt.* III, 173 et sqq.

[2] [hiéroglyphes], *mabaïr*: ce ne sont probablement que les deux dernières syllabes de ce nom géographique.

dispersa sa cavalerie de tous côtés et envoya des émissaires à la découverte.

Ici, une nouvelle effusion de verve laudative interrompt le récit ; il semble que le roi se dispose à combattre de sa personne, car *il ne considère pas les centaines de mille ennemis le jour de la bataille ;* mais cette assertion n'est qu'une précaution oratoire, parce que, dans le fait, Meneptah n'assista point au combat ; c'est alors qu'il fit partir son infanterie *en force et de belle apparence*, conduisant des auxiliaires sur tous les points à garder. On était au mois de méchir ; cette date a disparu dans la lacune, sauf l'indication de la saison d'été, mais les événements qui suivirent sont datés du 1er du mois suivant ; c'est à ce moment que Meneptah apprit que l'armée des confédérés, sous la conduite de Marmaïou, fils de Deid, chef des Libyens, était descendue du pays de Tahennou. Le texte donne ici l'énumération des alliés ; les premiers noms ont disparu ; ce sont ceux des Libyens eux-mêmes, ainsi que des Mashouashas et des Kahakas leurs voisins ; ceux des nations septentrionales nous restent dans l'ordre suivant : les Sardiniens, les Sicules, les Achaïens, les Lyciens et les Étrusques. Le texte nous apprend que tous ces guerriers étaient :

du prélèvement premier de tout guerrier,

de tout héros de son pays.

tout coureur, tout héros fort et agile,

forme antithèse à [hiéroglyphes], *tout guerrier*[1]; quant à [hiéroglyphes], *la première prise*, *la première levée*, c'est le premier choix, l'élite; [hiéroglyphe] répond à l'idée *premier*, *principal*, *capital*[2]. On ne saurait raisonnablement entretenir aucun doute relativement à l'exactitude de cette traduction, sur laquelle j'insiste parce que M. de Rougé a coupé la phrase après le nom des Lyciens; il traduit ensuite: *le Tuirsha* (*l'Étrusque*) *a pris toute l'initiative de la guerre*, et fait observer que c'est un renseignement précieux, car il démontrerait que les Étrusques cherchaient à fonder en Égypte un établissement nouveau[3]; mais, dans la réalité, le rôle principal appartenait aux Libyens: les Étrusques n'étaient qu'en petit nombre[4], et ne pouvaient prétendre à prendre *la tête* de toute la guerre. [hiéroglyphes] ne peut d'ailleurs signifier *toute la guerre*. Aucun des auxiliaires, ni même des Libyens, n'avait amené sa femme ni ses petits enfants; ce détail regarde uniquement le chef des Libyens, généralissime de la confédération, qui s'était fait accompagner de sa femme et de ses fils, montés sur des chariots traînés par

[1] Les formules analogues ne sont pas rares dans les textes; les 2500 Khétas qui enveloppèrent Ramsès II étaient de *tout pahrer* du Khéta. *Pap. Sallier* III, 1, 9.

[2] La même expression **ⲬⲀⲒ-ⲀⲠⲈ** se trouve dans le texte publié par M. Greene, lig. 21, où le contexte ne permet pas de faire confusion: c'est le premier ban, la première levée, les hommes les plus valides.

[3] Il y a contre cette interprétation des objections philologiques qui n'ont pu rester inaperçues par mon savant confrère.

[4] Il y eut 6359 Libyens tués, comptés d'après leurs phallus, et 890 Étrusques comptés par les mains coupées.

des chevaux. Ces femmes, toutes libyennes de race, furent prises vivantes au nombre de 12, ainsi que les chevaux à leur usage, dont le nombre a disparu dans une lacune. L'armée d'invasion n'avait pas de cavalerie ni de chars.

Après la mention des femmes et des enfants du chef des Libyens, le texte énumérait hiérarchiquement ses officiers; la lacune de la ligne 15 ne nous a laissé que la mention des derniers, qui sont les *grands du campement*. Enfin le narrateur constate que la frontière occidentale de l'Égypte a été atteinte dans les plaines de la ville de Pa-ari-sheps. Le texte se sert du mot , *arriver*, *joindre*, *atteindre*, et non de , *franchir*, *outrepasser*, *violer*. La ville de , *Pa-ari-sheps*, était donc bien certainement sur la limite extrême de l'Égypte.

A l'avis de cette invasion menaçante, Meneptah entre dans une grande colère et adresse à ses sujets une longue harangue dans laquelle il renouvelle ses doléances sur l'affaiblissement de l'Égypte. Ici, les détails regardent la frontière occidentale, qui n'était vraisemblablement pas très-éloignée de la branche de Rosette; l'espace qui s'étend entre le Nil et le désert de Libye était demeuré en partie terrain neutre, ou au moins incomplètement occupé par les Égyptiens, qui y laissaient stationner des tribus étrangères: mais une telle situation avait des dangers: les Barbares venaient jusqu'au Nil et y demeuraient des jours et des mois, installés comme sur un territoire leur appartenant. Le roi constate de plus qu'à une époque dont l'indication ne se trouve pas dans les parties conservées du texte, des Barbares étaient venus jusqu'aux montagnes d'*Out* ([hiéroglyphes], var. [hiéroglyphes], [hiéroglyphes]), et avaient ravagé le pays de [hiéroglyphes], *To-ahou*. Le pays d'*Out* produisait des raisins et du vin fort estimés, ce qui pourrait faire songer à la région du lac Maréotis où se récoltait le fameux vin maréotique, appelé plus tard *vin alexandrin*. On trouvait aussi dans le voisinage le vin dit *tæniotique*, qui était encore supérieur. Du reste, au dire d'Athénée, toutes les régions de la basse Égypte arrosées par les eaux du Nil abondaient en vignes excellentes. Le vin de Mendès, qui provenait de l'est du Delta, avait mérité ce singulier éloge : *Mendæum vinum cœlestia numina meiunt*[1].

Ces rapprochements nous laissent dans une grande incertitude; nous ne savons d'ailleurs rien de bien précis sur [hiéroglyphes], littér. le *pays des bœufs;* un nom ainsi composé a pu être donné à plusieurs localités fort différentes. Le signe du *bœuf* ou du *taureau* entre dans la désignation de trois des nomes de la basse Égypte, entre lesquels nous n'avons aucun moyen de choisir. Le point principal à retenir, c'est que l'une et l'autre des désignations géographiques qui nous occupent sont déterminées par le signe des nations étrangères [hiéroglyphe], comme c'est le cas pour [hiéroglyphes] (Djor), la métropole du XIVe nome. Il est donc vraisemblable qu'elles

[1] Athénée : I, 30.

se trouvaient situées sur l'extrême limite de l'Égypte occidentale, comme Djor sur celle de l'est. Ce qui le démontre, au moins relativement à [hieroglyphs], c'est que, sous les Ramsès, un corps d'observation ([hieroglyphs]) était établi en cet endroit. Il paraît que la nourriture de ce corps exigeait une attention spéciale. Dans une des lettres contenues au papyrus Anastasi IV, un fonctionnaire reproche à un scribe sa négligence à propos des pains destinés aux [hieroglyphs] du pays d'Out, et lui prescrit d'y veiller, le menaçant de la peine capitale s'il n'exécute pas les ordres qui lui sont donnés à ce propos [1].

Il n'est nullement certain que cette invasion du pays de *To-ahou* soit attribuée par Meneptah à la confédération des Libyens, qu'il se disposait alors à combattre; en effet, la suite du texte parle encore une fois des rois d'autrefois ([hieroglyphs]) et des temps inconnus ([hieroglyphs]), et cette citation est amenée par la préposition complexe [hieroglyphs], dont le sens est difficile à saisir, faute de points de comparaison, mais qui dans tous les cas ne comporte pas une négation. Ma traduction laisse subsister le doute sur ce point.

La suite du discours de Meneptah ne nous propose plus de problèmes aussi ardus; on y peut encore remarquer la tendance de ce pharaon à parler du passé pour rehausser sa propre gloire, soit par la peinture des

[1] *Pap. Anast.* IV, 10, 9 et sqq.

malheurs de l'Égypte, soit par la relation de ses propres mérites; c'est à cette tendance que nous devons la mention du fait curieux que Meneptah I aurait fourni des grains aux Khétas affamés et aurait employé des *Petti-Shou* [1] au transport par mer de ces approvisionnements.

Les ordres du roi font l'objet des deux derniers paragraphes de son discours : les corps d'auxiliaires se mettront en marche les premiers, et attaqueront l'ennemi ; le pharaon ordonne leur départ et leur souhaite la protection d'Ammon ; quant aux Égyptiens, ils devront être rassemblés dans quatorze jours.

Cette avant-garde partie, le roi se fait prescrire en songe par le dieu Ptah [2] de ne point accompagner son armée. M. de Rougé a très-bien compris ce passage curieux ; ma traduction, plus complète que celle du savant académicien, ne fait que confirmer ses vues ; on connaît par la Bible, par l'histoire classique et par des monuments originaux déjà nombreux, la grande influence des songes sur l'esprit des Égyptiens [3]. Nous en trouvons dans notre texte un exemple très-significatif ; non-seulement l'apparition divine ordonne au roi de rester, elle lui prescrit aussi de faire partir son infanterie, précédée de sa cavalerie qui devait garder le

[1] Voir ci-devant, page 115. Les fils de Jacob étaient venus en Égypte chercher des grains. De tout temps l'Égypte a été le grenier de l'Asie occidentale.

[2] Le nom de *Meneptah* signifie l'aimé de Ptah. Le pharaon avait sans doute une dévotion particulière envers ce dieu.

[3] Voir notamment le Mémoire de M. Maspéro sur la *Stèle du Songe*.

[hieroglyphs],
Ret des Haou du nome de Paarisheps, ce qu'on peut traduire, mais sans certitude pour la précision des termes topographiques : *La zône des défilés du nome de Paarisheps*[1].

L'armée confédérée n'avait donc pas encore quitté les plaines de Paarisheps qui joignaient la frontière de l'Égypte, ce qui nous confirme dans la pensée que l'invasion des régions d'Outi et de To-ahou, relatée dans les lignes précédentes, n'est pas un incident de la guerre actuelle. Malheureusement nous ne savons pas au juste la situation de Paarisheps M. de Rougé lisait cè mot Paari, mais le signe [hieroglyph], que ce savant considérait comme un simple déterminatif, est évidemment phonétique dans ce nom ; la découverte par M. Goodwin de la valeur *sheps* pour ce signe rend la lecture Paarisheps indiscutable. M. Brugsch a assimilé Paarisheps à Prosopis[2], ville du Delta située sur la branche occidentale du Nil. Ce rapprochement n'a rien d'invraisemblable. A ce point de son cours, le Nil coule en effet presque sur la lisière du désert ; conséquemment la frontière de l'Égypte ne pouvait pas être placée beaucoup plus à l'ouest. Il y a toutefois une objection à faire à ces vues, c'est que notre texte ne parle pas du Nil. Peut-être

[1] Le mot *ret* signifie *dur, croître, pousser, degrés, marches, et zône, ceinture; haou* est probablement le même mot que dans les passages du pap. Anast. I, 12, 6, et Anast. VIII, verso, 5. Dans ce dernier passage, c'est un lieu qui produit de la paille.

[2] *Journal égypt. de Berlin*, 1867, p. 98.

l'ennemi, qui avait dû arriver par mer, était-il maître du territoire situé à l'ouest de la branche bolbitique; dans ce cas la bataille a dû être livrée sur la rive gauche du Nil, et les vaincus purent opérer leur retraite par le nord sans avoir à traverser le fleuve.

Parmi les textes publiés, celui que nous étudions en ce moment est le seul qui mentionne la ville de Paarisheps. Mais j'en ai découvert une autre citation dans un des papyrus hiératiques du Musée de Bologne. Ce manuscrit contient une collection de lettres dans le genre de celles qui se trouvent aux papyrus Sallier et Anastasi. Voici la traduction de celle qui parle de Paarisheps :

« La prêtresse chanteuse d'Ammon Sherau-Ra rend « ses devoirs au supérieur purificateur des graisses « d'holocauste au service du roi, Piaaï.

« Vie, santé et force avec la faveur d'Ammon-Ra, « roi des dieux. Je dis à Phra-Horemakhou, à Ammon, « à Ptah, aux dieux et aux déesses de la zône occiden- « tale[1] : Puisses-tu être fort! puisses-tu vivre! puisses- « tu rajeunir! puisses-tu te maintenir dans la faveur « de S. M. le roi, ton seigneur.

« Avis. En ce moment je suis bien; je suis vivante; « ne prends donc pas de souci de moi; mais c'est de « ton état que mon cœur voudrait recevoir des nouvelles « chaque jour; et j'ajoute ceci, c'est que je vais aller te « rejoindre à Pa-Ramsès Meriamou, la grande person- « nification de Phra-Horemakhou.

[1] Le *Ret de l'occident*. Voir la note 1 de la page précédente.

« Il nous est arrivé dix Kanerka( )
« aujourd'hui [1].

« De même, l'écuyer (*Katsena*) des chevaux de S. M.
« Setemoua, est en bon état; il est vivant; ne prends
« pas souci de lui. Il reste avec nous à la ville de Ta-
« ma-khir-pé ( )[2].

« Et le général de cavalerie est transféré à Paarisheps
« avec ses compagnons. »

Cette lettre a été écrite par une femme qui se trouvait à Tamakhirpé, localité du Liban, à un de ses parents ou de ses amis, stationné à la ville de Ramsès du Delta, c'est-à-dire à Péluse, ainsi que nous l'expliquerons plus loin.

Le ton de la lettre est très-affectueux ; on sent que, placés à une grande distance les uns des autres, parents et amis sont dans des transes continuelles ; aussi leur premier soin dans leur correspondance est-il de faire savoir qu'ils existent encore et se trouvent dans une situation satisfaisante ; d'autres lettres de la même collection témoignent d'un sentiment d'inquiétude encore

1 Je ne connais pas d'autre exemple de ce mot, qui appartient peut-être aux langues araméennes. Il désigne probablement des approvisionnements destinés à la colonie égyptienne de Tamakhirpé.

2 Ce doit être le même endroit que du pap. Anast. I, 19, 2. Voyez *Voyage d'un Égyptien*, p. 126. Il n'y a qu'une légère différence orthographique ; mais le scribe du papyrus de Bologne a mis l'article féminin, tandis que celui d'Anastasi I avait employé l'article masculin. Nous verrons un autre exemple de cette confusion des articles lorsque nous traiterons du chameau.

plus accentué : *tels nous sommes aujourd'hui*, disent les absents, *mais on ne sait ce qui sera demain.*

La date du papyrus est du 9 athor de l'an VII de Meneptah Baïenra Conséquemment celle de la lettre que nous venons de traduire doit être quelque peu antérieure ; d'après la mention finale, elle semble coïncider avec les préparatifs faits contre les Libyens. On se rappelle que Meneptah fit garder toutes les routes par des corps de cavalerie, et que l'armée qui alla attaquer les confédérés à Paarisheps était précédée de troupes de cette espèce. Notre papyrus nous parle de l'envoi vers cette même ville d'un officier supérieur de cavalerie ([hiéroglyphes]) avec ses compagnons ([hiéroglyphes]), c'est-à-dire avec les officiers sous ses ordres. Les Khétas n'avaient pas encore donné de signes de révolte : aussi Meneptah avait pu dégarnir ses garnisons syriennes pour faire face au danger venant de l'ouest.

Revenant à notre texte, nous voyons que la bataille fut livrée le 3 épiphi ; à en croire le récit égyptien, elle fut terrible pour les Libyens et leurs alliés, qui auraient été exterminés ; mais il faut sans doute rabattre quelque chose de ce tableau enthousiaste. On voit du moins que le chef des Libyens réussit à s'échapper avec une partie de ses troupes, bien que les fugitifs eussent été poursuivis par un corps spécial de cavalerie.

Toutefois le succès fut grand ; aussi le rédacteur ne manque-t-il pas de se laisser aller à son humeur rétrospective ; pour faire ressortir la gloire de Meneptah, il rappelle une époque pendant laquelle la basse Égypte obéissait à des rois particuliers, tandis que la haute

Égypte avait ses propres souverains ; alors dominait dans la basse Égypte le fléau *aat* ( ) sur lequel j'ai disserté [1].

Ce nom de *peste*, de *contagion*, est donné aux Pasteurs par le papyrus Sallier I ; mais cette épithète injurieuse aurait pu servir à désigner d'autres Barbares. Il y a toutefois une grande probabilité que l'inscription fait ici allusion à la domination des rois pasteurs dans la basse Égypte et à l'impuissance des chefs de la haute Égypte.

L'avis de la fuite du chef des Libyens est donné au roi par une lettre émanant d'un fonctionnaire des , c'est-à-dire des *hâvres occidentaux*. Le mot *mennou* se retrouve en copte sous la forme ⲙⲟⲛⲏ, qui signifie *mansio*, et *statio navium*, *portus*. Ce nom est donné à des ports du Nil [2], et peut certainement aussi désigner les ports de mer. Il est conséquemment très-vraisemblable que le chef des Libyens a pu se rembarquer, malgré la surveillance du fonctionnaire égyptien chargé de la garde des côtes. Aussi ce fonctionnaire semble-t-il prévoir des reproches; il plaide les circonstances atténuantes: le chef des Libyens lui a échappé à la faveur de la nuit; d'ailleurs, ajoute-t-il, c'est un chef méprisé même des siens et qui ne peut plus être un danger pour l'Égypte.

Le reste de l'inscription n'a pas besoin de commentaires. Il est regrettable que le tableau des prises soit si

1 *Mélanges égypt.* I, 29.

2 *Stèle de Samneh* (S. Birch : *Sur les Mines d'or*). — *Pap. Sallier* I, 6, 5, etc.

incomplet; nous y puiserons toutefois quelques indications lorsque nous chercherons à nous rendre compte de l'état de civilisation des anciennes nations méditerranéennes.

Les succès de Meneptah I dans cette guerre échauffèrent l'enthousiasme des littérateurs égyptiens; les papyrus hiératiques du Musée britannique contiennent deux pièces dans lesquelles la valeur de ce pharaon est célébrée en termes pompeux. Je traduirai ici l'une de ces pièces à cause de l'originalité de son style :

« Baïenra Meriamon, vie-santé-force, navire principal, verge de fustigation, khopesh du massacre des « Barbares, poignard, s'approche du lieu de sa naissance dans Héliopolis; la victoire sur le monde entier « a été ordonnée pour lui : qu'il est beau le jour de ton « arrivée! que ta voix est douce en parlant! C'est toi « qui as clos d'une muraille la demeure de Ramsès « Meriamon, le point le plus avancé de la terre (étrangère). l'extrémité de l'Égypte, le plus élégant des « joyaux, brillant d'incrustations de lapis et de mafek, « le lieu des exercices de ta cavalerie, le lieu de la revue « de ton infanterie, le lieu de débarquement de tes « auxiliaires maritimes. On t'y apporte des tributs. « Honneur à toi qui es venu avec tes vaillants, lançant « la flèche, terribles, brûlants de doigts! Tous les peuples qui s'étaient mis en marche ont aperçu le roi dans « le combat; les montagnes n'eussent pas tenu contre « lui! Ils ont été frappés de crainte par ton aspect « terrible, ô Baï-en-ra Meriamon; ce que tu es, telle

« est l'éternité : ce qu'est l'éternité, tel tu es. Tu es
« établi à la place de ton père Horemakhou »

Dans cette effusion de flatterie officielle, le point le plus intéressant pour l'histoire consiste dans la mention des travaux exécutés par Meneptah I dans la ville de Ramsès-Meriamon qu'avait fondée son père au Delta ; Ramsès y avait fait travailler les Israélites. J'ai discuté les textes égyptiens qui se rapportent à cette ville, et montré que, d'après ces textes, aussi bien que d'après la Bible, les Hébreux y ont été soumis à des travaux pénibles sous la garde d'une garnison ou d'un corps de police [1]. Ces travaux des Hébreux se continuèrent et furent même aggravés sous Meneptah I, selon le récit de l'Exode ; nous voyons en effet, par le texte que nous venons de traduire, que ce pharaon fit ajouter des fortifications à la ville de Ramsès. Un autre texte parle de travailleurs fabriquant des briques, et forcés à en livrer chaque jour un nombre déterminé [2].

Cette ville est ici désignée comme un lieu de débarquement. Il en est de même dans la pompeuse description qui en est donnée dans un autre texte du même papyrus [3]. Ailleurs des scribes se plaignent de ne pas avoir trouvé de barques à Ramsès [4]. Elle est donc suffisamment désignée comme un port. Le texte qui nous occupe la caractérise en outre comme étant le point le plus avancé ([hiéroglyphes]) de la terre étrangère, et le plus reculé ([hiéroglyphes])

[1] *Mélanges égypt.* II, p. 109 : *Ramsès et Pithom.*
[2] *Ibid.*, 121.
[3] *Pap. Anast.* III, pages 1 et 2.
[4] *Mél. égypt.* II, 136.

de l'Égypte. C'était de plus un lieu de débarquement pour les auxiliaires que les pharaons tiraient des peuples de la Méditerranée[1], une place d'armes et d'approvisionnements pour les stations militaires établies en Syrie. C'est de la ville de Ramsès que Ramsès II partit pour sa grande campagne contre les Khétas ; c'est là que plus tard il signa un traité avec eux. Les fragments du poëme de Pentaour réunis par M. de Rougé prouvent qu'elle était placée au-delà de Djor et même de la frontière territoriale de l'Égypte. Nous les reproduisons ici parce qu'ils sont très-concluants : « L'an V, le deuxième mois des moissons, au neuvième jour, S. M. franchit la clôture de Tsar (*Djor*).. .. Son armée passa les frontières et se mit en marche sur les routes du nord. Quelques jours après ces choses, le roi était à Ramsès-Meriamon, ville....... ; il poursuivit sa route vers le nord[2]. » Ainsi donc, en quittant l'Égypte, on n'atteignait Ramsès qu'après avoir quitté Djor.

En rassemblant tous ces renseignements, on arrive à

1 Un passage mutilé d'un autre texte cite aussi la ville de Ramsès comme un lieu de débarquement. (*Pap. Anast.* III, 2, 9). Ce nom de Ramsès ou ville de Ramsès a été donné à un grand nombre de localités fondées ou embellies par les Ramsès. Dans les textes, les villes sont quelquefois nommées d'après les temples principaux qu'elles renfermaient ; tel était notamment le cas de Memphis (*Pa-Ptah*), d'Héliopolis (*Pa-Ra*), etc. Il y avait un Pa-Ramsès à Memphis. Pa-Ramsès-Meriamon était le nom d'Ibsamboul. Après ses victoires et les embellissements qu'il fit à Ramsès sur la frontière de l'Égypte, Ramsès III put donner à cette ville le nom de *Pa-Ramsès-Hiq-On* (Dümichen, I H. I., 9. 23), car il n'est pas probable qu'il s'agisse d'une nouvelle ville de Ramsès.

2 De Rougé : *Bibl. univ. intern.*, II, 179.

la conviction que la ville de Ramsès-Meriamon doit corrrespondre à Péluse[1]. Djor ou Tzor devrait être cherchée sur les lagunes du Delta ou sur l'un des bras orientaux du Nil. On l'a identifiée à Héroopolis, qui n'est probablement qu'une forme de Horopolis ; le mythe d'Horus est intimement lié à Djor. Ce dieu lui-même est appelé : le rempart de Djor. Mais nous ne connaissons pas la situation d'Héroopolis.

Le deuxième document qui nous révèle l'enthousiasme excité par les victoires de Meneptah I se trouve au papyrus Anastasi II[2]. M. de Rougé en a traduit les dernières phrases[3], où il croit voir que les Sardiniens captifs et mercenaires du pharaon ont fait des prisonniers parmi leurs propres tribus. Cette traduction semble incontestable dans le texte écourté donné par l'éminent égyptologue, mais il en est autrement lorsqu'on cherche à rattacher ce texte à celui qui précède[4] ; la seule chose certaine, c'est que des Sardiniens avaient été pris par le glaive du roi, et que ce peuple fournissait des auxiliaires aux troupes égyptiennes, même dès l'époque de Ramsès II ; on les retrouve, au même titre, dans l'armée de Ramsès III. Il est possible que celle de Meneptah I

1 Péluse était le grand *emporium* de l'Égypte : l'épithète *pélusiaque* donnée aux marchandises qui s'y vendaient servait à désigner les marchandises de l'Égypte :

.... *Velantur corpora lino*
Et pelusiaco præfulget flamine vertex (Silius Italicus, III).
Pelusiaca lens, Virgile : *Georg.* I, 228.

2 Pages IV, 4 à V, 4.

3 *Mémoire sur les attaques*, etc. Appendice A, p. 31.

4 Dans l'ensemble du texte, il y a doute sur ce que représente le pronom pluriel, sujet des verbes *laisser, brûler et faire prisonnier*.

n'en fût pas dépourvue ; il est effectivement parlé des auxiliaires dans l'inscription que nous avons traduite, mais leur nationalité n'est point indiquée. Nous reviendrons au surplus sur l'examen des particularités qui nous aideront à apprécier l'état des Sardiniens et des autres peuples mentionnés dans les monuments de Meneptah I. Pour le moment, nous allons reprendre l'étude des textes qui nous parlent de ces mêmes peuples jusqu'à l'époque où Ramsès III remporta sur eux et sur les nations de l'Asie des avantages qui replacèrent l'Égypte à un degré de puissance duquel elle ne fit ensuite que déchoir.

La sortie des Juifs de l'Égypte a dû s'accomplir dans les dernières années du règne de Meneptah I ; nous manquons complètement de monuments de cette époque, dont l'histoire, telle qu'elle est arrangée par les extraits de Manéthon, ne mérite pas une confiance absolue, parce que les abréviateurs, dans leur dessein de donner plus de consistance historique à l'Exode des Juifs, ont cherché à lier les traditions qui concernaient le peuple de Dieu avec celles qui se référaient aux Pasteurs. Cette époque ne fut apparemment signalée par aucun fait militaire considérable. Les Égyptiens retombaient peu à peu dans l'état de mollesse et d'énervation politique d'où l'invasion des Libyens les avaient forcés à sortir pendant quelques années ; ils se trouvèrent impuissants à retenir chez eux les Israélites dont ils tiraient tant de services ; on ne voit nulle part que, ni dans leur marche vers le Sinaï, ni dans leur conquête du pays de Chanaan, les Hébreux aient rencontré sur leur passage des garnisons égyptiennes. Il faut en conclure que les forts construits par les pharaons pour maintenir leur autorité et assurer la perception des tributs en Syrie avaient peu à peu cessé d'être occupés. Le soin de la défense du territoire même de l'Égypte avait fait rappeler toutes les forces militaires [1].

Cependant Séti Meneptah II, fils et successeur de Meneptah I, put encore régner en paix pendant quelques années. Le développement des études littéraires qu'on remarque à son époque, la supériorité dont se targuent les scribes sur toutes les autres professions, même sur celle des armes, sont des indices significatifs d'un état de paix intérieure. Mais la fin de ce règne, sur laquelle nous manquons de renseignements, dut être fort troublée, car le successeur immédiat de Séti Meneptah II, nommé Amenmésés, n'était point un héritier légitime de la couronne. Après Amenmésés, le trône rentra dans la ligne héréditaire avec Meneptah-si-Ptah. Sous ces divers monarques, le sud de l'Égypte paraît avoir été tenu en respect, mais il n'est plus question des Asiatiques, ni des Libyens et de leurs alliés habituels, dont la force grandissait sans cesse. Un très-petit nombre de monuments nous parlent de Meneptah-Siptah, qui eut toutefois le temps de faire creuser dans la vallée des Rois les souterrains où il devait être inhumé, mais où l'on n'a retrouvé que ses cartouches martelés. Les documents qui peuvent jeter du jour sur l'histoire de cette époque sont une propriété particulière ; on y voit en substance

[1] C'est ce qui était arrivé pour le corps de cavalerie stationné à *Tamakirpé*, comme nous l'avons expliqué ci-devant, p. 220.

qu'à une époque qui doit correspondre au règne de Meneptah-Siptah, la situation devint telle, qu'une émigration générale s'ensuivit; ceux qui étaient restés n'osaient plus parler; l'autorité était possédée par des chefs de villes qui se faisaient les uns aux autres une guerre sans merci; plus tard, et pour un temps moins long, un chef syrien, mettant les circonstances à profit, se fit *haq* (souverain). On l'accepta pour chef, et le pays entier lui payait tribut. Mais le culte des dieux avait cessé d'être pratiqué.

Cependant, touchés de cette situation, les dieux établirent leur fils Set-Nekht roi de tout le pays. Ce prince restaura l'Égypte entière qui était en révolte; il extermina les violents, purifia le pays, rebâtit les temples, dota le culte et éleva Ramsès III à la dignité de *Repa-sheps*, c'est-à-dire d'héritier de la couronne. Set-Nekht reçut paisiblement les honneurs funéraires après un règne bien rempli, mais dont la durée n'est pas connue. Puis le célèbre Ramsès III, le Salomon de l'Égypte, prit la place de son père.

L'histoire des commencements du règne de Ramsès III est donnée avec d'aussi grands détails par le même document, dont différents passages m'ont été communiqués par son possesseur, qui espérait pouvoir en publier la traduction; il est très-désirable que ce monument sans pareil ne reste pas plus longtemps inaccessible à la science dont il est l'un des plus précieux titres. Les parties du texte sur lesquelles j'ai été consulté montrent que Ramsès III eut à lutter pour défendre l'intégrité du territoire de l'Égypte. Des peuplades asiatiques, les

Shasou entre autres, attaquèrent l'Égypte et furent repoussés. Bientôt après, les Mashouashas établis au Delta se soulevèrent, attaquèrent les villes et détruisirent les récoltes depuis Memphis jusqu'à une ville nommée Karbaïna; ils arrivèrent jusqu'à l'Atour-aa, ou Grand-Fleuve, se répandirent sur l'une et l'autre rive, réduisirent les villes du nome saïtique sud et demeurèrent ainsi plusieurs années établis sur l'Égypte. Le roi les attaqua, fit d'eux des monceaux de cadavres baignés dans leur sang, et les força à reculer. D'autres parties du texte concernent les Libyens. On voit que Ramsès III eut à résister aux nations du nord et de l'ouest, mais la publication du document qui m'a fourni ces indications pourra seule permettre de classer les événements et d'en apprécier l'importance.

Indépendamment de ce document, les inscriptions du temple de Médinet-Habou donnent des renseignements sur les principales guerres de Ramsès III; malheureusement ces inscriptions sont excessivement mutilées; elles contiennent pour la plupart d'interminables louanges de ce prince; aussi la récolte de faits historiques qu'on peut y faire est-elle loin de répondre à la longueur des textes.

L'inscription la plus ancienne porte la date de l'an 5; elle a été publiée par Rosellini (*Monumenti Reali*, 130 à 132), et par Burton (*Excerpta hierog.*, pl. 43 à 45). Ces deux publications sont très-imparfaites; les signes inexactement reproduits ajoutent à la difficulté causée par les lacunes.

En comparant avec soin ces deux textes[1], j'ai pu faire la traduction suivante à propos de laquelle je renvoie à mes observations sur la traduction de l'inscription de Meneptah I[2].

1 L'an 5, sous le règne de l'Horus-Soleil, taureau fort, qui élargit les frontières de l'Égypte, puissant par le glaive, au bras victorieux, qui a frappé les Tahennou, le seigneur des diadèmes.....

2 qui a foulé aux pieds les Tahennou, comme des tas de cadavres sur place, l'Épervier d'or belliqueux, seigneur du double khopesh, qui place sa frontière où il lui plaît, en poursuivant les ennemis... (L'univers entier est)

3 sous sa crainte; les terreurs qu'il inspire sont le bouclier de l'Égypte; le roi de la haute et de la basse Égypte, seigneur divin, Soleil jeune aux levers lumineux[3]; semblable à la lune qui renouvelle ses naissances,

4 fils du Soleil, Ramsès souverain de On; le principe des victoires dès qu'il s'est levé sur l'Égypte, commençant comme Phra et finissant à son coucher. Les dieux lui ont donné les nations..... ;

5 le victorieux, le seigneur au bras étendu, le héros agile, maître de ce qui lui plaît; semblable au fils de Nou; il a rendu la terre entière telle qu'elle était (du temps des dieux).

1 Le même texte a été aussi copié par M. Dümichen et publié dans sa deuxième série d'*Inscriptions historiques*, pl. 47. Je n'ai pas cette copie à ma disposition.

2 Voir ci-devant, p. 195.

3 ; voir ci-devant, p. 40.

6 Ramsès III[1], le souverain très-aimable, seigneur de la paix ; son image est comme celle du Soleil chaque matin ; sa crainte est fixée (à l'avant de son diadème

7 orné) d'aspics ; il est établi sur le trône de Phra, comme roi des deux mondes. La terre, du commencement jusqu'à la fin, est rafraîchie (par lui) ; les Grands l'invoquent...

8 Tous les hommes réunis sont rassemblés sous son empire, le roi Ramsès III ; roi magnanime, belliqueux, qui s'est de lui-même rendu terrible ; il voit (tout céder à)

9 sa colère ; vainqueur à son gré, il est (élevé) sur l'Égypte ; agile de bras, rapide de pas, frappant le monde entier ; penseur aux actes bienfaisants, qui donne l'autorité aux lois......... .... (A cause de lui)

10 l'allégresse éclate ; son nom pénètre les cœurs jusqu'à la limite des ténèbres[2] ; ses terreurs et son respect atteignent les extrémités du monde.

Les nations qui avaient agi hostilement, arrivées toutes ensemble (des pays)

11 inconnus, leurs chefs viennent courbés pour implorer le souffle de la vie auprès de celui qui domine l'Égypte, près de l'Horus-Soleil, taureau fort, dont grande est la royauté, le roi Ramsès III,

12 grand boulevard de l'Égypte, qui est le salut de leurs membres ; sa vaillance est comme (celle de) Baal

[1] Nous supprimons ici et dans la suite du texte la kyrielle des titres.

[2] Littéralement : *Le bras de l'obscurité.* Cette expression désigne l'extrême occident.

pour abattre les Barbares. Enfant divin, à son apparition il était semblable à Horemakhou; à son lever, il paraissait tel que Tum; sa bouche s'ouvre

13 et porte le souffle aux humains, en faisant vivre les deux mondes par ses aliments chaque jour; fils auguste, défenseur des ordres divins. Par lui sont abattues les nations qui s'opposaient à lui en ce pays. Qui (est surpris) par sa flamme

14 ne récolte plus: sa population tout entière est prise; toute (force) lui manque à la fois dans son pays.

Ceux qui viennent dans l'attitude

15 de l'adoration pour contempler le grand soleil de l'Égypte, leur face voit l'astre solaire près d'eux, le grand soleil qui

16 se manifeste et brille le matin sur l'univers, le dieu Shou (*lumière*) de l'Égypte, celui-là (même) qui est au haut du ciel; ils s'écrient: ô Phra! notre pays est perdu; nous sommes d'une

17 région d'ombre et de ténèbres. Le roi Ramsès III a immolé les pays de plaines et de montagnes; ils les a déracinés

18 et les a ramenés esclaves en Égypte, tous agenouillés devant ses dieux. O rassasieur à la nourriture abondante, qui se répand

19 dans les deux mondes! joies multipliées de ce pays sans angoisses! Ammon l'a installé sur son propre siége; tout

20 le circuit du Soleil est rassemblé dans sa main fermée.

Les misérables Sati et le pays des Tahennou, ces voleurs qui se rendaient

24 coupables par leurs actes contre l'Égypte, avaient forcé le pays tumultueusement sous le règne des rois (précédents); ils infestaient les dieux et tous les hommes;

22 (personne ne les a) recueillis depuis qu'ils se sont révoltés; c'est que le jeune héros s'est montré semblable à un griffon meurtrier, pénétrant comme le dieu Mehi (*Thoth*).

23 Leurs paroles menaçantes sont passées comme des propos insensés, et tout ce qui est sorti de la bouche du roi s'est réalisé. Les soldats, chargés (de son ardeur, se montrèrent)

24 comme des taureaux prêts à fondre sur des chèvres; ses cavaliers, comme l'épervier (qui s'élance sur

25 de petits oiseaux), rugissant comme des lions ivres de fureur. Ses officiers furent irrésistibles comme des dieux Reshep[1]; ils regardèrent ...... les myriades comme des fétus[2]. Ils étaient semblables à Mont.

26 Son nom est un poids juste; il impose sa crainte à tous les pays de plaines et de montagnes.

Les Tamahou, réunis tous ensemble, à savoir: les Libyens, les....., les Mashoua (shas). ...

27..... leurs combattants se confiaient en leurs con-

1 Reshep est un dieu farouche emprunté par les Égyptiens à la mythologie arabe.

2 Le texte dit à la lettre: *comme des prunelles d'yeux;* c'est-à-dire comme ce qu'il y a de plus sensible et de moins propre à la résistance.

seils ; ils avaient le cœur rempli : Nous nous enivrerons ! Leurs pensées dans leur sein : Nous nous

28 assouvirons de violences ! Mais leurs conseils furent renversés, repoussés et se brisèrent contre le cœur de dieu ; la prière de leur chef, que leur bouche répétait, ne fut point accueillie par dieu.

29 Le bienfaisant, celui qui connaît le conseil, celui que ce dieu souverain des dieux a fait grand de l'Égypte pour toujours, qui possède la force victorieuse, qui a été accordé aux prières des nations,

30 le roi au grand empire, le roi intelligent et habile comme Thoth, leurs cœurs et leurs desseins étaient visibles et appréciables devant lui ; S. M. s'est emparée des Tamahou au cœur étroit, courbés

31 sous son double khopesh ; ils s'étaient réunis à leur chef pour prendre des terres ! On n'avait pas entendu dire rien de semblable depuis qu'il y a des rois. C'est que le cœur de S. M., excité par sa force irrésistible, voulut enserrer l'ennemi de son glaive victorieux ;

32 ils furent épouvantés comme des chèvres surprises par un taureau qui attaque des pieds, frappe des cornes et ébranle des montagnes, en poursuivant celui qui l'approche.

33 Les dieux dans leurs conseils lui ont donné tout ce qui le joint. S'il en est qui violent ses limites, S. M. s'élance contre eux comme un feu brûlant qui se développe dans des herbages ; ils sont semblables à des oies

34 prises dans un filet, démembrées et mises à fondre ; ils tombent en cadavres étendus dans leur sang ; leur chute est lourde ;

35 il ne leur est même pas donné de voir que les crimes parmi eux s'étaient élevés jusqu'au ciel. On dispose de leur armée sur place ; leurs tués sont mis en tas

36 sur le sol, par la vaillance du roi victorieux en personne, seigneur du glaive, à la force prépondérante comme Mont, le roi Ramsès III. Tout ce qu'on prit comme butin pour l'Égypte ce furent des mains

37 et des phallus coupés ; on n'amena point de prisonniers enchaînés au dépôt. Les chefs des nations se réunirent pour contempler leur honte. Les magistrats de l'ordre des Trente

38 accompagnèrent S. M., les bras tendus, poussant des cris d'allégresse jusqu'au ciel, le cœur plein d'amour (pour le roi). Ils disaient : Ammon-Ra, ô Dieu ! Exaltons la puissance du souverain !

39 On fit venir les envoyés du monde entier : leur cœur tressautait, s'échappait, n'était plus dans leur sein ; leurs faces fixées sur le roi semblable à Tum, celui qui a brisé les reins des Tamahou pour la durée du règne de S. M. Ceux dont les pieds

40 s'étaient approchés de la frontière de l'Égypte, ils ont baisé la terre ; leurs avant-gardes ont été formées en tribus sous la puissance (du roi), noms stables au grand nom de S. M.[1]. Ceux qui s'étaient approchés (en ennemis),

41 leur bouche ignore (jusqu'au) souvenir de l'Égypte. Le pays des Tamahou était venu ; il avait en-

[1] Cela signifie probablement qu'on donnait à ces tribus soumises une dénomination dans laquelle le nom du roi entrait comme élément.

traîné comme un torrent les Mashouashas : ils ont été enlevés

42 de leur pays ; leur culture déracinée, anéantie d'un seul coup ; tous leurs membres se sont paralysés par la terreur.

C'est, disaient-ils, le brisement de nos dos qui est près de nous dans le pays d'Égypte.

43 Son seigneur a détruit nos âmes pour jamais.

Malheur à eux ! qu'ils voient leurs danses changées en massacre [1]. La déesse Sekhet est à leur poursuite ; la terreur

44 est sur eux : nous ne marchons pas (s'écrient-ils) sur un chemin où l'on peut marcher ; nous marchons sur de l'eau, entièrement de l'eau ; leurs guerriers n'ont même pas combattu contre nous dans la mêlée [2].

Il a été une destruction pour nous,

45 une flamme contre nous, toutes les fois qu'il l'a voulu ; dès que nous nous sommes approchés la flamme nous a saisis, et nulle eau n'était à nous. Leur chef est semblable à Set ; il a voulu (nous surprendre) ;

46 semblable à un griffon, il nous poursuit pour

[1] Les peuples du nord étaient grands amateurs de la danse ; la danse des Tamahou est représentée dans les bas-reliefs d'El-Assassif (Dümichen : *Flotte*, etc., XI.) Les danseurs tiennent un bou-mérang de chaque main : d'autres Tamahou forment l'orchestre en frappant deux bou-mérangs l'un contre l'autre ; notre texte fait allusion à ces usages, et oppose le groupe [hiéroglyphes], **ḫabab**, *danser*, *sauter*, au groupe [hiéroglyphes], **ḫai**, *égorger*.

[2] Toute la gloire du triomphe est réservée au pharaon.

nous égorger....... ; il nous oblige à reculer loin de l'Égypte pour jamais. Nos douleurs? sont plus grandes

47 que la mort ; la flamme est entrée en nous ; nous ne récolterons plus !

Deidi, Mashaken, Maraïou, ainsi que Tzamar

48 et Tzaoutmar étaient ces grands excitateurs à violer l'Égypte avec les Libyens, pour y porter la flamme du commencement jusqu'à la fin.

Mais les dieux (nous ont repoussés)

49 parce que nous avons violé leurs temples et leurs territoires ; nous avons dû nous abaisser devant la grande valeur du glaive de l'Égypte. Réellement Phra lui a donné la puissance de vaincre. Il apparaît à son lever

50 tel que Phra qui brille sur la tête des humains. Allons à lui, adressons-lui nos hommages ; baisons la terre devant son glaive victorieux, magnifions.....

Cette partie de la grande inscription de Médinet-Habou se rapporte à l'une des guerres soutenues par Ramsès III contre les peuples de la Libye ; il n'y est question que d'événements concernant les Tahennou, les Tamahou, les Libyens et les Mashouashas ; or, nous avons vu précédemment que le nom de Tamahou désigne d'une manière générale les races du nord, y compris celles du nord de l'Afrique ; que les Tahennou sont les races blanches des côtes septentrionales de l'Afrique, et qu'enfin les Mashouashas ne sont qu'une subdivision des Libou ou Libyens [1]. Le document inédit auquel j'ai fait

[1] A la ligne 26 un nom de peuple a disparu entre celui des Libyens et celui des Mashouashas ; ce doit être le nom des Kahakas ou d'une autre peuplade libyenne.

quelques emprunts constate que les Mashouashas établis dans certains cantons du Delta s'étaient révoltés. En comparant avec cette donnée les renseignements du texte que nous venons de traduire, nous voyons que des Tamahou, autres que les Mashouashas, avaient entraîné ces derniers (lig. 41). Le texte se sert du mot sémitique [hiéroglyphes], *nahar*, hébreu נהר, *copiose fluxit*, qu'on trouve employé dans l'Écriture pour désigner, comme ici, *une grande affluence, une inondation de peuple*[1]. Les peuples de la Libye voulaient tous profiter des avantages dont jouissaient les Mashouashas ; ils étaient venus pour prendre des terres (lig. 31 de l'inscription). Le résultat de cette entreprise ne fut pas conforme à leurs espérances ; même en faisant quelques réserves sur les hyperboliques éloges décernés à Ramsès III, on voit que les Mashouashas furent déplacés du pays qu'ils occupaient (lig. 42) et obligés à se retirer hors des frontières de l'Égypte (lig. 46). Le texte donnerait à penser que les combats furent sans merci ; les Égyptiens n'auraient pas fait de prisonniers et n'auraient rapporté que des mains et des pénis coupés[2], mais c'est là une exagération habituelle qu'on

[1] Isaïe, ch. 2, 2, et ailleurs.

[2] Il n'est nullement besoin de faire des conjectures sur la signification du groupe [hiéroglyphes], *Karnoth*, qui a pour déterminatif le signe des parties du corps. L'objet est figuré dans les bas-reliefs de Médinet-Habou sous ces formes : [figures], [figures], dont la plus courbe ressemble effectivement à une corne ; le groupe égyptien est la transcription exacte du mot hébreu קרנות, pluriel de קרן, *corne*, qui se dit non seulement de la corne des

peut remarquer aussi dans le récit des guerres de Josué. Ce qu'il y a de certain tout au moins, c'est qu'il était resté des vaincus pour déplorer leur défaite, glorifier le vainqueur et se soumettre à sa volonté. De plus, leurs corps d'avant-garde ([hiéroglyphes]) furent pris et formèrent des tribus ([hiéroglyphes]) au pouvoir ([hiéroglyphes]) du pharaon (lig. 40). Telle était du reste la politique constante des maîtres de l'Égypte : recruter partout des travailleurs et des auxiliaires.

Le texte mentionne cependant les Sati (nations asiatiques), et les traite comme les Tamahou de voleurs s'étant rendus coupables de méfaits contre l'Égypte (lig. 20 à 21); mais c'est là une allusion à des faits autres que la guerre de l'an 5; il en est de même du passage où il est dit que le roi a déraciné les pays de plaine et de montagne et les a ramenés esclaves, tous agenouillés devant les dieux de l'Égypte (lig. 17 à 18). Dans ce passage l'inscription emploie un deuxième mot

animaux, mais de toute espèce d'objets ayant la forme d'une corne. Les [hiéroglyphes] des hiéroglyphes sont les membres virils en cornes, c'est-à-dire séparés du scrotum. Si l'on supposait qu'ils étaient disposés *en paires de cornes*, c'est-à-dire deux à deux, il faudrait compter double le nombre des *karnoth*. Cette hypothèse n'est nullement nécessaire. Les Égyptiens paraissent avoir pris l'usage de couper les mains et les membres virils des tués, à l'occasion de leurs guerres avec les peuples des côtes de la Méditerranée; les textes anciens ne parlent pas de ces inutiles barbaries. Le roi de Bezek, en Palestine, avait fait couper les pouces des mains et des pieds à soixante-dix rois; son vainqueur, le juge Juda, lui infligea le même traitement (*Juges*, I, 6, 7.)

des langues sémitiques : , ברך, BARAK, *genua flexit*. On en rencontre un troisième à la ligne 50 ; c'est le mot , hébreu שלם, SHALAM, *pacem precari, salutare*.

Il est regrettable que les Égyptiens n'aient pas eu le même goût pour les langues des peuples du nord de l'Afrique et de la Méditerranée, car ils auraient pu nous laisser de précieux repères philologiques. Dans notre inscription, nous ne trouvons que des noms propres au nombre de cinq, savoir :

Dans les documents qu'il nous reste à examiner, on trouve aussi les noms libyens de :

, Kapour ;

et de , Mashashar.

A cette liste nous devons encore ajouter le nom du chef

libyen qui attaqua Menepta I[1] : [hieroglyphes], Marmaïou.

Ceux de ces noms qui commencent par la syllabe *mash* (dont le passage à *mas* s'explique par un fait philologique qui n'a jamais eu besoin de preuves : l'échange du son sifflant avec le son chuintant) rappellent les noms numides de Masésyliens, Massyliens, Massinissa, Massiva, Massugrada, Masintha, etc. *Tzamar* a quelque analogie avec Dabar[2]. Au temps d'Hérodote, les Numides étaient parfois nommés Africains et Libyens. D'après Étienne de Bysance et Eustathe, les Maxyes sur lesquels régnait Hiarbas, contemporain de Didon, étaient des Numides. Or, les Mazyes ou Maxyes sont certainement les anciens Mashouashas, ainsi que M. Brugsch l'a reconnu le premier. Il est donc assez vraisemblable que la coalition des Libyens comprenait la plupart des nations de l'Afrique et peut-être même la Mauritanie. Conséquemment, les objets d'antiquité égyptienne trouvés en Algérie et notamment près de Cherchell peuvent très-bien être des témoignages de ces antiques expéditions. Les Égyptiens qui parcouraient la Méditerranée à l'époque de Thothmès III, et même aux époques antérieures, ont d'ailleurs pu effectuer des descentes sur toutes les côtes de cette mer.

Malgré ses grands succès dans la campagne de l'an 5, Ramsès III n'avait point réussi à assurer définitivement la sécurité des frontières occidentales de l'Égypte ; les Libyens recommencèrent plusieurs fois la lutte. Une

[1] Voir ci-devant, page 197.

[2] Nom d'un fils de Massugrada.

inscription du 7 de méchir de l'an 11[1], encore plus chargée de flatterie officielle que celles dont nous avons déjà donné la traduction, mentionne une nouvelle extermination des Barbares, qui avaient pour chef Kapour. Ni le nom des Mashouashas, ni celui des Libyens ne se rencontrent dans les parties conservées de ce texte, mais la nationalité de Kapour est donnée par une autre inscription dont nous nous occuperons bientôt.

Dans celle de l'an 11, les effets de la valeur personnelle du pharaon et de la victoire de ses armes sont dépeints avec une énergie nouvelle : « Les ennemis ont « été enveloppés par la flamme ; leurs os ont été calci- « nés dans leurs chairs ; ils marchaient sur la terre, « comme s'ils eussent marché sur le lieu du supplice ; « leurs forces militaires furent massacrées sur place ; « on leur ravit leurs bouches pour jamais ; ils tombèrent « d'un seul coup. Leurs chefs, qui marchaient devant « eux, furent liés comme des oiseaux devant l'épervier « qui s'élance de sa cachette au milieu des bois.

« L'âme des ennemis avait dit, pour la seconde fois, « qu'ils passeraient leur vie sur les frontières de l'Égypte, « qu'ils cultiveraient vallées et plaines pour leur (pro- « pre) territoire. Mais la mort s'est placée sur eux dans « l'Égypte : ils étaient venus sur leurs propres pieds à « la fournaise qui consume la corruption, sous le feu « de la vaillance du roi, qui sévit comme Baal du haut « des cieux. Tous ses membres sont investis de force « victorieuse : de sa droite il saisit des multitudes : sa

[1] Dümichen, I H. I., 13 à 15.

« gauche s'étend sur ceux qui sont devant lui, semblable
« à des flèches contre eux, pour les détruire ; son glaive
« est tranchant comme celui de son père Mont.

« Kapour, qui était venu pour (recevoir) l'hommage,
« semblable à un (homme) aveuglé (par la peur),
« jeta ses armes à terre ; ainsi fit son armée ; il poussa
« un cri jusqu'au ciel en suppliant ; son fils arrêta son
« pied et sa main. Mais voilà que se leva près de lui le
« dieu qui connaissait ses plus secrètes pensées[1]. S. M.
« tomba sur leurs têtes comme une montagne de granit ;
« il les écrasa ? et mélangea la terre de leur sang (qui
« coulait) comme de l'eau ; leur armée fut massacrée...,
« immolés leurs guerriers..... ; on s'en empara ; on les
« frappa, les bras attachés[2], pareils à des oies couchées
« sur une barque, sous les pieds de S. M.

« Le roi était semblable à Mont ; ses pieds victorieux
« pesèrent sur la tête de l'ennemi ; ses chefs qui étaient
« devant lui étaient frappés et tenus dans son poing.
« Joyeuses étaient ses pensées ; ses exploits s'étaient
« accomplis.

« ..... Dans son palais, son cœur goûta le rafraîchis-
« sement ; il était terrible comme un lion fascinant des
« chèvres..... »

Cette inscription se trouve sur le monument de Médinet-Habou que M. Dümichen nomme la *Porte de la victoire de Ramsès III* ; le même monument contient

[1] Littér. : *Ce qu'il avait dans les entrailles.*

[2] Allusion à l'attitude des captifs que les monuments représentent les deux coudes liés ensemble dans diverses positions très-gênantes.

en outre un autre texte [1], sans date, sur lequel se rencontre de nouveau le nom du chef libyen Kapour. Ce texte est un peu plus explicite. On y lit, en divers passages, que la campagne était dirigée contre les Mashouashas et contre les Libyens. « Ces peuples, qui « s'étaient alliés contre l'Égypte et qui s'étaient mis en « marche frémissant d'impatience, vinrent comme à un « égorgeoir, et tombèrent sous la griffe du roi comme « des rats. Le Mashouasha, dès qu'il fut aperçu venant, « son peuple tout ensemble, forcé par les Tahennou, « il fut mis en flamme et renversé; leurs villes furent « prises; ils ne récoltent plus. Telle a été la volonté « excellente du dieu qui massacre quiconque outrage « l'Égypte. Qu'il dise: oh! oh! Nous serons une flamme « devant lui; nous nous établirons sur l'Égypte; ainsi « disaient ces misérables d'une seule bouche, et ils en« trèrent dans les limites de l'Égypte; mais la mort les « enveloppa........ [2].

« Mashashar, fils de Kapour. . . . .

« . . . .

« tomba aux pieds de S. M. Ses capitaines, ses alliés, « ses soldats étaient perdus. Ses yeux étaient frappés « comme s'il eût regardé la couleur du soleil; ses « guerriers rapides, ses combattants (vinrent) amenant « leurs enfants, leurs bras portant leurs tributs (se

[1] Dümichen: *Loc. laud.*, 22 à 27.

[2] Le texte, entrecoupé de lacunes, célèbre ici la valeur personnelle de Ramsès III en termes très-énergiques. Ces compositions sont imprégnées d'un remarquable enthousiasme poétique.

« rendre) comme prisonniers vivants. Leurs biens et
« leurs enfants étaient chargés sur leurs dos.....

« Les Mashouashas, on prit leur race, les armes
« qu'ils tenaient à la main, leurs vases.....

« Le seigneur de l'Égypte était le feu de Sekhet contre
« eux ; il anéantit leurs cœurs ; leurs os se calcinèrent
« dans leurs corps.

« Tout le pays se réjouit en voyant la vaillance du
« roi Ramsès III. C'était une étincelle puissante qui
« met le feu. . . . .
« . . . .

« Sa griffe est sur la tête des Mashouashas. Il a fait
« son bon plaisir du pays des Mashouashas ; le pays des
« Tamahou, il l'a châtié.

« ...... Toute la terre se courbe devant lui. Les
« Mashouashas et les Tamahou avaient couvé l'iniquité
« et la révolte : ils avaient marché, le cœur plein du
« désir d'atteindre l'Égypte. . . . .
« . . . .

« Ils ne demeurèrent pas ; le grand chef de l'Égypte,
« leur maître, éblouit leurs faces. . . . . . .
« C'est Mont qui nous poursuit. . . . .
« Il nous poursuit comme Baal frappant l'impur ; voici
« que nous sommes comme des chèvres attaquées par
« un lion ; nous n'avons plus de salut, le souffle (de nos
« bouches) est enlevé à sa suite ; nos armes sont usées,
« nos mains anéanties.

« Leurs âmes sont maîtrisées, leurs cœurs ont duré...

« Que les dieux nous donnent la force de nous age-
« nouiller, de nous prosterner devant l'Égypte. »

Le texte continue encore longtemps sur le même ton : on y remarque cependant une allusion assez significative aux premières attaques des Libyens contre l'Égypte : « Nous avons entendu parler, disent les vaincus, des « intrigues des pères de nos pères ; le brisement de nos « dos provient d'eux par rapport à l'Égypte : nous nous « sommes révoltés, nous avons imaginé de faire ce qui « nous plaisait, et nous avons couru nous-mêmes [1] pour « chercher la flamme ; les Libyens [2] nous ont troublés « comme eux ; nous avons écouté leurs pensées, et le « feu nous a dévorés : nous avons été coupables, et « nous avons été châtiés pour l'éternité. Leur crime « avait été de voir les frontières de l'Égypte, et il les a « fait entrer dans le Taser (*la tombe*), le Mont aux bras « victorieux, qui se plaît dans la mêlée, le roi « Ramsès III.

« Le pays des Mashouashas a été abattu d'un seul « coup ; les Libyens et leurs auxiliaires massacrés : ils « ne récolteront plus. »

Plus loin le roi parle aux princes de sa famille : aux généraux, aux chefs supérieurs de l'infanterie et de la cavalerie, et célèbre en termes pompeux sa propre vaillance et les bienfaits qu'il a répandus sur l'Égypte. La dernière ligne constate qu'il a fait des prisonniers et que des Mashouashas et des Tamahou, liés devant ses chevaux et chargés de leurs richesses, ont été conduits au temple d'Ammon.

1 Littér. : Nous avons pris nos jambes.

2 Les Mashouashas, qui parlent, étaient des Libyens eux-mêmes, mais formaient une tribu distincte d'importance considérable.

La fin de cette inscription donne un tableau résumé des prises faites sur l'ennemi. Le nombre des ennemis tués, compté d'après les mains coupées, fut de 2175.

Voici le dénombrement des prisonniers :

1	général des Mashouashas;
5	grands officiers de ces misérables;
1205	Mashouashas;
152	sergents (*Menh*);
131	jeunes.
1494	en tout.

Leurs femmes :

342	femmes;
65	belles femmes;
131	jeunes filles.
538	en tout,

Ce qui fait en têtes diverses ramenées par le glaive magnanime de S. M. 2052

Mashouashas tués par S. M. sur place. . . 2175

La campagne n'avait en définitive coûté à l'ennemi que 4227 tués ou prisonniers; c'est bien peu pour justifier la pompe du récit officiel dont nous avons traduit les principaux passages. Il est à remarquer que l'inscription qui relate la victoire de Meneptah I désigne sous le nom de Libyens tous les morts et tous les prisonniers de la confédération libyenne. Ici, ils sont au contraire désignés sous celui de Mashouashas; comme les uns et les autres étaient de la même race, on voit que l'ensemble prenait le nom de la tribu la plus nombreuse dans la guerre.

Les peuples libyens se servaient du cheval : ils l'attelaient, et certainement s'en servaient aussi comme monture. Leur armée ne comprenait pas de corps de cavalerie proprement dite, mais elle avait des chars, comme celle des Égyptiens et des Asiatiques. Ils savaient travailler très-habilement le métal ; leurs armes consistaient en coutelas ou sabres ( ) longs de 5 et de 3 coudées (2m 50 et 1m 50), en arcs dont les flèches étaient portées dans des carquois, et en dards ou javelots (, *oua*), à manches de bois. Voici le détail des prises faites sur les Mashouashas dans la campagne dont nous venons de parler :

Coutelas de 5 coudées	*115*
Coutelas de 3 coudées	*124*
Arcs	*605*
Chars	*93*
Carquois	*2510*
Dards	*92*
Chevaux et ânes	*185*

Les Égyptiens prirent aussi du bétail ; mais le texte, mutilé dans ce passage, ne laisse plus distinguer qu'un seul article, consistant en 139 taureaux.

Les Mashouashas ne furent pas rebutés par leurs revers ; ils s'obstinèrent à demeurer en Égypte et finirent par se faire incorporer dans les forces militaires de ce pays. On les trouve cités en cette qualité, surtout à l'époque des Bubastites. Le commandement en chef de ces auxiliaires était une fonction d'importance politique; elle était souvent confiée à des princes de la famille royale[1].

Aux époques de sa prospérité, l'Égypte étendait ses côtes maritimes depuis Péluse jusqu'à Paraetonium et à Apis, c'est-à-dire jusqu'à la Cyrénaïque ; la partie occidentale de ce territoire répondait à la Marmaride ou Marmarique, pour laquelle on trouve dans Strabon une variante *Masmaride*, plus ressemblante aux noms libyens que nous connaissons. Mais ce territoire n'était occupé que militairement ; sa population consistait en tribus libyennes, qui plus d'une fois durent faciliter l'accès de l'Égypte aux peuples de leur race demeurés indépendants.

Les Libyens de l'époque des Ramessides obéissaient à des chefs héréditaires ; c'est ce qu'on est amené à penser en retrouvant sous Ramsès III un chef Déïd, c'est-à-dire du même nom que celui qui guerroya contre Meneptah I.

Nous allons maintenant quitter l'ouest de l'Égypte pour nous occuper d'événements beaucoup plus intéressants pour nous. Je veux parler de la guerre relatée par l'inscription du deuxième pylone de la première cour de Médinet-Habou. Cette inscription a été publiée par M. Greene d'après une photographie transcrite par M. Th. Devéria[2]; elle a été savamment commentée par M. de Rougé[3]. De même que celles dont nous avons

1 Mariette: *Renseignements sur les Apis*. Bull. de l'Athenæum français, 1855, p. 10.

2 Greene: *Fouilles à Thèbes*, Paris, 1855.

3 *Notice de quelques textes hiéroglyphiques publiés par M. Greene* dans l'*Athenæum français*, 1855.

déjà donné la traduction, elle est surtout remplie du panégyrique de Ramsès III; les faits historiques n'y obtiennent que des mentions fort courtes. Malgré le peu d'intérêt qu'offre la répétition des louanges du pharaon, nous croyons devoir traduire le texte tout entier, afin de mettre le lecteur à même de juger du cadre dans lequel les événements sont introduits; le texte est entrecoupé de lacunes qui exigent des remplissages; nous placerons entre parenthèses les points restitués. Ces restitutions seront d'ailleurs faites avec la précaution que nous avons déjà observée dans les traductions précédentes, c'est-à-dire de manière à ne pas altérer ni développer les mentions restées déchiffrables[1] :

1 L'an 8, sous la majesté de l'Horus-Soleil, taureau fort, lion valeureux, au bras fort, seigneur du glaive, qui a fait prisonniers les Sati, seigneur du double diadème, riche en courage comme son père Mont; qui a massacré les Neuf-Arcs frappés dans leur (propre) pays; épervier divin à sa sortie du sein (maternel); œuf 2 parfait, image d'Horemakhou; chef suprême; substance bienfaisante des dieux, qui a fabriqué leurs images et multiplié leurs oblations, le roi de la haute et de la basse Égypte, seigneur des deux mondes, Ousormara Meriamon, fils du Soleil, Ramsès hiq-On[2], roi,

[1] Pour cette traduction je me suis aidé puissamment d'une photographie de M. Hammerschmidt qui m'a été communiquée. La date de l'inscription est de l'an 8. Champollion avait lu l'an 9, et M. de Rougé l'a suivi dans son commentaire; mais la photographie porte bien l'an 8.

[2] *Hiq-On* signifie *souverain d'Héliopolis.*

seigneur au bras élevé, qui étend les bras[1] et enlève le souffle

3 aux nations (étrangères), par la flamme qui est dans ses membres ; le très-redoutable, un fléau dans la mêlée, semblable à Phra.......; coursier ramassé sur ses jambes[2]; coureur rapide comme les étoiles qui étincellent au haut du ciel,

4 le roi Ramsès III, qui entre dans la mêlée comme... et force les Sati à reculer, en combattant au poste périlleux. Des révoltés, qui ne connaissaient pas l'Égypte, ont dit : Nous avons entendu parler

5 de sa vaillance, et sont venus en adoration, le tremblement dans tous leurs membres..... Ses membres sont pondérés dans la balance de Baal ; il maîtrise des multitudes ; son second n'existe pas ;

6 à lui seul il frappe des millions ; à tous les peuples la respiration périt par lui. (Les peuples de la Grande)-Mer[3], qui étaient venus et avaient jeté les yeux sur l'Égypte, se sont laissés tomber devant lui. Pour eux, chaque jour le dieu Mont est en sa personne ; il est le Grand qui est élevé sur

7 l'Égypte. C'est parmi vous, *ô ennemis*[4], qu'il trouve ses porteurs. Son glaive est puissant pour nous guider aux actes héroïques. Rendons-lui (hommage.

1 Cette image du *bras étendu*, *élevé*, *allongé*, est tout-à-fait dans le goût biblique : *in brachio extento*, *excelso*, etc.

2 *Qui se cabre*, pour mieux s'élancer.

3 Il ne reste de visible que le signe de l'eau dans le passage entre parenthèses.

4 J'ai ajouté les mots en italique pour l'intelligence de la phrase telle que je l'ai entendue.

Nous avons vu comment) il saisit, le roi Ramsès III, admirable dans sa royale élévation, semblable au fils d'Isis;

8 fils vengeur....., gracieux avec la couronne blanche et avec la couronne rouge; beau de visage avec la double plume; semblable à Tum, il est aimable comme Phra, à son lever matinal; gracieux lorsqu'il est assis sur son palanquin, semblable à Osiris orné de ses parures: les couronnes d'Horus, de Set, du vautour, de l'uræus, du midi et du nord ont pris place

9 sur sa tête; ses mains tiennent le pedum et le flagrum [1]. C'est un guerrier qui connaît sa valeur; il a forcé les Neuf-Arcs à traîner son char; l'abondance est sur ses (voies) comme (sur celles de) son père Nofre-hi-Noun [2]. Il est le très-aimable en roi, semblable à Shou fils de Phra.

10 A son lever, on se réjouit en lui, comme (au lever de) l'astre solaire; magnanime, il commande à tous les peuples; cœur fort, semblable à Phra, ses actes sont semblables à ceux de Ptah; organisateur bienfaisant des lois, il n'a pas son pareil; il est semblable à Phra dont le règne a commencé le monde, le roi Ramsès III,

11 dont durables sont les monuments; le très-prodigieux, qui a mis en fête tous les temples..... ; le fils du Soleil, issu de ses membres; celui que le seigneur des dieux a ordonné pour être, dès sa jeunesse, roi des deux

[1] Ce texte donne une exacte description de la parure des pharaons portés en palanquin dans les cérémonies.

[2] C'est Ptah-Nil.

mondes, souverain de tout le circuit du soleil; le bouclier[1] qui a couvert

12 l'Égypte à son époque; elle se repose..... à sa lueur; valeureux est son double glaive; son poing puissant est placé sur leurs têtes, le roi Ramsès III.

Le roi lui-même parla ainsi :

13 Écoutez-moi, pays tout entier ici rassemblé : Grands officiers, princes, prêtres, vieillards, habitants de l'Égypte, jeunes gens et enfants, vous tous qui êtes dans ce pays, faites attention à mes paroles. Vous savez que mes intentions sont de vous faire vivre.

14 Apprenez la vaillance de mon père auguste, Ammon mari de sa mère, l'auteur de mes perfections; son glaive puissant (il me l'a donné) pour vaincre, pour immoler quiconque se montre mon adversaire; il a ordonné pour moi la victoire; sa main était avec moi. Tous ceux qui ont violé ma frontière ont été immolés, saisis dans ma main fermée; moi qu'il a choisi.

15 qu'il a trouvé parmi des centaines de mille, il m'a installé sur son trône en paix. Ce fut un *achèvement?* jamais ils ne seront plus en proie au *fléau des Barbares*. Je l'entoure (*l'Égypte*), je la tranquillise par mon glaive victorieux. Je me suis levé, semblable à Phra, en roi sur l'Égypte; je la protège;

16 pour elle je détruis les Barbares,

Des nations, le frémissement dans (leurs membres, s'étaient mises en marche) de leurs îles, frappant du

[1] Il y a littéralement : *le bouclier de genou* : c'était sans doute le plus large bouclier.

pied, dispersant...... les peuples d'un seul coup : aucun peuple n'avait tenu devant leurs bras, à commencer par Khéta, Kati, Karkamash, Aradou (et)

17 Aras : elles les avaient déracinés ; (puis elles avaient établi) un camp unique au milieu de la contrée d'Amaor, abattant sa population et son pays jusqu'à l'anéantissement ; elles vinrent et la flamme était préparée devant elles pour leurs faces en Égypte. Elles étaient assistées par

18 les Pélestas (*Pélasges*), les Tsekkariou (*Teucriens*), les Shekulashas (*Sicules*), les Daanaou (*Dauniens*) et les Ouashashaou (*Osces*), peuples réunis ayant mis leurs mains contre les deux Égypte et le tour du pays : leurs cœurs étaient confiants ; ils étaient remplis de leurs desseins.

Ce fut alors que le cœur (*le désir*) du seigneur des dieux

19 fut de préparer un piége pour les prendre au filet comme des oiseaux : il me donna ma vaillance et voulut que mes desseins se réalisassent et que tout ce qui sortait de ma bouche réussît d'une manière admirable. Je laissai (?) ma frontière à Tzaha. Je préparai devant eux (*les ennemis*), des généraux, des intendants des provinces étrangères,

20 des Marinas[1], des (guerriers) d'élite. Les embouchures étaient comme un mur puissant de navires de

[1] Le nom de *Marina* vient du chaldéen מרן, *Maran*. Il désigne les officiers supérieurs des auxiliaires asiatiques. (Voyez *Voyage d'un Égyptien*, 211, 295.

transport, de vaisseaux, de barques....., garnis de l'avant à l'arrière de vaillants combattants bien armés; les soldats de l'infanterie,

21 de toute l'élite de l'Égypte, étaient semblables à des lions rugissant dans les montagnes; les cavaliers (pris) parmi les héros agiles du premier choix [1], étaient guidés par toute espèce de bons officiers sachant trouver leur main [2]. Leurs chevaux frémissaient dans tous leurs membres, préparés à fouler

22 ces nations sous leurs pieds. J'étais comme le dieu Mont le belliqueux; je restais devant eux; ils voyaient comment mes mains saisissent. Moi, le roi Ramsès III, j'ai agi comme un athlète qui connaît sa valeur et qui étend le bras sur son peuple

23 au jour de mêlée. Ceux qui étaient arrivés à ma frontière ne récolteront plus sur la terre; leur âme a duré pour jamais. Les miens étaient rassemblés à leurs faces sur la Grande-Mer; un feu saisissant était devant eux en face des embouchures; (l'anéantissement) les enveloppa. Ceux qui étaient

24 sur le rivage, je les fis tomber étendus sur la lèvre de l'eau, massacrés, comme des morts entassés [3]..... Leurs navires, leurs biens tombèrent dans l'eau. J'ai fait reculer les eaux au souvenir de l'Égypte [4]: ils célébreront mon nom dans leur pays; oui!

1 Voyez ci-devant: **XAI-AHC**, p. 213.

2 Idiotisme qui exprime l'adresse, l'habileté, de même que l'expression *connaître sa main*.

3 Littéralement: *Comme des cimetières*.

4 Ici par l'expression *les eaux*, le rédacteur entend *les peuples des eaux*.

25 ils ont été consumés depuis que je me suis assis sur le trône d'Horemakhou ; la déesse Oerhakou est sur ma tête comme (sur celle) de Phra. J'ai laissé voir aux nations les frontières de l'Égypte pour les en repousser; aux Barbares, j'ai enlevé leur pays ; leurs frontières, je les ai prises pour les miennes :

26 leurs chefs et leurs tribus m'adorent. Je suis sur les voies et selon les conseils du Seigneur universel, mon père divin, maître des dieux.

Poussez des cris d'allégresse jusqu'au ciel, ô Égypte ; je suis roi de la haute et de la basse Égypte, sur le siége de Tum. (Phra) m'a établi en roi sur l'Égypte

27 pour vaincre les terres, abattre les eaux..........

A moi est le glaive de la victoire, à cause des bienfaits dont j'ai comblé les dieux et les déesses, avec un cœur aimant. Chassez donc

28 l'inquiétude qui est dans vos cœurs : je vous fais reposer paisiblement : le renversement ne reviendra (plus) ; (les envahisseurs de l'Égypte frissonnent) en songeant à mon nom chaque jour. (Moi) le roi Ramsès III

29 je revêts l'Égypte : je la couvre de mon glaive victorieux, depuis que je la gouverne comme roi.........; victorieux sont mes bras : mes terreurs pénètrent les Barbares ; la terre entière s'arrête en entendant ce que j'ai fait.

30 Leurs villes s'humilient, ébranlées à leur place... Je suis le taureau qui tombe sur ce qui vient à toucher ses cornes.

Ma main est sur la balance de

31 mon cœur depuis (que j'ai montré) ma valeur; mon cœur me dit de faire....... Je vous apporte la joie,

32 les pleurs aux nations étrangères: le tremblement est dans le monde entier..... Mon cœur est rempli comme celui du dieu..... belliqueux, seigneur du glaive, que je sais être le plus vaillant des dieux.....

33 Pour vous il n'y aura pas un instant où vous ne fassiez des prises, selon les intentions et les pensées

34 qui sont dans mon cœur.......

J'ai dévasté leurs villes, renversé d'un seul coup leurs plantations et toute leur population.

35 Ils disaient dans leurs cœurs: Où sommes-nous?... (ils tombèrent sur leurs faces) devant l'Égypte. Moi, le magnanime, le victorieux, mes intentions s'accomplissent sans faillir.

36 J'ai fait acte de roi bienfaisant: j'ai fait pour ce dieu, père des dieux.........

Je n'ai point méconnu son temple. Mon cœur (*désir*) a été de me distinguer en multipliant les fêtes, en fournissant abondamment

37 aux oblations. Mon cœur possède la vérité chaque jour: j'ai horreur de l'iniquité....... Les dieux m'ont été propices; ils ont mis leurs mains sur moi en bouclier de mes genoux, afin de

38 dissiper les douleurs et les maux dans mes membres, moi le roi de la haute et de la basse Égypte, souverain des Barbares, Ramsès III.

La grande inscription de Médinet-Habou, dont nous avons déjà traduit les cinquante premières colonnes, contient dans les vingt-cinq dernières un texte relatif à la guerre contre les peuples du nord dirigés par les Pélestas, mais ce n'est guère qu'une nouvelle effusion de flatterie officielle à l'adresse du pharaon. Nous en donnerons toutefois la traduction, afin de faire connaître dans leur entier les textes qui nous parlent des nations européennes :

1 Le roi Ramsès III. Les nations du nord qui avaient frémi dans leurs membres à cause des Pélestas et des Tsekkariou,

2 leurs territoires ont été déracinés ; la respiration leur a été enlevée [1], leur âme a duré. C'étaient des guerriers ([hiéroglyphes]) d'un autre pays dans la Grande-Mer. Ceux qui étaient venus (pour s'établir en Égypte),

3 Ammon-Ra les a poursuivis pour les massacrer. Ceux qui étaient entrés dans les embouchures ([hiéroglyphes]) furent comme des oiseaux tombés dans le filet ; ils furent enveloppés..... :

4 (paralysés) furent leurs bras ; leur cœur tressauta, il n'était plus dans leur sein. On s'empara des chefs qui les guidaient : frappés, tués, on les lia.....

5 ..... Celui qui les rassembla captifs, qui les maîtrisa, qui s'en empara de sa serre (c'est) le seigneur unique qui est sur l'Égypte, le guerrier judicieux, au trait qui ne manque jamais le but.

6 Ceux qui étaient arrivés du Grand-Circuit furent pris de tremblement ; d'une voix unanime (ils crièrent) : Où sommes-nous ? Rendant hommage, ils vinrent cour-

[1] Littér. : *Leur nez est fini.*

bés à sa terreur, sachant qu'ils n'avaient pas de courage et que leurs membres étaient défaillants.

7 L'effroi de S. M. était devant eux chaque jour. Lui, il était comme un taureau se tenant sur son pâturage, agissant de ses cornes et se tenant prêt à fondre sur quiconque approche de sa tête. Guerrier valeureux,

8 aux rugissements terribles; athlète agile, seigneur du glaive, qui s'est emparé du monde entier: ils sont venus inclinés sous sa terreur; jeune adolescent, vaillant comme Baal à son heure;

9 roi puissant, qui fait réussir tous ses plans, dont les pensées n'échouent pas; ce qu'il fait s'accomplit sur le champ, le roi Ramsès III.

Les peuples auxquels l'Égypte avait plu,

10 et dont le cœur avait convoité To-Mera (l'Égypte), le seigneur royal, le très-victorieux qui est roi de la haute et de la basse Égypte, dont la crainte renverse et qui épouvante les Barbares, il fut (contre eux) semblable à un lion

11 rugissant sur les montagnes; sa crainte disperse, ses terreurs écrasent; tout court à ses ailes; c'est un grand Nil des millions d'années;

12 c'est une panthère connaissant sa férocité, abattant ce qui l'approche; anéantissant les bras, déracinant les pieds des violateurs de sa frontière; fléau (à droite, trépas) à gauche.

13 Entrant dans la mêlée, il massacre des centaines de mille sur place devant ses cavales; il considère des armées nombreuses comme des sauterelles; frappant, guérissant;

14..... aigu de cornes, appuyé sur son glaive victorieux : des millions et des dizaines de mille ne sont qu'un dégoût pour sa face. Sa nature est celle de Mont

15 lorsqu'il s'élance ; le monde entier tombe en défaillance à son souvenir. C'est un roi aux intentions bienfaisantes, semblable à Tum, qui possède ce monde dans toute son étendue...., le maître

16 de la victoire, le très-valeureux contre les pays de plaine et les pays de montagne. Tout ce qu'il fait s'accomplit ; semblable au dieu qui réside dans Hermopolis (*Thoth*), le roi Ramsès III, les délices de l'Égypte ; qui a sauvé le pays (comme) en le portant

17 sur ses épaules[1] ; on n'y gémit plus ; c'est un rempart qui résiste, l'illumination des humains. De son temps il a joui du repos ; leurs cœurs se confient en son

18 glaive ; leur protection est toute dans ses bras. En un mot, il est l'Épervier divin qui frappe et qui sauve ; par sa puissance victorieuse, il crée des armées ; il remplit les magasins

19 des temples du butin fait par son glaive : il institue les divines offrandes[2] par ses bienfaits. Aussi les dieux sont à sa gauche pour abattre les Barbares : ils lui accordent que sa vaillance l'emporte

20 sur tout ce qui l'approche, à raison des dons que lui a faits Ammon, son père auguste.

Les peuples sont réunis sous ses sandales. Le roi Ramsès III, il est l'Horus, maître des années, essence

[1] Littér. : *Sur le haut de son échine.*

[2] C'est-à-dire : *Il subvient aux dépenses du culte.*

21 divine de Phra, issu de ses membres, auguste et vivante image du fils d'Isis, qui se montre et retourne comme le lever du Soleil; semblable à Baal; grands Nils portant leurs aliments à To-Mera[1]; la race des 22 intelligents, les humains sont dans le bonheur. Chef suprême qui accomplit la vérité du seigneur universel (*Osiris*), et qui chaque jour offre la vérité à sa face[2]. L'Égypte et les peuples sont en paix sous son règne.

23 La terre est comme une couche sans angoisses: que la femme sorte à son gré! qu'elle se pare selon son inclination! qu'elle se promène hardiment dans le lieu qui lui plaira[3]!

Les nations viennent courbées

[1] Le roi est comparé aux inondations du Nil, qui sont la source de la fertilité de l'Égypte.

[2] La cérémonie, souvent représentée sur les monuments, dans laquelle les pharaons présentent à un dieu une figure de la Vérité sur le signe *tout*, symbolise l'esprit de justice que les rois devaient apporter dans l'exercice de leur autorité. Elle avait une grande portée morale en ce qu'elle rappelait sans cesse au monarque la règle de ses devoirs.

[3] La sécurité assurée aux femmes est un trait nouveau et singulier dans les textes de ce genre qui relatent les bienfaits des pharaons. C'est un indice des troubles et des discordes civiles qui avaient désolé l'Égypte envahie, ainsi qu'un document inédit le constate positivement (voir ci-devant, p. 229). Il est remarquable que cette idée se retrouve dans la poésie hébraïque. Après la ruine de Tyr, Isaïe s'écrie: *Traverse ton pays comme un fleuve, ô fille de Tarshish, aucun lien ne te retient plus.* (Ch. 23, 10.) Les Phéniciens s'étaient établis à Tarshish, d'où leurs marchands ramenaient les produits de l'occident: l'enlèvement des femmes n'était pas sans doute un fait rare alors.

24 aux esprits de S. M., leurs présents et leurs enfants sur leurs dos; le midi comme le nord sont devant lui en adoration; ils l'aperçoivent semblable au soleil, le matin.

25 Ce sont les actes des bras du roi victorieux, maître de tout faire comme son père à la belle face (*Ptah*), le roi de la haute et de la basse Égypte, maître des deux mondes, maître du glaive. Ousormara-Meriamon, fils du Soleil, Ramsès hiq-On, vivificateur comme le Soleil, pour toujours.

On trouve dans une autre inscription de Médinet-Habou [1] une édition très-abrégée du discours de Ramsès III à ses grands officiers. En voici les termes :

« Voyez la grande vaillance de mon père Ammon-Ra :
« Les nations qui étaient venues de leurs pays, des îles
« de la Grande-Mer; qui avaient mis leurs faces sur
« l'Égypte, dont le cœur comptait sur (le succès de)
« leurs bras, pour elles était préparé un filet pour les
« enserrer dans les embouchures; elles y sont tombées,
« poussées en place, sabrées et les genoux rompus. Je
« vous ai montré ma vaillance; dans la réalité, moi, le
« roi, j'ai agi seul, le dard dans la main fermée : on
« n'échappe pas de mes mains; ma main est forte; j'ai
« été semblable à l'épervier dans une volière; il n'en
« est point échappé de ma serre posée sur leurs têtes.
« Ammon-Ra était à ma droite et à ma gauche : sa
« dignité redoutable, ses terreurs étaient dans mes
« membres.

[1] Dümichen : II. *Hist. Inschr.*, 17, a.

« Réjouissez-vous! il a voulu que mes pensées se
« réalisent. Ammon-Ra a été un fléau pour mon ennemi,
« afin de livrer le monde entier dans ma main fermée. »

Ce discours fait suite au tableau d'une bataille navale; des navires égyptiens combattent et cernent des vaisseaux ennemis appartenant à trois nationalités bien distinctes. De la rive, Ramsès III et quatre de ses fils décochent une grêle de traits sur les navires ennemis.

On lit au-dessus de la bataille navale :

« Le dieu bon, Mont sur l'Égypte, très-vaillant
« comme Baal contre les nations, dont le glaive est
« tranchant, au cœur magnanime, à la double corne,
« terrible par sa vaillance; mur qui couvre l'Égypte;
« aucun peuple (ennemi) ne peut l'apercevoir (l'*Égypte*). »

Et derrière le pharaon :

« Voilà que les nations du nord qui étaient venues de
« leurs îles en frémissant dans leurs membres, et avaient
« pénétré dans les embouchures, il a anéanti leurs nez:
« elles voulaient respirer l'air. S. M. s'est élancée
« comme un tourbillon contre elles, pour combattre au
« premier rang, semblable à un athlète agile; sa crainte,
« ses terreurs sont entrées dans leurs membres; ses
« griffes les ont anéantis sur place; leur cœur leur a été
« enlevé; leur âme est finie; leurs armes se sont dis-
« persées sur la Grande-Mer. Le roi a immolé qui bon
« lui a semblé parmi elles; ils ont fini par tomber dans
« les eaux. S. M. était semblable à un lion furieux
« déchirant de ses pattes celui qui l'approche; saisissant
« à droite, irrésistible à gauche, semblable à Baal
« lorsqu'il détruit l'auteur du mal. Il a abattu les peu-

« ples, il a foulé le monde entier sous ses pieds, le roi
« Ramsès III. »

Il était indispensable de citer *in extenso* tous les textes qui se réfèrent aux nations de la Méditerranée; ce n'est pas trop, en effet, de l'ensemble des mentions que nous pourrons y glaner pour donner une idée tant soit peu nette des événements. M. de Rougé, dans son intéressant Mémoire sur les attaques des peuples de la Méditerranée contre l'Égypte, a compris que la guerre maritime avait été précédée d'une expédition dans laquelle Ramsès III aurait vaincu les principaux peuples de l'Asie, et entre autres les Khétas, Kati, Karkamash, Arad et Aras; il a de plus supposé que la lutte sur terre et sur mer contre les Pélestas et leurs alliés avait eu lieu dans le pays que les hiéroglyphes nomment Tsaha. Nous ne saurions partager ces vues du savant académicien, avec qui probablement nous ne sommes en divergence que parce que nous avons affaire à des textes déplorablement mutilés.

En lisant avec attention les derniers documents que j'ai traduits avec un soin très-méticuleux, on reconnaît aisément qu'ils sont tous inspirés par les victoires de Ramsès III sur les peuples du nord arrivés par la Grande-Mer, c'est-à-dire par la Méditerranée: les Sati ou Asiatiques n'y sont mentionnés que dans le long préambule des titres de Ramsès III (lig. 1 et 4 de l'inscription de Greene) et d'une manière tout-à-fait indépendante du récit des événements qui donnèrent lieu à l'inscription. Ce récit ne commence qu'à la ligne 14 avec les mots: *Apprenez la vaillance de mon père auguste.*

Les nations contre lesquelles Ramsès III eut à lutter étaient, selon les paroles des textes : *des peuples du nord qu'avaient mis en mouvement les Pélestas et les Tsekkariou ;* c'étaient des guerriers d'un *autre pays, venus de la Grande-Mer et du Grand-Circuit*[1]. Ils sont aussi désignés comme *peuples venus de leur pays, des îles de la Grande-Mer*, et comme *nations du nord venues de leurs îles.* Aucune de ces indications ne peut convenir aux Khétas, ni aux Kati, ni à plus forte raison à Karkamasha (*Circesium*), qui était située sur les rives de l'Euphrate. Si, avant de vaincre la confédération des peuples de la Méditerranée, Ramsès III eût écrasé d'un seul coup une autre confédération des peuples de l'Asie, on s'étonnerait de voir les textes n'y faire absolument aucune allusion dans les louanges outrées du pharaon, alors qu'ils reviennent si souvent sur les peuples de la mer. Donc, *à priori*, nous devons conclure qu'à moins de rencontrer dans le texte qui parle des Khétas et de leurs voisins des indications bien précises, il n'y a pas lieu d'attribuer à Ramsès III une victoire sur les Asiatiques, au moins dans la campagne qui nous occupe.

Or, il s'en faut que le texte soit précis à cet égard ; pour bien faire apprécier les points douteux et juger les vues divergentes, je reproduis cette partie de l'inscription dans sa disposition normale sur le monument, telle que la donne la photographie de M. Hammerschmidt :

[1] *Le tour de la Méditerranée* ; voir ci-devant, p. 186.

lig. 16

Des nations
faisant
. . .
leurs
îles,
frappant
du pied,
dispersant
dans
. . .
nations
en
fois
une.
Non tint
peuple
aucun
devant
bras

d'elles,
depuis
Khéta,
Kati,
Kirkamasha,
Aradou,

lig. 17

Aras.
Elles (les)
déracinèrent,
et firent
un camp

ensemble
dans
Amaor :
elles
abattirent
sa population.
son pays,
comme
s'ils n'existaient pas.
(Elles) vinrent
et
la
flamme
était prête
devant
elles
à
leurs faces
en Égypte.

L'inscription est gravée sur une muraille composée de douze assises de calcaire, dont les bords sont plus ou moins brisés; de telle sorte que, sur chaque groupe de deux ou trois mots, il y en a toujours au moins un d'altéré gravement; des éclats de la pierre en ont fait disparaître d'autres. J'ai indiqué par des traits noirs la séparation de chaque assise.

Ce texte présente des lacunes regrettables sans doute; toutefois il n'y en a point d'assez considérables pour qu'on puisse y introduire la mention de Ramsès III. Ce conquérant n'y est désigné d'aucune manière. Le texte dit positivement *que c'est devant le bras des nations venues des îles qu'aucun peuple n'a tenu, depuis Khéta*, etc.

Il n'est nullement question du bras de Ramsès. Ce n'est pas non plus ce prince qui *abattit la population et le pays d'Amaor jusqu'au non-être*, car s'il est vrai qu'on ne distingue plus le troisième trait du pronom pluriel [hiéroglyphes], ce pronom, réduit à [hiéroglyphes], ne peut en aucun cas exprimer le singulier.

La manière dont les Pélestas et leurs confédérés sont introduits n'est malheureusement pas claire. Après le texte que nous venons de reproduire, on lit :

[hiéroglyphes]

.... *protégés par les Pélestas*, etc.

Au groupe [hiéroglyphes] il ne peut manquer qu'un seul signe ou un seul rang de deux signes, et ce ne peut être que le déterminatif [hiéroglyphe] ou le participe [hiéroglyphes]. Le groupe **ɯᴀᴋ** signifie *protéger*, *défendre*, *préserver*, *prendre soin*, *garantir*, et se dit des hommes et des choses. Dans les expressions : *le roi défend*, *protège*, *garantit l'Égypte ; un rempart défend une ville : un glaive défend une nation ; une sœur protège, défend son frère ; une garniture de métal protège une porte de bois*, etc., c'est le mot **ɯᴀᴋ** qui est le plus habituellement employé. Lorsque ce mot est au participe, il se joint à son complément désignant la personne ou l'objet qui protège, le plus souvent au moyen de la préposition [hiéroglyphe], soit [hiéroglyphes] devant un pronom personnel ; plus rarement par [hiéroglyphe]. Or, nous trouvons précisément la préposition [hiéroglyphe] en tête de l'énumération des peuples du nord. Ainsi donc le texte peut exprimer régulièrement l'idée que les nations venues par terre et campées en dernier lieu dans le pays d'Amaor étaient *protégées*, *assistées* par les Pélestas, les Tsekkariou, etc. Toute la difficulté réside dans les deux mots qui précèdent ⲡⲁⲕ : [hiéroglyphes], et dont le dernier ne peut être que le pronom [hiéroglyphe]. Le signe initial effacé n'est pas un [hiéroglyphe] comme le donne la copie publiée par Greene, mais un [hiéroglyphe] ou [hiéroglyphe], à en juger par les débris visibles dans la photographie ; à défaut de déterminatifs (car [hiéroglyphe] est bien certain), la lecture *kaïou* ne fournit pas d'éclaircissements satisfaisants ; il existe cependant un groupe [hiéroglyphes], quelquefois [hiéroglyphes], dont l'emploi est assez fréquent dans les textes, et qui a donné au copte le mot ⲕⲱ, *vice*, *corruption*. Ce groupe exprime aussi les idées *perte*, *privation*. De même que tous les mots nommant des vices, des infirmités ou des douleurs, ⲕⲱ est un qualificatif de mépris souvent accolé aux noms des impies et des ennemis. Un texte mythologique parle de l'ennemi venu par les eaux, et dont le nom est [hiéroglyphes][1]. Des inscriptions historiques citent les [hiéroglyphes][2], c'est-à-dire les ⲕⲱ, les *misérables*, les *méprisables*, les

[1] Sharpe : *Egypt. Inscr.*, 58, 22.

[2] Dümichen : H. H. I., 38 c. — Denkm. III, 132, c.

infirmes du pays des Nègres, ce qui signifie tout simplement les *Nègres*, de même que l'expression si commune [hiéroglyphes], [hiéroglyphes], etc., ne signifie rien de plus que *les Khétas*, *les Shasou*, etc. Par la même raison [hiéroglyphes], si le premier groupe est bien ce que nous supposons, ne serait qu'une manière d'exprimer le pronom de la troisième personne du pluriel en le frappant d'une épithète injurieuse, comme si l'on disait : *leurs indignités étaient assistées par les Pélestas*, au lieu de dire plus simplement : *ils étaient assistés*, etc. Rien n'est du reste plus conforme au génie de la langue égyptienne que ces sortes de tournures, dont on pourrait citer les exemples par milliers. Mais ce qui est surtout évident, c'est que le pronom pluriel ne peut se référer dans la phrase qu'aux nations qui avaient ravagé la Syrie du nord au sud, qui avaient ensuite campé ensemble dans le pays d'Amaor, qu'elles ravagèrent également, qui continuaient leur marche et devant lesquelles la flamme était préparée en face de l'Égypte. Notre texte nous apprend ainsi que plusieurs nations coalisées, venues du nord, mais dont les noms ne sont pas indiqués, s'étaient jetées sur les races syriennes, avec le projet d'arriver jusque dans l'Égypte. Les peuples de la Syrie, dont plusieurs étaient alors certainement alliés de l'Égypte, essayèrent de résister, mais ne purent tenir contre les envahisseurs, parmi lesquels figuraient des hommes du nord, plus rudes, plus robustes, et que les jouissances du luxe n'avaient pas encore énervés. L'invasion se concentra au pays d'Amaor ([hiéroglyphes]), dans lequel on a cru reconnaître la contrée des Amorrhéens ou Amorites (אמרי). Cette identification est, en effet, des plus probables, en tant qu'il s'agit du plus ancien site occupé par ce peuple, c'est-à-dire de la rive gauche de la Mer-Morte et du Jourdain vers son embouchure. Les hordes des envahisseurs, après s'être étendues sur toute la Syrie, arrivèrent nécessairement, dans leur route vers le Nil, à se trouver resserrées entre les côtes de la Méditerranée et celles de la Mer-Morte, avant de poursuivre leur route à travers le désert de Pharan. Telle avait été, au temps d'Abraham, la marche de l'invasion des peuples de Shinar, d'Elâsâr, de Heilam et de Goïm, qui se réunirent dans la vallée de Shidim, aussi nommée la *Mer de sel*, et occupèrent pendant douze ans la Pentapole de la Mer-Morte. Dans la treizième année, les habitants de la Pentapole se révoltèrent contre le joug étranger, et, l'année suivante, les chefs des envahisseurs, à la tête desquels marchait Kedarlaomor, roi de Heilam [1], défirent les Rephaïm, les Zouzim, les Eimim et les Horites jusqu'à la limite du désert d'Égypte ou de Pharan; puis, revenant sur leurs pas jusqu'à la ville de Qodesh qui se nommait aussi Aïn-Mishphat, ils massacrèrent les Amalécites, ainsi que les Amorites habitant Khatsatson-Thamar [2], devenu plus tard Aïn-Ghédi (Engaddi).

Dans cette occasion la géographie biblique n'est guère plus claire que celle des hiéroglyphes. Elâsâr et Goïm sont aussi difficiles à identifier que Kati, Aras, etc.,

[1] Élam, le pays dont Suse était la capitale.

[2] *La coupe des palmiers.* — *Genèse*, ch. 14.

des hiéroglyphes. On discute encore sur l'ancien site d'Élam et des Casdim [1]. Mais, pour l'objet que nous avons en vue, il suffit de constater que, quelle que fût la localité de leur origine, les conquérants de la Palestine étaient venus du nord, puisque, dans leur retraite, Abraham les poursuivit jusqu'à Damas.

La ressemblance entre les deux noms n'est pas un motif suffisant pour nous faire accepter l'identité du pays d'Amor ou d'Amaor des hiéroglyphes avec celui des Amorites de l'Écriture. Avant d'accepter cette solution, nous devons prendre en considération tous les autres faits. D'après la Bible, les Amorites étaient le peuple le plus puissant parmi ceux qui habitaient les montagnes [2]. C'est pourquoi les montagnes de la Judée sont quelquefois appelées *montagnes des Amorites* [3]. A raison sans doute de cette prépondérance, le nom d'Amorites a été étendu à tous les peuples de Chanaan [4]. Avant l'époque de Moïse les Amorites avaient fondé à l'orient du Jourdain deux royaumes, l'un au nord du Yabbok, l'autre entre le Yabbok et l'Arnon. On voit par là que, selon les époques, le nom de *pays des Amorites* a pu s'appliquer à des localités fort diverses ; l'*Amaor* des Égyptiens pourrait bien n'avoir pas eu

[1] De savantes recherches ont été faites sur ces questions par le Rév. S. C. Malan, de Broadwindsor, dans un ouvrage excellent à tous égards : *Philosophy or truth*, Londres, 8°; David Nutt, 1869.

[2] *Josué*, V, 1; X, 5.

[3] *Deutéronome*, I, 7, 19, 20.

[4] *Genèse*, XV, 16; *Amos*, II, 10.

de limites mieux déterminées. Ce qu'il y a de certain, c'est qu'il s'y trouvait une place forte du nom de [hieroglyphs], *Dapour*. Ce nom s'identifie à merveille avec celui de דבר, *Débir*, ville de la tribu de Juda qui était gouvernée par des rois avant la conquête de Josué[1]; Débir avait aussi porté le nom de Qiriath-Sepher, la *ville du Livre*. Une autre place forte, appelée par les inscriptions [hieroglyphs], *Qodesh du pays d'Amaor*, sans doute pour la distinguer de Qodesh sur l'Oronte, correspondrait aisément à Qodesh-Barnea, qui est au sud-ouest de la Mer-Morte. D'ailleurs ce nom de Qodesh, qui signifie *la sainte*[2], a pu être donné à plusieurs localités dont nous ne trouvons plus la trace dans la géographie biblique. Lorsque Ramsès II guerroyait aux environs de Qodesh de l'Oronte, il fit venir du pays d'Amaor un corps de jeunes recrues[3]. Ce renseignement est vague; cependant c'est bien par le sud de la Palestine que des renforts pouvaient être envoyés à l'armée égyptienne opérant dans le nord de la Syrie.

Du pays d'Amaor, les Égyptiens tiraient de la graisse ([hieroglyphs], *keni*) et des objets nommés [hieroglyphs], *puka*[4], qui étaient des meubles ou des pièces de bois, travaillés, dit le texte, à la manière du pays de Kati.

1 *Voyage d'un Égyptien*, p. 196.

2 C'est le nom que les Turcs donnent aujourd'hui à Jérusalem: *El Qods*.

3 *Denkm.* III, 187.

4 *Pap. Anast.* IV, 16, 6.

Ces renseignements n'ont rien de décisif pour résoudre la question; toutefois nous ne heurtons aucune vraisemblance en admettant que pour les Égyptiens la contrée d'Amaor commençait au sud-ouest de la Mer-Morte. Cette région a considérablement changé de physionomie depuis l'époque biblique. On n'y trouverait plus la trace des vignes et des palmiers qui faisaient la gloire d'Engaddi au temps de Salomon; le baumier et le *cyprus* ont également disparu. Mais il ne faut pas juger du passé par l'état présent; dans ce coin de terre l'homme a détruit tout ce qu'il pouvait détruire, et l'action séculaire de la nature n'a été entravée en rien dans ce qu'elle a de malfaisant.

Ce qui nous engage à rapprocher ainsi de la frontière de l'Égypte le théâtre de la victoire de Ramsès III sur les peuples de la mer, c'est que les textes que nous avons traduits parlent sans cesse de *frontière violée*, *de frontière approchée. Ceux-là*, dit le pharaon, *qui sont arrivés à mes frontières ne récolteront plus.* Ailleurs on dit que Ramsès III *a laissé voir aux nations les frontières de l'Égypte pour en repousser les Barbares.* Il s'agissait d'ailleurs, selon les expressions formelles employées par nos textes: *de nations auxquelles l'Égypte avait plu*, *dont le cœur avait convoité To-Mera.*

Les bas-reliefs de Médinet-Habou donnaient en sept tableaux les scènes principales de la campagne contre ces nations. En voici le sommaire[1]:

1. Harangue de Ramsès III aux fonctionnaires de

[1] Champollion le jeune: *Lettres écrites d'Égypte*, p. 170.

l'Égypte ; le roi annonce la guerre ; distribution des armes aux troupes.

2. L'armée égyptienne en marche ; Ramsès III l'accompagne sur son char.

3. Première victoire de l'armée égyptienne ; dans l'armée ennemie on voit des chars dont quelques-uns sont traînés par quatre bœufs.

4. Nouvelle marche de l'armée ; Ramsès III combat et tue des lions.

5. Bataille navale ; le roi, debout sur le rivage, lance ses flèches sur les navires ennemis.

6. Ramsès III, devant Migdol-de-Ramsès III, assiste au dénombrement des mains coupées.

7. Retour du pharaon à Thèbes ; présentation des prisonniers à la triade thébaine[1].

Ces scènes militaires démontrent que, pour la campagne dont s'agit, et dont l'incident capital pour nous est la bataille navale, le roi et son armée sont partis d'Égypte, mais rien n'y fait reconnaître la localité où fut livré le premier combat. Pressé par terre et par mer, le pharaon a dû d'abord pourvoir aux nécessités les plus urgentes ; l'ennemi venu par terre fut attaqué le premier ; conséquemment cet ennemi s'était déjà approché de très-près des frontières de l'Égypte.

Après avoir arrêté cette invasion par une éclatante victoire, Ramsès se dirigea vers la côte de la Méditerranée pour participer au combat livré par sa flotte à celle

[1] Rosellini a publié ces bas-reliefs dans le même ordre ; *Monumenti Reali*, pl. 124 à 134.

de l'ennemi venu par mer. Dans cette marche, il traversa un pays infesté par des lions. La localité est caractérisée, non par des bois, mais par de hautes herbes [1], au milieu desquelles se précipite un lion blessé de deux flèches et d'un javelot. Il n'y a donc pas nécessité de songer au Liban : un terrain marécageux tel que celui des environs de Péluse satisferait mieux aux données du problème. A l'époque de Ramsès III (XIIe siècle avant notre ère), le sud de la Palestine nourrissait des lions ; le juge Samson (XIe siècle) en tua un dans le voisinage de Thimnath [2]. David avait à défendre ses troupeaux contre des ours et des lions [3]. Trois lions de Moab furent tués par Banaïa, l'un des officiers de David [4]. Le prophète de Juda, venu à Bethel pour remplir une mission auprès de Jéroboam, fut dévoré par un lion à son retour [5].

Le combat sur mer eut lieu dans de telles conditions que le roi ainsi qu'une partie de son armée de terre purent y prendre part depuis le rivage ; les navires

[1] En regardant la photographie, il est impossible de se méprendre sur ce point. On n'y voit aucun arbre, mais seulement des herbes à hautes tiges couronnées de touffes plumeuses ou de panicules ; ce sont évidemment des joncs ou de ces graminées à chaume dur et presque ligneux, qu'on trouve dans les déserts, près des sources, ou dans le voisinage de la mer.

[2] *Juges*, 14. 5.

[3] *Rois* I, 17, 34.

[4] *Rois* II, 23, 10.

[5] *Rois* III, 13, 24.

étaient conséquemment fort rapprochés de la côte. Une disposition de ce genre n'est guère réalisable que dans certains golfes profonds, ou mieux encore dans les embouchures du Nil, que Ramsès avait pu fortifier et où il avait pu réunir ses flottilles. Les renseignements que nos textes nous fournissent sur ce point sont les suivants :

« *Les forces de Ramsès étaient rassemblées à la face de ceux qui étaient arrivés à sa frontière, sur la Grande-Mer; un feu saisissant était devant eux, à la face des embouchures :*

« *Les embouchures étaient comme une muraille de vaisseaux couverts de combattants ; ceux qui avaient pénétré dans les embouchures furent comme des oies entrées dans un filet :*

« *Les nations qui étaient venues des îles de la Grande-Mer....., pour elles était préparé un filet pour les enserrer dans les embouchures ; elles y sont tombées.*

« *Les nations du nord qui étaient venues de leurs îles, en frémissant dans leurs membres, et avaient pénétré dans les embouchures....., leurs armes se sont dispersées sur la Grande-Mer....; elles sont tombées dans les eaux.* »

On voit que la difficulté serait levée par ces textes s'il est bien exact que le mot , ROOU-HAOUT, littéralement *portes du commencement des eaux*, désigne réellement les bouches du Nil. C'est ce groupe que nous avons traduit par *embouchures* dans les citations précédentes. Or, il est bien difficile de ne pas admettre cette acception en présence d'un texte aussi précis que le suivant, qui se rapporte au Nil :

Il marche vers les embouchures[1].

Les *roou-haout* étaient, d'après nos textes, des endroits resserrés, où des navires pouvaient *entrer*, *pénétrer* (,); l'ennemi pouvait y être *pris*, *enserré*, [2]. Dans ses préparatifs contre l'attaque par mer, Ramsès III put rendre les *roou-haout* semblables à un mur de navires[3].

M. Brugsch a cité des exemples du signe *porte*, , désignant des embouchures du Nil; la porte est la passe, la barre du fleuve : le est le commencement de l'eau du fleuve (littéral. l'*avant des eaux*). Ce mot se rencontre rarement seul. Cependant, sur la liste des poissons de choix destinés à l'approvisionnement d'une résidence royale, on cite expressément les *Haouanaou des* [4]. Certains poissons ne s'éloignent guère des embouchures du Nil.

1 Dümichen: I, *Alt. Temp.*, 78, 17.

2 Ce mot se dit des oiseaux pris au filet: il est quelquefois déterminé par le signe de la préhension entre les deux bras, de l'embrassement.

3 *Texte de Greene*, lig. 20. C'est l'une des importantes restitutions du texte que j'ai pu faire à l'aide de la photographie Hammerschmidt.

4 *Papyrus Anastasi IV*, 15, 8.

Le mot [hieroglyphs] pouvait évidemment servir à nommer l'embouchure des fleuves en général, mais nos textes ne le donnent qu'au pluriel. Il faudrait chercher bien loin pour trouver un autre fleuve que le Nil, ayant plusieurs embouchures susceptibles d'admettre des navires. Aucun doute n'est raisonnablement possible: c'est en vue de l'Égypte et aux bouches mêmes du Nil qu'eut lieu le combat dans lequel la marine égyptienne triompha des flottes européennes.

Il n'aurait pas été nécessaire de nous livrer à des recherches si délicates pour arriver à cette conclusion, si le nom de Tsaha [1] n'intervenait pas dans nos textes, précisément à l'endroit où le pharaon parle des préparatifs qu'il fit pour résister à l'invasion.

Le dessin fait d'après la photographie de M. Greene ne montre de visible dans le passage en question que le nom du pays de Tsaha; aussi M. de Rougé n'a ni traduit, ni commenté ce passage; il dit seulement *que la désignation du pays de T'ahi comme premier but de la marche de l'armée égyptienne est rappelée dans le texte en question*. Or ce texte, qui est suffisamment lisible dans la photographie de M. Hammerschmidt, ne contient aucun verbe de mouvement. En voici l'exacte reproduction, où il est facile de lire: *Moi le roi, j'ai... ma frontière sur Tsaha.* Le verbe qui exprime ce que le roi a fait à sa frontière ne laisse plus lire que la finale [hieroglyphs]; au-dessus de [hieroglyph], sur la droite, on

[1] Souvent écrit *Tsahi*, ou, sans voyelle finale, *Tsah*.

distingue un trait, –, qui pourrait être la partie inférieure du segment ⌓, ou une portion d'un signe droit : —⊷—, ⊢⊣, etc. A côté du sillon vertical formé par un éclat de la pierre et entamant tous les groupes jusqu'au nom de Tsaha, qui se trouve sur une autre assise, se distingue à gauche de ﹏ un petit trait, ¦, dont le prolongement supérieur aurait pu disparaître dans l'usure du bord libre de l'assise ; la pierre paraît parfaitement lisse à gauche de ठ ҽ ; de telle sorte qu'il est impossible qu'il y ait un ∩ ou 𓎛 au commencement du mot. Du reste, ni 𓎛 ﹏ ठ ҽ ni ∩ ﹏ ठ ҽ ne me fournissent d'explication satisfaisante de la phrase. ⊢⊣ ﹏ ठ ҽ est à la fois aussi probable et aussi peu certain. Ce mot se prête à deux acceptions principales : *achever, parfaire, perfectionner,* et *achever, détruire, mettre fin*, à peu près comme le mot français *finir*. On le trouve notamment dans la phrase suivante à la suite des louanges de Ramsès III, qui est dit *avoir renversé les Tamahou, abattu les Mashouashas* et

[hiéroglyphes]

fait achever ceux entrés dans les limites de l'Égypte.

En somme, nous ne réussissons pas à découvrir si le roi dit qu'il a *supprimé, délaissé, dégarni ou renforcé* sa frontière sur Tsaha ; mais il est bien certain qu'il ne parle nullement de sa marche vers cette frontière, et l'arrangement grammatical ne permet pas de supposer qu'il soit question de l'établissement ou de l'avancement de la frontière de ce côté, car dans ce cas la préposition est toujours ⊂⊃ et non ☥. Notre traduction : *j'ai laissé ma frontière*, n'est justifiable que parce qu'elle laisse subsister l'incertitude du sens de l'égyptien.

Mais Tsaha est encore nommé dans la légende placée à côté du char de Ramsès III partant avec son armée. L'inscription, telle que Champollion l'a copiée[1], n'est pas entière ; le verbe de mouvement a disparu ; on n'y distingue plus que les groupes... [hiéroglyphes], ... *Sa Majesté à Tsaha*, suivis d'une comparaison qui assimile le roi à Mont, le Mars égyptien, et ses soldats à des taureaux prêts à se précipiter sur des chèvres[2]. La préposition ⊂⊃ indique la direction[3], le lieu vers lequel tend le sujet. Malgré l'absence du verbe, il y a lieu de croire que le texte dit que *le roi part pour le pays de Tsaha*. L'inscription placée au-dessus des chevaux qui traînent le char royal n'est d'aucun secours pour trancher la difficulté ; on y lit : « Le roi, maître de la « vaillance, lorsqu'il paraît à....., le très-terrible, le « redouté des Sati, seigneur unique qui trouve sa main « et qui connaît sa valeur comme Baal, au glaive victo- « rieux...... ; qui frappe des dizaines de mille à la fois « dans l'espace d'un instant ; qui se répand dans la « mêlée comme un feu ; qui met en flamme tous ceux

1 *Monum. Égypt.*, pl. 219

2 Rosellini semble n'avoir pas vu ce texte.

3 Voir divers exemples : *Voyage d'un Égyptien*, vocabulaire, p. 377, n° 407.

« qui l'approchent; ils sont épouvantés à son nom; il
« s'étend comme le feu de l'astre solaire au-dessus des
« deux mondes: muraille résistante qui obombre
« l'Égypte; ils se reposent à l'abri de la valeur de son
« double glaive [1]. »

Nous savons que la confédération ennemie était campée dans le pays d'Amaor, et nous avons établi qu'il est possible de reconnaître ce pays dans celui qu'occupaient les Amorites à l'occident de la Mer-Morte. C'est là que Ramsès III doit porter la guerre lorsqu'il part pour Tsaha; or, Tsaha est mis par plusieurs textes en relation avec le nord de la Syrie. Dans sa deuxième campagne contre les Khétas, Ramsès II, étant au pays de Tsaha, il est expliqué que sa tente était placée au sud de Qodesh [2]. Thothmès III, dans sa cinquième campagne, était aussi au pays de Tsaha; à cette occasion il s'empara du chef de Tounep, et mit cette ville à contribution; il y prit de l'or, de l'argent, du lapis, de la malachite (*mafek*), du bronze, du plomb, de l'*asmar* (?), des ouvriers (*mérou*) [3] et des esclaves des deux sexes. En revenant, le pharaon saccagea *Aratou*, qu'on croit être Arad. Nous savons que Tounep dépendait de Naharaïn et se trouvait au sud d'Alep.

Un autre texte rapproche Tsaha du Ruten supérieur. En l'an 34, Thothmès III, qui s'était de nouveau trans-

[1] Rosellini: *Mon. Reali*, 126: Champollion: *Mon. Egypt.*, 219.

[2] *Denkm.* III, 153. Il s'agit de Qodesh sur l'Oronte.

[3] Voir ci-devant, p. 171. — Lepsius: *Auswahl*, 12.

porté à Tsaha, prit trois villes dont l'une était située dans le territoire d'Anaoukas[1].

En combinant ces renseignements avec ce que nous avons dit précédemment[2] des barques fabriquées et exportées par le pays de Tsaha, nous sommes forcés de reconnaître que l'expression *partir pour Tsaha* pouvait, dans la bouche d'un voyageur parti d'Égypte, s'entendre d'une expédition vers la région comprise entre l'Euphrate et la côte de la Méditerranée, au nord de la chaine du Liban; nous serions ainsi bien loin des rives de la Mer-Morte. Il nous faudrait admettre dans ce cas une grande distance entre la localité où fut livrée la bataille sur terre et celle qui fut le théâtre du combat naval, et un long intervalle entre les deux événements. Nos textes ne nous disent rien de la marche des armées, ni de la durée de la campagne.

Mais il se pourrait aussi que l'expression *partir pour Tsaha* eût été employée par les Égyptiens d'une manière générale lorsqu'ils parlaient d'un voyage en Syrie, lors même qu'il ne s'agissait point d'arriver jusqu'à la partie de ce pays à laquelle s'appliquait spécialement le nom de Tsaha. Cette hypothèse est rendue fort plausible par un texte qui place Tsaha et l'Égypte en contiguïté immédiate. Ce texte, dont nous possédons deux copies[3], donne la description poétique d'une résidence que s'était

[1] Lepsius: *Auswahl*, 12, 30 — Anaoukas faisait partie du Ruten supérieur, probablement le nord de l'Assyrie. *Denkm.* III, 30, b. 9.

[2] Ci-devant, p. 127.

[3] *Pap. Anastasi II*, 1, 1. — *Pap. Anastasi IV*, 6, 1.

fait construire Ramsès II, et qui n'est vraisemblablement pas autre que la ville de Ramsès ou Péluse [1]. Voici la traduction de ce document :

« Le roi s'est construit un Bekhen [2]; son nom est le « Très-Fort, il est entre Tsaha et To-Mera [3]; il est « rempli d'approvisionnements abondants. C'est le « portrait exact d'Hermonthis ; on y passe la vie comme « à Memphis. Le soleil se lève à son horizon et s'y « couche. Chacun quitte sa ville pour être accueilli sur « ce territoire. Son occident est à Pa-Ammon, son midi « à Pa-Set, Astarté est à son orient et Ouati à son « nord.

« Le Bekhen qui s'y trouve est pareil au double « horizon du ciel; Ramsès-Meriamon y réside, le Mont « dans les deux mondes; le Phra (*Soleil*) des souverains « y fonctionne; les délices de l'Égypte, le bien-aimé de « Tum. Le monde accourt là où il est.

« Le grand chef de Khéta a mandé au chef de Kati : « Prépare-toi ; allons en Égypte ; les paroles des Esprits « du dieu se sont accomplies ; allons faire nos félicitations à Ousormara (Ramsès II), qui donne le souffle « vital à qui bon lui semble. Le monde entier existe par « son amour; le peuple de Khéta est unanime de vo-« lonté. Un dieu ne reçoit-il pas ses offrandes? ne voit-il « pas l'eau du ciel? Il (*le pays de Khéta*) est aux « volontés d'Ousormara, le belliqueux taureau. »

[1] Voyez ci-devant, p. 224.
[2] *Une villa, un château, une résidence à la campagne.*
[3] L'Égypte.

Il s'agit ici d'une géographie un peu idéale ; les limites de la délicieuse résidence royale aux quatre points cardinaux sont caractérisées par les divinités qui présidaient à chacune de ces divisions cosmographiques vers les temps des Séti et des Ramsès : la demeure d'Ammon, c'est l'Égypte, qui commence à l'occident de Péluse, et dont le midi, ordinairement consacré à la déesse (Neneb)[1], est ici représenté par Set. On sait que la XIXe dynastie mit en faveur le culte de ce dieu de la destruction, dont le nom entrait dans la formation du nom de quelques-uns de ses princes. Ouati est la déesse du nord, et Astarté celle des races syriennes, que le texte attribue à l'orient, réservant le nord pour les peuples de la Méditerranée. Ainsi placée entre l'Égypte à l'ouest et au sud, la Syrie à l'est et la Méditerranée au nord, la villa royale se trouve, d'après les termes précis du texte :

ϸ	ⲞⲨⲞⲨ	ϪⲀϨⲀ	ϸ	ⲦⲞ-ⲘⲈⲢⲀ
	entre	*Tsaha*	*et*	*To-Mera.*

Conséquemment le nom de Tsaha pouvait régulièrement être donné à la contrée qui avoisinait la frontière orientale de l'Égypte et dans laquelle se trouvait compris le pays d'Amaor : nous ne sommes donc nullement forcés de renoncer à l'interprétation la plus naturelle des textes et des monuments, en ce qui touche la déter-

[1] Cette transcription est douteuse.

mination des localités qui furent le théâtre de la lutte entre l'Égypte et ses adversaires venus du nord.

Après la victoire, Ramsès III fit le dénombrement des mains coupées devant une forteresse nommée *Migdol de Ramsès-hiq-On* ([hieroglyphs]). Si nous pouvions connaître la situation de ce lieu, le problème serait très-simplifié, car il est de toute évidence que les mains coupées n'ont pas été transportées à une bien grande distance du champ de bataille. *Migdol de Séti I* était situé près de la frontière de l'Égypte, au voisinage de Djor, ville que M. Brugsch identifie maintenant avec Tanis [1]; les textes cités par ce savant me paraissent toutefois démontrer que les huit noms géographiques qu'il regarde comme désignant Tanis appartiennent réellement à des localités situées dans le XIVe nome de la basse Égypte. Que Djor soit Tanis ou une autre ville située sur la branche pélusiaque ou sur la branche tanitique du Nil [2], Migdol de Séti I se trouvait toujours à très-peu de distance de la frontière de l'Égypte; les esclaves qui fuyaient à l'étranger franchissaient le rempart de cette forteresse [3].

Mais il n'est pas certain que *Migdol de Séti I* soit le même lieu que *Migdol de Ramsès III*, quoique les pharaons ne se soient pas toujours fait scrupule de ces sortes d'usurpations. Ce nom de *Migdol*, qui est le sémitique

1 *Zeitsch de Berlin*, 1872, p. 16. Cet article m'est arrivé depuis l'impression de ce qu'on a lu p. 224 et suivantes ci-devant. Je n'y trouve aucun motif de modifier mes vues.

2 Voyez ci-devant, p. 226.

3 *Pap. Anastasi V*, 2 et suivantes.

מִגְדּל, *tour*, a dû être donné à plus d'un poste fortifié établi par les Égyptiens en Syrie. Toutefois les vraisemblances sont en faveur du système qui rapproche de l'Égypte Migdol de Ramsès III.

Il est bien certain que Ramsès III guerroya contre les nations asiatiques [1], et en particulier contre les Shasou et les Khètas; les portraits des chefs de ces deux peuples figurent à Médinet-Habou, dans un tableau où ce prince paraît avoir voulu rassembler tous ses adversaires vaincus. On y compte, indépendamment du Khéta et du Shasou, des populations nègres, le Libyen, le Mashouasha, l'Amaor, le Sardinien, l'Étrusque et le Teucrien. Il manque à la série le Pélasge, l'Osce, le Daunien, l'Arabe de Poun, et d'autres peuples qu'on trouve mentionnés sur d'autres monuments des guerres du même pharaon.

La présente étude a pour but spécial de mettre en lumière et d'isoler des faits étrangers toutes les circonstances de la guerre contre les races italo-grecques. C'est pourquoi nous avons essayé de démontrer qu'à l'occasion de cette guerre, Ramsès n'a pas eu à réduire préalablement une confédération des peuples de l'Asie. Cette preuve nous paraît suffisamment faite. De notre étude ressort le fait important pour l'histoire primitive des nations européennes d'une invasion considérable de l'Asie occidentale par ces nations au XIIIe siècle avant notre ère.

[1] Champollion (*Lettres*, etc., p. 160) rapporte à l'an 12 de ce pharaon sa campagne principale contre les peuples d'Asie.

La nationalité de ces envahisseurs est constatée par les bas-reliefs de Médinet-Habou. Après ses victoires, Ramsès III présenta les prisonniers de guerre au temple d'Ammon à Thèbes : or, parmi ces prisonniers, on n'aperçoit aucun Asiatique ; ils sont exclusivement représentés par les Pélasges et les Dauniens spécialement nommés dans le texte, et par une troisième rangée de captifs sans légende, mais portant exactement le même costume. Dans le discours du roi, il est question des Sicules, indépendamment des Pélasges et des Dauniens. Comme nous l'avons déjà fait remarquer, les textes ne donnent nulle part l'énumération complète de ces peuples ; mais le tableau de la présentation des captifs au temple d'Ammon montre qu'il n'y avait parmi eux que les races italo-grecques.

Dans une autre scène dont la date n'est pas indiquée, le même pharaon mène à la triade thébaine le chef des Libyens et celui d'Amaor, les bras liés sur la tête, et figurés en dimensions exiguës derrière leur colossal vainqueur. Ce tableau symbolise le triomphe de Ramsès sur ses voisins de l'ouest et de l'est de l'Égypte. Les légendes qui l'accompagnent ne nous donnent aucun détail essentiel ; mais elles ne font aucune allusion aux peuples de la mer, ce qui prouve suffisamment qu'elles ont été inspirées par des événements étrangers à la guerre qui échauffa si fort l'enthousiasme des scribes.

Voici au surplus la traduction de ces légendes :

« Le roi lui-même offre des présents à Ammon, « (consistant) en grands chefs de toutes les nations, en « argent, en or, en lapis-lazuli, en malachite, en toutes

« sortes de pierreries. Incommensurable est la quantité
« des présents apportés par S. M., provenant des prises
« faites par son glaive victorieux et placés devant son
« père Ammon-Ra.

« Le vil chef des misérables Amaor et le vil chef des
« Libyens disent : Le souffle de la vie! ô bon souverain,
« au bras victorieux, très-vaillant ; tu es véritablement
« le fils d'Ammon ; ta nature est semblable à la sienne ;
« il a voulu que la terre entière fût renversée sous tes
« pieds. Tu es semblable au soleil lorsqu'il brille le
« matin ; on vit par tes levers. Accorde-nous le souffle
« de la vie, que tu peux donner ; nous nous agenouillons
« devant les aspics de ta double couronne ; nous racon-
« terons ta dignité redoutable aux fils de nos fils ; ils
« s'affaisseront sous ta crainte ; nous leur dirons : le
« Soleil qui est sur l'Égypte, c'est le même que celui qui
« est au haut des cieux ; c'est le roi de la haute et de la
« basse Égypte, Ousormara-Meriamon (Ramsès III). »

Les faits que la dissection des textes et l'examen des monuments nous ont appris montrent que l'invasion de l'Égypte par les peuples de la Méditerranée, alliés à ceux de l'Asie-Mineure, sous le règne de Ramsès III, a suivi un itinéraire qui fut imité une dizaine de siècles plus tard.

En l'an 306 avant notre ère, voulant attaquer Ptolémée, fils de Lagus, Antigone se mit à la tête d'une armée de terre, qui descendit par la Cœlè-Syrie. Démétrius, son fils, commandant les forces maritimes, cotoya le rivage, en réglant sa marche sur celle de l'armée. La flotte relâcha à Gaza et fit côte à Raphia; une partie seulement des vaisseaux parvint jusqu'à Casium, près du Nil. Antigone, qui avait amené l'armée par le désert, rejoignit la flotte et campa à deux stades de la branche de Péluse.

Démétrius voulut forcer la bouche phatmétique, mais Ptolémée avait eu le temps de s'établir avec son armée sur le rivage même. Il avait du reste fortifié toutes les embouchures, et réuni un grand nombre de navires prêts à porter du secours sur tous les points. Grâce à ces mesures l'Égypte fut sauvée, et Démétrius fut obligé de reprendre avec son armée et les débris de sa flotte la route de la Syrie [1]. Lorsque Antiochus vint attaquer Ptolémée Philopator, la bataille qui l'obligea à la retraite fut également livrée près de Raphia.

L'action collective des peuples de la Méditerranée tenait à un même besoin d'expansion et à une communauté d'intérêts. Lorsque les Carthaginois s'allièrent à Xerxès, ils formèrent une armée composée de mercenaires tirés de l'Italie, de la Ligurie, de la Gaule et de l'Ibérie, et levèrent des troupes dans toute la Libye et à Carthage même [2]. Sauf les Grecs, contre qui la guerre était dirigée, et les Pélasges, qui avaient alors perdu leur nom, nous retrouvons ici la série des peuples méditerranéens alliés contre l'Égypte huit siècles auparavant.

Nous allons maintenant étudier en détail les renseignements que nos textes nous donnent sur ces envahisseurs.

L'initiative de la guerre contre l'Égypte avait été prise

1 Champollion-Figeac : *L'Égypte*, p. 399.
2 Diodore : *Liv.* XI, 1.

par deux nations nommées , *Pélestas*, et , *Tsekkari-ou*. Dans les premiers on a voulu reconnaître les Philistins, en hébreu פלשתים, *Pelishtim ;* Septante, Φυλιστιείμ. Mais cette identification ne supporte pas l'examen, en tant qu'il s'agirait des Philistins établis dans la région maritime du sud de la Judée. Ceux-ci se trouvaient sur le passage des armées égyptiennes, qui tant de fois portèrent la guerre en Syrie, depuis les temps des Thothmès et des Aménophis, environ deux siècles après Abraham, jusqu'à l'époque de Sheshonk I et de Roboam. Plusieurs des villes philistines furent assiégées et prises par les pharaons; mais les monuments qui nous parlent de ces siéges et des marches militaires à travers le même pays ne montrent ni ne mentionnent jamais de populations de race européenne, ou rappelant en quelque manière les Pélestas. Au contraire, les Ascalonites assiégés par Ramsès II ont la barbe et la coiffure des Asiatiques, aussi bien que le chef de leur ville, qui fuit de toute la vitesse de son cheval[1]. D'ailleurs le texte égyptien les nomme expressément *Sati* ou Asiatiques. Un papyrus nous donne le nom de quelques habitants de Gaza, vers

[1] *Denkm.* III, 145.

la même époque[1]. Or, ces noms, dont plusieurs sont composés avec celui du dieu Baal, sont manifestement sémitiques.

L'un d'eux, , *Tsapour*, *Tsiphor*, a été porté par l'un des amis de Job, et sa forme féminine était le nom de l'épouse de Moïse, *Tsephora*. Au temps d'Abraham le roi philistin de Ghérar portait le nom très-sémitique d'*Abimelech*; ceux de *Goliath* et de *Dalila* ne sont pas moins significatifs.

Nous devons donc, de toute nécessité, chercher ailleurs que dans la Palestine les Pélestas qui menacèrent l'Égypte sous le règne de Ramsès III; or, nos textes nous les montrent arrivant du nord, de même que les Tsekkariou. On les voit maintes fois représentés dans les scènes de combat; mais l'artiste égyptien les a figurés avec plus de soin parmi les prisonniers conduits au temple d'Ammon par le pharaon vainqueur. C'est à cette scène[2] que nous empruntons la vignette ci-contre, qui est accompagnée d'une inscription explicative: *Les misérables Pélestas disent: Accorde le souffle à nos narines, ô roi fils d'Ammon!*

[1] *Pap. Anast. III*, revers de la page 6.
[2] *Denkm.* III, 211.

On voit qu'ils portent la coiffure caractéristique des anciennes nations helléniques, ainsi que la courte tunique à quadrilles que nous avons déjà signalée[1]. Presque tous sont imberbes ; un seul porte un peu de barbe à l'extrémité du menton. En comparant ces Pélestas au Philistin d'Ascalon, figuré sur la page précédente, mais dont le monument original montre mieux la coiffure sémitique et la barbe portée entière, selon l'usage encore subsistant parmi les Orientaux, on s'explique difficilement la confusion qui a été si longtemps admise par les égyptologues entre les deux peuples ; c'est malheureusement souvent ainsi qu'on est égaré par l'analogie des noms.

Les Tsekkariou étaient de race européenne comme les Pélestas ; ils portent la même coiffure[2] et le même vêtement que leurs alliés. Du reste, Tsekkariou et Pélestas n'apparaissent sur les monuments de l'Égypte qu'une seule fois. Aussi le problème de leur identification serait-il difficile à résoudre si nous n'étions pas aidés par des rapprochements très-significatifs. Mais, plus d'un siècle avant Ramsès III, avaient déjà figuré parmi les peuples ligués contre Ramsès II : les , *Dardani*, ou

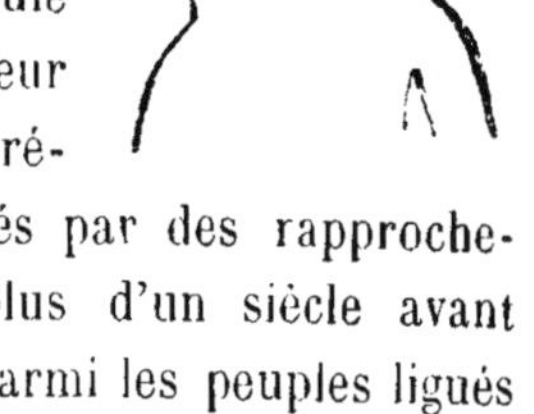

[1] Ci-devant, p. 126.

[2] La vignette représente le chef des Tsekkariou agenouillé, les bras liés, parmi les prisonniers de Ramsès III. (*Denkm.* III, 209.)

Dardaniens, les , ou ,
Leka ou *Lekou*, *Lyciens*, les , *Maasou*,
ou Mysiens, et les ; ce dernier nom
peut se lire *irouna*, *iouna*, ou *maouna*, à cause de la
polyphonie du signe initial. Comme il n'est pas probable
que la forteresse d'Ilion ait été citée distinctement de la
nation des Dardaniens, je préfère y voir l'Ionie, ou
mieux encore la Mæonie, qui est située entre la Phrygie
et l'Ionie. En définitive, ce sont les principales populations de l'Asie-Mineure, qui, réunies aux nations asiatiques, vinrent attaquer Ramsès II. Sous Ramsès III, les
Pélestas et les Tsekkariou sont seuls nommés comme
ayant excité les nations du nord; l'expression dont se
servent les textes pour caractériser ce mouvement belliqueux est , **ⲛⲟⲩϫ**, mot emprunté aux
langues sémitiques. L'hébreu le possède sous les deux
formes נוד et נוט, *nutare, agitare, commovere, moveri* [1].

Ainsi frémissantes d'enthousiasme, ces nations, qui
venaient de leurs îles, attaquèrent et dispersèrent les
populations syriennes, qui étaient alors tributaires ou
alliées des Égyptiens; puis elles vinrent camper au sud
de la Palestine, dans le pays d'Amaor.

Le cadre des événements étant ainsi tracé, nous

[1] Le nombre de mots empruntés par les scribes de l'époque des Ramessides aux idiomes syro-araméens est très-considérable. (Voyez ci-devant, p. 241.) Si nous n'avions pas retrouvé dans la Bible le sens *exercitus* pour le mot צבא, l'égyptien ,
Tsabaou, nous l'aurait rendu.

sommes naturellement amenés à reconnaître les Teucriens dans les . La transcription du mot est irréprochable, car on sait que les dentales simples, nasales ou sifflantes s'échangent avec la plus grande facilité ; Tsor est devenu *Tyr*, Tsidon, *Sidon*, etc. De *Teukroi* les Égyptiens ont fait *Tekkri*[1]. La ressemblance ne peut guère être plus exacte. Hérodote donne au pays troyen le nom de Teucrie. D'après le même auteur c'était la dénomination dont se servaient les Égyptiens de l'époque de la guerre de Troie, car le gouverneur égyptien de la bouche canopique du Nil, Thonis, appelle Pâris un *Teucrien* dans le rapport par lequel il informe le roi de l'arrivée du prince troyen après le rapt d'Hélène[2].

Quant aux Pélestas, ce sont les *Pélasges*, ces peuples qui nous ont laissé tant de souvenirs et si peu d'histoire, et qui ont précédé les Hellènes dans presque tous leurs établissements. Dans une guerre qui mit en mouvement les flottes de la plupart des peuples de la Méditerranée, le rôle principal a pu très-naturellement appartenir à la nation que les traditions rattachent aux premières thalassocraties. Sortis de la Samothrace, les Pélasges s'établirent fortement sur les côtes asiatiques de l'Hellespont, ainsi que dans les îles de Scyros, d'Imbros, de Lemnos, de Lesbos, de Chio, de Samos et des Cyclades ; ils occupèrent aussi la Crète et les rivages de l'Asie-Mineure jusqu'en Carie. Les Teucriens étaient ainsi

[1] La finale *ou* est le pluriel égyptien.

[2] Hérodote : II, 114 et 118.

enclavés entre les Pélasges de l'Ionie et ceux de l'Hellespont L'histoire ne nous montre pas distinctement les Pélasges réunis en corps de nation; cependant l'île de Lesbos avait reçu d'eux le nom de *Pelasgia*. Environ deux siècles après Ramsès III, diverses populations pélasgiques accoururent à l'appel de Priam : c'étaient les Pœones de l'Axius, les Pélasges de l'Hellespont et ceux de la Mæonie, armés de l'antique javelot.

Nous rencontrons donc des indices bien suffisants de la puissance des Pélasges et de leur connexion avec les Teucriens pour nous expliquer le rôle actif que ces deux nations avaient pris de concert dans la guerre des peuples du nord contre l'Égypte. Les Teucriens durent avoir la prépondérance dans l'expédition par terre, tandis que la direction de la campagne maritime appartint naturellement aux Pélasges, qui étaient en relations intimes avec toutes les populations des rivages et des îles de la Méditerranée. Dans une stèle érigée derrière le temple de Médinet-Habou[1], Ramsès III donne un résumé de l'ensemble de ses succès militaires. Ce petit monument est malheureusement très-mutilé, mais on y distingue encore les indications qui suivent :

« Le roi Ramsès III, chef suprême qui prend soin
« de l'Égypte et châtie les nations, qui s'est emparé de
« la terre des Libyens, des Mashouashas, et qui les fait
« naviguer sur les branches du Nil en les ramenant
« en Égypte; qui les a mis dans les garnisons de ses
« forteresses royales, et en a fait des employés,

[1] *Denkm.* III, 218, c.

« des gens pour servir le roi : qui a (ainsi) fait
« échouer tout ce qu'ils avaient dit : qui a brisé leurs
« langues : ils s'étaient engagés sur une voie de laquelle
« ils ne pouvaient s'échapper.

« Le roi Ramsès III a ravagé les nations de la terre
« méridionale, les Nègres de Teraoui et d'Arami ; il a
« renversé leurs (demeures) ; il les a fait parvenir aux
« domaines royaux. On en a fait des charretiers, des
« cochers, des serviteurs pour couvrir de l'ombrelle à
« la suite du roi.

« Le roi Ramsès III a vaincu le pays de Khar (*la*
« *Syrie*) ; il a foulé aux pieds les nations et les îles qui
« étaient venues en naviguant... ; il a...... les Pélestas
« et les Tuirshas du milieu de la mer. »

On voit par ce texte que les Pélasges sont réunis aux Toscans ou Étrusques et spécialement signalés comme peuples du milieu de la mer ( ), à la suite de l'indication des îles et des peuples venus en naviguant ( ).

Les relations que les monuments égyptiens nous font entrevoir, dès le XIIIe siècle avant notre ère, entre les Pélasges et les nations italiques ont laissé des traces dans l'histoire classique. Œnotrus, petit-fils de Pelasgus, avait colonisé l'Ausonie[1] ; une traduction rapportée par Solin[2] attribue aux Pélasges l'introduction de l'écriture dans le Latium.

[1] Denys d'Halicarnasse, liv. 1, 3.
[2] Ch. 2.

Les Philistins de la Palestine sont donc définitivement mis hors du débat. On ne pourrait raisonnablement les mettre en relation avec nos *Pélestas* qu'en les considérant eux-mêmes comme étant de race pélasgique. Mais, d'après la Genèse[1], ils descendaient de Cham par Mitsraïm et étaient congénères des Égyptiens et des Chananéens. Les monuments égyptiens nous montrent sous le même jour que la Bible les habitants du sud-ouest de la Palestine, précisément à l'époque où les Philistins y étaient établis[2]. Une simple ressemblance de noms, nous le répétons, n'a pas de valeur pour infirmer de tels témoignages.

Les Pélasges et les Teucriens étaient, nous l'avons vu, les promoteurs de la guerre; ils avaient formé une confédération des peuples du nord et des îles de la Méditerranée; quelques-uns de ces peuples sont nommés dans différents passages de nos textes et, en particulier, les Sicules ([hiéroglyphes], *Shakalsha*): les Toscans ou Étrusques ([hiéroglyphes], *Toursha*); les Dauniens ([hiéroglyphes], *Daanaou*), et les Osces ([hiéroglyphes], *Ouashasha*)[3].

[1] Ch. X; *Fili autem Cham: Cush et Metsraïm et Pout et Canahan......... At vero Metsraïm genuit..... et Caslukhim; de quibus egressi sunt Pelishtim et Caphtorim.* Les Caphtorim et les Pelishtim avaient abandonné leurs îles à une époque de beaucoup antérieure à l'Exode; aussi Jérémie nomme-t-il les Philistins: *débris de l'île de Caphtor.* (Voyez: *Deutéronome*, II, 23: *Jérémie*, 47, 4; *Amos*, 9, 7.)

[2] Depuis Ramsès II et Moïse jusqu'à Sheshonk I et Roboam.

[3] Nous n'avons pas cherché à justifier philologiquement l'identifi-

Les Sicules et les Toscans ont été d'abord reconnus sous leur nom égyptien par M. de Rougé[1]; quant aux Dauniens et aux Osces, ce sont des peuples de la Grande-Grèce qui durent obéir aisément à l'impulsion exercée sur les Sicules, leurs proches voisins.

Les Dauniens sont appelés Δαυνίοι par Strabon, et Δαυνὶται dans le Périple de Scylax, où ils sont décrits à côté des Sicules et des Tyrrhènes : Σικελία, Ἰάπυγες, Δαυνίται. Ὀμβρίκοι, Τυῤῥηνοι.

Les Osces, nation de la Campanie qui occupa la ville de Pompéi avant les Étrusques et les Pélasges[2], paraissent avoir été compris à une certaine époque parmi les Dauniens[3]. Ils avaient eu une certaine importance, car, après la chute de leur nationalité, leur langue resta usitée chez les Romains, principalement pour les farces

cation que nous proposons des *Pélestas* avec les Πελασγοὶ; nous observerons la même réserve à l'égard de celle des *Daanaou* avec les Δαυνίοι ou Δαυνίται, et des *Ouashashas* avec les Ὄσκοι, *Osci*. Pour quiconque a comparé entre elles les transcriptions que font des noms étrangers les voyageurs et même les savants de nationalités diverses, les analogies apparentes sont plus que suffisantes pour autoriser nos rapprochements. La certitude des identifications résulte, du reste, moins de l'exactitude des transcriptions que de l'ensemble des renseignements donnés par les textes. Il existe une prétendue science qui, si le dictionnaire italien était perdu, démontrerait que *padiglione* ne signifie pas *pavillon*. On me permettra de ne pas m'en occuper pour le moment.

1 M. Lauth de Munich les avait également signalés à peu près à la même époque dans un travail sur la géographie d'Homère.

2 Strabon : liv. 5.

3 Périple de Scylax : *Sub voce* Δαυνίται

obscènes représentées sur les théâtres. Cependant cette langue devait posséder d'autres mérites, puisque Ennius prétendait posséder trois cœurs, à cause de la connaissance qu'il avait du *grec*, de l'*osque* et du *latin*[1].

Virgile, qui était un excellent antiquaire, décrit dans l'Énéide les armes des Osces : « De petits javelots ronds « leur servaient de traits ; ils y adaptaient une souple « lanière (peut-être l'*amentum*). Un petit bouclier rond « leur couvrait la gauche ; de près ils combattaient avec « des glaives recourbés[2]. »

Quoiqu'ils soient nominativement cités dans la grande inscription de Médinet-Habou, les Osces ne se retrouvent plus désignés dans les textes accessoires, ni parmi les prisonniers ; ils n'avaient probablement fourni qu'un faible contingent. Dans la bataille et parmi les captifs, ils sont confondus avec les Dauniens, qu'on voit représentés sur deux files et amenés prisonniers au temple d'Ammon ; ceux-ci ont le même costume que les Pélasges, dont la coiffure paraît toutefois plus haute et plus ornée ; mais cette différence peut être imputable au fait du lapicide, qui aurait particulièrement soigné les détails dans la partie des bas-reliefs le plus à la portée de l'œil du spectateur. D'ailleurs, dans le tableau de la bataille sur terre[3], tous

[1] Aulu-Gelle : *Nuits attiques*, 17, 17.

[2] Virgile : Énéide, VII, 730.

[3] Rosellini : *Mon. Reali*, 107. — Champollion : *Man.* 220 bis.

les ennemis sont indistinctement coiffés de la même toque à raies ou à plis, avec bandeau orné, et couverts de la même tunique bariolée. Sous ces insignes nous devons retrouver non-seulement les Pélasges et les Dauniens, mais encore les Osces et les Teucriens, en un mot tous les guerriers des races pélasgiques ou italo-grecques.

La confédération pouvait en effet comprendre d'autres peuples italiques et helléniques que ceux dont les noms sont cités par nos textes, car il n'est pas vraisemblable que les nations de la Grèce et de l'Asie-Mineure, qui avaient déjà, sous Ramsès II et sous Meneptah I, pris part à des tentatives contre l'Égypte, se soient complètement abstenus dans l'attaque dirigée contre Ramsès III. Les rédacteurs de nos textes ont compté sur l'élasticité de l'expression : *Peuples venus du nord, des îles et du pourtour de la Méditerranée ;* les Achaïens, les Mysiens, les Lyciens et d'autres encore ont pu être compris dans cet ensemble sans être nominativement cités.

En ce qui concerne les Tourshas ou Étrusques, ils ne sont nommés que dans le texte de date un peu postérieure que nous avons traduit page 297 ci-devant ; mais on les reconnaît facilement, sur les navires de guerre ennemis, à leur coiffure pointue, espèce de cône incliné en arrière. Le bas-relief de Médinet-Habou, qui représente le chef des Étrusques, prisonnier de Ramsès III, est endommagé à sa partie supérieure ; la coiffure n'est plus complète, mais Champollion avait pu encore la distinguer en son entier. Voici le dessin qu'en donnent ses *Notices manuscrites.* Dans le combat naval, les Étrusques au bonnet pointu sont sur des navires dont l'équipage

est principalement composé de Pélasges, de Dauniens ou de Teucriens, reconnaissables à leur toque rayée. Les uns et les autres sont armés du long et large poignard et du bouclier rond.

Voici l'énumération des combattants qu'on distingue sur les navires ennemis :

1° L'association des Pélasges, des Teucriens, des Dauniens et des Osques, peuples italo-grecs, tous caractérisés par les mêmes coiffures :

  , et par les

mêmes tuniques à raies ou à quadrilles.

Ils combattent avec le poignard ou courte et large épée droite, à double tranchant, et avec le bouclier.

2° Les Étrusques ou Toscans, ayant les mêmes armes et des tuniques ou juste-au-corps ornés de rayures; leur coiffure est fort différente :

3° Un peuple qui combat seul sur ses propres vaisseaux, mais qui ne figure nullement dans l'armée de terre. Il est principalement caractérisé par sa coiffure consistant en une espèce de casque rond, ayant un prolongement qui couvre la nuque et surmonté de deux cornes formant croissant. Il combat tantôt avec le grand poignard et le bouclier, comme les Étrusques et les Pélasges, tantôt avec la lance et le même bouclier. Il porte la même tunique quadrillée[1] que nous avons déjà signalée plusieurs fois.

La coiffure de ce peuple rappelle assez exactement celle des Sardiniens; elle en diffère cependant en ce que le casque des Sardiniens est surmonté d'une tige qui s'élève entre les deux cornes et se termine par une boule. Ce détail ne manque jamais : on le remarque notamment dans le corps de Sardiniens, qui fait partie d'une troupe d'auxiliaires, accompagnant Ramsès III dans son retour offensif contre la flotte des confédérés, ainsi qu'on le voit dans la vignette suivante[2] :

[1] Ce détail est donné par le dessin de Rosellini.

[2] Rosellini : *Mon. Reali*, 123 ; registre immédiatement inférieur à celui de la chasse aux lions.

Des soldats égyptiens sont en avant; ils ont le bouclier long, la lance et le poignard.

Suivent les Sardiniens avec leurs casques caractéristiques, tels que nous venons de les dépeindre; leurs armes sont la pique et le poignard.

Ensuite viennent les Étrusques, avec leurs bonnets coniques que la planche de Rosellini a figurés trop obtus; j'ai sous les yeux une photographie de la même scène, où ce détail est nettement rectifié. Les Étrusques sont armés de la même manière que les Sardiniens.

Par derrière marchent des peuples coiffés à l'orientale et portant des arcs et des massues. C'est un contingent d'Arabes ou de nomades asiatiques.

Deux chevaux sans harnachement suivent cette troupe ils sont destinés sans doute à des cavaliers chargés de porter des ordres ou des messages.

Comme d'autres bas-reliefs nous montrent, dans la même guerre, les Sardiniens représentés avec une coiffure absolument identique, il est à croire que le peuple des navires dont la coiffure diffère par l'absence d'un détail très-apparent ne doit pas appartenir à la même nationalité. Les Sardiniens ne sont nommés dans aucun des textes relatifs à cette guerre. Champollion considère cependant la flotte ennemie comme composée de navires *Tsekkari* et *Shairotanas* [1], mais il ne nous dit pas avoir rencontré le nom des Shairotanas (*Shardanas*) dans les inscriptions, qui étaient mieux conservées de son temps, et il se

[1] L'auteur de la Méthode regardait ces deux peuples comme étant de race hindoue.

borne à constater que les *Shairotanas sont reconnaissables à leurs casques ornés de deux cornes.* C'est là, croyons-nous, le seul motif qui a fait considérer les Sardiniens comme ayant fait partie de la confédération des peuples du nord contre l'Égypte à cette époque.

Mais les Sardiniens avaient alors une grande importance par rapport à l'Égypte; s'ils se fussent rencontrés dans les rangs des ennemis, ils n'auraient assurément pas été passés sous silence dans tous les textes relatifs à cette guerre, et ces textes sont assez nombreux. Cette considération nous oblige à donner de la valeur au détail qui différencie la coiffure des Sardiniens de celle du peuple qui prend part à la guerre maritime contre l'Égypte. Nous avons d'ailleurs à retrouver parmi les ennemis venus par mer les Sicules, qui suivent les Pélasges et les Teucriens dans l'énumération la plus complète [1], et dont nous ne possédons aucune figuration. Cette population insulaire pouvait avoir quelques traits communs avec celle de la Sardaigne, sa voisine. Du reste les coiffures avec ornements en forme de cornes ont été usitées pendant bien des siècles et chez beaucoup de peuples. Les Gaulois, en particulier, avaient des casques d'airain garnis de grandes saillies leur donnant un aspect fantastique; quelques-uns avaient des cornes, etc. [2]. Les Thraces se servaient aussi de casques d'airain et portaient en outre des oreilles et des cornes de bœufs aussi en airain [3].

Mais les Égyptiens, qui auraient certainement parlé des Sardiniens s'ils les eussent trouvés dans les rangs de leurs ennemis, ne crurent pas nécessaire de men-

1 Celle du texte publié par Greene, fig. 18.
2 Diodore: V, 14.
3 Hérodote: VII, 76.

tionner leur présence parmi leurs auxiliaires, qui appartenaient au moins à trois nationalités distinctes, comme nous l'avons vu plus haut.

Un bas-relief nous donne une figure en pied de l'auxiliaire sardinien. dont le costume est probablement un peu enrichi et symétrisé à l'égyptienne :

Sardinien auxiliaire de l'Égypte. Statuette sarde antique en bronze.

Le costume du chef sardinien prisonnier de Ramsès III paraît beaucoup moins riche que celui de l'auxiliaire, mais ce chef a de plus des boucles d'oreilles [1].

Les armes habituelles des Sardiniens sont la grande épée à double tranchant et le bouclier rond qu'ils portaient fixé au bras gauche au moyen de deux courroies, sous l'une desquelles était engagé l'avant-bras, tandis que l'autre placée au centre était saisie par la main.

Dans la marche des auxiliaires, les Sardiniens portent la pique et le poignard; on les voit se servir de ces mêmes armes dans la bataille sur terre contre les Pélasges et leurs alliés. Lorsqu'ils ne le tiennent pas à la main, ils portent le poignard sur la poitrine, ainsi qu'on le voit dans les scènes de Médinet-Habou et sur de nombreuses statuettes de bronze provenant de l'île de Sardaigne. Voici le dessin d'un de ces poignards trouvé près d'un nuraghe d'Otiana et publié par M. le chan^{e} Spano [2]:

Les villageois sardes portent encore un couteau à la ceinture qui retient leur *mastrugue*. C'est peut-être une habitude remontant à une haute antiquité.

[1] *Denkm.* III, 209.

[2] *Paleoetnologia Sarda*, fig. 51; texte p. 29.

La statuette de bronze que nous avons reproduite à la page 307 [1] a été trouvée récemment dans l'île de Sardaigne ; elle rappelle par quelques détails le Sardinien des monuments égyptiens, surtout sous le rapport du casque et du glaive. Le bouclier rond est exactement reproduit dans une autre statuette dont je donne aussi le dessin [2], et qui provient de la nécropole de Cagliari. D'autres monuments de ce genre ont été découverts dans le sol de cette île si riche en antiquités ; mais je n'ai pu me les procurer.

Les armes trouvées dans les anciens tombeaux de la Sardaigne consistent en épées cannelées à deux tranchants, de un mètre de longueur, en lances, piques, longs épieux (*verutum*) à manches de bois dont le fer a jusqu'à un demi-mètre de longueur, et en poignards [3]. On n'y a trouvé ni arcs, ni flèches de métal ; mais la statuette que nous venons de reproduire prouve suffisamment que ces armes n'étaient pas inconnues. On a d'ailleurs trouvé des flèches d'obsidienne à ailerons et pédoncules dans

[1] D'après un dessin fait au congrès de Bologne de 1871 par M. Vinstrup de Kolding, et que je dois à l'obligeance de M. V. Schmidt.

[2] Cette statuette a été copiée sur le dessin d'un archéologue italien dont le nom ne m'a pas été indiqué.

[3] Chanoine G. Spano : *Bulletino archeol. Sardo*, 1855, p. 162 et suivantes.

une localité nommée Padria[1]. La pièce oblongue formant cuirasse ou plutôt plastron sur la poitrine du guerrier portant l'arc n'a pas son analogue dans les figures égyptiennes, non plus que les espèces de *grèves* ou *jambiers* qui couvrent les deux tibias et rappellent les cnémides de cuir que portait autour des jambes le vieux Laerte retiré aux champs pendant l'absence de son fils Ulysse[2]. Mais il est peu vraisemblable que cette figurine, quoique fort antique, date de l'époque où les Sardiniens étaient à la solde des Ramsès. Cependant le vêtement composé d'une chemise serrée au corps, ouverte sur le devant de la poitrine, et sur laquelle est portée une tunique étroite, présente de l'analogie dans les deux monuments; la grande jupe à raies qui descend sur les jambes de l'auxiliaire sardinien faisait sans doute partie de l'uniforme imposé par les Égyptiens. Nous ne croyons pas qu'on en retrouve la trace sur les figurines d'origine sarde.

Les monuments égyptiens nous montrent bien authentiquement les Sardiniens en Égypte dès le XIVe siècle avant notre ère, mais ils ne nous disent rien des Égyptiens en Sardaigne. Or, c'est par milliers qu'on a trouvé dans l'île de Sardaigne des antiques de caractère égyptien; les localités qui en ont livré les quantités les plus considérables sont Sulcis, Calaris (Cagliari) et Tharros. Les scarabées d'émail et de pierres dures abondent, ainsi que les amulettes percées d'un trou pour

[1] Chanoine G. Spano: *Paleoetnologia Sarda*, p. 25.
[2] Homère: *Odyssée*, liv. 24.

être portées en colliers ou suspendues au cou ; l'ornementation de ces pièces comprend les insignes égyptiens bien connus du disque, de l'œil sacré, de la croix ansée, de l'épervier avec disque, couronnes, pedum et flagrum, de l'aspic disqué avec cornes et ailes, du crocodile, du disque solaire, du disque ailé, etc. Des scarabées portent le cartouche de (⊙ ...) (Thothmès III); sur un autre on distingue le nom de Ounnefer (...); mais il n'est pas un de ces petits monuments venus à ma connaissance qui présente un type bien pur de l'art égyptien. Je puis faire la même observation à propos de statuettes d'or représentant Isis-mère et Hathor, et d'un étui d'or orné d'une tête de Sekhet surmontée du disque à aspic[1]. Toutefois les sphynx de syénite trouvés à Cagliari paraissent de bon style, à en juger par le dessin que j'en ai vu.

Tharros a fourni un nombre considérable de boucles et de pendants d'oreilles de style égyptien, mais présentant presque tous des particularités qui les distinguent des produits vraiment égyptiens d'origine. Du reste, certains objets précieux ont disparu sans laisser de traces; on a parlé notamment d'un vautour d'or massif d'un poids considérable; d'un diadème d'or à charnière, garni d'hiéroglyphes et de pierreries; d'une statue semi-colossale représentant une divinité égyptienne, etc.

La présence des Sardiniens dans les armées égyptien-

[1] Le *Bulletino Archeol. Sardo* de M. le chanoine Spano donne un grand nombre de dessins de ces petits monuments.

nes, même pendant plusieurs règnes consécutifs, ne suffirait pas pour expliquer cette abondance de monuments de type égyptien dans le sol de la Sardaigne. On doit admettre en toute assurance qu'une population égyptienne a été établie à demeure dans cette île, et qu'elle y a conservé longtemps les traditions du culte et des arts de la mère-patrie. La plupart des monuments dont nous venons de parler ont dû être fabriqués en Sardaigne par cette race émigrée, et c'est pour ce motif qu'ils s'écartent plus ou moins du type purement égyptien. Cette conclusion est au surplus fortement corroborée par l'observation de M. le chanoine Spano que : *beaucoup de ces monuments ont dû être fabriqués dans l'île, parce qu'on en a trouvé d'inachevés et à divers états d'avancement de travail*[1].

L'un des objets qui montre le mieux le caractère spécial de cet art égypto-sarde et en même temps son étroite liaison avec l'art égyptien, est un scarabée de jaspe vert, qui provient de Tharros; il porte sur sa partie plate l'image d'un ouvrier travaillant avec l'ascia ou herminette égyptienne dont nous avons donné plus haut[2] un certain nombre de modèles ; l'ouvrier dresse le manche d'un autre outil plus grand[3]. On peut comparer dans les deux vignettes qui suivent

[1] *Bulletino*, etc., 1855, p. 84.
[2] Voir ci-devant, p. 74.
[3] *Bull. arch. Sard.*, 1856, p. 72.

le même travail d'après des monuments égyptiens de l'ancien empire[1]. L'analogie ne peut pas être plus frappante ; cependant il y a dans la figure sarde une attitude qui la distingue des figures égyptiennes. Ce qui démontre d'ailleurs que l'art égyptien, en s'implantant en Sardaigne, s'est modifié par son contact avec un art tout différent, c'est l'abondance des scarabées portant des figures de truies ou de porcs ; on trouve même des amulettes de ce genre où le porc remplace le scarabée. Telle est celle de la vignette suivante[2], qui porte sur le plat deux signes égyptiens, , par lesquels l'artiste a probablement voulu exprimer un souhait de vie divine,

, en faveur d'une femme. Une amulette en forme de scarabée porte sur son plat le porc ou sanglier[3], qu'il est curieux de comparer à l'enseigne gauloise représentée à côté[4].

Sardaigne.

Gaule.

Ces exemples suffiront à donner une idée de l'intérêt qui s'attache à l'étude des antiquités sardes, sujet qui demandera à être traité à part.

[1] *Denkm.* II, 61, b ; *ibid.*, 49, b.
[2] *Bull. arch. Sard.*, 1856, p. 54.
[3] *Ibid.*, 55.
[4] D'après une monnaie d'argent de Dumnorix. Hucher, *loc. laud.*, pl. 3, 7.

Indépendamment de ses antiquités de source égyptienne, la Sardaigne possède des monuments d'origine phénicienne et d'innombrables restes des premiers temps de sa race autochthone, qui sont bien plus intéressants encore [1]. Il existe peu de contrées offrant un aussi grand intérêt archéologique. Nos titres historiques nous permettent de juger de ce qu'étaient les Sardes [2] au XIVe siècle avant notre ère : c'est jusqu'à présent la date authentique la plus reculée qu'il nous soit permis de proposer, quoiqu'il y ait la plus grande vraisemblance que les flottes égyptiennes avaient déjà visité la Sardaigne, trois siècles auparavant, sous Thothmès III.

La découverte d'une stèle, ou d'une inscription quelconque datée au moins par un cartouche, pourrait résoudre plus d'un problème. Provisoirement les renseignements tirés des sources hiéroglyphiques sont susceptibles d'être utilisés avec fruit par les archéologues sardes pour l'appréciation de l'âge possible des monuments antiques que ne cesse de fournir le sol de leur île.

Les peuples des îles et du littoral de la Méditerranée, habitués à parcourir cette mer avec leurs vaisseaux, se livrèrent de tout temps à la piraterie ; ils se jetaient sur les villes maritimes déjà riches des côtes de l'Asie-Mineure et sur celles de l'Égypte, s'y chargeaient de

[1] La race autochthone sarde est probablement celle qui a bâti les *Nuraghi* et les tombeaux *dits des Géants*.

[2] M. le chanoine Spano, dont on ne saurait trop louer le zèle scientifique, a conjecturé que *Sardinia* est le nom primitif, et que Sardus a pris son nom de l'île au lieu de le lui donner. Cette opinion est justifiée par l'orthographe égyptienne *Shardana*.

butin, puis reprenaient la mer. Ces expéditions n'étaient pas toujours couronnées de succès; ces hardis maraudeurs voyaient parfois leurs flottes coulées ou dispersées, et demeuraient alors prisonniers de leurs adversaires. Mais ils s'arrangeaient facilement de la condition de soldats mercenaires, et, en cette qualité, bien équipés et bien payés, combattaient sans répugnance contre leurs propres compatriotes; tel est précisément le cas des Étrusques dans les guerres de Ramsès III [1]; on les voit figurer à la fois dans la cohorte des auxiliaires étrangers du pharaon, et sur les vaisseaux que le même pharaon crible de ses flèches; tel serait aussi le cas des Sardiniens, si on voulait les reconnaître sur les navires ennemis, malgré la différence de coiffure que nous avons signalée et malgré le silence absolu des textes en ce qui les concerne. On pourrait supposer que les Égyptiens, qui tiraient vanité des uniformes bizarres des étrangers à leur solde, avaient introduit dans la tenue de leurs auxiliaires quelques modifications destinées à les rendre encore plus remarquables, ou peut-être pour faire distinguer aisément les Sardiniens amis des Sardiniens ennemis.

Le bas-relief de Médinet-Habou, qui nous donne le tableau du triomphe de la flotte égyptienne sur celles des Pélasges et de leurs confédérés, est de beaucoup la plus ancienne représentation connue d'une bataille navale; il est par conséquent intéressant au point de vue de l'his-

[1] Champollion cite aussi les Tsekkariou combattant avec les Égyptiens contre les Libyens (*Lettres*, etc., p. 163).

toire de l'art nautique; nous le reproduisons dans la planche ci-contre d'après une photographie. Aucun autre monument ne nous offre la figuration de navires de mer remontant à une époque aussi reculée, à l'exception des navires égyptiens qu'on voit dans les hypogées dès les temps de la IVe dynastie, c'est-à-dire à une époque de vingt siècles antérieure à celle qui nous occupe.

Dans le tableau de Médinet-Habou les barques égyptiennes de guerre ont l'avant et l'arrière de forme symétrique ; elles sont terminées à chaque extrémité par une tête de lion très-bien sculptée ; le mât est unique et porte une seule longue vergue sur laquelle est carguée la voile. Au-dessus du mât et de la voilure est une hune ou niche profonde, en forme de cône renversé, dans laquelle se tient une vigie qui fait des signaux. On distingue sur les bordages six à douze rangs de rameurs, qu'excite, en les frappant avec un bâton, un chef de chiourme courant sur le pont; il est probable que le sculpteur n'a pu figurer, dans les dimensions restreintes de ses tableaux, qu'une partie des rameurs. On sait du moins que les navires égyptiens de toute époque en employaient un bien plus grand nombre. Certaines barques de l'époque des pyramides ont vingt-six rameurs sur chaque bord, et sont néanmoins munies de voilure. Dans ces anciennes barques, au lieu de l'aviron-gouvernail, on voit à l'arrière six matelots manœuvrant de longues rames pour diriger la marche [1].

[1] Dans son ouvrage déjà plusieurs fois cité, M. Dümichen a rassemblé un grand nombre de barques égyptiennes d'époques diverses.

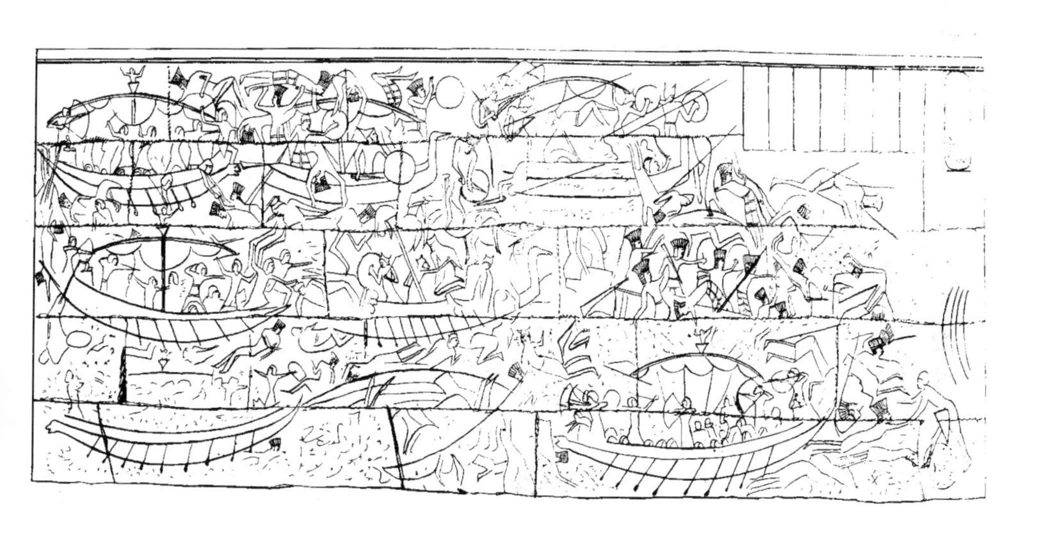

COMB[illegible] DE LA FL[illegible] [illegible]GYPTIEN

Contre les flottes alliées des peuples de la Méditerranée

D'après un bas-relief de Médinet-Habou

Les Égyptiens des navires sont armés du glaive et de longs javelots ou piques; mais ils combattent surtout avec l'arc et la flèche, comme leur armée de terre restée sur le rivage. A l'avant et à l'arrière sont postés des officiers qui donnent des ordres et tiennent à la main la large et courte épée. Une partie de l'équipage se baisse le long du bord, et recueille des prisonniers échappés des barques renversées, ou tombés à l'eau pendant le combat.

Les navires ennemis ont, comme ceux des Égyptiens, l'avant et l'arrière symétriques; le système de mâture et de voilure est absolument le même. Ils ont aussi la hune conique qui sert à la vigie, et l'on voit que les sentinelles de ce poste élevé sont particulièrement exposées aux traits des archers de Ramsès III; plusieurs sont figurées tombant en bas du mât, la poitrine percée de flèches.

Voici, d'après un dessin de Rosellini, la forme de

ces navires, abstraction faite de leur mât. Il semble que leur pont soit à deux étages. Les postes carrés, placés à

Un autre savant allemand, M. le docteur Graser, a fait de curieuses recherches sur la construction des vaisseaux antiques. (*De re navali*, 4°, Berlin, 1864.)

l'avant et à l'arrière, sont occupés par des officiers qui surveillent et signalent les mouvements de l'ennemi, et commandent la manœuvre; le gouvernail consiste en un double aviron placé à l'arrière. Tandis que la carène des vaisseaux égyptiens forme une courbe régulière, celle des barques des peuples de la Méditerranée se relève brusquement de chaque côté, presque à angle droit, et se termine en cou et en tête de cygne. Cette forme s'écarte assez notablement de celles qu'on connaît par d'autres monuments à la vérité beaucoup plus récents; le plus ordinairement les vaisseaux antiques sont figurés avec l'avant bien différent de l'arrière. La forme la plus rapprochée se rencontre parmi les insignes qui ornent les anciennes monnaies celtiques; nous reproduisons ci-contre le croquis d'une nacelle antique, d'après le dessin de M. Hucher[1]. La terminaison en cou de cygne des barques pélasgiennes fait déjà pressentir les *chénisques* de l'antiquité classique.

A l'occasion de la guerre de Troie, les Grecs conduisirent à Ténédos onze cent quatre-vingt-six vaisseaux qui portaient chacun de cinquante à cent vingt hommes. Notre tableau, quoique antérieur de trois siècles, nous donne vraisemblablement une idée de ce qu'était la flotte qui transporta l'armée d'Agamemnon.

[1] *L'art gaulois*. Le Mans, 1868. Cette nacelle est figurée sur une médaille d'or des Unelles ou des Baïocasses antérieure à l'époque de César (pl. 11, fig. 1).

PL. II.

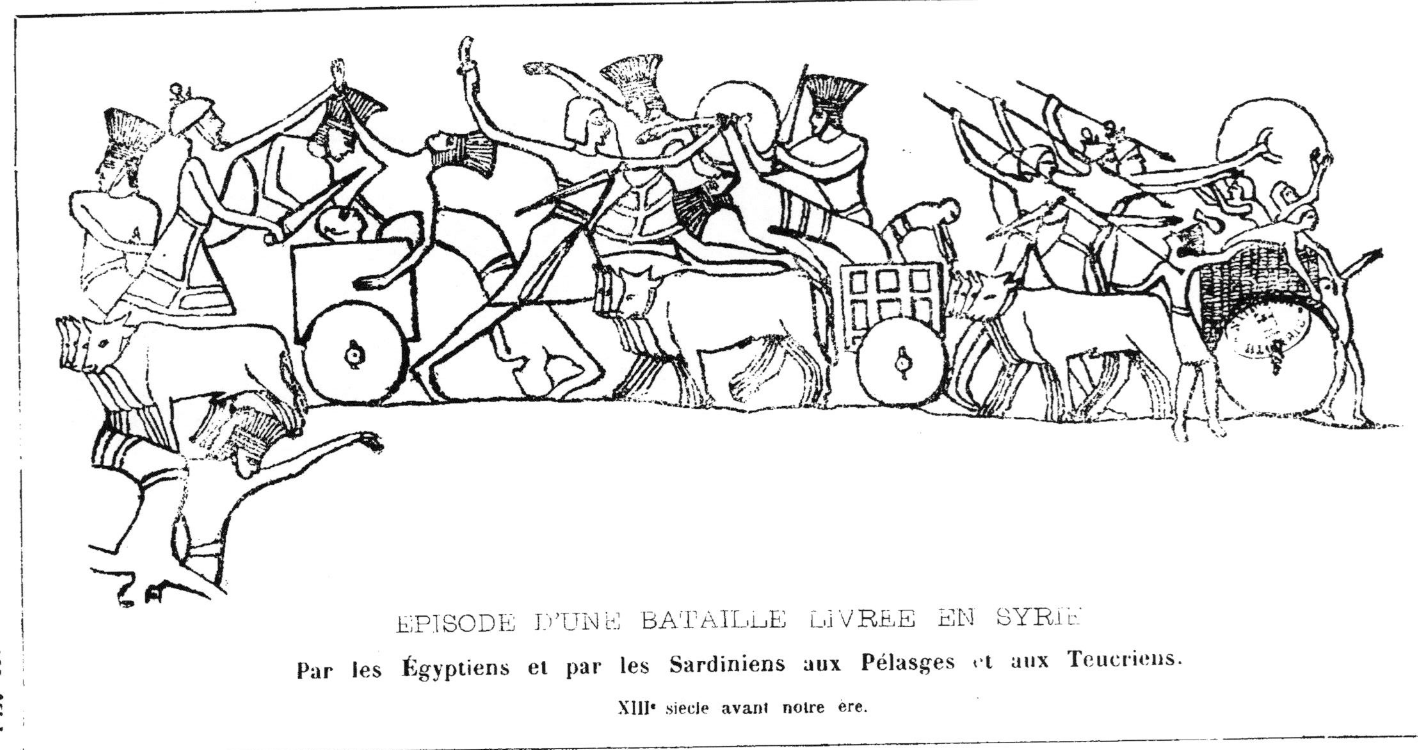

EPISODE D'UNE BATAILLE LIVRÉE EN SYRIE

Par les Égyptiens et par les Sardiniens aux Pélasges et aux Teucriens.

XIIIe siècle avant notre ère.

Sur les navires ennemis sont répartis :

1° Les Pélasges, les Dauniens, les Teucriens et les autres peuples italo-grecs, reconnaissables à leur toque rayée; les Étrusques au bonnet pointu combattent à leurs côtés sur les mêmes navires;

2° Le peuple portant la coiffure à cornes, mais sans boule terminale, dans lequel nous avons cru retrouver les Sicules. Ce peuple a ses propres vaisseaux sur lesquels il n'a pas admis d'auxiliaires. La vignette qui suit

fait comprendre la disposition de ces vaisseaux pendant l'action.

Les scènes de la bataille sur terre nous offrent aussi quelques détails intéressants.

Nous reproduisons dans la planche suivante un épisode de ce combat d'après le dessin qu'en donne Rosellini [1]; il représente l'attaque de l'arrière de l'armée ennemie par une troupe d'Égyptiens et de Sardiniens. On voit que les Pélasges et leurs confédérés s'étaient fait suivre de femmes et d'enfants. Évidemment une partie de ces peuples cherchait à fonder un établissement permanent; l'époque des émigrations armées remonte bien plus haut qu'on ne le

[1] *Mon. Reali*, 127.

croyait. Femmes et enfants étaient transportés dans des charrettes à roues pleines ; la caisse de ces voitures est formée soit de simples planches, soit d'un grillage de bois assemblé, soit enfin d'un treillage d'osier, comme le *clabulare* des Romains ; l'essieu qui est rond est arrêté, au moyen d'une forte cheville, sur le *tympanum* ou roue sans rayons ; deux paires de bœufs placées de front sont attelées à ces véhicules primitifs, qui nous représentent vraisemblablement les chariots alors en usage dans les campagnes du pays troyen.

Des voitures aussi grossières n'ont pas encore entièrement disparu ; elles ressemblent au surplus aux chariots des Germains, tels qu'on les voit représentés sur la colonne Antonine à Rome. Ceux-ci étaient soit à deux, soit à quatre roues pleines, fixées sur un essieu carré qui tournait avec la roue.

Les femmes qu'on voit occupées à favoriser la fuite de leurs enfants portent une coiffure ajustée à la tête et sans ornement, qui rappelle assez le *nemms* des Égyptiens, ; leur robe est serrée au corps et d'apparence fort simple. Quelques-unes des jeunes filles avec lesquelles joue Ramsès III dans les tableaux du prétendu harem de Médinet-Habou[1], appartiennent à des races du nord ; mais leur costume est arrangé à l'égyptienne ; elles portent sur la

[1] *Denkm.* III, 208.

tête la fleur des races septentrionales avec une coiffure rappelant la disposition des cheveux des Libyens, et ont d'énormes boucles d'oreilles. Ce tableau, dont quelques détails ont manifestement une intention érotique qui n'était nullement dans les usages des Égyptiens, doit être considéré au point de vue symbolique : il exprime énergiquement l'idée que le pharaon avait à sa disposition les femmes de ses ennemis; mais ce n'était en aucune manière l'enseigne d'un harem.

Quant aux enfants figurés sur les chariots, ils paraissent être entièrement nus. Dans une partie de la scène que ne reproduit pas la vignette, on en voit qui ont les cheveux relevés et liés sur le sommet de la tête, où ils forment touffe.

L'armée des confédérés comprend des corps qui combattent en chars, à la manière des Khétas et des Égyptiens. Les chars de ces diverses nations, ouverts par derrière et fermés par devant, étaient tous construits de la même manière; ceux dont se servaient les Grecs de l'époque héroïque n'en différaient pas sensiblement.

Comme nous ne nous proposons pas de faire l'histoire de l'Égypte, et que notre but est seulement d'interroger les monuments sur les faits qui concernent la formation des sociétés et des corps de nation, nous ne poursuivrons pas nos recherches dans les époques postérieures à celle des Ramessides. Près de trois siècles nous séparent encore de la date ordinairement assignée à la guerre de Troie. Toutefois l'histoire positive ne commence pas encore avec les exploits d'Achille et les ruses d'Ulysse.

Trop d'Immortels se mêlent aux luttes des humains dans les récits d'Homère. On n'ose guère prendre au sérieux ces antiques traditions que l'inspiration des poëtes a brodées de tant de merveilleux.

Avec les monuments égyptiens nous sommes au contraire toujours sur le terrain de l'histoire positive et de la vie réelle. Mais cette source d'information n'est pas accessible à tout le monde; il faut savoir l'interroger avec méthode et surtout avec critique. D'un autre côté nous n'avons pas encore surmonté toutes les difficultés de la langue, quoique d'immenses progrès aient été faits dans ce sens. De plus, l'Égypte nous envoie trop souvent des documents nouveaux pour qu'il soit possible de limiter aujourd'hui l'étendue du champ des investigations. Tout ce que nous faisons en matière de recherches historiques et géographiques n'est encore que provisoire; nous ne pouvons que glaner et constater des faits isolés, qui, réunis un jour, formeront le corps de la science. Cette tâche préparatoire est ardue et délicate. Dans un précédent ouvrage, je l'ai tentée en ce qui concerne les monuments relatifs aux Pasteurs [1]. Aujourd'hui ma tâche est plus vaste et plus importante. Je ne me flatte pas de l'avoir accomplie avec un succès définitif; mais j'y ai apporté la même méthode et la même indépendance de vues que dans mes autres travaux.

Les études qui précèdent nous ont permis d'établir les points suivants :

Dès le XVIIe siècle avant notre ère, les pharaons

[1] *Les Pasteurs en Égypte*. Voyez ci-devant, p. 16.

PL. III.

SCÈNE D'EQUITATION

XIVe ou XVe siècle avant notre ère.

avaient des fonctionnaires spéciaux chargés des relations de l'Égypte avec les nations de la Méditerranée [1]. A en juger par la physionomie donnée à ces nations dans les tableaux du tombeau de Rekhmara, elles nous paraissent aussi cultivées à cette date reculée qu'elles l'étaient lorsqu'elles cherchèrent à envahir l'Égypte environ quatre siècles plus tard : leur vêtement est de même forme que celui des Pélasges, mais leur coiffure rappelle celle des Libyens. Ni la toque ronde des Italo-Grecs, ni le bonnet pointu des Étrusques n'étaient peut-être encore en usage. Dans tous les cas, les objets que ces peuples apportent en présents témoignent de grands progrès dans l'art de travailler les métaux et dans la céramique.

A cette époque les peuples des côtes et des îles de la Méditerranée ne sont pas encore désignés par les Égyptiens sous leurs noms particuliers : les textes ne se servent que de dénominations générales dont l'usage remonte à l'ancien empire, telles que : *nations du nord, Tamahou et Hanebou*. Ce dernier nom est resté usité jusqu'aux basses époques pour désigner les Grecs.

Le nom des Sardiniens apparaît sur les monuments vers la fin du XVe siècle avant notre ère. C'est à cette date qu'il convient de rapporter le développement de la puissance maritime des nations méditerranéennes. C'est du moins celle du premier conflit bien constaté entre

[1] Telle était la fonction du général et scribe royal Thoth sous Thothmès III. Voyez S. Birch : *Mémoire sur une patère*, et Devéria : *Notice sur le basilicogrammate Thouth* (Mémoires de la Société des Antiquaires de France, tome 24.)

ces nations et l'Égypte [1]. Dès ce moment les Sardiniens fournirent des mercenaires aux pharaons. La première grande expédition contre l'Égypte rapportée par les monuments ne date que du règne de Meneptah Baïenra (XIIIe siècle avant notre ère); l'armée des envahisseurs comprenait les peuples de la Libye, les Sardiniens, les Sicules, les Achaïens, les Lyciens et les Étrusques. Parmi les objets qui tombèrent au pouvoir des Égyptiens et qui peuvent caractériser l'industrie de ces peuples, les textes citent les coutelas, les dagues et les cuirasses de bronze, les coupes d'argent pour boire, et une grande variété d'autres vases. L'énumération du butin est partiellement emportée par une lacune du texte. On y voit toutefois que l'usage du cheval était déjà familier aux peuples de la mer; le généralissime de la confédération avait amené ses femmes et ses enfants, et les chevaux nécessaires pour les transporter. Les chars de guerre ne sont pas mentionnés à l'occasion de cette première invasion; l'ennemi était venu par mer et avait reculé sans doute devant les difficultés du transport sur navires de ce matériel encombrant et des attelages nécessaires. D'après les renseignements que donnent les textes, il est à présumer que l'absence de cavalerie dans l'armée ennemie rendit plus facile et plus rapide sa défaite; la cavalerie égyptienne joue un grand rôle dans la victoire et dans la poursuite des fuyards. Aussi, lorsque se forma une nouvelle coalition, les chars ne furent

[1] Il est probable que d'autres conflits avaient eu lieu longtemps auparavant. Voir ci-devant, p. 181.

plus négligés. Dans le butin fait par Ramsès III sur les Libyens et leurs alliés on compte 93 chars de guerre et 183 chevaux ou ânes. Les glaives des Libyens avaient une longueur considérable (5 et 3 coudées). Les Pélasges et leurs confédérés combattaient avec le bouclier rond et la large épée droite. L'épée des Sardiniens avait au moins un mètre de longueur ; c'est la dimension de plusieurs armes antiques trouvées dans le sol de leur île. Celle de la statuette sarde que nous avons reproduite [1] serait moins longue si l'on s'en rapporte aux proportions de la figure.

Cette arme paraît avoir été commune à la plupart des peuples de l'Europe ; elle est semblable à l'épée gauloise telle qu'on la voit nombre de fois figurée sur les monnaies d'avant l'époque de Jules César. La vignette ci-contre provient d'un statère d'or trouvé dans l'arrondissement de Falaise, et publié par M. Eugène Hucher [2]. Sur quelques pièces on voit des personnages représentés dansant devant ces sortes de glaives plantés verticalement [3] et rappelant le cimeterre de fer qu'au dire d'Hérodote les Scythes adoraient comme l'emblème du dieu Mars [4].

Les Sardiniens et les Étrusques combattaient aussi

[1] Ci-devant, p. 307. Voyez aussi le *pugio* du nuraghe d'Otiana, p. 308.

[2] *L'Art gaulois*. Le Mans, 1868, in-4°, pl. 4, n° 2.

[3] *Ibid.*, pl. 73, 1 et 2.

[4] *Melpomène*, 62. Voir aussi : Ammien-Marcellin, liv. 21, ch. 2.

avec la pique; mais, circonstance assez remarquable, on ne voit aucun des peuples européens armés d'arcs, ni de frondes. Ces peuples étaient sans doute dans l'usage d'attaquer l'ennemi corps à corps. Ce fut pour eux un grand désavantage dans les combats sur mer; le bas-relief de Médinet-Habou montre les vaisseaux des Pélasges et de leurs confédérés criblés des flèches lancées par les Égyptiens, soit du rivage, soit des navires; les vigies placées sur les hunes sont atteintes et précipitées de leur poste élevé; il ne restait guère aux confédérés que la ressource de l'abordage. On ne peut croire du reste que l'arc et la flèche leur fussent inconnus, mais peut-être ne s'en servaient-ils que pour la chasse. En allant attaquer une nation puissante, ils ne s'étaient pas embarrassés de traits, qui une fois lancés étaient perdus pour eux et pouvaient être difficiles à remplacer. Confiants en leur bravoure personnelle, ils ne s'étaient munis que de leur redoutable glaive à deux tranchants.

La marine des peuples du nord de la Méditerranée ne se révèle à nous d'une manière bien certaine que sur un seul monument de l'Égypte; il s'en est conséquemment fallu de peu que toute information sur ce point nous fît défaut; mais les textes qui nous montrent ces mêmes peuples en relations avec l'Égypte dès le commencement du nouvel empire, nous permettent d'attribuer avec certitude une marine aux Sardiniens dès le début du règne de Ramsès II (vers le XVe siècle). Sous Thothmès III (XVIIe siècle) les peuples des îles de la Méditerranée, réunis aux Phéniciens, viennent *en paix* apporter de riches présents au pharaon; s'ils ne sont pas arrivés sur leurs propres navires, ils auront emprunté ceux des Phéniciens, mais on comprendrait difficilement qu'au plus tard à l'époque de leurs premières relations avec ce grand peuple de navigateurs et de commerçants et avec les Égyptiens qui avaient des vaisseaux près de quarante siècles avant notre ère, ces nations du littoral et des îles n'aient pas construit des embarcations pour parcourir l'élément qui les limitait ou qui les environnait. Longtemps avant d'entreprendre des voyages de long cours, tels que ceux qui les amenèrent jusqu'aux bouches du Nil, ils avaient eu des barques sur leurs fleuves et des navires pour parcourir les côtes et pour communiquer avec les îles voisines.

Nous avons, dans l'étude qui précède, reculé les limites de la période historique pour ce qui concerne les peuples de la Méditerranée jusqu'au XVIIe siècle avant notre ère, époque à laquelle des monuments *contemporains* nous les montrent en possession de la connaissance des métaux, des étoffes, et d'une céramique déjà perfectionnée. Au-delà de cette date, il nous faut procéder par induction en attendant que de nouvelles trouvailles nous apportent d'autres moyens d'investigation. Nous ne heurterions aucune vraisemblance, si nous ajoutions dix siècles de plus pour arriver au début de l'âge des métaux dans les mêmes régions ; mais nous ne tenons pas à cette hypothèse, que justifieraient cependant les rapports de ces localités avec les Égyptiens de l'ancien empire, rapports dont on trouve la mention sur un petit nombre de monuments ; il nous suffira, comme conclusion à ce chapitre de nos recherches, de constater qu'au moins deux mille ans avant notre ère, les peuples du littoral de la Méditerranée étaient bien loin de l'état de barbarie qu'on attribue aux âges dits de la pierre : à cette époque les métaux leur étaient connus ; ils les utilisaient pour les armes et pour la parure ; s'ils se servaient alors et s'ils se sont servis plus tard d'instruments de pierre et d'os, on n'est nullement autorisé à leur dénier cette connaissance et à les considérer comme des populations sauvages réduites à l'outillage primitif fourni par la nature elle-même et à peine perfectionné par le choc ou par le frottement, et il y aurait simplement lieu de conclure que l'extrême facilité de se procurer sans dépenses et presque sans travail ces outils imparfaits en avait fait conserver l'usage, au moins chez les classes pauvres.

CHAPITRE V

USAGE DES ARMES ET OUTILS DE PIERRE CHEZ LES ÉGYPTIENS.

Dans les chapitres précédents nous avons passé en revue les faits bien constatés à l'aide desquels il est possible aujourd'hui de se former une idée de ce qu'étaient les hommes et les sociétés humaines aux plus anciennes époques historiques : nous pouvons déjà conclure de cet examen que l'homme d'il y a six mille ans ne différait pas de l'homme d'aujourd'hui, ni sous le rapport de la force, ni sous celui de l'intelligence : des documents nombreux et incontestables nous démontrent, à l'appui de cette thèse, qu'il y a plus de 4000 ans, la limite possible de l'existence humaine n'excédait pas cent dix ans. C'était à ce chiffre d'années que se bornaient les plus ardents désirs et les souhaits les plus hardis des humains. Le vœu pour une vie de cent dix ans était traditionnel dès ces temps reculés. L'Égypte, déjà savante, religieuse et même philosophique, n'avait pas souvenir d'une époque de plus grande longévité.

Aucune trace d'une race inférieure à celle des Nègres, des Boschimans ou des Australiens de nos jours ne s'est révélée à nous ; rien ne nous a parlé de peuplades même comparables aux Garamantes de Libye, qui, cinq siècles avant notre ère, si l'on en croit Hérodote, ne connaissaient pas l'usage des armes et ne savaient pas se défendre [1] ; aucun texte ne nous a fait connaître un état social qui serait antérieur à la découverte des métaux, et pendant lequel les hommes n'auraient eu d'autres armes et d'autres outils que la pierre, le bois, la corne ou l'os.

Mais l'emploi d'armes et d'instruments de cette espèce nous apparaît à toutes les époques historiques et même de nos jours, malgré l'usage des métaux. Tel est le fait singulier que nous allons essayer de mettre en relief en commençant par ce qui concerne l'Égypte.

Il est vraisemblable que Diodore et Hérodote ont été bien renseignés sur l'emploi d'un couteau de pierre pour

[1] *Liv. IV*, 174. A la vérité, l'historien grec dit un peu plus loin que les Garamantes font la chasse aux Troglodytes sur des chars à quatre chevaux !!!

l'ouverture du flanc des corps à momifier [1]. Ces deux historiens assurent que le paraschiste chargé d'opérer cette incision se servait d'une *pierre éthiopienne*, et Diodore ajoute qu'après avoir ouvert le cadavre, l'opérateur s'enfuyait en toute hâte, poursuivi par les assistants, qui lui lançaient des pierres et proféraient des imprécations pour attirer sur lui la vengeance de ce crime.

Nous ne pensons pas qu'on puisse ajouter foi à ces violences exercées contre les paraschistes à l'occasion de l'exercice de leur profession ; mais il est très-vrai que ces funèbres opérateurs étaient l'objet d'une répulsion générale de la part des autres classes de la nation. Ils étaient parqués dans le quartier des tombeaux et n'avaient pas l'autorisation de résider dans l'intérieur des villes [2].

Cette répugnance se comprend aisément ; en effet, la doctrine sacrée enseignait que le corps mis au tombeau selon les rites reprenait immédiatement la vie et l'usage de tous ses organes. Certains textes énumèrent ces usages, et ne s'arrêtent pas même devant les plus vulgaires exigences de la nature humaine ; les hymnes et les prières funéraires ne nomment jamais la mort, mais seulement la seconde vie [3] : au-delà de la porte du tom-

[1] Hérodote, I, 86 ; Diodore, I, 91.

[2] Voyez mon *Mémoire sur une spoliation des hypogées de Thèbes* : *Mélanges Egypt.* III, p. 90.

[3] L'idée de la mort est voilée dans la doctrine égyptienne sous diverses images, telles que : *l'abordage au port*, *l'heureux occident*, *la bonne sépulture*, etc.

beau qui reçoit la momie, ils montrent le *Sahou* ressuscité s'élançant lumineux hors du puits de l'hypogée, comme le soleil à son lever quotidien au-dessus de l'horizon oriental. Malgré l'insensibilité de la mort, on ne devait pas mutiler le cadavre, dont la bonne conservation était regardée comme liée aux conditions de sa vie future. C'est pour ce motif que les momificateurs vidaient la tête par les narines, sans y faire aucune blessure. Pour les viscères intestinaux, il fallait absolument une incision, mais l'ouverture était circonscrite avec soin par le prêtre, et le paraschiste ne devait pas dépasser la dimension déterminée. Cette opération était d'ailleurs conduite avec mystère : les parents n'y assistaient jamais ; aussi, lorsqu'on leur rendait le mort entouré de bandelettes, couvert d'un masque doré, et fermé dans un coffre bien orné, ils étaient censés ignorer le traitement anatomique dont il avait été l'objet. Rien ne le leur rappelait dans la cérémonie des funérailles, pendant laquelle les prêtres chantaient à satiété des hymnes relatant la purification du défunt, la divinisation de chacun de ses membres, son passage à la vie éternelle, sa liberté absolue de mouvements, etc., etc.

On doit conséquemment s'attendre à ne rencontrer dans les textes funéraires aucune mention de l'ouverture des cadavres ; c'est peut-être pour ce motif que les documents originaux ne nous ont pas jusqu'à présent fourni d'indices de l'emploi des instruments de pierre, affirmé par Hérodote et par Diodore ; mais cette opération était certainement décrite et réglementée dans les livres spéciaux de l'enseignement sacerdotal, et tout espoir de rencontrer quelqu'un de ces traités n'est pas absolument perdu, à en juger par l'abondance des nouvelles trouvailles.

En attendant qu'une découverte de ce genre nous permette de trancher la question, l'usage des couteaux de pierre pour la momification n'a d'autre garantie que celle des deux historiens que nous venons de citer; on sait assez que leurs relations sont un mélange de quelques notions vraies, d'erreurs nombreuses allant jusqu'à l'absurde, et de commentaires portant presque toujours à faux, malgré leur apparence de sincérité; nous n'oserions donc affirmer, sous leur garantie seule, que l'usage en question ait été obligatoire et général dans la terre des pharaons; mais, s'il est vrai que les Égyptiens se soient réellement servis du silex, ce n'est pas assurément à raison d'une répugnance quelconque pour l'emploi du métal; en effet, tous les instruments qui servaient à sacrifier les animaux d'oblation étaient en bronze; ceux avec lesquels on retirait la cervelle des cadavres étaient du même métal, et ne pouvaient en aucune manière être en pierre. On possède un certain nombre de ces instruments dans les musées; ce sont des tiges de bronze, longues de plus de trente centimètres, formant un crochet dont le bec courbé n'a pas plus de six millimètres[1]:

[1] Le Musée de Leide possède cinq de ces crochets, tous en bronze. Leemans: *Mon. Egypt.*, I, pl. 40.

Toutefois l'assertion des historiens grecs n'a jamais rencontré de contradicteurs ; on a cru en trouver la confirmation dans les trouvailles bien constatées faites en Égypte, de magnifiques couteaux de pierre. On en connaît notamment d'une forme qu'on ne rencontre guère ailleurs, et qui sont d'admirables échantillons du travail du silex. Ce sont des espèces de couperets, avec manche ménagé dans la pierre elle-même, à lame courbe, finement retaillée sur les bords, à dos droits ou légèrement concaves. J'en reproduis ici deux spécimens, savoir :

1° Couteau de silex pyromaque blond, mince et transparent, appartenant au Musée égyptien de Turin. Le même Musée en possède un second qui n'a que dix-neuf centimètres de longueur [1].

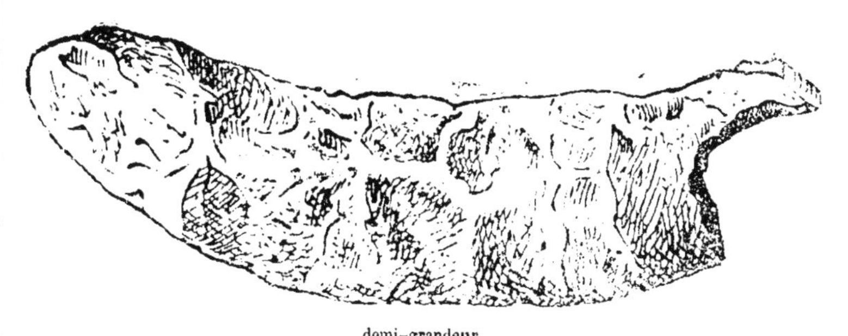

demi-grandeur.

2° Couteau de silex pyromaque, du Musée de Leide. Ce

[1] B. Gastaldi : *Su alcune armi e strumenti di pietra*, ec., *provvenienti dall'Egitto*. Torino, 1870, pl. 1, n° 2.

Musée en possède deux exemplaires à peu près semblables [1] :

demi-grandeur.

Deux autres couteaux de cette espèce, au moins aussi parfaits de forme et de travail, font partie des collections du Musée égyptien de Berlin [2]. Ils ont dix-sept et dix-huit centimètres de longueur; cela porte à six le nombre de ces remarquables instruments venus à ma connaissance; mais il doit certainement en exister un plus grand nombre.

Le Musée de Berlin possède un troisième couteau de même travail et de même matière, mais dont la forme est fort différente. C'est une lame longue de vingt-trois centimètres, à dos légèrement convexe et dont le tranchant présente une convexité plus prononcée :

[1] Leemans: *loc. laud.* I, pl. 40, n° 58, b.

[2] M. Lepsius les a publiés en photographie dans le journal égyptologique de Berlin, 1870, p. 120.

Dans sa partie centrale ce silex a soixante-deux millimètres de largeur [1].

Malgré la différence de leurs formes, ces deux sortes d'outils ont pu avoir le même usage; ils servaient à trancher, soit en frappant comme avec ùn hachoir, soit au moyen de mouvements de va et vient comme pour scier. Si les paraschistes s'en sont servis pour ouvrir le flanc des cadavres, ils ne devaient pas tenir à pratiquer une incision bien nette. M. Mariette, le grand explorateur de l'Égypte, compare ces sortes d'incisions que, plus que personne, il a eu l'occasion d'examiner sur un grand nombre de momies, à une déchirure à bords déchiquetés. Le même savant a découvert que les Égyptiens, dans la préparation des momies, avaient l'usage de leur enlever la plante des pieds, et il a constaté que la section des bords libres de la peau prouve également l'emploi d'un instrument à tranchant irrégulier.

Si l'on prenait à la lettre la qualification d'*éthiopique* donnée par Hérodote et par Diodore à la pierre dont était fait le couteau des paraschistes, on serait amené à penser qu'il s'agissait, non pas de silex, mais de diorite ou de granite, et par conséquent de couteaux de pierre polie. En effet, selon le dire du premier de ces historiens, la *pierre éthiopique* avait servi pour la construction de la pyramide de Mycérinus [2], et les deux statues colossales dressées par Amasis étaient de la même subs-

[1] Lepsius: *loc. laud.*, pl., fig. 3. Les trois couteaux hachettiformes du Musée de Berlin ont été trouvés dans des tombeaux antiques de la nécropole de Memphis par M. Passalacqua.

[2] Hérodote: *Liv. II*, 134.

tance[1] ; bien évidemment l'auteur grec n'avait pas en vue le silex lorsqu'il parlait de *pierre éthiopique*, ou bien il faudrait admettre que cette désignation s'appliquait à différentes espèces minérales. Le résultat de ces remarques, c'est que nous ne pouvons tirer aucun parti de cette indication.

Mais l'Égypte historique n'a pas seulement fait usage du silex sous la forme des instruments perfectionnés que nous venons de décrire ; elle nous livre, épars au voisinage des villes, des excavations pratiquées dans les rochers, des nécropoles, quelquefois autour des coffres funéraires et même dans l'intérieur de ces coffres, tous les genres de silex éclatés, retravaillés ou non, qui se rencontrent en France et ailleurs dans les stations dites de l'âge de la pierre : hachettes, couteaux, perçoirs, percuteurs, grattoirs, flèches, etc. Ces instruments, ainsi que l'a constaté M. Mariette, sont encore plus abondants à l'époque des Lagides et des Romains, au moins en ce qui concerne les tombeaux, qu'aux anciennes époques ; seulement le travail du silex est de moins en moins soigné. Ce sont les instruments les plus parfaits qui sont les plus anciens, tandis que les explorateurs des stations de l'âge de pierre acceptent généralement la grossièreté du travail comme un caractère d'antiquité.

Les premières découvertes bien constatées de cet ordre sont celles de Rosellini, qui accompagna Champollion dans sa mission en Égypte ; le savant italien nous apprend qu'il a souvent trouvé des couteaux de pierre

[1] Hérodote : *Liv. II*, 176

déposés dans des corbeilles près des momies ; parmi ces couteaux, il y en avait qu'il décrit comme ayant la forme du couteau égyptien avec un manche taillé dans le même morceau. Ce sont évidemment des couteaux pareils à ceux des figures des pages 333 et 334 ci-devant ; ils ont leurs analogues dans les couperets de bronze en usage dès les temps de l'ancien empire :

Avec les couteaux hachettiformes dont nous avons parlé plus haut, M. Passalacqua avait trouvé neuf couteaux éclatés de formes ordinaires, ainsi qu'une petite scie à dents régulièrement taillées. De son côté, M. le docteur Lepsius a recueilli dans le tombeau de Snetem-het, fonctionnaire de la Ve dynastie, six couteaux de silex très-tranchants.

Tous ces petits monuments sont aujourd'hui réunis au musée de Berlin. M. Lepsius en a publié un certain nombre par la photographie, en y joignant quelques silex qu'il suppose avec raison être le résultat de l'éclatement naturel de la pierre et non celui du travail de l'homme [1].

Voici, d'après les photographies faites par les soins

[1] Voir Lepsius, *Zeitsch.* 1870 : *Ueber die Annahme eines sogenn. Steinalters in Egypten.*

de M. le docteur Lepsius, quelques-uns des silex provenant des tombeaux égyptiens :

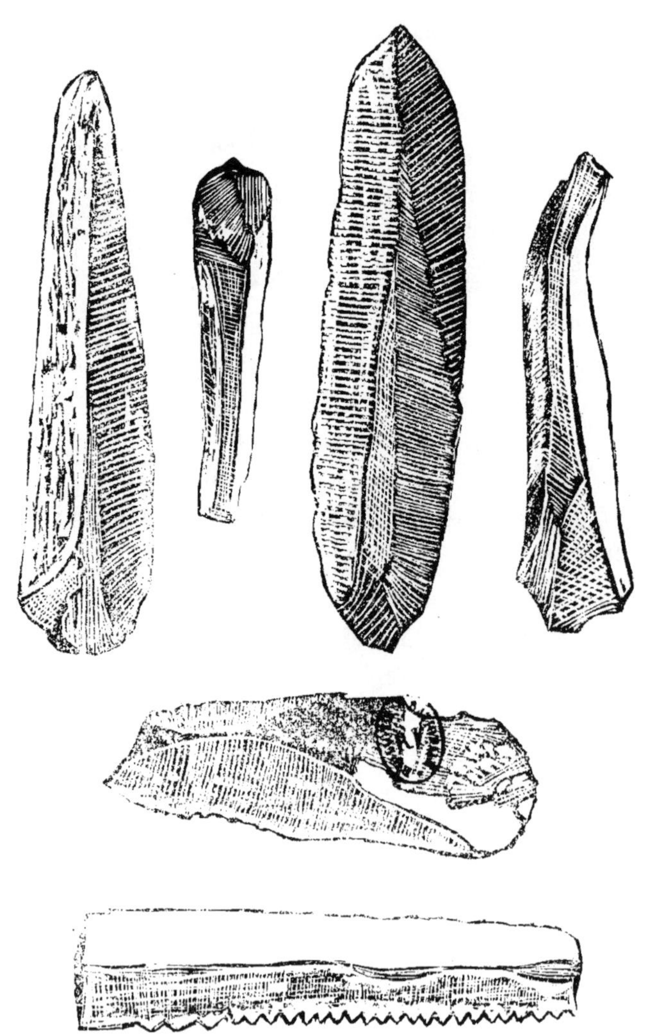

Les seize instruments de silex photographiés par

M. Lepsius et dont je reproduis six seulement, sont absolument identiques à ceux des stations dites de l'âge de pierre; il y a des lames à deux, à trois et à quatre tailles, parfaitement disposées pour former des outils tranchants; quelques-unes de ces lames ont des appendices réservés pour être introduits dans un manche d'os ou de bois; d'autres ont leur sommet le plus large arrondi en grattoir au moyen de fines retailles. Le cinquième silex ci-dessus est un véritable grattoir. Il n'est pas un de ces instruments dont je n'aie moi-même trouvé les analogues très-exacts dans plus de vingt stations, depuis l'âge de l'éléphant et du renne jusqu'aux époques relativement modernes des camps de Chassey, d'Auxey, de Rully, etc., et dans les dépôts des bords de la Saône qui touchent à l'époque romaine.

Mais les silex de l'Égypte présentent pour la science un intérêt tout particulier par le motif que la plupart d'entre eux ont date certaine; les plus anciens remontent à trente ou trente-cinq siècles avant notre ère; les deux premiers sont de ce nombre; ils n'ont aucun caractère particulier qui les distingue de ceux provenant des basses époques.

On se demande avec surprise quel pouvait être l'usage de ces outils, généralement petits et fragiles, chez un peuple qui possédait en même temps tous les métaux usuels, et qui savait en fabriquer les armes et les instruments les plus perfectionnés. Il n'est pas facile de répondre à cette question; mais il est tout aussi difficile de se rendre compte de l'emploi possible d'un grand nombre des objets de silex, manifestement travaillés, qu'on trouve dans des stations dépourvues de toute trace de métal.

Que pouvait-on faire, par exemple, de lames qui, sur une largeur d'à peine cinq millimètres, présentent quatre tailles parfaitement nettes et distinctes, avec bords tranchants? Tels sont les deux instruments représentés ci-contre, dont l'un a été trouvé par moi au camp de Chassey, et l'autre, qui est semblable mais un peu plus long, provient du Jaederen, en Norwège. J'ai trouvé des grattoirs travaillés avec un soin exquis, dont la dimension n'est pas supérieure à celle de l'ongle du pouce. Ces objets n'étaient peut-être que des essais d'habiles ouvriers cherchant à vaincre des difficultés dans leur art.

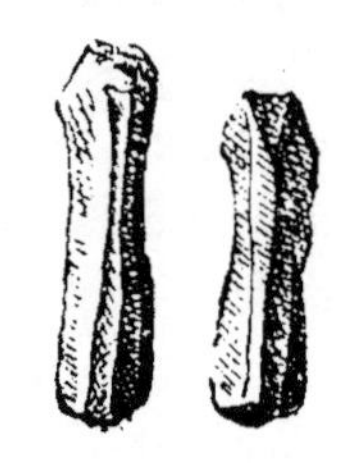

Les lames minces, un peu longues, à tranchant obtenu par éclats, méritent à juste titre le nom de couteau qu'on leur a donné; elles entament parfaitement le bois et l'os le plus dur; avec de la patience et en changeant d'outils, on peut arriver à produire des entailles assez profondes; toutefois il faut un temps considérable, mais c'est là un inconvénient dont les anciens ne tenaient peut-être qu'un compte médiocre. Pour couper les viandes crues ou cuites, le silex fournissait des instruments très-convenables. Je suis fort disposé à croire que le petit couteau au moyen duquel nos ancêtres, les Celtes, coupaient la viande quand ils ne réussissaient pas à la déchirer à belles dents en la tenant des deux mains, était le plus ordinairement en silex [1].

Pour les opérations de la momification, les couteaux d'éclats eussent beaucoup mieux convenu que les grands couteaux hachettiformes à bords retravaillés; mais il est impossible d'attribuer à cet usage le grand nombre de ces instruments qu'on trouve en Égypte; d'ailleurs, il faudrait toujours expliquer l'usage des scies, des grattoirs, des perçoirs, etc., etc., qui ne pouvaient trouver d'emploi pour la section de la peau des corps à momifier. Une seule conclusion est possible, et cette conclusion présente une véritable importance: c'est que les Égyptiens, chez qui abondaient les métaux et qui étaient très-experts dans leur emploi, se servaient néanmoins des outils de silex, à l'exemple des peuplades qui ne connaissaient pas le métal ou qui ne pouvaient s'en procurer; l'analogie des formes de ces outils montre d'ailleurs qu'Égyptiens et Barbares les employaient aux mêmes usages.

Dans l'intéressant Mémoire où nous avons déjà puisé, M. Mariette-Bey donne la liste des principales localités de l'Égypte où des silex taillés sont ordinairement rencontrés. Ces localités sont, indépendamment des tombes et des hypogées:

1° Le voisinage des terres cultivées, principalement celui des ruines des villes;

2° Les environs de toutes les grandes excavations pratiquées dans le rocher, et en particulier à Bab-el-

[1] Athénée: *Liv. IV*, ch. 9.

Molouk, près des grottes profondes de Samoun, et à l'entrée des immenses souterrains consacrés à la sépulture des Apis.

Je dois à l'extrême obligeance de M. Mariette-Bey deux excellentes photographies représentant un grand nombre d'outils de silex, de pierres percées ou travaillées, et de coquillages provenant des tombes et des stations de l'Égypte. On y trouve tout l'assortiment ordinaire de ce qu'on est convenu d'appeler les stations préhistoriques, depuis les silex éclatés, plus grossiers même que ceux de l'âge du mammouth et du grand ours, jusqu'aux instruments les plus délicats de l'époque dite néolithique. Ces petits monuments forment cinq séries d'après leur provenance : les nécropoles, Hélouan, Girgeh, Esneh et Bab-el-Molouk. J'en reproduis ici quelques spécimens pour faciliter les comparaisons :

Les deux couteaux-pointes en silex, figurés ci-contre, proviennent d'un tombeau de la XXIIe dynastie (10e siècle avant notre ère).

L'agate ovoïde percée a été trouvée au cou d'une momie de l'époque grecque.

La flèche de silex est parvenue au Musée de Boulaq avec des objets de bronze trouvés par un Arabe de la basse Égypte dans une butte antique nommée Tell-Balamoun. C'est un fort beau spécimen ; elle est finement dentée comme une scie d'horloger [1].

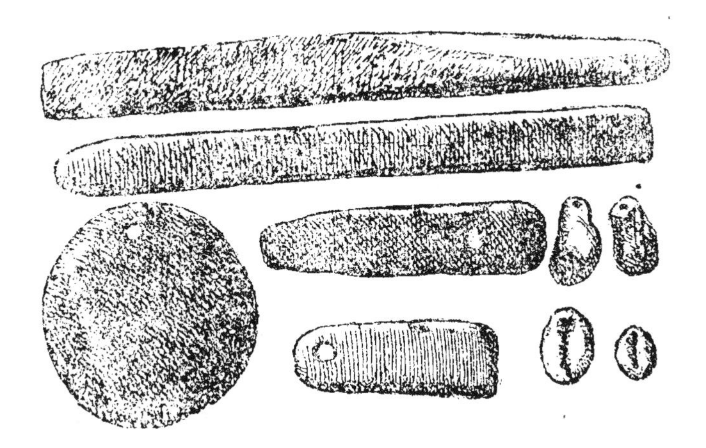

Des nécropoles proviennent encore les objets de la série ci-dessus : deux longues pointes mousses façonnées par le frottement semblent n'être que des aiguisoirs ou des polissoirs. Les trois pendeloques percées d'un trou de suspension sont en serpentine ; en en trouve de même genre en différentes substances (calcaire, schiste, pierres dures, os, métaux), depuis l'âge du grand ours et du renne, dans les cavernes, les stations, les palafittes et les dolmens. Il en est de même des petites pierres percées et des coquillages ; celles du Musée de Boulaq, qui forment une série assez nombreuse, ont été recueillies en colliers autour de momies de l'époque grecque. M. Mariette fait la curieuse observation que les Égyptiens devaient attribuer une signification symbolique aux

[1] La figure n'est pas exacte pour ce détail.

coquillages de l'espèce porcelaine (*cypræa*), puisqu'ils les imitaient en terre cuite.

La plus jolie collection de menus outils en silex a été recueillie à Hélouan, juste en face de Memphis, par M. le docteur Reil, directeur des eaux de cette localité.

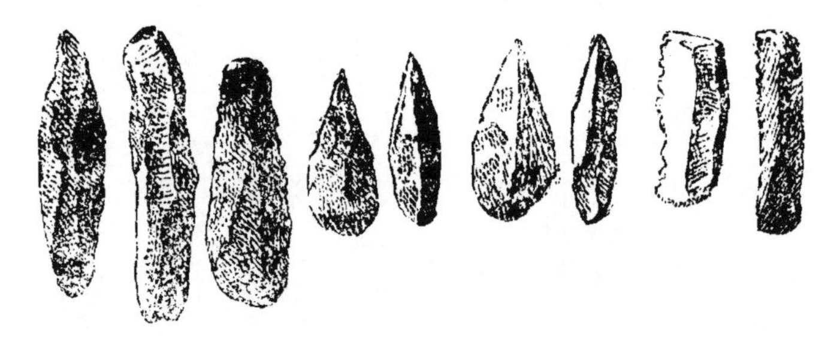

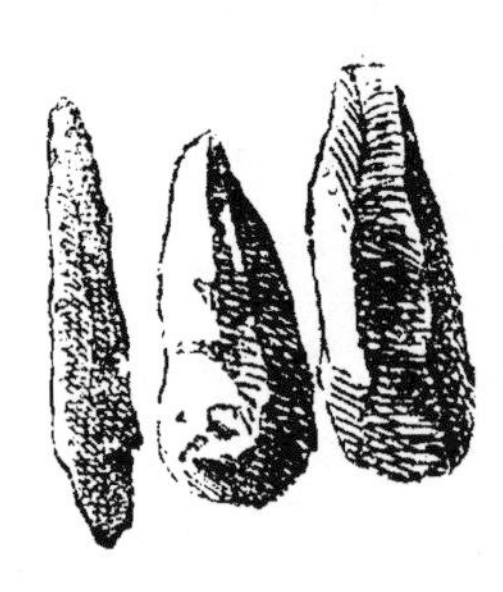

Ces silex, qui sont déjà au nombre de plus de mille, sont d'une texture très-fine et d'une patine très-délicate, ou plutôt d'un brillant d'agates polies; ils ont des teintes très-variées, et rappellent les plus jolis types du Périgord et de Chassey (sauf pour les flèches à ailerons et pour les hachettes polies qu'on n'y a pas encore signalées). Dans le nombre se rencontrent de petites scies. M. Mariette, en engageant M. Reil à se livrer à ces recherches, se fondait sur l'observation par lui faite plusieurs fois de la présence des silex ouvrés à la proximité de toutes les anciennes grandes cités de l'Égypte. Le voisinage de Memphis promettait, en effet, les heureux résultats qui ont été obtenus. Toutefois, le savant conservateur des monuments de l'Égypte hésite à faire remonter la date des objets recueillis à Hélouan jusqu'aux temps pharaoniques. En faisant travailler à capter les sources minérales, M. le docteur Reil a rencontré des restes de constructions avec inscriptions arabes: les silex travaillés trouvés dans le voisinage ne datent peut-être que de l'époque des sultans.

Les huit silex ouvrés figurés ci-dessous sont choisis

parmi ceux qu'ont fournis les alentours d'Esneh, de Girgeh, et surtout le plateau de Bab-el-Molouk. Ceux de Girgeh et d'Esneh sont particulièrement grossiers de forme et de taille. Parmi ceux qu'on recueille à Bab-el-Molouk et sur le plateau de Médinet-Habou, il en est de taillés avec soin, mais il s'en trouve aussi dont la cassure est irrégulière. C'est à bon droit que M. le docteur Lepsius a pu révoquer en doute le travail intentionnel d'un certain nombre de ceux qu'ont rapportés MM. Lenormant et Hamy.

Que le silex éclate sous l'effet de la température, des rayons solaires ou de quelque autre effet physique, c'est un fait qui a été observé par plusieurs savants compétents, et dont il faut nécessairement tenir grand compte. Mais tous les silex trouvés à Thèbes ne sont évidemment pas dans ce cas; il en est qui portent sans contestation possible les caractères du travail de l'homme. Les observations de M. Mariette, à ce propos, complètent et corroborent celles du savant allemand, en ce sens qu'elles repoussent également l'hypothèse de stations d'un âge préhistorique ayant laissé sur le sol leurs monuments par milliers, pendant six mille ans, à proximité de la capitale de la Thébaïde. On a trouvé des silex à Thèbes comme à Memphis par le motif que la population pauvre de ces grandes cités avait conservé l'usage de ces très-économiques outils, qu'elle se procurait en abondance sur la limite des déserts, soit qu'elle se contentât d'éclats naturels, soit qu'elle les perfectionnât par le choc et par le taillage. La démonstration que nous fournissent les tombes de basse époque est concluante. Cet emploi du silex peut être suivi jusqu'à l'époque romaine. Les prétendues stations préhistoriques de l'Égypte n'ont ni os, ni poteries; mais, lorsque M. Mariette trouve sur le plateau de Médinet-Habou les silex éclatés associés aux pierres percées et aux coquillages dont nous avons parlé tout-à-l'heure, il a le droit de conclure par analogie que silex et coquillages peuvent être du même temps.

c'est-à-dire de l'époque des Lagides, pendant laquelle les nécropoles offrent l'association d'objets absolument identiques. Telle est aussi notre conviction intime.

A propos des silex de Bab-el-Molouk, M. Mariette signale un fait très-singulier; ces silex, lorsqu'on les recueille à la surface du sol, n'ont aucune patine; déposés dans les vitrines du Musée de Boulaq, ils se couvrent d'une espèce de sueur, et, après leur dessiccation, demeurent comme vernis d'un enduit brillant. Les silex d'autres provenances n'ont pas encore donné lieu à des remarques de ce genre. Il appartient à la science d'expliquer ce phénomène, qui a probablement quelques rapports avec les causes déterminant l'éclatement naturel des *nuclei*.

La présence d'outils de silex éclatés au voisinage des grandes villes s'explique donc avec la plus grande facilité. En ce qui concerne les grandes excavations on conçoit également que les ouvriers qui les ont creusées y aient porté l'approvisionnement d'outils de pierre dont ils faisaient habituellement usage. On pourrait conséquemment retrouver ces outils près de ces excavations, comme nous les trouvons près des grottes-abris et dans les cavernes des Troglodytes de l'âge de la pierre. Mais ici se place un fait très-considérable, c'est qu'il résulte d'observations faites au Sinaï que le silex a été employé pour pratiquer d'immenses excavations dans le rocher.

Ce fait curieux nous a été révélé par M. John Keast Lord, naturaliste de l'expédition envoyée dans ce pays par le pacha d'Égypte. Nous reproduisons plusieurs passages de la relation de ce savant explorateur[1]. Voici ce qu'il nous dit des mines de Wady-Magharah :

« A peine entrés dans la mine, nous fûmes obligés de « ramper sur nos mains et sur nos genoux, le toit se « trouvant trop peu élevé pour nous permettre toute autre « position ; nos bougies n'éclairaient autour de nous « qu'un espace très-restreint. Bientôt, en me retour- « nant, je n'aperçus la lumière du jour, à l'entrée de « la mine, que sous la forme d'un cercle brillant large « comme une pièce de six pences. Tout en rampant, « j'examinai le toit et m'aperçus qu'il était partout « couvert de petites marques irrégulières, qui avaient « évidemment été pratiquées avec la pointe de quelque « instrument analogue à la pointerolle d'un mineur. « J'aurai plus loin l'occasion de reparler de cet instru- « ment. Les joints et les petites fentes de la pierre « avaient été élargis par un procédé qui consistait à en « briser les bords, et de cette manière le contenu, « quel qu'il ait été, en avait été retiré partout où le « mineur avait pu l'atteindre.

« Nous dépassâmes plusieurs piliers qui avaient été « ménagés dans la masse du rocher pour supporter le « toit au-dessus des galeries de la mine. Le travail par « lequel les anciens mineurs ont réussi à évider la roche « pour réserver ces colonnes naturelles est vraiment « ingénieux et montre bien l'indomptable patience dont « ces hommes étaient doués.

« De la galerie basse mais large dans laquelle nous

[1] *The Peninsula of Sinaï.* (*The leisure hour* 1870, 423 et sqq.)

« avions été obligés de ramper, nous entrâmes dans un « couloir étroit qui n'admettait plus qu'une personne à « la fois. Le point lumineux de l'entrée avait totalement « disparu, et nous nous trouvâmes enveloppés par les « plus noires ténèbres qu'il soit possible d'imaginer : les « sombres roches qui bordaient le couloir semblaient « absorber entièrement la pâle et vacillante lumière de « nos bougies. Marchant le premier, je continuai à « ramper avec une extrême difficulté jusqu'à ce que, « mes genoux rencontrant des corps durs, je fus obligé « de m'arrêter. L'obstacle provenait d'os de moutons « ou de chèvres portant des marques récentes de la « dent des hyènes qui les avaient rongés. Cette décou- « verte n'avait rien de rassurant, car quoique l'hyène « soit en plein jour un animal timide, il eût été « dangereux pour moi d'être attaqué par un de ces « animaux devenu furieux, tandis que je rampais comme « une grenouille dans un étroit tunnel, où nulle retraite « n'était possible. Comme il y avait d'ailleurs autant « de risques à courir en rétrogradant qu'en avançant, « je continuai à me traîner jusqu'à l'endroit où le cou- « loir paraissait se terminer. En cherchant avec soin, « je découvris sur le sol un trou juste assez grand pour « que je pusse m'y introduire en me tenant à plat ventre. « Je réussis à y passer, et tombai lourdement dans une « vaste salle. En relevant ma bougie, je pus en appré- « cier l'étendue ; on ne sentait pas le moindre souffle « d'air ; un silence de mort régnait autour de moi ; « j'éprouvai la sensation d'un homme enterré vivant.

« Je constatai que la salle avait été taillée dans la

« masse du rocher ; d'après mon estimation approximative, elle avait vingt pieds de long, quatorze de large et cinq de hauteur à partir de la surface des déblais qui couvraient le sol ; ces déblais mesuraient environ trois pieds ; conséquemment la hauteur totale de la chambre était de huit pieds.

« Je n'oublierai jamais le sentiment étrange qui s'empara de moi lorsque je me trouvai dans ce cachot : c'était un mélange de religieux respect et de joie, mais non sans une certaine impression de crainte. Je me trouvais, en effet, au fond de la plus ancienne mine du monde, dans une excavation où probablement aucun mortel n'avait mis le pied depuis le jour où les antiques mineurs égyptiens l'avaient abandonnée, il y a peut-être quatre mille ans ! mais pourrais-je retrouver mon chemin pour sortir ?

« Sur ces entrefaites, mon escorte me rejoignit et dissipa le charme qui me maîtrisait. L'air n'était pas impur, mais tellement sec qu'il gênait très-sensiblement la respiration ; on éprouvait une sensation d'étouffement comme si une main invisible vous eût pris à la gorge.

« Malgré cet inconvénient, je mis mes hommes à fouiller la couche de sable et de débris qui couvrait le sol. Je fis tamiser avec soin les déblais des fouilles ; cette opération produisit une poussière suffocante, à travers laquelle la lumière de nos bougies ressemblait à celle des réverbères pendant le plus épais des brouillards de Londres.

« Nos labeurs furent récompensés par la découverte

« de nombreux éclats ou ciseaux de silex, de marteaux
« de pierre, de fragments de bois appartenant manifes-
« tement à des outils brisés et rejetés comme ne pou-
« vant plus servir ; il y avait aussi beaucoup de morceaux
« de bâtons arrondis de bois d'acacia, qui, de même
« que les restes d'outils de bois, étaient en partie brûlés
« ou carbonisés. On remarquait en outre une grande
« abondance de débris petits et grands d'un coquillage
« bivalve d'eau douce, dont une valve entière permit de
« constater l'espèce ; c'est une grande anodonte ou
« moule d'eau douce, nommée *spatha chaziana*, qui
« vit aujourd'hui dans le Nil. L'enduit nacré de l'inté-
« rieur de ces coquillages brisés était presque aussi
« brillant et aussi parfait que dans le même coquillage
« à l'état vivant, et cependant ils avaient été enterrés
« pendant des milliers d'années. De même, le bois
« retiré des fouilles ne présentait aucun symptôme
« d'altération.

« Cette chambre formait la limite extrême des tra-
« vaux des anciens mineurs. En examinant le mur et
« le toit, on découvrait aisément dans les joints à por-
« tée de la vue un scintillement de turquoises. Le travail
« commencé sur ces joints avait été subitement aban-
« donné. Mur et toit étaient couverts des marques
« d'outil que j'avais remarquées dans les galeries
« d'entrée.

« En comparant ces marques avec les pointes émous-
« sées des ciseaux de silex, nous constatâmes que
« l'outil et la marque correspondaient exactement entre
« eux. Nous voulûmes alors nous rendre compte de ce

« genre de travail. A cet effet, nous cherchâmes à enta-
« mer le grès de la roche avec des ciseaux de silex sur
« lesquels nous frappions légèrement avec des marteaux.
« Les sillons que nous produisîmes par ce procédé
« étaient précisément semblables à ceux des anciens
« mineurs.

« Ces ciseaux de silex sont de diverses grandeurs, le
« plus ordinairement de forme triangulaire, mais termi-
« nés par une pointe que nous trouvâmes toujours
« arrondie et mousse, ce qui indiquait qu'ils avaient
« beaucoup servi.

« A l'extérieur de la mine nous recueillîmes plus
« tard un grand nombre de ces outils de silex; ils se
« trouvaient épars sur les pentes du précipice qui des-
« cend de la mine jusqu'au fond de la vallée; les mineurs
« avaient probablement jeté les instruments hors de
« service, et des pluies torrentielles les avaient ensuite
« entraînés.

« Il est hors de doute que ces mines ont été taillées
« dans le roc avec des ciseaux de silex exclusivement:
« nous avions découvert dans le sol de la salle intérieure
« les instruments mêmes qui avaient servi à la creuser[1].

« On se rappelle que, dans ma description des mines
« de cuivre de Wady-Nasb, j'ai mentionné des marques
« de poinçons ou de ciseaux observées par moi sur les
« parois des anciens travaux d'exploitation. Ces marques

[1] « La roche de la mine se compose de deux couches de grès à gros
« grains, assez friable, d'une teinte jaune sale et taché de plaques
« de couleur de fer, qui indiquent la présence des turquoises. »

« sont absolument semblables à celles des excavations
« de Wady-Magharah ; elles ont été faites, et c'est là un
« fait incontestable, avec les mêmes instruments. Je
« considère comme extrêmement remarquable la cir-
« constance qu'un peuple si expert dans l'art de la fonte
« du cuivre, ainsi que je l'ai établi précédemment, ait
« exploité le minerai avec des outils de silex.

« Les marteaux de pierre recueillis dans les ancien-
« nes exploitations sont de la plus grande simplicité ;
« ils ne paraissent pas avoir été fabriqués sur un modèle
« spécial ; leur forme dépend de celles des pierres que
« l'ouvrier avait choisies. Ce sont en général des pierres
« dont les formes naturelles avaient paru convenir pour
« le travail auquel on les destinait ; ils sont en granit
« grossier, et surtout en dolomite.

« Un de ceux que j'ai trouvés dans la mine montre
« très-distinctement la marque de l'index et du pouce,
« due à la friction prolongée et à l'action du sable qui
« s'interposait entre les doigts et l'outil lorsque l'ouvrier
« travaillait la roche de grès ; d'autres avaient, vers l'une
« de leurs extrémités, une rainure destinée à recevoir
« un manche d'osier tressé. Tel était le *marteau des*
« *Aztèques*, qu'on trouve dans les anciennes mines de
« cuivre du Lac-Supérieur au Canada.

« Les morceaux de bois portant le caractère de
« débris d'anciens outils sont des segments de tiges
« cylindriques très-grossièrement travaillés, de manière à

« finir en pointe conique ; autour du bout le plus large
« est une espèce d'entaille qui semble avoir été obtenue
« en frappant le bois sur quelque outil peu tranchant.
« Nous crûmes au premier abord que ces morceaux de
« bois avaient servi de manches à des ciseaux de silex ;
« mais je suis certain aujourd'hui que ce sont des
« maillets, de forme d'ailleurs exactement semblable à
« ceux dont se servent aujourd'hui les tailleurs de pierre
« et les sculpteurs. Il en existe au Musée britannique
« trois de ce genre, qui proviennent d'un monument
« égyptien, et qui sont, je crois, absolument semblables
« à ceux de la mine du Sinaï. Tous ces maillets étaient
« évidemment destinés à frapper sur les ciseaux de silex
« pour détacher les turquoises, tandis que les marteaux
« de pierre servaient à rompre et à broyer la roche à
« enlever. D'après leur manière de travailler, les mineurs
« suivaient les joints de la pierre, les élargissaient et
« les rendaient plus profonds en taillant l'assise de
« chaque côté de la fente ; la roche cernée par ce travail
« était brisée, et tous les débris gros ou petits soigneu-
« sement examinés et tamisés ; puis les rognons frottés
« sur un grès, de manière que pas une parcelle de la
« gemme bleue ne pût échapper à leurs perquisi-
« tions. »

Nos lecteurs ne trouveront pas trop longue cette intéressante citation. M. John Keast Lord l'a illustrée d'un petit nombre de figures des outils qu'il a recueillis dans les mines. Je reproduis ici les quatre spécimens de silex qui ont servi au travail des mineurs tel qu'il est décrit par l'auteur :

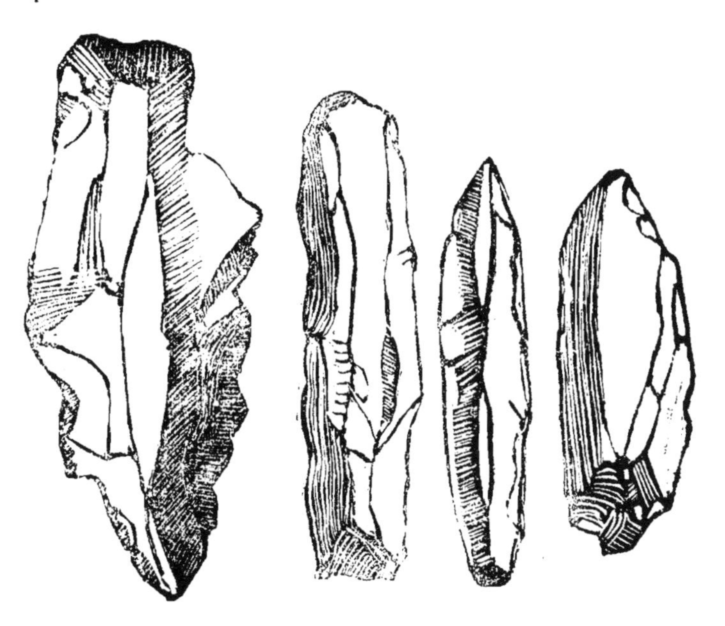

Ce sont des silex éclatés, à plusieurs tailles longitudinales, se terminant tous par une pointe médiocrement aiguë. Ils ont une assez forte épaisseur ; frappés perpendiculairement à leur axe longitudinal avec un maillet de bois, ces sortes d'outils taillent facilement les pierres peu résistantes, telles que le calcaire, le grès, etc. ; on peut même par ce moyen entamer le granit.

Nous trouvons aussi dans la relation de M. J. Keast Lord le dessin des marteaux de pierre qu'il a recueillis dans les mines. Ces instruments étaient façonnés de manière à être fixés sur un manche, et l'on distingue parfaitement dans l'un d'eux la rainure autour de laquelle passait l'osier tressé qui en formait l'emmanchement. On avait sans doute observé qu'un manche élastique était préférable à un manche résistant.

Nous allons à présent suivre l'auteur dans les détails qu'il nous offre sur les habitations des mineurs :

« Entre Wady-Genneh et Wady-Magharah s'élève une haute colline circulaire, presque entièrement isolée des hauteurs qui l'environnent ; elle se termine en une pointe conique, qui, vue d'en bas, semble être tout-à-fait aiguë ; les pentes en sont si inclinées et si âpres, que, sauf par un unique chemin, il est impossible d'y monter. On y arrive à présent au moyen d'un sentier circulaire construit par le major Mac-Donald.

« Au sommet de cette colline sont les restes de ce qui fut autrefois la ville des mineurs ; environ cinquante pieds en contre-bas du pic terminal, qui est à environ 800 pieds au-dessus du niveau de la vallée, se voit une sorte de plateau en partie naturel, en partie nivelé, et approprié par le travail de l'homme à la destination qui lui fut donnée. Il est entouré de tous côtés d'un grossier parapet, bâti de pierres brutes, haut de deux pieds et quelquefois de trois. Au-dedans de ce parapet sont les ruines des maisons. Le village n'était pas sans importance : il comptait plus de deux cents maisons.

« Ces demeures étaient construites avec de grandes pierres non travaillées, simplement empilées les unes sur les autres, sans mortier et même sans argile pour les cimenter. Elles étaient généralement de forme oblongue, quelques-unes cependant circulaires. Il est assez difficile de préciser la hauteur qu'elles devaient avoir, mais j'incline à penser que leur élévation n'excédait pas celle des huttes de boue des Fellahs actuels de l'Égypte, c'est-à-dire environ quatre pieds. Elles étaient probablement couvertes d'un toit ou de branchages et de nattes étendues sur des traverses de bois.

« Ces remarquables demeures, construites en contiguïté les unes des autres, dominaient l'escarpement de la colline ; leurs portes étaient fort étroites ; un homme de stature ordinaire avait juste la place nécessaire pour s'y glisser. Je découvris cependant une maison qui avait eu deux chambres. Elle était un peu en arrière du bord du plateau et occupait ainsi une position dominante ; les murs de l'entrée étaient encore debout ; ils avaient évidemment été construits avec plus de soin que ceux des autres habitations. Les chambres étaient aussi plus grandes ; la première communiquait par un étroit passage avec celle du fond, qui servait probablement de chambre à coucher.

« Sur le bord du plateau qui fait face aux mines de turquoises, les maisons sont groupées plus serré que du côté qui domine Wady-Genneh. Mais sous tous les autres rapports elles sont absolument semblables. L'emplacement de la cité avait été choisi comme excellent au point de vue de la défense. En cas d'attaque des mines, la retraite était facile, et, une fois le plateau atteint, quelques hommes pouvaient y résister à une troupe nombreuse d'assaillants.

« Mais, dans l'état actuel des choses, on ne peut de ce point se procurer l'eau nécessaire à la vie qu'aux puits de Wady-Genneh, qui sont à un mille et demi de distance (2500 mètres). Les anciens mineurs étaient-ils réduits à cette ressource précaire, ou bien existait-il de leur temps des lacs naturels ou artificiels au pied des collines voisines des mines ?

« L'existence de ces lacs ne peut guère faire l'objet d'un doute. Il serait difficile, en effet, de se rendre compte d'une autre manière de la présence des alluvions déposées dans le Wady-Genneh ; l'extrémité supérieure de cette vallée, au pied de l'escarpement granitique, est recouverte d'une couche épaisse de gravier composé de sable fin, mélangé de grains de quartz jaune, rouge et blanc, provenant de la décomposition des grès triassiques. L'eau s'est frayé un chemin à travers ce détritus, de manière à former de chaque côté un mur régulier d'alluvion, qui a sur divers points de huit à neuf pieds de hauteur, tandis qu'à l'extrémité inférieure de la vallée le gravier devient beaucoup plus grossier et mélangé de gros cailloux roulés. C'est dans les alluvions les moins grossières que se rencontrait la moule fluviatile (*chaziana*), dont nous avons parlé plus haut comme ayant servi à l'alimentation des mineurs. Si l'on se refusait à admettre l'existence d'une certaine abondance d'eau douce permanente dans le Wady-Genneh à l'époque des anciennes exploitations, il n'y aurait pas d'autre hypothèse possible que celle de supposer que les grosses bivalves consommées par la colonie industrielle du Sinaï leur étaient envoyées du Nil, qui est à plus de 300 milles de distance (500 kil.). Or, quand on songe aux difficultés de la route et à l'intensité de la chaleur, on reconnaît bien vite qu'une telle supposition est impossible : et l'on est amené à conclure que cette localité, aujourd'hui sans eau, mais encore ravinée de temps en temps par des pluies torrentielles, avait, à l'époque où ses mines étaient exploitées par les anciens Égyptiens, des bassins permanents d'eau douce, que des changements géologiques survenus depuis lors ont entièrement drainés.

« Dans les maisons des mineurs, nous découvrîmes deux têtes de flèche de silex en forme de feuille d'un travail parfait, une pointe de lance, un grand nombre d'éclats et de ciseaux, le tout en silex. On y trouva aussi plusieurs marteaux de pierre semblables à ceux de la mine que nous avons décrits plus haut. Sur le plateau étaient épars un nombre immense de fragments de poterie petits et grands, de qualité et de modèles divers. Quelques morceaux recueillis par moi dans la maison à deux chambres ressemblaient aux plus beaux spécimens de terre cuite, et portaient témoignage de la plus grande habileté dans l'art du potier ; la variété dominante était cependant d'une pâte grossièrement faite, mais recouverte d'une espèce de vernis gris pâle. Une troisième espèce, plus grossière encore, semblait, à en juger par la dimension des débris, avoir appartenu aux vases destinés à apporter l'eau. Enfin nous découvrîmes encore au milieu des ruines plusieurs morceaux de verre, quelques-uns d'une riche teinte bleue, des grains de collier de la même matière et d'autres fabriqués avec des coquilles marines, frottées et percées comme nous en avions déjà trouvé à Sarbut-el-Khadem. »

Si des inscriptions ne fournissaient pas d'indiscutables preuves que les établissements du Sinaï, décrits avec tant de soin et de science par M. John Keast Lord, appartiennent à l'époque historique, combien ne serait-il pas facile de les attribuer à l'âge dit de la pierre : des outils et des armes de pierre et de bois, des ornements grossiers tels que des coquillages percés : pour demeures, des pierres entassées sans mortier ; pour alimentation, des espèces disparues de la localité ; pas un atome de métal ; rien ne manque au tableau. Heureusement il n'y a pas place ici pour les théories des novateurs. Si les mines de Wady-Magharah ont été ouvertes dès les temps des premières dynasties, trente-cinq siècles environ avant notre ère, l'époque de leur exploitation la plus active date de la XIIe dynastie, à en juger par le grand nombre des inscriptions datées dans le règne d'Amenemha III, découvertes auprès des mines et mentionnant les travaux. Elles étaient encore en exploitation sous la reine Hashepsou dont nous avons déjà cité les expéditions lointaines (XVIIe siècle avant notre ère). Peut-être même trouvera-t-on des preuves qu'elles ne furent abandonnées que beaucoup plus tard. Mais, en nous en tenant au XVIIe siècle A. C., et en nous rappelant que même la dernière salle de la mine a été creusée et exploitée avec des outils de pierre, nous constatons avec une entière certitude, à cette époque relativement récente, l'existence de stations présentant les caractères qu'on attribue à l'âge de pierre préhistorique, et nous savons que ces stations ont été occupées par un peuple qui, depuis plus de 2000 ans alors, connaissait l'usage de tous les métaux et avait toutes les habitudes d'un luxe développé par la richesse.

M. J. Keast Lord nous a parlé des flèches et des

lances de silex qu'il a recueillies dans la cité des mineurs. Il ne donne que deux modèles de flèches :

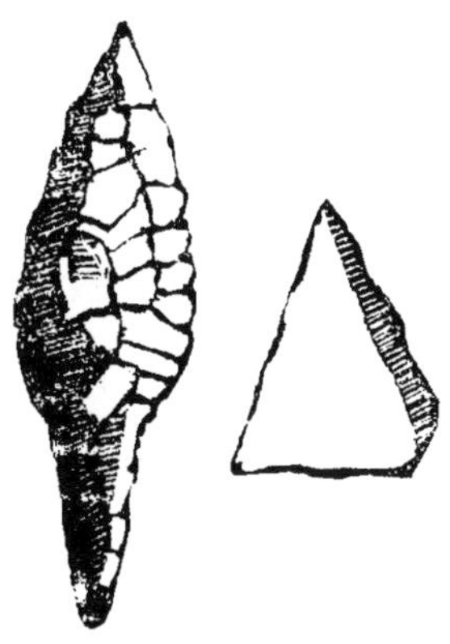

Mais les Musées de l'Europe possèdent aujourd'hui un certain nombre de ces instruments provenant de la même localité. En voici un qui appartient au Musée britannique ; c'est une longue pointe de flèche en feuille de saule. La variété à ailerons, si commune dans nos stations dites de la pierre polie, paraît être beaucoup plus rare en Égypte[1] et au Sinaï. C'est du reste la forme la plus moderne.

M. le docteur Brugsch, qui visita le Sinaï en 1865, trois ans avant le voyage de M. J. Keast Lord, n'eut pas de recherches à faire pour découvrir des armes et des outils de silex, ainsi que des pote-

[1] Le Musée de Boulaq en possède cependant un magnifique spécimen. Voir ci-devant, p. 342.

ries : *Sur le plateau*, dit ce savant égyptologue, *étaient partout répandues des pointes de lances et de flèches en silex, ainsi qu'un grand nombre de tessons de poterie, qui parlaient d'une haute antiquité*[1]. Il ne s'agit pas ici d'un petit nombre d'objets d'usage accidentel, mais d'un outillage complet présentant la même abondance que les stations les plus caractérisées de l'âge dit néolithique.

Le mode primitif d'exploitation des mines dans le rocher, que nous a décrit M. J. Keast Lord, n'est pas absolument sans analogues dans nos contrées ; on trouve la même disposition de couloirs et de salles dans les mines de cuivre de Campiglia en Toscane, ouvertes dès l'époque étrusque : *il y a là des excavations assez grandes pour qu'une maison à six étages pût y tenir à l'aise. Ces vastes chambres communiquent entre elles par d'étroites galeries ou plutôt par de véritables boyaux, où l'on a peine à se glisser*[2]......

La trace de l'outil est encore visible sur la roche, comme si le travail datait d'hier ; la pointerolle a signalé son passage par une série de sillons obliques parallèles de peu d'étendue ; au-dessous s'étend une nouvelle série de sillons, puis une autre, et ainsi de suite. Quand on avait entaillé la roche sur trois faces, celles de devant et d'en haut

[1] *Wanderung nach den Türkis-Minen*, p. 71.

[2] Simonin : *La Vie souterraine*, p. 473. L'auteur parle de tiers d'as de Populonia, frappés avec le cuivre de Campiglia, portant au revers les emblèmes des mineurs. On y aurait trouvé aussi des agates et des cornalines taillées en scarabées et signalant l'origine égyptienne des Tyrrhènes. Ib. 474. (Il serait plus exact de dire : les rapports des Tyrrhènes avec les Égyptiens.)

étant naturellement dégagées, on la soulevait sur sa base avec des coins, des pinces et des leviers [1]. On procédait de la même manière au Sinaï; seulement les portions de la roche, isolées par le travail du silex, étaient, non pas soulevées et enlevées en bloc, mais brisées avec le marteau de pierre.

L'usage du marteau de pierre n'était pas non plus spécial aux mines du Sinaï: *Dans une mine de cuivre, au pied des Asturies, on a trouvé récemment des outils de pierre et un bois de cerf transformé en ciseau..... On a trouvé aussi dans les anciennes mines de cuivre de la province de Cordoue un marteau de pierre. La façon dont il devait s'emmancher se devine quand on le rapproche des marteaux analogues provenant des antiques exploitations de cuivre du Lac-Supérieur et de ceux dont font encore usage aujourd'hui les Indiens du Texas. Ces indigènes emploient comme manche un nerf de bison enveloppé lui-même d'une large bande de la peau de l'animal cousue fraîche. Cette bande fait le tour du marteau par une rainure ménagée sur la partie centrale. La peau, en se desséchant, se contracte, et la pierre, dont les extrémités seules demeurent libres, est serrée dans le manche comme dans une gaîne trop étroite d'où elle ne peut plus s'échapper* [2].

L'auteur éprouve le besoin de s'expliquer l'usage de ces marteaux de pierre et de ces ciseaux d'os, qu'il attribue *aux plus anciens âges de l'humanité* [3]. Cette antiquité doit être, à mon avis, beaucoup moins reculée

[1] Simonin: *Loc. cit.*, 475.
[2] *Ibid.*, p. 480.
[3] *Ibid.*, p. 480.

que ne le pense M. Simonin. Les motifs qui ont déterminé les Égyptiens à se servir du silex pour le travail des mines, eux qui savaient si bien tremper le cuivre, nous dispensent de chercher dans l'ignorance ou dans la pauvreté des mineurs une explication des faits du même ordre.

Les marteaux de pierre d'origine espagnole dont a parlé M. Simonin ont été découverts par M. de Reydellet, ancien ingénieur des mines de Blanzy. M. de Reydellet a bien voulu me donner quelques explications au sujet de ces instruments dont je reproduis ci-contre un spécimen qui provient d'une mine de fer située au lieu dit *Cerro de las Viboras* (*colline des vipères*), près du hameau de Posadilla, district de Fuente Obejuna, province de Cordoue. D'autres ont la forme plus symétrique et présentent plus distinctement la rainure médiane destinée à recevoir le manche de peau ou d'osier, comme le marteau ci-contre trouvé dans les anciennes exploitations de cuivre du Lac-Supérieur en Amérique. Toutefois le marteau du Cerro de las Viboras n'avait pas servi à exploiter le fer. Ayant fait poursuivre une galerie sur la piste des anciens mineurs, M. de Reydellet parvint

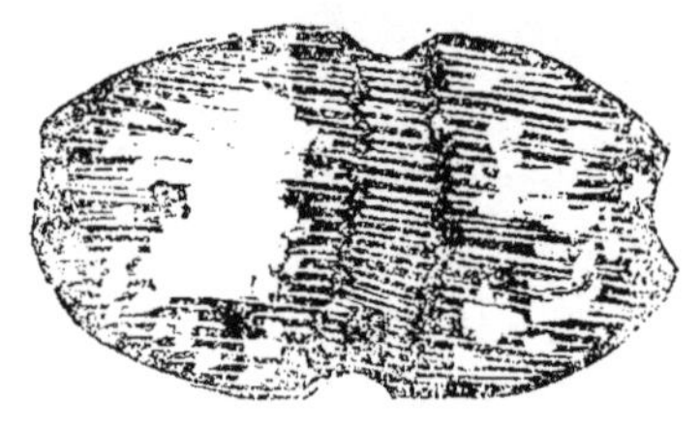

jusqu'à leur front de taille, qui consistait en un minerai de cuivre carbonaté vert; la malachite mouchetait fortement le fer oligiste qui avait déterminé les premières recherches de cet habile ingénieur[1].

Du reste cette mine n'était pas la seule qui portât la trace du travail des Anciens. M. de Reydellet a pu reconnaître une vingtaine de puits inclinés, creusés dans un filon presque vertical qui a fourni du cuivre et du plomb. Aux abords de ces puits abondent les marteaux et les pointerolles de pierre, et les débris d'une poterie noire à grains blancs, dont la texture rappelle celle des poteries que fournissent en si grande quantité les prétendues stations préhistoriques.

M. de Reydellet a étudié avec soin la constitution géologique de la région des anciennes mines qui comprend la *Sierra de los Santos*, située entre le bassin du Guadalquivir et les hautes vallées de la Sierra-Morena. Le relief de cette chaîne est dû en grande partie à des éruptions considérables de porphyre. Cette roche s'y présente dans presque toutes ses variétés depuis les plus dures jusqu'aux plus tendres.

Les parties dures forment des dikes, des arêtes abruptes, qui se brisent en fragments que le ravinement des torrents entraîne et façonne en cailloux roulés de toutes grosseurs. L'abondance de ces cailloux roulés est inimaginable; les mineurs pouvaient y choisir avec la plus grande facilité les morceaux le mieux appropriés à leur travail; un galet pointu se transformait aisément

[1] On voit que ces antiques exploitations avaient le plus grand rapport avec celles du Sinaï.

en pointerolle ; en le frappant sur une pierre servant d'enclume au moyen d'une autre pierre formant marteau, il était facile d'y pratiquer la rainure autour de laquelle le manche devait être fixé . Les marteaux ordinaires avaient la même forme à cela près qu'ils avaient les deux bouts arrondis. Certains outils formaient à la fois marteau et pointerolle ; tel est

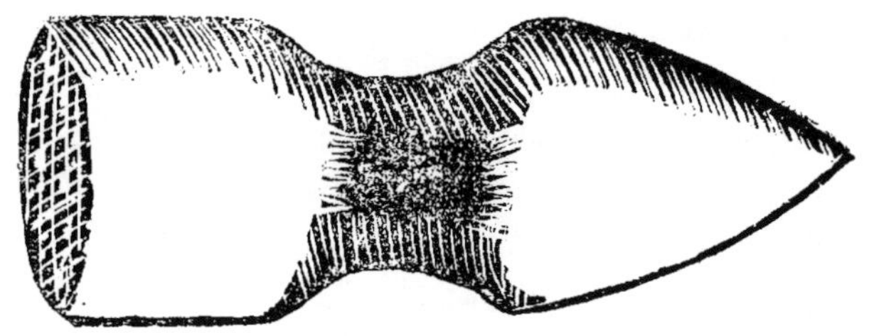

notamment le cas de celui que représente la vignette ci-dessus, qui a près de seize centimètres de longueur et six centimètres de diamètre du côté servant de marteau. La *Sierra de los Santos* n'a pas de silex, mais elle possède des variétés de porphyre qui sont tout aussi dures.

Les pointerolles du Sinaï étaient en silex, mais les marteaux, qui étaient ordinairement de granit grossier, présentent la plus grande analogie avec ceux que nous venons de reproduire. Les deux spécimens ci-dessous

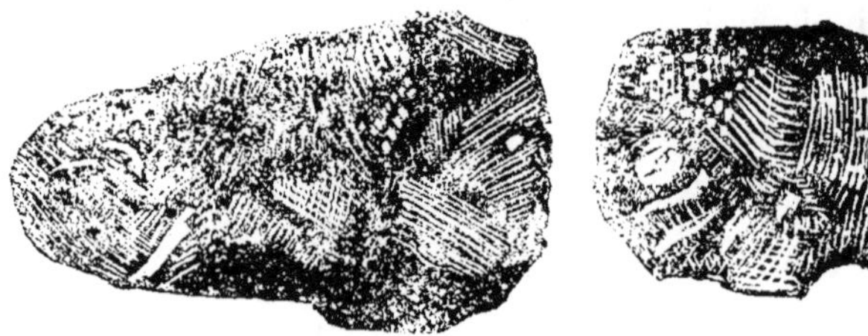

sont pris parmi ceux qu'a recueillis M. John Keast Lord

aux mines de Wady-Maghara et à Sarbout-el-Khadem.

Ce même genre d'outils devait être fort répandu dans tous les pays riches en gîtes métalliques. En voici un qui a été trouvé en Sardaigne, aux environs de Cagliari. M. le chanoine Spano, qui l'a publié [1], fait remarquer qu'il en existe un semblable dans le musée Kircher à Rome, et qu'on en a trouvé de pareils dans la République argentine, près de San Luis. On les retrouve jusque dans les dolmens. M. Grenot a découvert dans les débris des monuments mégalithiques du Souc'h, au sud de Plouhinec, des galets méplats sur lesquels on avait pratiqué des en-

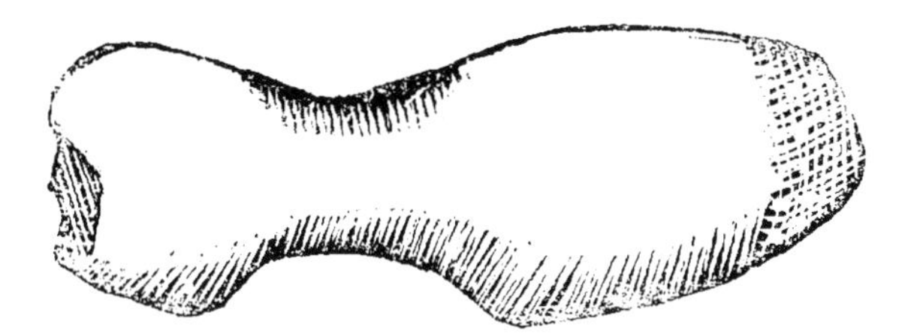

tailles latérales, et qui rappellent très-exactement les outils des mines d'Espagne trouvés par M. de Reydellet [2].

Le travail des mines de métaux, opéré à l'aide d'outils de pierre, est un fait très-remarquable, surtout quand il est pratiqué par un peuple très-avancé dans la métallur-

[1] *Paleoetnologia Sarda*, p. 24.

[2] Bulletin de la Société académique de Brest, 1871. L'outil de pierre a 15 centimètres de long; il était associé à des marteaux, haches polies, silex éclatés, etc.

gie et très-riche en ressources de toute espèce. Ce n'est que lorsque le métal est devenu très-abondant et moins dispendieux que, peu à peu, l'on a dû renoncer à l'usage de la pierre, qui s'est perpétué partout jusqu'à une époque beaucoup plus moderne qu'on ne le croit généralement. Cet usage a finalement disparu au milieu de nous, et nous l'avons si bien oublié aujourd'hui que nous ne le comprenons plus guère; il nous est apparu naguère comme la révélation d'une époque oubliée, comme l'indice des débuts de l'humanité sur la terre, car nous n'avions pas même su voir l'âge de la pierre qui dure encore chez un grand nombre de tribus des Indiens de l'Amérique et de l'Océanie. Ce n'est que depuis peu d'années que l'attention s'est portée sur cet ordre de faits. Les savants américains recueillent à présent avec le plus grand soin tous les instruments de cet outillage, et leurs collections sont déjà riches en enseignements. Elles nous mettent sous les yeux l'emploi simultané de l'outil de pierre et de l'outil de métal, fait qui s'est certainement produit dans l'antiquité plus habituellement encore que de nos jours.

M. J. Keast Lord avait découvert à Sarbout-el-Khadem, dont il visita les mines de cuivre avant celles de Wady-Magharah, les mêmes outils de silex et les mêmes marteaux que dans cette dernière localité. Or, les mines de Sarbout-el-Khadem ne portent pas de traces d'exploitation antérieures à la XIIe dynastie. Les Égyptiens en ont commencé les travaux plusieurs siècles postérieurement à l'époque où nous les avons vus construire sur le haut Nil des navires de guerre pouvant naviguer sur la

Méditerranée [1]; quelque étrange que soit ce fait, il faut bien en reconnaître l'exactitude. Nous avons conséquemment la preuve historique que cet outillage de pierre, qui nous semble si impuissant, si misérable, a suffi pour exécuter de très-importants travaux. M. J. Keast Lord a de plus constaté que les inscriptions hiéroglyphiques répandues sur la surface des rochers contigus aux mines ont été gravées avec le poinçon de silex ; une stèle commencée et non achevée, située à l'extrémité nord des mines, lui en a fourni la preuve ; on y voit manifestement que le travail de la taille des signes avait été opéré avec des outils de silex, dont l'ouvrier avait employé les plus petits pour unir les surfaces.

Dans le Wady-Sidreh, à peu de distance des mines, notre voyageur eut l'occasion de fouiller des tombes dont la plupart avaient déjà été ouvertes; une seule était intacte; l'auteur la compare sous le rapport de sa forme à certains monuments druidiques, et surtout à ceux de Dartmoor ; elle se composait de trois galeries de cinquante-sept pieds de longueur, cinq pieds de largeur et trois pieds de hauteur, dont les murs et le toit étaient formés de larges dalles; ces galeries présentaient la disposition des trois branches supérieures d'une croix ; un grand *cairn* de pierres était élevé sur le quatrième côté ; le centre formait un carré soigneusement isolé des galeries au moyen de murs de pierres brutes. C'est là que fut trouvé le squelette d'une femme ayant un collier à

[1] Sous le règne de Papi (VIe dynastie), voir ci-devant, p. 122.

plusieurs rangs autour du cou et un bracelet au poignet. Le corps était couché sur le côté gauche, les genoux reployés de manière à venir presque toucher le menton, et orienté de l'est à l'ouest, la tête étant à l'est.

Les grains du collier étaient en verre de différentes couleurs, depuis la grosseur d'un pois jusqu'à celle d'une forte bille ; mêlées aux grains de verre étaient des coquilles marines, des cowries surtout, aplaties par frottement et percées d'un trou de suspension comme celles qu'avaient fournies les établissements de Sarbout-el-Khadem et la ville des mineurs.

Le bracelet était un anneau de cuivre ou de bronze dont les extrémités se fermaient à ressort.

Sur une autre tombe, voisine de la précédente, on trouva une flèche de silex, à soie, d'un admirable travail [1].

Les Égyptiens employaient aux pénibles travaux des mines du Sinaï, principalement des condamnés ou des prisonniers de guerre. Nous avons dit ailleurs que le peuple que les pharaons frappent de leur hache de guerre à Sarbout-el-Khadem comme à Wady-Magharah porte en hiéroglyphes le nom de , *Ment* ou *Men*. Tel était pour les Égyptiens le nom de la population de la péninsule, et des territoires adjacents de l'Arabie et de la Mer-Morte. Les *Men* contribuaient sans doute pour

[1] M. J. Keast Lord relate d'autres fouilles dans des tombeaux de Wady Feiran, où il a constaté la même analogie avec les monuments druidiques. Ces tombeaux fournirent, comme les autres, des bracelets de métal, des perles de verre et des coquilles percées. Les arabes Towhara, qui habitent aujourd'hui la localité, se servent encore de coquilles percées comme ornements.

une large part au recrutement des travailleurs; mais il est bon de se rappeler que les Égyptiens aimaient à tirer gloire du déplacement des nations vaincues. C'est ainsi, par exemple, que Thothmès I se vante d'avoir fait travailler les Herousbas à l'agrandissement de Thèbes, et qu'Aménophis II conduit jusqu'à Napata en Éthiopie des chefs syriens faits prisonniers au voisinage de l'Euphrate. La population des mines du Sinaï a pu être conséquemment fort mélangée. L'une des plus curieuses découvertes de M. J. Keast Lord est celle de stèles hiéroglyphiques [1], représentant des mineurs munis de leurs outils, ayant une physionomie et un costume fort différents de ceux des Égyptiens figurés à côté. Il est regrettable que ces stèles n'aient pas été publiées. D'après la description que donne ce savant naturaliste, les mineurs, qu'il considère comme des prisonniers, portent de longues barbes en pointe et de hauts bonnets pointus de forme conique. Cette description convient assez à quelques-uns des anciens peuples de la Méditerranée, et notamment aux Turschas (Étrusques) [2]. Les races asiatiques portaient généralement des coiffures rondes liées autour de la tête, et munies d'appendices couvrant le cou. Cependant quelques-uns des Shasous ou Nomades frappés par Séti I à la bataille d'Absakaba ont des coiffures coniques et pointues, telles que celle-ci :  . Mais le plus grand nombre est coiffé de longs bonnets à fonds plats ou plus ou moins ronds, avec des

[1] L'auteur a compté 24 stèles aux mines de Wady-Magharah, dont 13 en relief et le reste en intaille.

[2] Voir ci-devant, p. 303.

franges retombant en arrière, qui sont peut-être des signes de commandement militaire.

Diodore et Agatharchide ont décrit les pénibles travaux des mines d'or exploitées par les Égyptiens entre les confins de l'Arabie et de l'Éthiopie. Le minerai se trouvait dans une roche compacte, qu'il fallait d'abord rendre cassante au moyen d'un grand feu; lorsqu'elle était devenue friable, les mineurs la divisaient avec des ciseaux de fer, la détachaient avec des coins du même métal; puis elle était portée hors des galeries et broyée avec des pilons aussi de fer; les galeries étaient sinueuses et complètement dépourvues de lumière; aussi les ouvriers portaient des flambeaux attachés au front [1].

On retrouve dans cette description l'indication des travaux des mines tels qu'ils se pratiquent encore de nos jours [2]. Mais nous ne savons à quelle date remontent les mines décrites par Diodore. Cet auteur parle expressément d'outils de fer (σίδηρος), mais il appartient à une nation qui n'a pas su voir autour d'elle l'emploi des instruments de silex, et qui certainement n'aurait pas ajouté foi à une relation parlant de semblables outils pour le travail des mines. Diodore aurait, sans la moindre hésitation, rectifié une telle relation et substitué de sa propre autorité le métal à la pierre, de la même manière qu'il a rectifié ce qu'on lui a dit de l'écriture égyptienne et nié que les mots de cette écriture fussent figurés phonétiquement. Il explique très-sérieusement

[1] Diodore: *Liv. III*, 12, 13 et 14.

[2] La lumière attachée à la coiffure est en usage dans les puits des mines de Cornouailles.

que tout est métaphorique dans ce système graphique, et donne pour exemple le signe de l'épervier, qui, dit-il, signifie tout ce qui se fait promptement, celui du crocodile dénotant tout ce qui a trait à la méchanceté, la main droite ouverte les doigts étendus représentant le besoin d'acquérir, etc., etc. Autant de mots autant d'erreurs, et, qui plus est, d'erreurs raisonnées [1].

Il est toutefois fort possible et même fort probable que les anciens Égyptiens ne se soient pas toujours contentés de l'outil de silex pour l'exploitation des mines dans le rocher; ce qu'il nous importe de constater, c'est qu'ils s'en sont servis pour cet usage pendant bien des siècles. Ce qu'il faut retenir encore, c'est qu'il s'agit bien d'un usage égyptien et non de l'industrie arriérée des tribus sinaïtiques, qu'on pourrait dans ce cas considérer comme appartenant encore alors aux prétendus âges de pierre. Tous les outils du Sinaï se retrouvent, en effet, en grand nombre à l'entrée des grandes excavations pratiquées dans le rocher sur le sol de l'Égypte même. M. Mariette-Bey nous affirme ce fait que mieux que personne il a pu étudier sur place, et il se sert de l'expression : *amas de silex*, ce qui nous empêche de songer à des silex accidentels.

D'ailleurs, si les Égyptiens avaient pratiqué chez eux un mode plus perfectionné de creusement, ils n'auraient pas manqué de l'introduire au Sinaï, afin de satisfaire plus promptement et plus facilement leur ardente passion pour les pierres précieuses et les métaux de luxe.

[1] Diodore : *Liv. III*, ch. 4.

La présence des silex taillés, signalée par M. Mariette à proximité des cultures et des centres de population, ne permet pas de supposer que l'emploi de ces instruments fût limité chez les Égyptiens au travail des mineurs, pas plus qu'à celui des momificateurs. Les outils de cette substance, tranchants ou aigus, ne conviendraient généralement pas pour tailler la pierre; l'identité des formes permet de conclure à l'identité de l'emploi; conséquemment il est tout naturel de penser que les Égyptiens de l'époque historique ont fait des grattoirs, des couteaux et des scies de silex le même usage que les populations qu'on croit avoir appartenu à l'époque de la pierre polie.

On ne serait pas juste si l'on exigeait que les monuments et les textes hiéroglyphiques nous montrent clairement les témoignages de ces emplois de la pierre; car on pourrait, à ce sujet, faire avec bien plus de raison le procès de l'antiquité classique, qui n'a su voir nulle part un état de choses si répandu, qui a passé sous silence les cités lacustres de la Suisse, de la Savoie et de l'Italie, et n'a jamais mentionné les grands monuments druidiques de la Bretagne et de l'Angleterre. Le silence de l'histoire n'a donc aucune signification en ces matières.

Du reste, les monuments égyptiens ne sont pas absolument muets. C'est là d'ailleurs une source qui coule toujours et à flots de plus en plus abondants; il est conséquemment très-prudent de ne pas attacher une trop grande importance à son apparente pauvreté dans la question qui nous occupe.

M. Mariette a fait la remarque très-importante que,

dans les tombeaux de l'ancien empire, à Saqqara comme aux pyramides, certains bas-reliefs montrent des ouvriers occupés à tailler du bois avec un outil absolument semblable aux haches de pierre de l'archipel polynésien. La hache des pyramides est figurée en noir, ce qui prouverait qu'elle n'est pas en bronze, ce métal étant toujours représenté en jaune ou en rouge pâle dans les inscriptions ou dans les textes polychrômes.

Mais, si la circonstance de l'inobservation de la couleur conventionnelle ne peut être considérée comme preuve rigoureuse, nous possédons au moins un instrument de pierre dont l'utilisation à une époque récente de la période historique ne saurait faire l'objet d'aucun doute. C'est un couteau de stéatite, de forme analogue à ceux des grands couteaux des Musées de Berlin, de Turin et de Leide, que j'ai cités et figurés plus haut [1]. En voici la reproduction :

L'inscription hiéroglyphiqué qui y est gravée se lit: *Sam oer kherp abou Ptahmès*, ce qui signifie : Le grand Sam, le chef des artistes, Ptahmès. Cet objet ne peut être antérieur à la dynastie des Saïtes.

Cet instrument a donc servi à un personnage du

[1] Voir p. 333 et 334.

nom de Ptahmès (*Enfant de Ptah*), qui remplissait la double fonction de *sam* et de *chef des artistes* à une date qui tombe dans les six premiers siècles avant notre ère[1]. Ce même personnage nous est connu par plusieurs autres monuments, et notamment par deux jolis vases d'albâtre du Musée de Leide, sur lesquels on lit sa légende exactement dans les mêmes termes[2].

Le fonctionnaire appelé *sam* était de l'ordre sacerdotal; il remplissait le rôle le plus important dans la cérémonie des funérailles; c'est lui qu'on voit, agenouillé, prononçant les suprêmes prières devant la momie qui va disparaître pour jamais derrière les portes du tombeau; il préside au sacrifice et fait l'offrande de la cuisse; puis il procède à l'opération mystérieuse de la réouverture de la bouche et des yeux, qui se faisait en approchant de la bouche et des yeux du défunt l'instrument [hiéroglyphe], un doigt de métal, et aussi le petit doigt de la main droite, etc. Pour ces diverses cérémonies, le *sam* changeait d'insignes, prenait ou quittait certains instruments du culte; il se revêtait de la peau de panthère après avoir quitté une espèce de bâton en forme de lance que les textes funéraires nomment le *bâton du palanquin*.

Les *Abous* ([hiéroglyphes]) travaillaient l'or, l'argent et les autres métaux, ainsi que l'ivoire, la pierre

[1] En examinant ce couteau, qui est au Musée britannique (n° 5472), on pourrait peut-être arriver à une détermination plus précise, mais ce serait sans intérêt.

[2] Leemans: *Mon. Egyp.*, *Musée néerl.*, 2e partie, pl. 60, nos 299 et 305.

et le bois; sous ce titre général étaient compris les graveurs, les sculpteurs, les ouvriers en marqueterie et en incrustations, les émailleurs et même les peintres. L'outil de pierre a dû servir pour le travail de l'une de ces professions. Ce n'était point seulement un objet de caprice ou de curiosité, mais un véritable outil, disposé pour être saisi par le manche rudimentaire dont il est muni. A ce manche, qui est garni de saillies, une poignée a pu être fixée pour en faciliter la préhension; du côté opposé, c'est-à-dire vers la pointe arrondie de l'instrument, au revers des premières lettres de l'inscription, se trouve une cavité circulaire où l'on peut placer le pouce, soit pour presser verticalement, soit pour tirer l'instrument auquel on pouvait ainsi appliquer les deux mains.

En Égypte l'usage de graver des inscriptions sur les outils paraît avoir été plus répandu qu'ailleurs. Nous avons constaté plus haut [1] cette habitude en ce qui concerne les outils de métal et de bois. En ce qui touche la pierre, on ne peut s'attendre à trouver des inscriptions que sur les objets de pierre polie, comme c'est le cas pour le couteau de stéatite que nous venons de décrire.

Toutefois cet usage n'était nullement exclusif à l'Égypte. M. Dumont a rapporté d'Athènes l'estampage et le dessin d'une hache de pierre serpentineuse, sur une des faces de laquelle on a gravé trois personnages et une inscription en caractères grecs, et à ce propos on a fait, comme on doit s'y attendre d'après les préventions domi-

[3] Ci-devant, p. 76 et sqq.

nantes, l'observation que l'ancien outil a *évidemment* été, *beaucoup plus tard*, quand on a eu complétement oublié *son usage primitif*, transformé en talisman ou pierre cabalistique [1].

Il existe au Musée de Copenhague une hache de pierre polie sur laquelle est gravée une inscription composée de quatre lettres runiques, que je reproduis ici d'après le dessin donné par M. Cazalis de Foudouce [2] :

Encore ici on ne manque pas d'insinuer que l'inscription est récente relativement à la hache. Pour ma part, je ne vois aucun motif de supposer que les choses se soient passées autrement à l'égard des haches de serpentine de la Grèce et de la Scandinavie que pour le couteau de serpentine de l'Égypte, et je m'étonne que, puisqu'il s'agit de caractères grecs et de runes, on n'ait pas pris la peine de nous dire ce que ces inscriptions signifient.

Parmi les antiques du Musée Kircher, à Rome, on montre un couteau-hache en bronze portant une inscription en caractères ressemblant assez à ceux de l'écriture phénicienne, mais que personne, dit-on, n'a pu déchiffrer jusqu'à présent, et l'on émet l'espoir qu'elle dévoilera peut-être un jour quelque chose du mystère

1 Mortillet : *Matériaux*, etc., 1868, p. 9.
2 Trutat et Cartailhac : *Ibid.*, 1870, p. 134.

qui enveloppe les origines premières de l'industrie du bronze[1]. Je crois, quant à moi, que cette inscription révélera toute autre chose; mais je ne la mentionne ici que comme un spécimen particulier des outils antiques portant des inscriptions.

Les hachettes de serpentine et d'autres roches polies ne sont pas absolument rares en Égypte; il en existe de cette provenance dans les collections du Musée de Leide, et les touristes en ont recueilli sur les rives du Nil. Ces objets ont été de tout temps plus recherchés que les silex éclatés ou taillés, qui ne présentent pas au même degré la marque du travail humain; aussi les trouve-t-on aujourd'hui avec moins d'abondance. Je n'ai pas connaissance de découvertes de haches faites dans des circonstances qui permettent d'en évaluer la date. Mais il n'existe aucun motif de supposer que les Égyptiens, qui se servaient de couteaux de pierre polie, n'aient pas à la même époque fait usage de la hachette de même travail. L'attention est portée aujourd'hui sur cette question, dont M. Mariette aura sans doute l'occasion prochaine de nous donner la solution.

Mais nous retrouvons, en ce qui concerne les armes, les traces historiques de l'emploi du silex; sans parler des flèches nombreuses[2] provenant des garnisons égyp-

[1] A. Rhoné: *Rev. Arch.*, XVI, p. 54. Il existe au Musée d'artillerie de Paris une hache taillée avec son manche dans le même morceau de diorite; le marteau de la hache est sculpté en tête de lion. (*Congrès des Sciences préhist.*, 1867, p. 228.)

[2] On en voit ci-devant, p. 361, trois spécimens, l'un triangulaire, les deux autres en feuille de saule, et un quatrième provenant d'Égypte, p. 342.

tiennes du Sinaï, on trouve en Égypte même des pointes de flèche de silex de formes diverses. M. Prisse en a figuré une dans ses Monuments égyptiens [1] :

Elle est en jonc et armée d'un silex aigu, qui paraît être fixé au moyen d'un mastic; mais la forme la plus remarquable est celle dont le Musée de Leide possède un certain nombre de spécimens [2].

En guise de pointe, ces flèches ont un silex à tranchant, ajusté dans la fente d'un bois dur long de 25 centimètres; ce bois est lui-même fixé dans un jonc d'un centimètre de diamètre. Les ajustages sont maintenus au moyen d'un mastic résineux. Deux pointes de silex aigu, faisant saillie de chaque côté, sont placées au bas du silex principal et retenues par le même mastic. Elles sont évidemment destinées à rendre la blessure plus dangereuse. Voici la reproduction de l'un des dessins que je dois à l'obligeance de M. le docteur Leemans :

Les portions de la tête de flèche demeurées blanches représentent les silex apparents, et les portions hachurées, le mastic qui les recouvre et les consolide; dans quelques-unes les silex latéraux sont un peu moins saillants, et alors la forme de l'ensemble se reconnaît pour parfaitement identique à celle

[1] Pl. 46, fig. 2.

[2] Trois sont figurés dans le grand ouvrage des Mon. Ég. du Musée de Leide, 2e partie, pl. 81.

des flèches avec lesquelles les Égyptiens sont représentés chassant au chien courant, dans des parcs fermés, des animaux de grosse espèce, tels que l'antilope et le bœuf sauvage [1]. L'arc est très-fortement bandé, à en juger par la courbure de ses deux extrémités, et l'archer, tandis qu'il décoche une flèche, tient entre les doigts deux autres flèches; l'artiste égyptien a donné à ces armes la forme , dans laquelle il est impossible de méconnaître celle des flèches de silex par nous décrites, légèrement symétrisées. On la trouve aussi sous la forme plus simple :

 [2]

Cette arme semblerait ne pas avoir une grande force de pénétration, et l'on pourrait s'étonner de la voir employée pour la chasse d'animaux protégés par un cuir épais. Le fait toutefois n'est pas contestable. On aurait pu d'ailleurs faire la même observation à propos des flèches aiguës de silex. La pointe de ces flèches n'est pas toujours très-aiguë; elles ont toutes la surface rugueuse et semblent devoir glisser difficilement. Nous avons toutefois des preuves positives de la puissance utile des silex aigus; un de ces instruments a été découvert dans la grotte des Eyzies (Périgord), engagé dans une vertèbre de renne qu'il avait percée de part en part, après avoir

[1] Prisse. *Histoire de l'Art*, bas-relief de la nécropole de Thèbes, XVIIIe dynastie.

[2] *Denkm.* II, 147, b.

traversé tout le corps de l'animal [1]. M. le professeur Nilson en a rencontré aussi sur le squelette d'un aurochs, et d'autres engagées dans des crânes de cerfs. Ce savant a signalé aussi un crâne humain, trouvé dans une sépulture antique à Tygelsjô, qui était transpercé d'un dard fait d'un andouiller d'élan [2].

Au surplus ces flèches de pierre à tranchant droit ne sont pas spéciales à l'Égypte; on en a découvert d'absolument semblables en Danemark. En voici deux dont je

dois les dessins à mon savant confrère, M. Valdemar Schmidt [3]. Celle qui a conservé son manche provient d'une tourbière: elle est emmanchée dans une fente du bois comme les flèches égyptiennes, mais le mastic est remplacé par une ligature.

On trouve dans les stations supposées préhistoriques de nos contrées des flèches fort analogues; j'en ai moi-même recueilli au camp de Chassey [4]. L'une d'elles, dont

[1] Lartet et Christy: *Sur des figures d'animaux gravés*, etc. Rev. arch. IX, 247.

[2] *Les habitants primitifs de la Scandinavie*, ch. V.

[3] Elles ont été publiées dans Radsen: *Antiq. préhist. du Danemark*, pl. 22, nos 18 et 19.

[4] *Note sur un foyer de l'âge de la pierre polie, découvert au camp de Chassey*, p. 8.

je joins ici le dessin, a été publiée par M. Ernest Perrault, jeune et intelligent chercheur, qu'une mort prématurée vient d'enlever à la science. Voici la description qu'il en donne : « Flèche de silex, d'un modèle remarquable mais rare ; les bords en sont très-finement travaillés ; sa base est amincie et tranchante ; c'est par là qu'on l'introduisait dans le bois qui devait la porter. Cette flèche, au lieu d'être pointue comme c'est l'ordinaire, est terminée par *une partie amincie, à courbe peu prononcée et très-tranchante.* » Je fais remarquer que cette flèche pouvait être emmanchée aussi bien par son bout le plus large que par le plus étroit[1].

Aussi longtemps que l'arc et la fronde ont été les seules armes avec lesquelles on pût combattre de loin, l'homme a dû s'ingénier pour donner à ces engins la plus grande portée possible. La découverte de la poudre à canon les a fait négliger et presque oublier. Nous comprenons difficilement aujourd'hui ce qu'on rapporte de l'extrême habileté des frondeurs des Baléares. Le roi David, lançant son silex juste au milieu du front du géant philistin, nous étonne à juste titre, et l'adresse légendaire de Guillaume-Tell nous semble à peine croyable. Mais ces faits auraient paru moins surprenants chez un peuple qui exerçait les jeunes enfants à l'usage de ces armes, et qui, si l'on en croit Diodore, ne leur

[1] Les Esquimaux chassent les gros oiseaux ou le gros poisson avec des flèches armées d'un bouton obtus. Leurs harpons sont armés d'un bout en os ou en corne. (*Report of the Smiths. Instit.* 1869. 33.)

donnait à manger que le pain qu'ils réussissaient à abattre à coups de fronde[1]. Le génie de l'homme, mis en œuvre par une grande force de volonté, ne connaît presque pas d'obstacles, et, il ne faut pas l'oublier, l'homme antique possédait ce génie au même degré que l'homme moderne.

Les monuments égyptiens et assyriens nous mettent sous les yeux un très-grand nombre de scènes de chasse, où l'on voit bœufs, chevaux, lions, antilopes, etc., percés quelquefois d'outre en outre par des flèches. Aménophis III, grand amateur de la chasse des animaux féroces, tua de ses flèches 102 lions dans les dix premières années de son règne, et transmit ce haut fait à la postérité sur de petits monuments qu'il fit reproduire à un grand nombre d'exemplaires[2]. Que les flèches aient été armées de silex ou de métal, l'arme ne nous semble guère en rapport avec la puissance de l'animal à attaquer, et l'on comprend difficilement qu'elle ait pu avoir la force de pénétration que nous représentent tant de monuments. Cependant le fait ne saurait être révoqué en doute. Lors même qu'il y aurait un peu d'exagération dans les tableaux, il n'en est pas moins certain que c'est à coups de flèches que les anciens tuaient les bêtes féroces. Les Romains, qui n'avaient pas d'archers dans leur armée régulière, se servaient cependant de l'arc pour les luttes d'adresse et pour la chasse. L'empereur

[1] *Bibl. histor.*, V. 17.

[2] Young: *Hieroglyphics*, pl. 13. Mariette-Bey: *Catalogue du Musée de Boulaq*, p. 196. Migliarini: *Catal. Musée de Florence*, p. 87, etc.

Gratien tua un lion d'une seule flèche, mais Ausone trouve le cas surprenant :

> Quod leo tam tenui patitur sub arundine letum,
> Non vires ferri, sed ferientis agunt [1].

On sait que certains arcs, qui prenaient une forme presque ronde lorsqu'ils étaient détendus, devaient par la tension se replier en arrière dans le sens opposé à la courbure; ils acquéraient ainsi une grande force de projection. Les héros de l'antiquité prouvaient leur vigueur exceptionnelle en faisant usage d'arcs que le vulgaire ne pouvait courber. Tel fut le cas de l'arc d'Ulysse, que les prétendants essayèrent vainement d'assouplir avec de la graisse chauffée et qu'aucun d'entre eux ne réussit à tendre [2]. De même, l'arc d'Aménophis II n'aurait pu être bandé *par aucun des guerriers de son armée, non plus que par les rois des nations étrangères, ni par les généraux des Ruten* (Assyriens) [3]. Strabon parle d'arcs au moyen desquels les Éléphantophages de Daraba tuaient les éléphants; pour tirer la flèche il fallait trois hommes, deux desquels, s'arcboutant fortement sur leurs pieds, courbaient l'arc, tandis que le troisième plaçait la corde sur le nerf.

L'usage des flèches de pierre peut s'être continué fort longtemps dans les déserts voisins de l'Égypte. Voici

[1] *Epig.* VI. Le poëte dit dans sa troisième épigramme :

> *Hæc quoque de cœlo vulnera missa putes.*

[2] *Odyssée*, ch. 21.
[3] *Denk.* III, 65, 2.

le dessin réduit d'une espèce de bracelet composé de quatorze flèches enfilées dans un cordon d'or, le tout suspendu à une plaque. Cet objet a été acquis au Caire par M. l'abbé Ancessi, d'un chef arabe qui y attachait beaucoup d'importance :

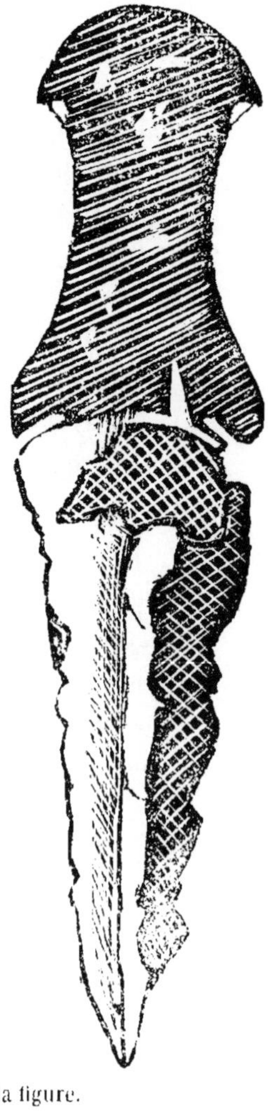

Parmi les armes de pierre d'origine égyptienne qui présentent évidemment par elles-mêmes la trace du travail de l'époque historique, la plus remarquable est une superbe dague de silex pyromaque, qui faisait partie de la collection Hay, aujourd'hui transférée au Musée britannique.

La lame est ajustée dans un manche de bois fort régulièrement taillé. Des débris d'une gaîne de cuir sont encore adhérents à l'arme [1]. On a trouvé en Jutland une pointe de javelot en

[1] Ils sont figurés par les parties quadrillées de la figure.

silex, enveloppée de cuir comme la dague égyptienne: . Cet objet provient d'une sépulture, où l'on recueillit en même temps et dans le même étui de cuir un couteau et un rasoir de bronze avec gaînes de peau, une perle d'ambre, une pierre rougeâtre, une coquille perforée, une queue de couleuvre, une griffe de faucon et un petit cube de sapin[1]. Ce singulier assemblage a fait songer à la tombe d'un sorcier. Quoi qu'il en soit de cette hypothèse, la pointe de silex que nous avons reproduite est un des rares exemples d'instruments de pierre conservés dans des gaînes de peau.

D'autres objets de pierre travaillée se rencontrent encore en Égypte : ce sont des polissoirs discoïdes, des instruments en forme d'un ou de deux doigts accolés, d'autres de forme elliptique, ovoïde, conique, etc. Quelques-uns de ces objets rappellent certains polissoirs des stations dites néolithiques, mais ils ont pour la plupart un caractère particulier. On en trouve qui portent des traces de dorure et même des inscriptions hiéroglyphiques. Mais il est tout aussi difficile d'en deviner l'emploi que de déterminer l'usage de tous les silex ouvrés. De petits instruments de pierre paraissent avoir servi pour la toilette ou pour des opérations chirurgicales. M. Prisse d'Avennes a trouvé à Thèbes et cédé ensuite au docteur Clot-Bey un coffret égyptien contenant quelques vases comme ceux destinés au stibium, et huit

[1] *Musée des Antiquités du Nord, à Copenhague.* Trutat et Cartailhac : *Matériaux*, 1870, 130.

ou dix éclats de silex très-minces, de la grandeur d'une écaille de poisson, qui avaient été soigneusement fixés à de petits manches de cèdre.

Indépendamment des flèches à tête de silex, les Égyptiens se sont servis de flèches à tête d'os. La pointe est toujours assujettie sur un morceau de bois dur, enfoncé lui-même dans un jonc. Voici une de ces flèches avec pointe d'ivoire peint, qui a bien l'apparence d'un objet appartenant à une date assez récente de l'époque historique[1] :

Des instruments analogues, sauf pour ce qui regarde leur ornementation par la peinture, ont été découverts dans les stations de l'âge du renne et de l'éléphant[2]. Il existe des bois tellement durs qu'ils ont pu fournir de véritables pointes de flèche ; on n'en a pas, que je sache, rencontré de spécimen antique, mais les hiéroglyphes nous en montrent clairement l'emploi dans le signe ⟵, qui sert de déterminatif aux bois durs[3].

En définitive, l'Égypte historique nous a déjà prouvé qu'elle faisait usage de tout l'outillage des temps préhistoriques, qu'on croit trop généralement appartenir à

[1] Leemans : *Mon. Egyp.*, IIe partie, pl. 81, n° 31.

[2] Bailleau : *Grotte des fées. Matériaux*, etc, 1869, p. 387. De Vibraye : *L'Augerie*, etc. ; *ibid.*, 1866, 51.

[3] *Denkm.* III, 132, e. : légendes des portes du temple de Qournah. Strabon parle des flèches de bois durci au feu dont les Gymnètes d'Endera se servaient à la chasse (liv. 16).

la barbarie, et dénoter au moins l'ignorance des métaux. Plus on apportera d'attention à cet ordre de recherches, plus l'on découvrira de monuments de cette coexistence des instruments de pierre et d'os, d'une part, et de ceux de métal, de l'autre part. Lorsque M. Mariette-Bey voyait à Abydos les ouvriers de ses fouilles se faire raser et *écorcher* la tête avec un silex, lorsque les Arabes de Qournah lui montraient des lances de Bédouins encore armées de gros silex, il s'est cru transporté dans l'âge de pierre, et il est arrivé à cette conclusion : que l'âge de pierre a vécu en Égypte sous les pharaons, sous les Grecs et sous les Romains, qu'il y a encore vécu sous les Arabes, et enfin que, dans une certaine mesure, il y vit encore.

Ces conclusions, qui sont parfaitement justifiées, enlèvent tout intérêt aux prétendus ateliers paléolithiques sur lesquels on a tant fait de bruit dans ces dernières années. On en a trouvé trois principaux, on en trouvera certainement un bien plus grand nombre où l'on pourra recueillir, à côté de millions de silex éclatés naturellement sous l'effet de la chaleur, quelques-uns des outils que les Égyptiens se sont de tout temps fabriqué avec la pierre. Tout cela tombe dans l'époque historique.

Le fait du silex se fendant avec bruit sous l'action des rayons solaires est aujourd'hui mis au-dessus de toute contestation. Il a été observé par un grand nombre de naturalistes et de voyageurs, et en particulier par MM. Desor, Escher, Fraas, Livingstone, Dr Wetzstein, etc. Cette question a été traitée avec une grande autorité par M. le docteur Lepsius dans le journal égyptologique de Berlin [1]. L'excellente photographie qui accompagne cette dissertation fournit les moyens de comparer les uns aux autres les silex d'éclatement naturel et les silex taillés par un choc intentionnel [2]. Pas plus que nous, le savant allemand n'aperçoit, dans ces prétendues découvertes, l'âge de pierre préhistorique. Dans une lettre insérée au même recueil, M. le docteur Ebers signale l'existence de silex éclatés semblables à ceux de la Vallée des rois, non-seulement dans la vallée d'El-Kab, mais encore dans divers endroits du désert de l'Arabie-Pétrée, à grande distance de l'eau, c'est-à-dire dans des conditions qui excluent l'hypothèse d'une station quelconque. Là, dit M. Ebers, les silex couvraient des centaines de mètres carrés ; ces amas pouvaient représenter ceux que MM. Hamy et Lenormant considèrent comme des ateliers.

Nous étudierons un peu plus loin la question de savoir si l'Égypte est le seul pays où l'outillage de pierre descende très-bas dans l'époque historique; mais, pour en finir avec l'Égypte, nous allons examiner à présent ce que les textes et les monuments nous enseignent relativement à la connaissance du cheval et du chameau dans ce pays à l'époque pharaonique.

[1] *Année* 1871. Nous avons déjà fait beaucoup d'emprunts à cette importante notice.

[2] Il peut y avoir doute sur le silex n° 20 de la planche photographique de M. Lepsius ; mais, lors même que ce silex serait réellement le résultat du travail de l'homme, cette circonstance n'aurait aucune importance en l'état actuel de la question.

CHAPITRE VI

LE CHAMEAU CHEZ LES ÉGYPTIENS.

Les hypogées de l'ancien empire sont le plus souvent décorés de scènes représentant les occupations habituelles des défunts. Ces sortes de tableaux nous ont conservé des informations précieuses sur l'agriculture, l'élevage du bétail, la chasse, la pêche, les arts, les métiers et les jeux en usage à cette époque lointaine. Plus tard, les prières et les cérémonies religieuses prirent la place de ces scènes instructives dont on ne retrouve plus qu'un très-petit nombre d'exemples dans les tombes du nouvel empire.

Pour l'ancien empire elles sont nombreuses, mais roulent presque toujours dans le même cercle : ce serait s'illusionner que d'y chercher un tableau complet des mœurs et des usages des Égyptiens contemporains.

En ce qui concerne le règne animal, on peut y constater l'existence d'un assez grand nombre d'espèces : mais essayer d'en faire ressortir l'ensemble de la faune de l'époque, en supposant que les animaux non figurés en auraient été exclus, c'est bâtir sur le sable. Les anciens Égyptiens ont connu d'autres espèces animales que celles qu'ils ont représentées, et, qui plus est, ils ont représenté et même nommé des espèces qu'ils n'ont jamais pu voir. C'est ce que démontrent plusieurs monuments fort curieux. Au nombre des animaux que Nehra-si-Num-hotep perce de ses flèches dans une scène de chasse, à Beni-Hassan, et parmi lesquels on voit des taureaux, des lions, des panthères, des antilopes, des lièvres, etc., etc., on remarque l'espèce d'once représentée dans la vignette ci-contre[1] :

Cet animal porte sur le dos une tête humaine coiffée à l'égyptienne, et munie

de deux ailes ressemblant beaucoup à la figuration conventionnelle des anges dans les tableaux religieux. Une collection de monstres encore bien plus merveilleux se voyait au tombeau de Menhotep[2]. En voici la nomenclature :

Le *sak* ([hiéroglyphes]), aux nombreuses mamelles triangulaires, avec tête d'épervier, queue droite, développée en palmier ; il avait les pattes de devant semblables à celles du lion, celles de derrière comme les jambes du cheval :

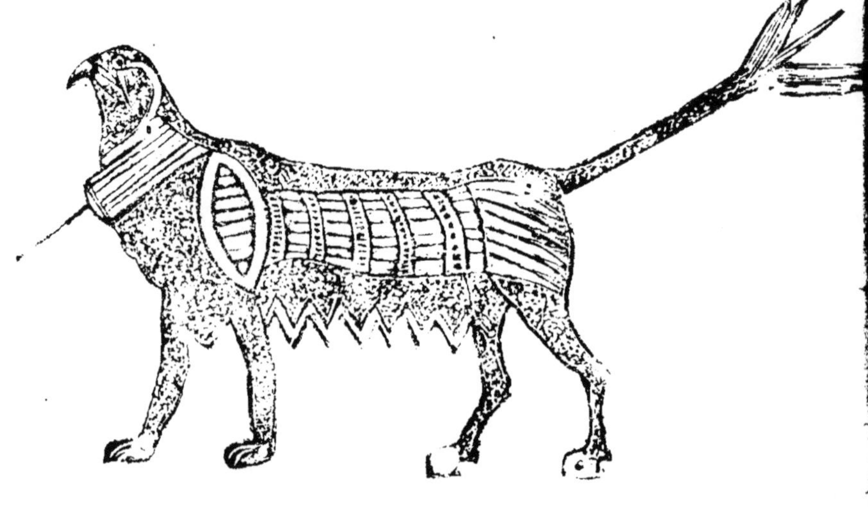

[1] *Denkm.* III, 131. L'animal a la peau tachetée.
[2] Champollion : *Mon. Égyp.*, p. 382.

Cet *icthyothère* était supposé d'humeur assez douce, car la vignette le représente couvert d'une espèce de caparaçon bariolé et le cou lié d'un large collier, auquel est attaché un lien pour le conduire.

Le *sha* ( ), quadrupède à longues oreilles carrées, avait la queue semblable à celle du *sak*.

Le *sedja* ( ), quadrupède à tête de serpent, était muni d'une queue de lion.

Le *safer* ( ) était un quadrupède à tête d'épervier, avec une queue de lion et deux puissantes ailes au dos. On a trouvé ailleurs l'oryx ailé et une espèce de *martichoras* ou de griffon à tête humaine. Tous ces animaux appartiennent évidemment à la famille d'où sont issus les griffons, gardiens de l'or, les hippogriffes, les dragons de trente coudées qui prenaient les taureaux et les éléphants, la gorgone et le catablepe ressemblant à une brebis sauvage, ayant l'haleine infecte, et tuant du seul regard de ses yeux. Un de ces animaux a été vu encore au premier siècle avant notre ère dans l'armée de Jugurtha ; tous ceux que regardait ce monstre tombaient morts ; heureusement qu'un soldat romain réussit à le tuer de loin avec des flèches [1].

Ce serait une lourde tâche que celle d'inventorier toutes les exagérations de cet ordre que le défaut de critique a laissées s'entasser dans l'histoire jusqu'aux époques modernes ; ni le dragon de Winkelried, ni celui de Dieudonné de Gozon, ne sont les derniers

[1] Athénée : *Deipnos.* V, 10.

individus de l'espèce. Dans des ouvrages très-sérieux pour leur époque on voit figurer. au nombre des animaux que produit la Suisse, le *Track* (Drache) et le *Lintwürm*, décrits et représentés avec le même soin que l'ours et le chamois [1].

Ces singulières créations ne sont point exclusivement l'œuvre de l'imagination et de la peur; en les dépouillant de leurs accessoires merveilleux, on retrouverait le type, quelquefois fort simple, dont elles ne sont que l'exagération outrée. Quelques-unes d'entre elles sont probablement d'antiques réminiscences des races disparues ou émigrées. Tels nous apparaissent le *Behemoth* et le *Léviathan* décrits dans le livre de Job [2]. Le premier, qui mangeait l'herbe comme le bœuf, avait les os semblables à des tubes d'airain, des membres comme des lames de fer: sa queue s'agitait semblable à un cèdre; il se tenait au milieu des joncs du marécage, et se riait de la crue des eaux du fleuve, et des eaux du Jourdain se précipitant dans sa gueule.

Quant au léviathan, couvert d'un bouclier d'écailles si bien jointes que l'air ne passait pas entre elles, il lançait la flamme par la gueule et la vapeur par les narines; ni le glaive, ni le dard, ni le javelot, ni la lance ne pouvaient l'entamer: pour lui le fer était de la paille et l'airain un bois pourri; lorsqu'il s'enfonçait dans la mer, il la faisait bouillonner, et derrière lui s'allumait une lueur d'écume blanche. On a proposé de

[1] Johann Stumpff: *Chronick gemeiner loblicher Eidgnossenschaft betreffende*; in-folio, 1546.

[2] Chap. 40.

voir l'hippopotame dans le *behemoth;* mais la comparaison de la queue de l'animal avec un cèdre serait alors singulièrement inexacte. On ne comprendrait pas d'ailleurs que Jehovah prît pour comparaison de la force indomptable l'hippopotame que les Égyptiens chassaient très-habituellement avec la lance et le harpon, et qu'ils entraînaient en lui perçant les narines avec un double crochet de fer. Les mêmes objections s'élèvent contre l'assimilation du *léviathan* avec le crocodile, qui n'est point un habitant de la mer et que les Égyptiens attaquaient et tuaient. Ils prenaient aussi de jeunes crocodiles et les nourrissaient dans les temples, comme symboles du dieu Sébak. Ces sauriens, momifiés après leur mort, étaient ensuite déposés dans les hypogées, où nous les retrouvons aujourd'hui en grand nombre.

Mais il serait oiseux de chercher à ramener à des types connus les animaux prodigieux dont l'antiquité nous a transmis la figure ou la description. Dans l'inventaire de la faune antique, de celle des Égyptiens par exemple, nous devons nous contenter d'enregistrer les espèces manifestement reconnaissables, sans conclure à la non-existence de celles dont nous ne retrouvons ni la figuration, ni la mention. A plus forte raison ne devons-nous pas conclure à cette non-existence lorsque nous n'avons pu consulter que l'une des deux sources d'information, qui sont les monuments et les textes.

Au nombre des animaux domestiques le plus fréquemment représentés sur les monuments, on distingue le bœuf, la chèvre, l'antilope, dont les Égyptiens élevaient de nombreuses variétés; on n'y trouve pas toutefois le mouton domestique à laine souple, et l'on pourrait conclure que cette variété était inconnue à l'Égypte si M. Prisse d'Avennes[1] n'avait pas relevé l'estampage d'un bas-relief de Qournah, qui représente un troupeau de moutons précédé de deux béliers qui luttent :

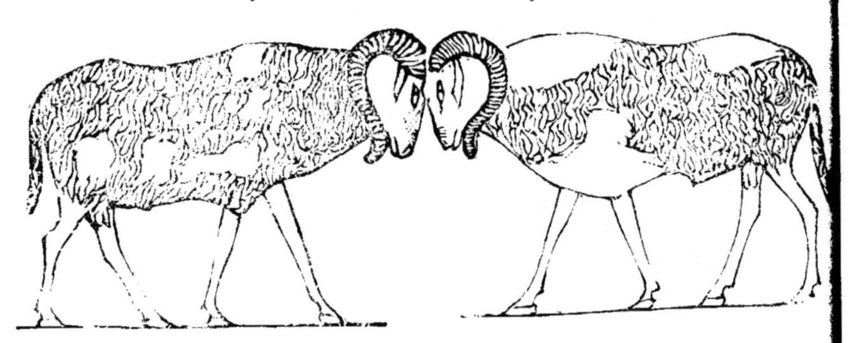

Cette scène provient du tombeau d'un scribe nommé Anna, qui était intendant des vergers royaux et des greniers d'Ammon sous le règne de Thothmès I. M. Brugsch, lors de sa visite au même monument, n'y a plus rien trouvé de remarquable que la liste des cinq cents arbres, appartenant à vingt espèces, qui décoraient le parc de ce personnage[2].

[1] Je dois de chaleureux remercîments à M. Prisse pour ses bienveillantes communications. Ce savant voyageur a su recueillir dans ses voyages en Égypte une foule de documents rares. On sait que c'est à M. Prisse qu'on doit la conservation de la seule scène connue représentant la circoncision. Nous aurons à signaler encore d'autres indications non moins précieuses.

[2] Brugsch : *Recueil*, 36. L'inscription gravée à côté de la liste d'arbres fait bien comprendre les espérances des Égyptiens pour la vie d'outre-tombe : *Qu'il chasse dans ses marais de l'occident ; qu'il se rafraîchisse sous ses sycomores ; qu'il voie ses plantations, ces mêmes belles (plantations) qu'il a faites sur la terre.*

M. Prisse connaît un autre exemple d'une brebis très-exactement représentée. L'agneau est figuré comme déterminatif de son nom, [hieroglyphs], ϩⲉ, *hes*, dans une stèle de basse époque[1], où il est appelé *fils de brebis* ([hieroglyphs], ⲥⲁⲟⲩ, copte ⲉⲥⲟⲟⲩ). Il s'en est toutefois fallu de peu que nous fussions privés de tout renseignement sur la connaissance de ces animaux par les Égyptiens; mais cette connaissance n'en est pas moins un fait certain.

Le porc est très-rarement figuré sur les monuments; cependant c'était un animal que les Égyptiens élevaient en troupeaux. On trouve en effet, mais une seule fois à ma connaissance, le groupe du troupeau déterminé par l'âne et le cochon, [hieroglyphs] [2]; on sait que le déterminatif le plus ordinaire de ce groupe est celui de la chèvre, ou le signe générique des animaux. Mais, si la figuration de l'animal est rare, les mentions textuelles abondent au contraire. Le porc était lié à divers mythes. Dans l'un des incidents de la guerre typhonienne, Set, à bout de forces, se transforma en porc noir[3]; c'est pour ce motif que le *porc odieux à Horus* est souvent cité. La mère du dieu ityphallique Khem était représentée sous la figure d'une truie blanche[4]. Un verrat ([hieroglyphs]) était sacrifié le 24 choiack, à Médinet-Habou. Hérodote et Plutarque donnent au sujet du porc chez

[1] Sharpe: *Eg. Insc.*, 11, 5.
[2] *Denkm.* II, 5, IVe dynastie.
[3] Sharpe: *Eg. Insc.*, 52, 19.
[4] *Stèle Metternich*, voyez Reinisch: *Monuments de Miramar*, p. 177.

les Égyptiens des renseignements qui paraissent assez exacts ; mais Porphyre [1], lorsqu'il affirme que les Phéniciens, les Égyptiens et les Cypriotes s'abstiennent de manger du porc parce qu'il n'y en a point dans leur pays, tombe dans l'une des erreurs si communes dans l'histoire [2].

C'est de même par un unique exemple que l'on peut démontrer que les anciens Égyptiens connaissaient l'ours ; un animal de cette espèce figure parmi les objets apportés en tribut par les Ruten [3]. Il provenait probablement du Liban ou de la Perse. On ne connaît aussi qu'une représentation du cerf. Le zébu de Madagascar, qui ne diffère du bœuf que par la loupe graisseuse de son dos, se reconnaît dans une peinture du tombeau de Benaa à Thèbes [4].

Le chat, qui était un animal domestique des anciens Égyptiens, ne s'est encore rencontré dans aucune des scènes qui illustrent les mœurs intimes de ce peuple ; mais il est souvent employé comme déterminatif de son nom hiéroglyphique, , ⲙⲉⲟⲩ, *meou*, qui est une onomatopée. On sait d'ailleurs que le chat date des plus anciennes époques et se trouve mêlé à des mythes très-importants. C'est pour ce motif qu'on entretenait dans divers temples des chats qui, après leur mort, étaient soigneusement momifiés.

[1] *De abstinentia*, liv. I, 14.

[2] Malgré les prohibitions du Pentateuque, les Juifs élevaient aussi des troupeaux de porcs : *St-Mathieu*, 8, 30 ; *St-Marc*, 5, 11, etc.

[3] Rosellini : *Mon. Reali*, p. 22, 5. Champollion : *Notices*, 509.

[4] Champollion : *Notices manusc.*, 530.

Dans quelques-unes des peintures parvenues jusqu'à nous, les anciens Égyptiens se montrent accompagnés de leurs chiens et de leurs singes favoris, auxquels ils donnaient des noms comme on le fait encore aujourd'hui ; le chat n'y figure jamais [1]. Un autre animal, que les Égyptiens domestiquaient ou tout au moins rendaient très-familier, est l'hyène ; on voit des troupeaux de ces animaux mêlés au bétail des grands domaines ; les régisseurs les présentaient à leurs maîtres ; quelquefois les hyènes sont conduites à la corde. Au tombeau de Shafraonkh (IVe dynastie), une hyène énorme est familièrement saisie par la queue et menée au maître du domaine [2]. Cependant les mœurs de ces animaux étaient les mêmes qu'aujourd'hui. Kadjarti, chef d'Assur, illustra son nom par ses luttes victorieuses contre les hyènes du Liban, longues de deux mètres du nez au talon [3]. Le Papyrus Magique Harris contient des formules pour clore la gueule de l'hyène [4].

Nous ne nous proposons pas de faire ici une étude étendue des renseignements que nous donnent les monuments et les textes sur les animaux connus des Egyptiens ; nous ajouterons seulement que la poule et le coq vulgaires leur seraient demeurés étrangers, si l'on s'en rapportait au témoignage des monuments subsistants. Cependant le signe , si abondant dans les textes

[1] Un joli nom de femme, assez usité chez les Égyptiens, était celui de TA-MEOU, qui signifie *la chatte*.

[2] *Denkm.* II, 11.

[3] *Voyage d'un Égyptien*, p. 22.

[4] Pl. A, fig. 3.

(*voyelle o, ou*), représente un jeune gallinacé. Les coqs qu'on rencontre dans certaines collections égyptiennes sont tous de travail grec.

Ces préliminaires prouvent suffisamment qu'il est nécessaire d'interroger à la fois les monuments et les textes, et montrent que, même lorsque ces deux sources d'informations sont demeurées muettes sur un fait quelconque, ce n'est point une preuve suffisante que ce fait n'a point existé. Cette règle doit être observée dans tous les ordres de recherches, mais elle est surtout indispensable quand il s'agit des choses de l'Égypte, parce que le nombre de monuments inexpliqués, inaccessibles ou restant encore à découvrir est extrêmement considérable, et qu'il faut s'attendre à des révélations nouvelles.

Ces principes établis, nous arrivons à ce qui concerne le chameau chez les Égyptiens.

Cet animal n'est représenté sur aucun des monuments connus ; cette circonstance serait à elle seule une preuve suffisante du peu de valeur qu'il convient d'attribuer à ces indices négatifs. En effet, s'il nous est à la rigueur permis de supposer que du temps de l'ancien empire les Égyptiens pouvaient ne pas connaître le chameau, nous n'avons pas cette liberté pour le nouvel empire et encore bien moins pour l'époque des Lagides. D'après Athénée [1], des chameaux attelés à des chariots figurèrent dans la grande fête donnée par Ptolémée Philadelphe ; d'autres animaux de cette espèce furent exhibés dans la même pompe, avec leur chargement de

[1] *Deipnosoph.*, V, 5.

produits de l'Arabie et de l'Inde, c'est-à-dire d'encens, de crocus, de casse, de cinnamome et d'autres parfums. Le même monarque montra sur le théâtre un chameau tout noir, qui n'eut pas de succès parmi les spectateurs Égyptiens [1].

Si l'on prenait à la lettre les textes de l'Écriture, il ne serait pas possible de douter que les Égyptiens n'aient possédé le chameau, même sous l'ancien empire. Les présents que Pharaon fit à Abraham à cause de Sara consistaient en brebis, bœufs, ânes, serviteurs et servantes, ânesses et *chameaux* [2]. De même, Moïse, réclamant pour les enfants d'Israël la liberté de partir, menace Pharaon d'une peste qui, en cas de refus, frappera subitement les chevaux, les ânes, les *chameaux*, les bœufs et les brebis [3]. Mais il se pourrait que ces énumérations indiquassent simplement l'ensemble du bétail tel que pouvaient le concevoir les Hébreux. Toutefois, si l'Égypte n'élevait pas des troupeaux de chameaux, elle ne pouvait ignorer l'existence et l'utilité de cet animal, puisqu'elle avait pour proches voisins des peuples chez lesquels l'usage du chameau remonte à la plus haute antiquité. Abraham, établi à Hébron, en possédait un troupeau considérable : il en donna dix à son serviteur Eliézer pour transporter en Mésopotamie les présents destinés à la future épouse d'Isaac [4]. Les

[1] Lucien : *Prometheus in verbis*, ch. 4.
[2] *Genèse*, 12, 16.
[3] *Exode*, 8, 3.
[4] *Genèse*, 24, 10.

richesses de Jacob consistaient principalement en troupeaux, en chameaux et en ânes [1]. Lorsqu'il s'enfuit de chez Laban, son beau-père, ce patriarche chargea sur des chameaux ses enfants et ses femmes [2]. Les Ismaélites de Galaad, qui achetèrent Joseph, conduisaient en Égypte des chameaux chargés d'aromates [3].

Chez les Arabes, le chameau semble avoir été de tout temps d'un usage vulgaire. D'après Diodore, cet animal, aussi bien que le dromadaire, leur servait même pour la guerre; dans ce cas, il était monté par deux archers placés dos à dos, qui combattaient l'un dans l'attaque, l'autre dans la retraite [4]. Ce renseignement concorde assez exactement avec un bas-relief de Koyoundjick, publié par M. Place [5], et que reproduit la vignette ci-contre. Toutefois l'Arabe qui est placé sur le devant et qui conduit le dromadaire, ne paraît pas avoir d'armes. Diodore parle encore des 100000 hommes montés sur des chameaux, qui formaient l'un des corps de l'armée de Sémiramis [6].

1 *Genèse*, 30, 43.
2 *Ibid.*, 31, 17.
3 *Ibid.*, 37, 25.
4 *Bib. Hist.* III, 43.
5 *Ninive et l'Assyrie*, pl. 55. Légende : soldats assyriens combattant contre des Arabes montés sur des dromadaires.
6 *Bibl. Hist.*, liv. II, 17.

Les textes égyptiens qui concernent Poun et To-neter, c'est-à-dire l'Arabie, ne contiennent aucune mention relative au chameau, ni au cheval; mais nous avons déjà dit, et nous ne saurions trop le répéter, que ce silence des monuments ne prouve absolument rien. Les écritures cunéiformes peuvent, au moins jusqu'au VIIIe siècle avant notre ère, suppléer à l'insuffisance des hiéroglyphes. Les monuments de Tiglath-Pileser nous apprennent que ce conquérant assyrien, après avoir réduit Gaza et Askalon, vainquit la reine des Arabes qui se nommait Shamshi, et fit un butin considérable dans lequel figuraient 30000 chameaux et 20000 bœufs[1].

A une antiquité moindre, Cyrus et Xerxès eurent aussi des troupes de ce genre[2]. Du reste, les Perses engraissaient et mangeaient le chameau; un chameau tout entier fut cuit, puis servi au grand roi[3].

On peut donc tenir pour démontré que les Égyptiens, qui ont de si bonne heure commercé et guerroyé en Syrie et en Arabie, ont dû connaître le chameau, même dès les temps de l'ancien empire; leurs établissements permanents du Sinaï n'étaient pas très-distants de la contrée des Madianites et des Amalécites, peuples chez lesquels les chameaux étaient, selon l'Écriture, aussi nombreux que le sable des mers[4].

1 G. Smith : *The annals of Tiglath Pileser II*. Journal égypt. de Berlin, 1869, p. 16.

2 *Hérodote* : VII, 86.

3 Athénée : IV, 1.

4 *Juges*, VII, 12. Les Maranes, peuples du littoral de la Mer-Rouge, engraissaient les chameaux et en faisaient des hécatombes aux dieux. Diodore, III, 43.

Or, comme nous l'avons déjà dit, les monuments égyptiens ne nous ont pas encore montré la figure du chameau, pas plus au temps des Lagides et même à l'époque romaine que sous les dynasties nationales [1].

Mais, au moins en ce qui touche le nouvel empire, les textes comblent la lacune laissée par les monuments. Le chameau est mentionné par le Papyrus Anastasi I, où se trouve raconté le voyage d'un aventurier égyptien en Palestine et en Syrie. Des chefs de tribus du Liban lui offrirent du chameau à manger [2]. Dans ce texte le chameau est nommé , **ⲕⲁⲙⲟⲁⲗⲗ**, ce qui est une forme syllabique à voyelles pléonastiques du mot que le copte a conservé sous la forme **ϭⲁⲙⲁⲩⲗ**, *kamaul;* le nom égyptien et le nom hébreu sont les mêmes.

Depuis la publication du *Voyage d'un Égyptien*, j'ai reconnu une désignation du chameau, d'une orthographe un peu différente, dans le groupe , dont on connaissait un petit nombre d'exemples par les papyrus Anastasi du Musée britannique, mais dont la signification était demeurée tout-à-fait conjecturale.

Le texte qui a fixé mes irrésolutions fait partie d'un

[1] Quelques scarabées de mauvais travail offrent la grossière représentation du chameau ; mais ces objets sont d'une authenticité douteuse ; ils appartiendraient dans tous les cas aux derniers temps de la décadence (IIIe ou IVe siècle de notre ère). Un bloc trouvé par M. Lepsius aux pyramides de Begerauieh, en Éthiopie, porte la figure d'un chameau (*Denkm.* V, 28). Ce monument n'est pas antérieur à notre ère.

[2] *Voyage d'un Égyptien*, p. 220.

beau papyrus hiératique de la collection municipale de Bologne, du même type graphique et de la même époque que les Papyrus Sallier et Anastasi [1]. Comme ces derniers documents, le Papyrus de Bologne consiste en un recueil de lettres familières. Je donne ici la transcription et la traduction littérale de la lettre qui parle du :

Le scribe Mahou, de la maison royale du Khopesh ( )[2], dit au scribe Pinem :

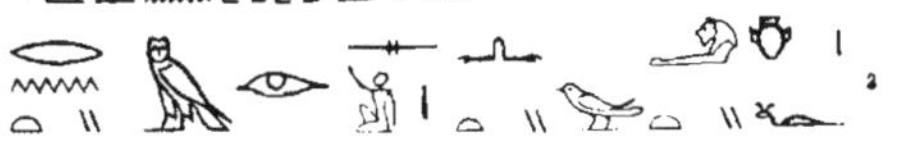 [3]

Ne sois pas un homme sans cœur,

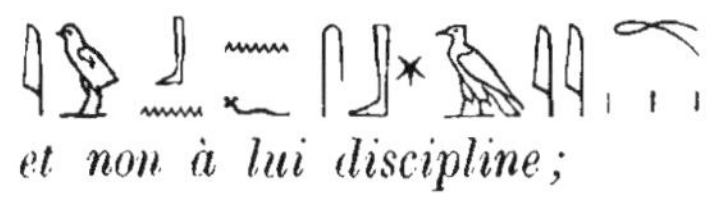

et non à lui discipline;

couché, on t'examine :

veillant, on t'instruit :

mais tu n'obéis pas au jugement.

[1] Ce papyrus provient de la collection du peintre B. Palagi, de même que celui qui contient la curieuse missive que j'ai publiée dans : *Mélanges égyptologiques*, série III, tome I.

[2] La *maison du Khopesh*, c'est-à-dire *de la hache de guerre*, était un atelier pour la fonte et la mise en œuvre des métaux. On y fabriquait les armes et les chars. Voyez *Voyage d'un Égyptien*, 269.

[3] Les deux premiers mots , *c'est que*, *il est que*, commencent un grand nombre de lettres familières ; ici ils signifient *c'est pour te dire ceci.*

Cœur dégoûté ! tu fais ta propre volonté.

Le chameau entend la parole ;

Il est amené de Cousch.

On fait l'éducation du lion ;

on dompte le cheval.

Excepté toi seul !

On ne connaît pas ton pareil parmi les humains !

Oh ! sache cela.

Je fais d'abord remarquer que ce texte, qui date, comme je l'ai expliqué, de l'époque des Ramessides, est d'une simplicité extrême et d'une correction irréprochable ; aucune partie de ma traduction n'est à justifier ; tout au contraire, il nous donne la signification, restée fort douteuse jusqu'ici, du quarantième péché de la Confession négative[1] : , litté-

[1] *Todt.* 125, 32.

ralement : *Je n'ai pas fait mes actes, mes intentions ;* le sens véritable est : *je n'ai pas fait ma propre volonté ; je n'ai pas obéi à mon seul caprice*[1].

La lettre que je viens de traduire est une de ces admonestations d'un maître à un de ses élèves, dont on trouve d'assez nombreux échantillons dans les débris de la littérature de l'Égypte pharaonique ; la puissance de l'instruction et de la discipline en fait le thème fondamental ; le maître montre l'influence de l'instruction même sur les animaux les plus stupides ou les plus indomptables, qu'on parvient à soumettre et à dresser, tandis que tous les efforts peuvent échouer contre les résistances de l'homme volontaire et indiscipliné.

Le document de ce genre le plus anciennement connu parmi ceux qui mentionnent le chameau, se trouve en duplicata dans les Papyrus de la collection Anastasi[2] : c'est une lettre adressée par le scribe Amenemap au scribe Penbésa ; en voici la teneur :

« O scribe, ne t'abandonne pas à la paresse, ou tu
« seras vertement corrigé ; n'adonne pas ton cœur aux
« plaisirs, sinon tu en pâtiras. Le livre dans ta main,
« récite-le de bouche ; raisonne avec les gens qui sont
« plus savants que toi. Sache faire les travaux d'un
« Oer *(un chef, un magistrat)*, tu le retrouveras dans
« la vieillesse : l'homme d'élite, le scribe expert dans
« tous ses travaux devient puissant.

[1] On dit aussi familièrement : *n'en faire qu'à sa tête*. Grâce à ce texte précis, nous comprenons mieux désormais certains titres des dieux et des rois, et notamment celui de Khons-pe-iri-skherou : c'est *Khons qui dirige les intentions et les actes, qui régit les événements*.

[2] *Anastasi* III, 3, 10 : *Anastasi* V, 8, 1.

« Ne fais pas de jour d'oisiveté, ou tu seras frappé;
« l'oreille du jeune homme est sur son dos; il obéit à
« qui le frappe. Que ton cœur écoute la parole, ce sera
« meilleur pour toi. On apprend au chameau à danser;
« on dompte le cheval; on fait nicher le petit oiseau;
« on guide l'aile de l'épervier; telle est la puissance du
« raisonnement.

« Ne néglige donc pas les livres, ne t'en dégoûte pas;
« que ton cœur écoute la parole; tu y trouveras profit. »

Mais le texte le plus curieux de cet ordre fait partie de la collection de Papyrus appartenant au Musée de Boulaq, dont M. Mariette vient de publier une partie. Ce texte donne une appréciation du caractère des animaux bien remarquable pour l'époque, et l'on y trouve de plus la preuve que les Nègres d'il y a trente-deux siècles n'étaient pas inférieurs sous le rapport de l'intelligence à ceux de nos jours. Voici la traduction de ce curieux passage :

« Le taureau réservé, la victime de l'abattoir ne sait
« pas abandonner le sol où il écrase sa nourriture;
« il y reste; il y est dressé par l'action du pâtre.

« Le lion terrible quitte sa férocité; il passe (sem-
« blable à) un pauvre âne.

« Le cheval entre sous son joug; docile qu'il est,
« il se met en route.

« Le chien de chasse, ô celui-là il comprend la
« parole; il marche à la suite de son maître.

« Le chameau porte les marchandises; celle qui fut
« sa mère ne les avait-elle pas portées?

« Les oies descendent en abondance........., elles « s'étouffent dans le filet.

« On instruit le Nègre dans la langue des Égyptiens, « des Syriens et de toutes les nations étrangères.

« Tout ce que je sais faire en toute espèce de travaux, « sois docile, tu sauras le faire[1]. »

Ce paragraphe présente quelques difficultés qui sont dues au style spécial du Papyrus, à un petit nombre de signes illisibles et à deux ou trois mots nouveaux. Voici la phrase relative au chameau :

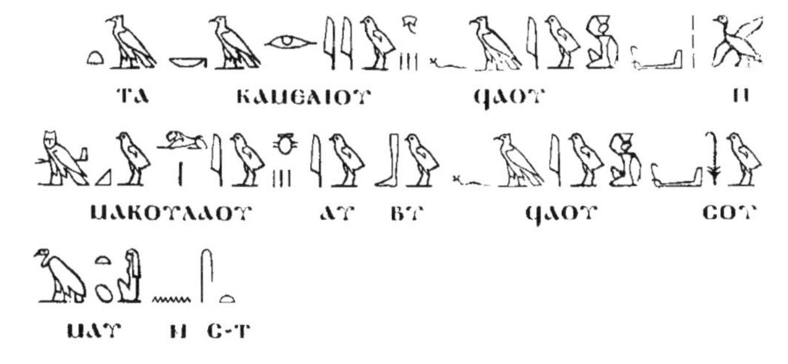

La traduction que j'en ai faite est littérale, sauf pour l'arrangement du dernier membre : *non avait-elle porté cela la mère de lui ?*

Le seul mot qui mérite un examen particulier est celui qui désigne les objets portés par le chameau ; c'est

[1] Mariette : *Pap. de Boulaq*, IV, pl. 22, 23. L'Égyptien met d'habitude le nom du chameau au masculin ; ici il est au féminin, ce qui ne doit pas nous surprendre, puisqu'il s'agit d un nom emprunté aux langues sémitiques. Du reste la même observation peut se faire sur des mots purement égyptiens lorsqu'ils sont employés comme dénominations génériques ou comme expressions de collectivité. Voyez ci-devant, p. 220, note.

[hieroglyphs], ɯⲁⲕⲟⲩⲗⲁⲟⲩ, *maqoulaou*. Ce mot est suivi du signe des vases, qui détermine le nom des objets liquides ou solides qu'on transporte ou conserve dans des vases: il a une physionomie sémitique et paraît appartenir à la racine מכר, *vendidit, negociavit*, qui nomme toute espèce de marchandises, *res venalis*. On chargeait quelquefois les chameaux à la manière des ânes, c'est-à-dire avec deux paniers ou deux grands vases s'équilibrant mutuellement des deux côtés de l'animal; les chameaux de la caravane ismaélite qui acheta Joseph plusieurs siècles avant la date de notre papyrus, étaient chargés d'aromates qui ne pouvaient être contenus que dans des vases.

Le signe [hieroglyph] possède un assez grand nombre de valeurs phonétiques; c'est le cas de tous les déterminatifs génériques, qui peuvent représenter à eux seuls le nom de tous les objets qu'ils déterminent habituellement. Le plus ordinairement [hieroglyph] a le son *er, ir, iri*, ou *el*, *il*, *ili*, comme dans ⲓⲣⲓ, *faire*. ⲉⲣⲱⲧⲉ, *lait*, ⲉⲗⲟⲟⲗⲉ, *raisin*, mots qui sont les mêmes en hiéroglyphes qu'en copte[2]; mais il se combine avec la voyelle *m* dans [hieroglyph], MAA, *voir*, et quelquefois il exprime à lui seul l'idée *voir* et le son *maa;* les deux yeux réunis sont aussi nommés [hieroglyph], MER, et [hieroglyph], MEN; enfin, l'œil sert de déterminatif au son *mar, mal*, dans le mot [hieroglyph],

[1] On trouve dans le papyrus médical de Berlin un groupe assez voisin, qui désigne un médicament provenant d'un végétal croissant sur le bord de l'eau (page IV, 5). C'est évidemment un mot différent.

[2] Aux basses époques l'œil est employé aussi pour la voyelle *i*.

qui désigne l'endroit d'un temple où les statues divines étaient placées lorsqu'on leur faisait des oblations ; ce mot semble composé comme notre expression *ostensoir*. On ne l'a encore trouvé qu'aux basses époques, mais il faut observer que c'est seulement dans les bas temps que les textes nous donnent des détails un peu étendus sur les distributions intérieures des temples. Comme le culte n'a pas varié, les noms des objets importants du culte n'ont pas dû varier non plus. Il y a une très-grande vraisemblance que le mot égyptien MAA, *voir*, était autrefois de la forme MAR, de même que le mot MOU, *mourir*, que le copte a conservé, a eu une forme antique MOUR, MER; la chute de *r* final dans un grand nombre de mots est un fait des mieux établis.

La variante donnée par le Papyrus Anastasi I nous montre que dans le nom égyptien du chameau le 𓁹 remplace le son *maar* ou *maal*, car les Égyptiens ne distinguaient pas l'expression graphique des voyelles *l* et *r* [1]; nous avons vu que l'*œil* pouvait effectivement représenter ce son. Ainsi disparaît toute difficulté pour l'identification phonétique du nom hiéroglyphique avec le nom sémitique du chameau.

En résumant les données de nos textes, nous voyons que le chameau pour les Égyptiens était un animal de charge qui provenait de l'Éthiopie, c'est-à-dire du pays des Nègres, et qui, indépendamment de son utilité, et malgré son peu d'intelligence et sa mauvaise

[1] Ils avaient probablement une articulation intermédiaire, comme c'est le cas en chinois.

tournure, pouvait être dressé pour l'amusement. On lui apprenait à danser, c'est-à-dire à marcher au son de quelque instrument, en se balançant et en se baissant et se relevant alternativement. Le mot [hiéroglyphes], ΚΗΚΗ, *kenken*, qui exprime cette danse du chameau, est très-expressif ; il est déterminé par le signe de la danse et par celui de la voix : en effet, il exprime onomatopiquement le cri du canard dans sa marche lourde et vacillante. La même onomatopée appartient à la langue française, qui l'applique aux bavardages de bas étage et à une danse immodeste. Nous avons vu en France le chameau danser sur nos places au son d'un tambourin ou d'un fifre, mais ces exhibitions deviennent de plus en plus rares.

La danse du chameau a fourni à la langue égyptienne le mot [hiéroglyphes], ΚΑΛΛΑΛΙΚΑΛΛΑΛΙ, fréquentatif qui signifie *faire des courbettes*. Ce mot se rencontre, à l'époque ptolémaïque, dans un texte où il est précédé de plusieurs autres groupes signifiant *danser*, *sauter de joie*, *jongler*, etc. [1] Son déterminatif est le signe de l'homme qui se courbe ; c'est le mouvement auquel il était le plus facile de dresser le chameau ; cet animal se couche entièrement pour recevoir sa charge. Les Arabes, qui s'en servent comme monture, l'ont habitué à se baisser au cri de *abrok* [2].

Ainsi donc nous pouvons conclure en toute assurance

[1] Brugsch : *Recueil*, pl. 72, 1.

[2] Le crieur qui précédait Joseph et proclamait son élévation, criait aussi *abrok* (*Genèse*, ch. 41, 43).

que les Égyptiens connaissaient le chameau et avaient étudié les mœurs de cet animal ; que le chameau était, dans les premiers temps du nouvel empire, amené de l'Éthiopie, c'est-à-dire de la région où il abonde encore de nos jours, de même que le dromadaire; que si, comme on l'a gratuitement supposé, le chameau est originaire de l'Arabie, sa migration en Afrique ne daterait pas seulement des premiers siècles de notre ère, mais bien de quinze à vingt siècles plus tôt. Du reste, rien ne démontre que cette espèce animale n'ait pas existé dans l'Afrique orientale et centrale à une époque aussi reculée qu'en Arabie et en Perse. A dire vrai, l'existence du chameau en Éthiopie vers le XVe siècle avant notre ère est aujourd'hui constatée par des preuves monumentales, tandis que l'antiquité du chameau arabe n'est appuyée par des preuves du même genre que jusqu'au VIIIe siècle.

CHAPITRE VII

LE CHEVAL CHEZ LES ÉGYPTIENS.

Les Égyptiens furent de grands appréciateurs du cheval; ils l'employaient aux mêmes usages que nous; quoique l'usage des chars l'emportât sur celui de l'équitation, celle-ci néanmoins n'était pas négligée; pour un grand personnage, c'était un mérite remarqué que la bonne tenue à cheval. Il existait à l'époque pharaonique des établissements publics où les chevaux étaient élevés et dressés, surtout en vue de leur service à la guerre.

Un grand nombre d'officiers y étaient préposés. En un mot, le cheval jouait un rôle important chez les Égyptiens; aussi les textes qui parlent de cet animal sont-ils extrêmement nombreux.

Avant d'aborder l'examen de ces textes, nous devons rappeler ici le fait très-singulier et déjà tant de fois relaté, que la plus ancienne mention du cheval que nous aient encore livrée les monuments pharaoniques n'est pas antérieure au commencement du nouvel empire. Elle se rencontre dans l'autobiographie d'Ahmès, chef des marins, sur les premières lignes de laquelle M. de Rougé a publié un Mémoire où se trouvent pour la première fois développées les règles sûres de la traduction des hiéroglyphes [1]. Cet Ahmès, dans le récit qu'il donne de ses services sous le pharaon Ahmès I, explique qu'il débuta par remplir la fonction de bas-officier sur le navire *le Veau*; qu'ensuite et après son mariage, il fit partie de l'équipage du navire *le Nord* pendant la guerre; l'un de ses emplois était de suivre le roi à pied lorsque Sa Majesté voyageait sur son char [2].

La guerre dont il s'agit ici est celle qui eut pour résultat la prise d'Avaris et l'expulsion des Pasteurs, qui avaient opprimé l'Égypte pendant plusieurs siècles [3].

1 *Mémoire sur l'inscription du tombeau d'Ahmès, chef des nautonniers.* Paris, 1851.

2 Les tableaux militaires montrent souvent les pharaons voyageant sur leur char, suivis de leur escorte militaire; quelquefois ils combattent debout sur leur char : d'autres fois ils en descendent pour prendre un poste à leur gré.

3 Voir, pour les détails de cette guerre, mon Mémoire intitulé : *Les Pasteurs en Égypte.*

Dans le passage que nous venons de citer le cheval n'est pas nommé, mais nous y trouvons la mention du char de guerre du pharaon. C'est une preuve que non-seulement le cheval était alors connu, mais de plus qu'il avait déjà été employé par paires à l'attelage, et dressé à braver les clameurs des combattants, le tumulte et les violences de la mêlée. Ahmès vivait au XVIIIe siècle avant notre ère; le cheval d'Égypte est donc bien antérieur à cette époque.

Mais, en ce qui touche le cheval, le silence des monuments n'est pas plus significatif qu'à l'égard du chameau. Tout ce qu'il est prudent d'en conclure, c'est que ces animaux n'étaient ni l'un ni l'autre abondants en Égypte du temps de l'ancien empire, et qu'ils n'étaient point encore comptés alors au nombre des animaux domestiques.

Une tradition rapportée par Plutarque [1] ferait remonter la connaissance du cheval par les Égyptiens jusqu'à l'époque mythologique. Horus, interrogé par son père sur la question de savoir quel était l'animal le plus utile à la guerre, aurait répondu : *C'est le cheval, à l'aide duquel on peut atteindre et tuer l'ennemi.* Cette opinion n'est peut-être pas aussi étrangère aux idées égyptiennes qu'on se l'imagine habituellement. Que les Égyptiens connussent l'équitation, c'est ce dont il n'est pas permis de douter; il n'est pas possible non plus de supposer qu'ils n'aient pas utilisé comme monture, au

[1] *Sur Isis et Osiris*, ch. XIX.

temps de l'ancien empire, l'âne alors si abondant chez eux et qu'ils soignaient avec une attention particulière [1].

Cependant la figuration d'un Égyptien monté sur un âne n'a pas encore été rencontrée sur les monuments; mais on y trouve celle d'un ou de deux ânes accouplés, portant dans un siége assujetti sur leur dos un riche particulier qui visite ses domaines; devant l'animal [2] marche le *saïs* armé d'un bâton, et, par derrière, un autre serviteur étend l'ombrelle au-dessus de son maître. A défaut d'âne, les opulents Égyptiens de la même époque se faisaient porter en palanquin sur les épaules de leurs serviteurs; quatre porteurs suffisent parfois [3]; on en voit huit pour le palanquin de Ptahhotep, prêtre de la pyramide d'Assa [4]. Dans une pompe exceptionnelle Snetem-

[1] Plutarque nous apprend, qu'échappé aux coups d'Horus, Typhon s'enfuit monté sur un âne, qui le porta sept jours. *Sur Isis et Osiris*. 19.

[2] *Tombeau d'Oerkhou*, V[e] dynastie. *Denkm*. II, 43.

[3] Nehra-se-Numhotep visitant ses chantiers de construction de barques. *Denkm*. II, 126.

[4] Dümichen: *Resultate*, *etc*. Taf. XIV.

het n'a pas moins de vingt-quatre porteurs [1]. Ce mode de transport subsista, au moins pour les rois, jusque sous le nouvel empire.

D'ailleurs l'usage de monter sur le dos d'un animal est illustré par un passage du *Conte des deux Frères.*

Bataou, le plus jeune d'entre eux, dit à son frère aîné : *Je vais me transformer en un grand taureau ayant toutes les bonnes nuances (un Apis); personne ne saura qui il est; tu t'installeras sur son dos. et, au soleil levant, nous serons à l'endroit où est mon épouse* [2]. Le Conte suppose ici un long voyage effectué à dos de taureau, mais accéléré par la puissance magique de Bataou.

On voit par là que l'emploi des animaux comme monture était parfaitement connu des Égyptiens, et que, quatorze siècles avant notre ère, leurs littérateurs ne croyaient pas choquer les vraisemblances en rapportant cet emploi même aux époques fabuleuses [3].

Il est bien probable toutefois qu'au temps de la plus extrême antiquité, le cheval ni le chameau n'ont été aussi vulgairement utilisés comme bêtes de somme et de monture que l'âne; c'est sur un âne qu'Abraham chargea le bois destiné à l'holocauste dont son fils devait être

1 *Denkm.* II, 78.
2 *Pap. d'Orbiney*, 14, 5.
3 Le *Conte des deux frères* est une œuvre dans laquelle le merveilleux joue un grand rôle. Le pharaon, qui est l'un des personnages secondaires du roman, n'appartient évidemment à aucune des dynasties historiques; le héros principal y figure surtout à l'état de *khou*, c'est-à-dire de mort revivifié: ce serait l'époque des Mânes.

la victime [1]. Pour ramener du blé de l'Égypte, les fils de Jacob menèrent avec eux des ânes [2]. Moïse, revenant de Madian, chargea sur des ânes sa femme et ses enfants [3]. Tel était bien l'usage de l'antiquité; les Asiatiques de Nehra-si-Numhotep (XIIe dynastie) amenaient leurs enfants sur des ânes [4], ainsi qu'on le voit dans la vignette ci-contre. L'énorme princesse de Poun, qui vint visiter l'Égypte sous le règne de la reine Hashepsou, avait aussi la même monture [5].

A propos du chameau, dont la figuration manque sur les monuments de toutes les époques, nous avons trouvé quelques indications dans les textes, mais seulement pour les temps du nouvel empire. Il en est de même pour le cheval dont la représentation abonde à partir de cette même époque. Nous avons dit que la première mention

1 *Genèse*, 22, 3.

2 *Ibid.*, 42, 26.

3 *Exode*, 4, 20.

4 *Denkm.* II, 133; voyez ci-devant, p. 115 et suiv.

5 Ci-devant, p. 158.

connue est celle du char de guerre d'Ahmès I (XVIIe ou XVIIIe siècle avant notre ère), et nous avons fait remarquer que cet emploi du cheval laissait supposer que son acclimatation en Égypte ne devait point alors être de date bien récente. Le pharaon du Conte des deux frères avait des chars de parade pareils à celui sur lequel le pharaon de la Bible fit monter Joseph à une époque qui coïncide avec la fin de la domination des Pasteurs [1].

Le récit de la Bible aussi bien que celui du petit roman égyptien sont richement illustrés par les scènes monumentales. Lorsque les rois sortaient sur leur char pour les fêtes ou les cérémonies publiques, ils étaient ordinairement suivis de la reine, des princes et des princesses, tous également montés sur des chars. Dans la pompe de Khou-en-Aten, à El-Amarma [2], le roi et la reine conduisent eux-mêmes leurs chars et passent devant l'emblème du culte nouveau; leurs chevaux sont lancés au galop; à la suite et sur deux rangs viennent les princes et les princesses; les jeunes princesses ont le pas sur leurs frères; elles sont à deux sur chaque char, et se tiennent debout sur le fond de la caisse du véhicule qui n'est pas fermée par derrière; l'une d'elles, tenant les rênes et le fouet, conduit l'attelage; la seconde se

[1] Probablement sous Ahmès I ou sous l'un de ses prédécesseurs immédiats.

[2] *Denkm.* III, 92, 93.

cramponne à la taille et au bras droit de la conductrice, ainsi qu'on le voit dans la vignette ci-après:

L'extrême jeunesse de la conductrice est caractérisée par sa coiffure. On voit par là qu'au XVIe siècle avant notre ère les Égyptiens étaient extrê-

mement familiarisés avec le cheval. Les simples particuliers l'élevaient et s'en servaient; aussi ne saurait-on contredire le témoignage de l'Écriture, qui constate que les Égyptiens, affamés, livrèrent à Joseph, en échange de blé, leurs *chevaux*, leurs ânes, leurs moutons et leurs bœufs [1]. Les petits employés avaient des chevaux pour amener de la campagne les provisions nécessaires à leur ménage [2]. Les hauts fonctionnaires et les riches personnages visitaient quelquefois en char leurs possessions rurales [3]. Le cultivateur employait le cheval à tirer la charrue, ainsi qu'on le voit dans un passage du Conte des deux frères, où il est question de *prendre les chevaux pour labourer* [4]. Toutefois, comme le groupe [hiéroglyphes], ϩⲧⲁⲣ, devenu en copte ϩⲧⲟ, *cheval*, désigne souvent le char, on avait cru pouvoir lui attribuer aussi

[1] *Genèse*, 47, 17.
[2] *Pap. Sallier* I, 7; *Pap. Anastasi* III, pl. 8.
[3] *Denkm.* III, 77.
[4] *Pap. d'Orbiney*, 2, 2.

la valeur d'*attelage*, et, à défaut de preuve directe qu'il s'agissait de chevaux, on admettait qu'il pouvait être question d'un attelage de bœufs ; mais aucune hésitation n'est possible en présence du bas-relief ci-dessous, découvert sur l'une des pierres employées à la construction du temple de Khons [1], qui remonte certainement au moins à la plus brillante

époque des Ramessides, sinon à la XVIIIe dynastie. Dans le tableau des misères qui accablent l'agriculteur, un papyrus rapporte que *le cheval* (ϩⲧⲁⲣ) *meurt en tirant la charrue* [2]. Les textes sont donc bien d'accord avec les bas-reliefs ; mais il faut remarquer ici qu'aucun des monuments examinés depuis que l'attention des savants s'est portée sur l'Égypte ne nous a fourni la représentation du labourage par le cheval : le seul bas-relief illustrant cet usage est une pierre échappée à la dispersion des matériaux d'un monument très-anciennement détruit, et employée comme moellon à la construction d'un édifice plus moderne. C'est encore un nouveau motif de nous tenir en garde contre les déductions que semble suggérer le silence des monuments.

[1] Prisse : *Mon. Égypt.*, 35. Lorsque le mot ϩⲧⲁⲣ signifie un attelage d'animaux autres que les chevaux, il est suivi d'un complément explicatif. Il est d'ailleurs accompagné en ce cas du déterminatif des *meubles*. (*Denkm.* III, 219.)

[2] *Pap. Sallier* I, 6, 5.

Nous avons dit que les chevaux étaient employés de diverses manières aux travaux de l'agriculture. Les grands personnages avaient des écuries spéciales ou *boxes*, appelées , ϣⲙⲙ, *shemem*, auxquelles était préposé un employé particulier nommé le chef des *shemem* [1], qui était quelquefois aussi intendant, , des cavales [2]. Le chef des *shemem* devait visiter l'installation des chevaux tous les dix jours. Les soins les plus vulgaires étaient donnés par les palefreniers ou grooms, nommés , ⲙⲁⲣⲁⲟⲩ; mais le scribe comptable de chaque domaine mesurait chaque jour les rations de grain et de foin et préparait l'eau nécessaire un mois à l'avance [3]. Lorsque les chevaux sortaient, soit pour être attelés, soit pour être montés, ils étaient couverts d'un tapis d'étoffe pour lequel les Égyptiens, qui ne se servaient pas de selle, aimaient à déployer un certain luxe. On les nommait , ϩⲃⲥ ⲛ ϩⲧⲁⲣ, *vêtement de cheval;* il y avait aussi le *vêtement de char* [4], c'est-à-dire un tapis qui recouvrait le fond du char et sur lequel on pouvait s'asseoir, les pieds pendants, lorsque le char était arrêté ou lorsqu'on avait un cocher.

1 *Pap. Sallier* I, 4, 10. *Denkm.* III, 276.

2 *Ibid.*

3 *Pap. Sallier* I, 4, 8.

4 *Pap. hiérat. de Turin*, 158; Pleyte et Rossi: *Les Pap. hiérat. de Turin*, pl. 8, *in fine*.

Nous possédons un nombre considérable de représentations des chars de parade et de guerre des anciens Égyptiens ; il est inutile de nous étendre sur ce chapitre, mais les monuments de l'équitation proprement dite sont beaucoup plus rares. Le plus remarquable de tous est très-peu connu ; il a cependant été publié et décrit par Rosellini [1], mais d'une manière peu exacte. Ce monument, qui provient de la collection Palagi, constitue aujourd'hui l'une des perles du cabinet de Bologne. Pendant mon séjour dans cette ville savante j'ai pu l'examiner et le calquer à l'aise, grâce à l'extrême obligeance de M. le bibliothécaire Frati. La planche ci-contre le reproduit d'une manière exacte.

Il consiste en un bas-relief de calcaire, de bon travail, mais incomplet et mutilé, et comprend deux registres.

Dans le premier on reconnaît les traces de deux chars égyptiens en stationnement, dont les maîtres sont descendus ; debout, derrière chaque char, un cocher retient les chevaux par les guides, mais en se retournant du côté opposé pour regarder ce qui se passe ou pour surveiller le retour des chefs [2], l'un desquels court à grands pas sur un chemin montant et semble se pencher avec sollicitude sur la scène qui se passe au deuxième registre.

Le personnage principal de ce deuxième registre est un cavalier entièrement nu, qui lance son cheval au galop en

[1] *Monumenti civili*, CXX.

[2] La même disposition de chars et de cochers se voit à El-Amarna. *Denkm*. III, 204.

tenant les rênes de la main gauche et le fouet de la droite. A sa taille il est très-facile de reconnaître un adolescent à peine sorti de l'enfance; devant lui, un personnage, armé d'un bâton de commandement, fait de la main droite un signe à un groupe de porteurs de denrées dont on ne distingue plus que deux; derrière le cheval, quatre manœuvres portent ensemble une grosse et longue poutre; à leur suite on aperçoit encore le bras d'un personnage disparu dans la cassure de la pierre, et qui semble donner des ordres.

Il est aisé de voir qu'il s'agit d'un jeune prince se livrant à l'exercice de l'équitation sous la surveillance de deux hauts fonctionnaires, qui l'ont accompagné en char jusqu'au terrain inégal et encombré, choisi à dessein pour rendre la manœuvre du cheval plus difficile. Le style des figures et de l'exécution décèle un travail de l'époque des Ramessides. Dans l'exercice de leurs fonctions officielles, les grands chefs égyptiens tiennent à la main le même rouleau et les mêmes bâtons que dans le monument de Bologne; c'est ce qui se voit notamment dans les grandes scènes de la campagne de Ramsès II contre les Khétas, où l'on remarque le bâton plus gros à l'extrémité inférieure qu'à celle qui est tenue dans la main, tel que le porte l'officier qui précède le cheval et fait écarter la foule.

Cette scène, unique jusqu'à présent dans son genre, date donc, selon toute vraisemblance, du règne de Ramsès II; c'est aussi cette même époque qui nous a livré l'unique scène aujourd'hui connue, représentant l'opération de la circoncision chez les Égyptiens [1]. Le jeune cavalier du monument de Bologne monte sans étriers et à poil. Tel était l'usage antique chez les Grecs et les Romains ; mais celui de couvrir le cheval d'une pièce d'étoffe , quelquefois reployée sur elle-même pour fournir un siége plus moelleux (*ephippium*), a été pratiqué de bonne heure [2].

Les armées égyptiennes ne comprenaient pas de corps de cavalerie proprement dite, mais certains officiers étaient montés sur des chevaux pour remplir un service qu'on peut comparer à celui des officiers d'ordonnance de nos généraux ; ces cavaliers pouvaient avoir à combattre, et pour ce motif ils étaient armés d'arcs et de flèches. Tel est celui de la vignette ci-contre, qui est représenté galopant à la rencontre d'une troupe de fantassins et de

[1] Voir mon Mémoire sur ce sujet. *Revue archéol.*, 1861.

[2] Voyez ci-devant ce qui est dit des couvertures de cheval p. 422.

chars égyptiens dans le tableau de la bataille de Kodesh sur l'Oronte [1]. L'objet que ce cavalier tient de la main droite est peu reconnaissable et probablement mal copié. Dans le même tableau, un deuxième cavalier, courant dans la même direction, n'est point armé et ne porte aucun insigne. Des

chevaux sans harnachement suivaient le corps des auxiliaires de Ramsès III, sans doute pour faire le même service [2].

Depuis que Rosellini a copié ces bas-reliefs la destruction a continué son œuvre ; les cavaliers ont disparu. M. Lepsius ne les a pas retrouvés lorsque, une vingtaine d'années plus tard, il a étudié les mêmes monuments. Quand ils étaient entiers, les bas-reliefs contenaient sans doute un plus grand nombre de chevaux montés. Dans tous les cas, on aperçoit encore sur différents points du combat et du campement des chevaux libres et d'autres chargés de doubles coffres ou paniers, à la manière des ânes, ce qui démontre que les Égyptiens utilisaient ces animaux de toute manière pour la guerre.

Un troisième cavalier égyptien est encore donné par Rosellini ; il a la même attitude que le précédent, mais

1 Rosellini : *Monum. civili*, p. 87, 2e rangée. Des cavaliers égyptiens étaient employés à la poursuite des ennemis en déroute. Ci-devant, p. 200.

2 Voir ci-devant, p. 304.

il porte derrière le dos un objet qui paraît être un carquois. Une cassure nous prive ici de la partie antérieure du cheval ; mais il en reste assez pour illustrer notre étude spéciale.

Un autre monument de l'équitation chez les Égyptiens se rencontre dans l'ornementation d'une belle hache de bronze, qui faisait partie de la collection d'Athanasi [1]. Le bronze est découpé à jour, comme c'est le cas de plusieurs autres objets de ce genre, et en particulier de la belle hache d'Ahmès I, que nous avons déjà eu l'occasion de citer ; mais toutes les parties du tranchant sont maintenues fortement unies par les points de contact des figures découpées dans le centre. La principale de ces figures est un cavalier sur un cheval lancé

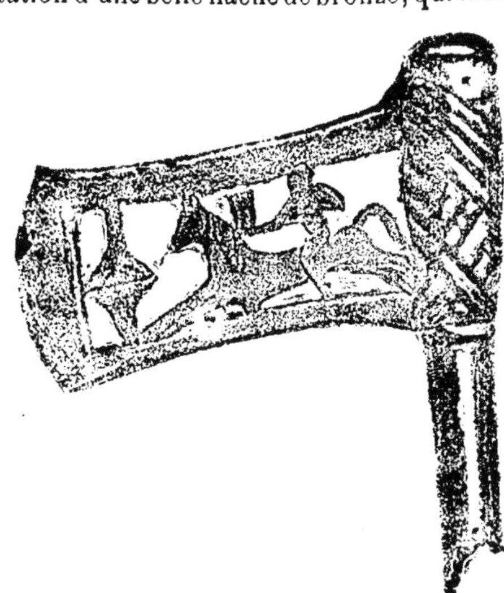

[1] Je suis redevable à M. Prisse d'un excellent dessin de cette arme curieuse.

au galop, et tenant le fouet et les rènes de la main droite; cette scène, qui est parfaitement égyptienne, ne nous suggère aucune remarque nouvelle sur l'objet qui nous occupe.

Les jeunes Égyptiens qui aspiraient à un emploi dans le corps des combattants en char, étaient placés dans des établissements militairement régis, où ils apprenaient la manœuvre du cheval et celle des chars. Les ennuis et les misères de cette carrière ont été exposés avec beaucoup de verve par les scribes, qui recommandaient principalement celle des lettres. C'est ici le cas de faire connaître ces curieuses critiques, qui nous révèlent des détails intéressants. Nous n'en possédons malheureusement qu'un seul texte pour ce qui concerne la carrière de l'officier de cavalerie; encore s'y rencontre-t-il quelques mots embarrassants et probablement fautifs. Aussi la traduction offre-t-elle quelques difficultés. Voici ce que je parviens à y lire [1]:

« Le scribe Amenemhap parle au scribe Penbèsa.
« Voici qu'on t'apporte cette lettre de correspondance.

« Mets ton application à devenir scribe et domine
« les hommes.

« Viens que je te raconte les travaux pénibles de
« l'officier de cavalerie:

« Il est mis à l'École militaire [2] par son père et par
« sa mère;

[1] *Pap. Anastasi* III, page 6.

[2] Voir *Voyage d'un Égyptien*, p. 33.

« Ayant quinze ans[1], il est donné par tous les deux...[2];
« Il va se munir de montures au haras, en présence
« du roi;
« Il prend de bonnes cavales;
« Il est joyeux jusqu'à l'exaltation;
« Il revient avec cela à sa ville natale;
« Il a beaucoup chevauché;
« Il faut qu'il chevauche de nouveau sur-le-champ;
« Il ne connaît pas son destin;
« Il donne ce qu'il possède à son père et à sa mère;
« Il prend un char;
« Son timon est de trois *outen*;
« Le char est de cinq *outen*;
« Il va pour monter dessus;
« Il se met à pied pour frayer la voie;
« Il en prend une;
« Il rencontre des insectes venimeux;
« Il tombe dans des buissons épineux;
« Son pied est blessé par les insectes;
« Son talon est troué par une morsure;
« On a achevé l'inspection;
« Il est comblé de misères;
« Il est étendu sur le sol et frappé de cent coups. »

J'ignore complétement l'intention du passage où il est dit que le timon du char, [hieroglyphs], est de trois *outen*, et le char de cinq *outen*. On ne peut guère songer au prix, qui serait singulièrement bas à moins qu'il ne s'agisse

[1] Le chiffre 15 est douteux, mais il ne peut y avoir que 5 ou 15.
[2] Ici une phrase dont le sens m'échappe: il y a quelque chose comme: *ils se privent de lui.*

d'*outen* d'or ; mais il y aurait d'ailleurs une disproportion inexplicable entre la valeur du timon et celle du char ; l'idée *poids,* que fait naître également le mot *outen*, ne suggère non plus aucune explication satisfaisante : c'est donc là un détail que nous devons nous résoudre à ignorer jusqu'à nouvel ordre ; heureusement il n'intéresse pas directement le sujet qui nous occupe.

Ce qu'il y a d'instructif dans notre texte, au point de vue de l'équitation, c'est la circonstance que le jeune officier de cavalerie ne prend de char qu'après avoir reçu des chevaux sur lesquels il revient chez lui, au sortir de l'école et avant d'être incorporé.

Le haras royal ou dépôt de remonte se nommait en égyptien , *ahaï ;* c'est un mot bien connu ; notre texte nomme , *kaoua-ou*, les chevaux parmi lesquels le jeune homme a pu choisir de bonnes cavales (). Je ne connais qu'un second exemple de l'emploi du groupe *kaoua ;* il se trouve dans un passage du papyrus Anastasi IV[1], qui énumère un grand nombre de produits exotiques, et notamment les chevaux (ϩⲧⲁⲣ) et *les kaoua-ou* excellents, natifs de Saenkar (le pays de *Shin'ar* de la Bible).

Mais ce même mot sous la forme *kou* ou *koou* se rencontre au papyrus de Berlin nº 1 [2] avec le déterminatif de la chèvre ; c'est évidemment dans ce cas le thème antique du copte ⲕⲓⲓ, *hircus, bouc.* Avec la

[1] P. 17, 8.
[2] Lig. 2.

même orthographe on le trouve à Abydos[1] suivi du signe du taureau et de celui du phallus, et remplaçant assez exactement le groupe habituel [hieroglyphs], *ka*, qui désigne essentiellement l'animal reproducteur. Le mot *kaoua* serait donc l'équivalent de notre expression *étalon*, de même que [hieroglyphs], *sesem-tou*, répond à notre mot *cavale;* l'un et l'autre ne doivent point être pris ici à la lettre, mais seulement comme des dénominations poétiques du cheval.

Le mot égyptien qui nomme le galop du cheval est [hieroglyphs], ⲦⲀⲦⲀ, *tata;* c'est un fréquentatif qui rappelle très-bien notre mot *trotter*[2]; il se disait aussi de la *course en char;* mais c'était bien l'action du cheval. Un scribe rappelle en ces termes à son vieux professeur le début de ses études : « *Lorsque j'étais enfant, j'étais près de toi; tu frappais sur mon dos et tes instructions entraient dans mes oreilles; j'étais comme un cheval au galop* (ϩⲦⲀⲠ ϩⲒ ⲦⲀⲦⲀ); *il ne me venait pas envie de dormir pendant la journée; je n'avais pas de sommeil pendant la nuit, etc.*[3] » Les chevaux qui servaient à exercer les cavaliers de l'époque avaient, à ce qu'il paraît, une rude besogne; ils passaient en proverbe. Un moraliste, adressant des objurgations à un de ses disciples qui, passionné pour le mouvement et la dissipation, avait

[1] Mariette: *Abydos*, pl. 53.

[2] L'hébreu a, dans le même sens, le mot דהר, qu'on trouve répété sous la forme *daroth-daroth* pour désigner la course précipitée du cavalier, le grand galop (*Juges*, 5, 22). Toutes ces expressions sont onomatopiques.

[3] *Pap. Anast.* IV, 8, 7.

quitté l'étude et s'était adonné aux voyages et aux promenades, lui dit : « *Tu abandonnes les livres parce que tu es plein de tes jambes comme un cheval du djahabou (manége); ton goût est de sautiller comme un akhi : tes oreilles se dressent : tu es comme un âne recevant la bastonnade; tu es comme un nashesaou qui prend la fuite, etc.*[1]. »

L'expression [hieroglyphs], ⲍⲧⲁⲣ, se prend quelquefois pour désigner le char, exactement comme cela se passe en hébreu pour רכב ; aussi, lorsqu'il est dit d'un pharaon qu'il est *gracieux à* ⲍⲧⲁⲣ, il peut y avoir doute sur la question de savoir s'il faut entendre *gracieux à cheval* ou *gracieux en char;* les scribes ne cherchaient ordinairement pas à spécialiser; ils le font cependant quelquefois, et, dans ce cas, ils expriment la double idée : [hieroglyphs],
solide à cheval, gracieux en char[2].

Les pharaons attachaient un grand prix à la possession de chevaux nombreux, qu'ils faisaient nourrir et dresser dans leurs domaines; la fonction de *préposé aux chevaux du roi*, [hieroglyphs], était fort élevée dans l'ordre hiérarchique. Des fils du roi régnant en ont été quelquefois investis[3]. Il en était de même de

1 *Pap. Anastasi* IV, 1, 5. L'*akhi* est le quadrupède ailé (griffon), ou bien quelque espèce d'oiseau; le *nashesaou* un animal à déterminer. Les Égyptiens aimaient à prendre des comparaisons dans les mœurs des animaux.

2 Ramsès II; *Denkm.* III, 166.

3 *Denkm.* III, 214.

celle de *scribe des chevaux du roi*[1]. Il y avait aussi le *supérieur des chevaux du roi*, [hiéroglyphes], qui était de même un personnage éminent[2]. Des prairies spéciales étaient affectées à la nourriture des chevaux du monarque ; on les nommait [hiéroglyphes], ⲁⲧ-ⲁϩⲧ[3], ce qui signifie littéralement des *non-terres*, c'est-à-dire des champs qu'on ne livrait jamais au labourage ; ces champs ainsi que les chevaux qui y paissaient étaient placés sous la surveillance d'un [hiéroglyphes], ou *supérieur d'atelier* dépendant de la grande intendance royale[4].

Tout naturellement le cheval était très-recherché par les anciens Égyptiens ; il constituait l'un des éléments importants du tribut imposé aux peuples vaincus. A l'époque du commencement du nouvel empire, toutes les nations voisines de l'Égypte, au nord comme au sud, possédaient le cheval. On voit par les inscriptions historiques de Karnak que les peuples qui s'allièrent pour secouer le joug de l'Égypte, sous Thothmès III, avaient des forces d'infanterie et de cavalerie ou de chars. Il n'est pas médiocrement remarquable de reconnaître que la mention du cheval de Naharaïn, par exemple, sur les monuments égyptiens, est presque aussi ancienne

[1] *Denkm.* III, 168 et 183.

[2] *Denkm.* III, 175, 4.

[3] *Pap. Sallier*, I, 9, 2 et 4. [hiéroglyphes] se retrouve dans la particule privative copte ⲁⲧ, et se prononçait de la même manière en égyptien. Cette forme n'admettait pas de *n* finale.

[4] Conf. *Voyage d'un Egyptien*, p. 23.

que celle du cheval égyptien. Ahmès Penneneb, officier qui commença sa carrière militaire sous le même Ahmès I, qui nous a laissé le souvenir de son char de guerre, s'empara, sous Thothmès I, deuxième successeur de ce pharaon, d'un cheval et d'un char de guerre dans une campagne contre Naharaïn [1].

Ahmès, chef de marins, celui-là même qui courait près du premier char égyptien cité sur les monuments, prit aussi en Naharaïn, sur la fin de sa carrière, des chevaux et un char [2].

Les différents peuples de l'Asie en rapports habituels avec les Égyptiens, tels que les Kharou, les Khétas, les Katis, les Rutennou, Naharaïn, Asi, etc., étaient mis à contribution pour leurs chevaux ; les listes de tributs en indiquent toujours la provenance. Sur la stèle d'Amada, en Nubie, qui célèbre en termes pompeux les victoires d'Aménophis II, il est dit que *le roi s'est emparé en un instant des nations qui avaient fondu sur l'Égypte en hommes et en* CHEVAUX, *et qui étaient venues par millions, ignorant que le roi était de l'essence d'Ammon* [3].

Vers le XVIe siècle avant notre ère, les chevaux abondaient dans la Palestine ou Syrie méridionale. Au nombre des prises que Thothmès III fit, après la victoire de Mageddo, figurent 2041 chevaux, 191 poulains, 8 *abiriou*, et en outre de jeunes animaux du

[1] Lepsius : *Auswahl der wichtig. Urk.*, XIV.
[2] *Denkm.* III, 12.
[3] *Denkm.* III, 65, 4.

même genre dont le nombre a disparu dans une cassure[1]; il y eut de plus 924 chars de guerre. Les alliés chananéens, que Josué défit près des eaux de Mérom, avaient, dit l'Écriture, un nombre immense de chevaux et de chars[2]. Sisara, roi de Hatsor, avait des chars lorsqu'il fut vaincu par Deborah, près de Mageddo[3]. Le cantique inspiré, chanté par la prophétesse après la victoire, parle *du sabot des chevaux qui frappèrent le sol dans la course des cavaliers*[4]. Ces deux faits sont les plus anciennes mentions que la Bible fasse de l'usage du cheval en Palestine; ils sont de quelques siècles postérieurs à la guerre de Thothmès III dans les mêmes parages[5]. Il est donc bien certain que le cheval existait en Syrie avant l'époque où il apparaît pour la première fois dans l'Écriture. Il semble cependant que les Hébreux ne l'utilisaient pas communément. Le Deutéronome fait défense au citoyen qui deviendrait roi des Israélites d'entretenir beaucoup de chevaux[6]. Mais Salomon viola

1 *Denkm.* III, 32, 25. [hiéroglyphes], ABIPI-OT. C'est l'hébreu אביר, qui se dit des *taureaux* de la Batanée et d'une race de coursiers forts et rapides. *Juges*, V, 22; *Jérémie*, 8, 16 et 47. 3. Les textes citent les *Abiriou* de Khéta, de Mageddo, etc.

2 *Josué*, ch. 11, 4

3 *Juges*, 5, 28.

4 *Ibid.*, 5, 22.

5 La mort de Jacob n'est guère antérieure à l'époque de Thothmès III. Ce patriarche ne se servait pas du cheval, mais il connaissait très-bien cet animal et son emploi comme monture: *Que Dan devienne un serpent sur le chemin, une vipère dans le sentier, mordant le talon du cheval, et que le cavalier tombe en arrière.* (*Genèse*, 49, 17.)

6 Ch. 17, v. 16.

ce commandement et ne craignit pas d'organiser sa maison à l'égyptienne ; il avait quarante mille attelages de chevaux pour ses chars [1], et des *préposés aux chevaux* choisis exclusivement parmi les Israélites [2]. Les tributaires et les admirateurs de ce prince magnifique lui fournissaient des chevaux et des mulets [3] ; il se forma ainsi un corps d'armée de quatorze cents chars et de douze mille cavaliers [4].

L'Égypte était alors devenue le grand marché des chevaux. Salomon s'y approvisionnait par l'entremise de ses marchands, et devenait ensuite le fournisseur des rois des Hittites et d'Aram [5].

Le texte sacré nous donne à ce propos le curieux renseignement que le prix d'un cheval amené d'Égypte était de cent cinquante pièces d'argent, et celui d'un char de la même provenance de six cents pièces.

Tandis que chez les Égyptiens, depuis le XXe siècle environ avant notre ère, l'usage du cheval se développa et ne fit que s'accroître jusqu'aux derniers Ramsès, un fait tout contraire se produisit chez leurs voisins d'Asie ; la destruction progressive de la puissance des grands états des Ruten (Assyrie) et des Khétas (Syrie septentrionale), par les armes des Thothmès, des Aménophis, des Séti et des Ramsès, fit disparaître les forces considérables de cavalerie qui formaient l'élément

[1] *Rois* III, 4, 26.
[2] *Ibid.*, 9, 22.
[3] *Ibid.*, 10, 25.
[4] *Ibib.*, 10, 26.
[5] *Ibid.*, 10, 28.

principal de leurs armées ; à ces puissantes agglomérations de peuples succédèrent des rameaux démembrés, sans cesse ébranlés par la guerre, chez lesquels l'élevage du cheval perdit toute importance. Aussi le cheval qui, vers le XXe siècle, était vraisemblablement plus commun en Syrie qu'en Égypte, devint au contraire plus rare en Syrie entre le XVIe et le XIe siècle ; c'est pour ce motif que l'Égypte devint, comme nous venons de le dire, le grand marché des chevaux pour la Palestine, Aram et Khéta. Cet état de choses existait déjà à l'époque du séjour des Hébreux en Égypte, car le Deutéronome prévoit et condamne le goût des chevaux par le motif que ce goût pourrait être un motif de ramener le peuple en Égypte [1].

Les armées des peuples d'Asie ne paraissent pas avoir eu de corps de cavalerie proprement dite. De même que chez les Égyptiens, elles ne comprenaient que des

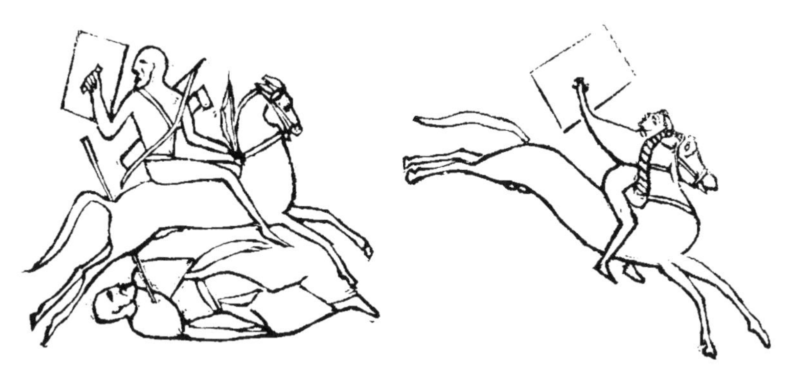

chars. On y voit cependant aussi, comme chez les Égyptiens, quelques cavaliers armés d'arcs et de boucliers, tels que ceux des vignettes ci-dessus, qui représentent des Asqalonites fuyant au travers du champ de

[1] Ch. 17, 16.

bataille[1]. Le dernier n'a plus que son bouclier ; il a jeté ses armes pour être plus libre dans sa course précipitée sur le sol couvert des cadavres de ses compatriotes[2].

Le bas-relief de Karnak, qui représente l'attaque d'Asqalon, nous montre les Égyptiens brisant à coups de hache les portes de la forteresse et escaladant les créneaux au moyen d'échelles. A ce moment suprême, les assiégés descendent par la muraille leurs femmes et leurs enfants, et implorent la pitié du vainqueur.

Mais le vieux chef d'Asqalon a préféré recourir à la fuite ; il s'éloigne, assis sur sa monture à la manière des femmes[3], et fait aux siens un dernier signe d'adieu.

Les Khétas, qui à l'époque de leur prédominance dans l'Asie occidentale avaient dans leur armée des corps de chars de guerre très-nombreux, employaient aussi des

[1] Campagne de Séti I en Syrie.

[2] Je dois ces dessins à l'obligeance de M. Prisse. Le dernier est reproduit inexactement dans Rosellini, *Mon. Civili*, 46, où le cavalier tient dans les mains une espèce de lance, qui n'est qu'une des flèches lancées par les Égyptiens.

[3] *Denkm.* III, 145. Cette manière d'aller à cheval a été usitée dans l'antiquité : *insidere equo*, *muliebriter equitare* ; les hommes la pratiquaient quelquefois.

cavaliers armés et non armés. Ceux de la vignette ci-contre proviennent d'un bas-relief de Karnak représentant un épisode de la campagne de Séti I contre ce peuple, qui résista longtemps aux armes de l'Égypte.

L'un de ces cavaliers porte le carquois garni de flèches ; l'autre semble n'avoir aucune arme. Ils ont été copiés par Rosellini[1] à une époque où la muraille de Karnak était mieux conservée qu'elle ne l'est à présent. Dans le tableau publié par M. Lepsius[2] de la déroute des Khétas et du massacre qu'en fait Séti I, on distingue aussi deux cavaliers fuyant à cheval : l'un est blessé d'une flèche qui lui a pénétré profondément dans la poitrine ; l'autre est coiffé du bonnet rond des Asiatiques, qui manque de l'espèce d'aigrette pointue particulière à la coiffure des Khétas. Sous Ramsès II, la ville de Tapour (*Débir*) faisait partie de la confédération organisée par le même peuple contre l'Égypte. Dans le tableau du siége de cette ville, on voit le roi, en char, poursuivre de ses flèches et repousser vers les portes de la forteresse une troupe d'Asiatiques dans laquelle

[1] *Mon. Reali*, pl. 57. Un autre Khéta à cheval est représenté pl. 110 du même ouvrage.

[2] *Denkm.* III, 130.

se trouvent des cavaliers[1]; la vignette ci-contre représente donc un cavalier philistin à peu près contemporain de Moïse, blessé d'une flèche et fuyant devant le pharaon. On voit qu'il n'est pas possible de le prendre pour un Pélesta (*Pélasge*).

Nous avons dit que l'époque fabuleuse nous a transmis quelques vagues souvenirs de l'usage du cheval[2]. Parmi les monuments originaux qui montrent cet animal en rapport avec la mythologie, un seul appartient à la grande époque pharaonique. Il date du règne de Séti I. Au voisinage du temple qu'il avait fait construire dans le désert de Radesieh pour le service de la colonie des mines d'or, ce pharaon a fait graver sur un rocher un bas-relief où il est représenté faisant une offrande à plusieurs divinités; on voit au second registre de ce bas-relief la déesse figurée dans la vignette ci-contre, qui, montée sur un cheval, brandit de la main droite la

[1] Caillaud : *Voyage à Méroé, etc.*, pl. 73. *Denkm.* III, 166.

[2] Ci-devant, p. 415.

hache casse-tête et tient le bouclier de la main gauche[1]. Cette déesse porte le nom de [hiéroglyphes], AA-OUATI, ce qui signifie la *très-protectrice.* Ouati, la déesse du nord et du To-neter, était regardée comme la protectrice de l'Égypte dans cette direction, tandis que Neneb ([hiéroglyphes]) en était la défense du côté du midi ; c'est pour ce motif que ces deux déesses étaient symboliquement figurées par deux aspics devant la couronne des pharaons.

Nous l'avons dit, ce monument est jusqu'à présent unique; on peut toutefois tenir pour certain qu'il se réfère à un mythe ancien et qu'il n'a pas été improvisé sans précédents au milieu du désert, comme par une inspiration subite; ici encore les monuments ne nous disent pas tout.

Aux basses époques, l'influence des mythes syriens se fit sentir dans les monuments religieux de l'Égypte ; ainsi que nous l'avons expliqué ailleurs, la doctrine sacrée admettait un symbolisme presque sans limites: l'Astarté syrienne, *régente des chevaux*, *maîtresse des chars*, vint prendre place à côté d'Harmachis, d'Hathor et d'Horus [2]. On la voit, à Edfou, figurée avec une tête de lionne, debout sur un char à quatre chevaux, qu'elle fait passer sur le corps d'un Asiatique étendu par terre. Hathor lui fut assimilée dans le même rôle [3]; mais ces

[1] *Denkm.* III, 138. Le graveur a retourné la figure, ce qui montre la droite à la place de la gauche.

[2] Naville : *Mythe d'Horus*, pl. 13.

[3] Dümichen: *Recueil* IV, 36, 9, b.

mythes semblent d'introduction récente; ce sont vraisemblablement des emprunts faits aux cultes syriens.

Nous avons déjà mentionné le fait que les peuples du midi de l'Égypte, compris sous le nom de Coushites ou Éthiopiens, avaient possédé le cheval dès le commencement du nouvel empire; nous n'avons encore ici qu'une indication vague de limite chronologique, car nous ne pouvons rien savoir de l'Éthiopie aux époques antiques que par l'Égypte; or, l'Égypte a négligé de nous parler du cheval sur les monuments de l'ancien empire, et non-seulement du cheval égyptien, mais aussi du cheval syrien, qui n'a pas dû abandonner la Palestine depuis l'âge dit de la pierre [1]. Le cheval a donc pu exister en Éthiopie sans que les Égyptiens nous aient signalé ce fait. Ce que nous savons de bien positif, c'est que Thothmès II (XVIIe siècle avant notre ère) amena du midi des *chevaux*, ainsi que des panthères, des girafes, des éléphants (ou peut-être seulement de l'ivoire), des bœufs, du bois d'ébène et de l'or [2]; ce sont bien les produits de l'Éthiopie et du Soudan. En même temps qu'il recevait du pays de Ruten (l'Assyrie) de magnifiques chevaux entièrement blancs, Amentuonkh (XVe siècle) en faisait venir de Coush d'entièrement rouges [3].

Nous avons longuement parlé des grandes luttes entre

[1] M. l'abbé Morétain a trouvé des dents de cheval dans une couche composée de silex et de débris de cuisine qui fait le fond d'une des grottes de Beth-Saour, près de Bethléhem. (A. Arcelin : *L'Industrie primitive en Égypte et en Syrie.*) Mais ces sortes de dépôts ne sont pas nécessairement d'une date antérieure à l'expulsion des Pasteurs.

[2] Dümichen, II : *Hist. Insch.*, 17.

[3] *Denkm.* III, 116.

l'Égypte et les nations libyennes, d'abord seules, ensuite alliées aux peuples des îles et du tour de la Méditerranée. Nous avons signalé à cette occasion les mentions relatives aux chevaux et aux chars de ces nations [1]; il n'en existe pas jusqu'à présent de plus anciennes traces. On voit dès lors que, pour ce qui concerne l'usage du cheval chez les peuples du nord de l'Afrique, la chaîne historique se rompt pour nous vers le XIVe siècle avant notre ère; mais, encore une fois, l'absence des monuments ne prouve absolument rien; nous ne pouvons attribuer aucune signification à cette limite.

Nous avons vu, dans l'étude des monuments relatifs au chameau [2], que les Égyptiens avaient bien observé la docilité du cheval, qui *entre de lui-même sous son joug et part à l'ordre de son maître.* L'expression *dompter*, *dresser un cheval*, était exprimée en égyptien par [hiéroglyphes] [3], ⲕⲁϩⲗⲟⲩ ⲥⲥⲙⲧ-ⲟⲩ. Ce mot KAHAOU signifiait à la lettre *briser*, *assouplir;* c'était l'action de la baguette de fustigation sur les membres de l'écolier indocile [4]. Le copte l'a conservé dans ⲕⲉϩ, *rumpere*, d'où ⲕⲁϩ-ⲛϩⲏⲧ, *contritio cordis.* Voici quelques autres expressions hiéroglyphiques illustratives de l'emploi du cheval dans l'antiquité pharaonique :

[hiéroglyphes] [5], ⲧⲉⲥ ϩⲓ ⲥⲥⲙⲧ-ⲟⲩ, *monter à cheval.*

[1] Voir ci-devant, p. 200, 249 et 321.
[2] Ci-devant, p. 408.
[3] *Pap. Anastasi* V, 8, 8: *Pap. de Bologne* I, 3, 10.
[4] *Pap. Anastasi* V, 18, 2.
[5] On trouve aussi cette expression avec la préposition [hiéroglyphe].

, ⲧⲉⲥ ⲛⲉ ϩⲧⲁⲣ-ⲟⲩ, *monter en char.*

, ϣⲉⲧ ϩⲓ ⲥⲥⲙⲧ-ⲟⲩ, *se mettre à cheval.*

, *se mettre à cheval ou en char.*

, *sortir à cheval ou en char.*

, ⲥⲥⲙⲧ-ⲟⲩ ⲃⲃⲥⲓ, *des chevaux rapides.*

, *cheval ramassé sur ses jambes* (comme pour s'élancer).

, ⲥⲥⲙ-ⲟⲩ ⲙ ⲁⲧϩⲟⲩ, *chevaux tirant, traînant.*

Les Égyptiens avaient également remarqué la frayeur du cheval à l'approche des grands félins; leurs littérateurs empruntent à cette particularité quelques-unes de leurs comparaisons : *les ennemis, frappés d'épouvante, sont semblables à de jeunes chevaux que surprend un lion furieux* [1]. *Les soldats égyptiens, prêts à attaquer leurs adversaires, sont comme des lions rugissants au milieu d'une montagne habitée par des chevaux* [2].

En résumant cette étude, limitée aux informations des documents aujourd'hui accessibles, nous constaterons les points ci-après :

1° Les Égyptiens ont connu le cheval antérieurement au XVIIIe siècle avant notre ère ; à cette époque ils s'en

[1] *Denkm.* III, 166.

[2] Greene : *Fouilles à Thèbes*, II, 20.

servaient pour des usages tels qu'ils supposent déjà une longue habitude du dressage de cet animal.

2° Les nations asiatiques, depuis la Palestine jusqu'à l'Euphrate, connaissaient le cheval à la même époque et l'utilisaient de la même manière que les Égyptiens; les peuples de l'Asie-Mineure devaient être dans le même cas; on en trouve la preuve dans les tableaux des guerres contre la confédération des Khétas, qui s'étendait jusqu'au nord d'Alep, mais les monuments font défaut au-delà du XVIe ou du XVIIe siècle avant notre ère.

3° Les Coushites ou Éthiopiens et Nègres du haut Nil possédaient aussi le cheval à l'époque contemporaine; pour ce qui les concerne, les preuves monumentales remontent au moins jusqu'au XVIe siècle.

4° Les Libyens et leurs voisins du nord de l'Afrique possédaient aussi le cheval et les chars à peu près à la même époque; mais les monuments qui le prouvent s'arrêtent au XIIIe ou au XIVe siècle.

Mais, nous ne saurions trop le répéter, ces limites supérieures sont le résultat du hasard qui nous a conservé quelques monuments significatifs; il est vraisemblable qu'elles peuvent être considérablement reculées.

La domination des Pasteurs a causé une énorme lacune dans la série monumentale; nous ne saurons peut-être jamais ce que nous auraient appris tant de documents détruits; nous devons donc nous garder de conclure que les Égyptiens, antérieurement à Ahmès I, n'avaient aucune idée du cheval. La supposition qui attribue l'introduction de cet animal en Égypte aux

Pasteurs envahisseurs de l'Égypte ne repose sur aucune preuve, pas même sur la plus légère vraisemblance. Tout au contraire, à en juger par les documents qui nous restent de la lutte des Égyptiens contre les *Mena* ou *Men-ti*, ces Barbares n'avaient ni chars, ni chevaux. Ahmès, capitaine de marins, dont la biographie est si riche en faits importants pour l'histoire, mentionne le char et les chevaux dont il s'empara en Naharaïn; s'il en eût trouvé lors de la prise d'Avaris, qu'il relate expressément, ou dans les combats qui précédèrent cet événement militaire, il n'aurait pas manqué de nous en entretenir[1].

Un indice de l'antiquité du cheval dans l'opinion des Égyptiens de la XIXe dynastie se rencontre au *Papyrus médical de Berlin*. Dans la composition d'une onction ou fomentation ( ), le , *saou*, *qui est sur la cuisse du cheval,* était employé; ceci rappelle les *lichenes equorum* de Dioscoride. La médecine était un art traditionnel en Égypte; des traités médicaux étaient attribués à Athothis, premier successeur de Menès, et à d'autres pharaons des premières dynasties. La singulière prescription qui utilise certaines excroissances de la peau du cheval était assurément alors regardée comme un remède très-ancien. Le commencement du papyrus médical nous manque, et c'est regrettable, car nous y aurions retrouvé la mention du règne auquel la composition primitive était rapportée par le copiste. Nous

1 Voyez mon *Mémoire sur les Pasteurs* où tous ces textes sont discutés.

pouvons du reste en apprécier l'antiquité d'après la date d'un traité médical spécial qui commence à la page 15 du même manuscrit. Ce traité, dit le texte, fut trouvé à Létopolis, sous le règne du roi Ousaphaïdos (Ve roi de la première dynastie, trente-huit siècles avant notre ère); il ne s'agirait ici que de la trouvaille et non de la composition.

Notons encore qu'une magnifique coupe d'argent provenant des ruines de Citium (Larnaca, île de Chypre), et appartenant aujourd'hui aux Musées du Louvre, offre dans son ornementation des sujets égyptiens et d'autres imités de l'Assyrie.

Dans la série des sujets égyptiens on voit un char et divers cavaliers, l'un desquels rappelle fort exactement celui que nous avons représenté p. 425 ci-devant; on y voit aussi un dromadaire mené à la corde, et des oiseaux volants pareils à l'hiéroglyphe 𓅮.

Pour ce qui concerne l'imitation assyrienne, il y a un personnage à quatre ailes frappant un lion; le médaillon du fond est chargé d'étoiles comme certaines briques de Ninive et quelques coupes provenant du palais de Sardanapale II. Un grand nombre d'autres objets antiques témoignent des rapports intimes qui existaient entre Chypre et l'Égypte: nous pouvons donc considérer l'ornementation du vase de Larnaca comme une fidèle représentation de scènes empruntées à l'Égypte contemporaine [1]. Nous la mentionnons parce qu'on y trouve le chameau et des scènes d'équitation.

[1] Le vase n'est pas antérieur au temps des Lagides.

Nous rappellerons, en terminant cette étude, que du sanscrit *açva* on a fait dériver le grec ἵππος, le latin *equus* et même le français *cheval*. Il est tout aussi simple d'en faire dériver aussi l'égyptien *kaoua*, ou de prendre ce mot pour la racine primitive de toute la série. On trouverait ailleurs des motifs de rapprochement suffisants pour rattacher les Égyptiens à la souche aryenne et pour les livrer aux faciles spéculations de la science imaginaire. Les hiéroglyphes se chargeront d'en faire justice. Il peut être intéressant toutefois de faire connaître tous les termes de l'ancienne langue égyptienne qui désignent le cheval ; ce sont les suivants :

, KAOUA, *coursier*, *étalon* [1].

, ABIRI, *coursier fort et rapide* [2].

, SESM-T, *cavale*, *coursier*. Ce mot a les variantes , SEMSEM, , SMES, et enfin , SES. Cette dernière forme est tout-à-fait semblable à l'hébreu סוס. Il faut remarquer que le *m* de *sesem* et de *semsem* n'a aucun rapport avec le pluriel hébreu en ים, *im*.

, en copte ϩⲧⲱⲣ, et ϩⲧⲟ, ΗΤΟ. *cheval*. C'est le mot le plus fréquemment employé. Il désigne aussi le *char*, de même que le groupe SESEM-T.

Les jeunes chevaux ou poulains sont désignés par l'expression , KHIPT-OU NT HTOR-OU, *khiptou de chevaux*. On trouve aussi , MESI-T EN SESEM, *enfants de cavale*.

[1] Voir ci-devant, p. 430. — [2] Voir ci-devant, p. 435, note.

CHAPITRE VIII

QUELQUES OBSERVATIONS SUR LES STATIONS CONSIDÉRÉES COMME PRÉHISTORIQUES.

De l'histoire ancienne nous ne connaissons guère qu'un petit nombre de faits considérables. Sauf pour ce qui concerne les Égyptiens et les Hébreux, nos informations un peu précises sur les mœurs et les usages des nations ne s'étendent guère au-delà des premiers siècles de notre ère, et, même à cette date relativement moderne, le plus grand nombre des peuples de l'Europe centrale et septentrionale échappe à peu près complétement à nos investigations.

L'appellation de *préhistoriques* qu'on donne à des stations où l'on trouve des instruments de pierre, d'os, de bronze et même de fer, est donc littéralement exacte dans la plupart des cas, à ne regarder que les circonstances locales; cependant elle cesse de l'être si l'on vient à considérer la période historique dans les limites qu'a déterminées le chapitre IV de cette étude.

C'est, en effet, par suite d'une préoccupation particulière, et non en vertu d'une observation sérieuse, que Champollion a cru remarquer dans le prétendu tableau des races aux tombeaux des Ramsès, la piteuse figure du *Tamahou*, représentant de l'Europe, couvert de peaux de bêtes et de tatouages. Dans ce tableau, l'homme blanc est au contraire vêtu d'une riche tunique, ornée de dessins de branchages et de cercles, attachée sur l'épaule gauche au moyen d'une fibule à boucle ronde. Le vêtement de dessous, retenu à la taille au moyen de cordons, est fort indistinct dans les dessins que j'en possède ; mais je ne doute pas que les ornements qu'on a regardés comme des tatouages ne fassent partie du costume. On ne distingue pas non plus la chaussure, mais seulement une pièce allongée figurant un réseau et formant cnémide sur le devant de la jambe ; la coiffure est riche et savante ; il n'y a ni peaux, ni fourrures. Champollion se laissait surprendre par les opinions qui prédominaient de son temps, et qui prédominent encore aujourd'hui, car on l'a copié et on le recopie encore tous les jours dans son erreur.

La figure la plus modeste de la série est celle de l'Égyptien, qui n'a d'autre vêtement que la jupe blanche arrêtée à la ceinture et cachant à peine les genoux ; la plus brillante est celle du Nègre. C'est dire suffisamment que le dessinateur égyptien n'a pas entendu caractériser par le costume de ses personnages le degré d'avancement de leur civilisation relative.

S'il était vrai d'ailleurs que les Égyptiens du XIIe siècle avant notre ère eussent représenté l'homme blanc nu, tatoué, vêtu de peaux et faisant triste figure à côté de l'Asiatique et de l'Africain, il faudrait chercher ailleurs l'explication de ce fait, car il y avait alors cinq cents ans que, non-seulement le *Tamahou*, mais encore l'*habitant des îles de la Méditerranée*, étaient représentés sur les monuments avec la riche tunique et les bottines élégantes reproduites dans les vignettes ci-contre. Ces prétendus Barbares étaient donc alors en possession d'un certain luxe; ils savaient construire des navires pour parcourir la mer qui les avait mis en relations avec les Phéniciens ainsi qu'avec la civilisation égyptienne, déjà vieille alors de plus de vingt siècles. Ces peuples : Pélasges, Grecs, Ibères, Ligures, Étrusques, Sardiniens, etc., connaissaient par conséquent les métaux, et probablement le fer lui-même, à une époque qui doit tomber dans le troisième millénaire avant notre ère, car il faut raisonnablement admettre quelques siècles de développement de l'industrie après les premières initiations.

Or, la plupart des stations où l'on trouve des objets de bronze et même celles où abondent les silex à retouches ou polis par frottement ne sauraient prétendre à une antiquité aussi reculée ; elles rentrent par conséquent dans le cadre de l'histoire, quoique l'histoire n'ait pas gardé le souvenir des populations qui nous ont laissé ces petits monuments aujourd'hui si discutés.

A notre avis, le mot *préhistorique* est mal choisi, par le motif que ceux qui s'en servent se laissent eux-mêmes leurrer par sa signification absolue. A plus forte raison ce mot est-il mal compris par les personnes étrangères à la science spéciale qui l'a inventé. Il soulève, en effet, l'idée d'une antiquité profonde, pour laquelle les bornes de la chronologie seraient loin de suffire ; tandis que, dans la réalité, beaucoup de choses qualifiées *préhistoriques* laissent encore une trentaine de siècles de marge à la chronologie biblique et même plus de quarante siècles, si l'on s'arrête au comput des Septante [1].

C'est avec la prédominance de cette opinion d'une extrême antiquité que s'est développée la science nouvelle ; les explorateurs les plus éclairés et les plus indépendants se sont laissé séduire par l'apparente révélation d'un monde tout nouveau. Avec de pareilles dispositions, les recherches et les observations subissent une influence dont les chercheurs ne se rendent pas compte ; ils se raidissent contre les faits qui contredisent leurs théories, et, à leur insu, catalo-

1 L'âge des races animales émigrées ou éteintes exigerait d'autres calculs. L'insuffisance de la chronologie biblique se démontre d'ailleurs par d'autres considérations ; mais l'écart nécessaire n'est pas très-considérable.

gnent comme des preuves de l'exactitude de ces théories un grand nombre de faits au moins douteux. Il est temps de donner à ces études une toute autre direction.

§ I. *Les Anciens ont-ils su quelque chose des âges de la pierre et du bronze.*

Ni la Bible ni les auteurs classiques ne nous ont conservé le moindre renseignement sur une époque primitive, pendant laquelle l'humanité aurait été réduite à l'usage exclusif d'instruments de pierre ou d'autres corps durs, à l'exclusion de ceux de métal. C'est précisément à cause de ce silence de l'histoire que la découverte de nombreux dépôts de ces outils primitifs a causé tant de surprise et fait naître tant de théories hardies.

Les traditions concentrées dans les premiers chapitres de la Genèse nous montrent d'abord Adam et Ève, à l'abri de tout besoin, dans le jardin d'Éden. Dans cet état de quiétude, le premier couple humain n'avait pas eu à se soumettre au travail ; lors de leur expulsion du paradis terrestre, ils n'étaient pas encore capables de se vêtir. Jéhovah leur fit lui-même des tuniques de peau (כתנות עור) et les en revêtit [1] ; puis il les chassa de l'Éden, et les condamna à cultiver la terre dont ils étaient sortis.

Caïn, le fils aîné d'Adam, et par conséquent le

1 *Genèse*, ch. 3, 21.

deuxième des hommes en ordre chronologique, fut laboureur (עבד אדמה, *serviteur de la terre*); il savait cultiver le sol et lui faire produire ses fruits [1], ce qui semble exclure l'idée d'un âge de pierre dans la pensée de l'écrivain sacré. Sorti d'Éden, Caïn possédait déjà assez de connaissances et de ressources pour construire, dans le pays de Nod, une ville, à laquelle il donna le nom de son fils aîné Khénok. Quatre générations après Khénok, la harpe et la lyre étaient inventées, et Tubal-Caïn s'était rendu célèbre par son habileté à travailler le cuivre et le fer [2], métaux dont la découverte n'est pas mentionnée par le texte. Il semblerait que Jéhovah eût révélé à l'homme, condamné au travail, la plupart des connaissances qui lui étaient nécessaires dans son état de dénûment.

Mais la période antédiluvienne de Moïse est remplie par l'existence de neuf patriarches, qui auraient vécu chacun de huit à dix siècles, de telle sorte que le premier, Adam, aurait été, pendant plus de cinquante ans, contemporain du dernier, Lamech. Lamech ne serait mort que quatre ans avant le déluge, c'est-à-dire en l'an 2343 avant J.-C. Ces données, si on veut les prendre à la lettre, sont absolument inconciliables avec la chronologie égyptienne. L'an 2343 correspond aux temps de la XIIe dynastie ; la construction des grandes pyramides remonte à douze siècles plus haut ; or, des manuscrits

1 *Genèse*, ch. 4, 2 et 3.
2 *Ibid.*, ch. 4, 21 et 22.

contemporains de la XIIe dynastie, reproduisant des documents attribués à la IIIe et à la VIIe, constatent que l'âge de 110 ans était la plus extrême longévité que l'homme pût ambitionner sur la terre. Ainsi donc, quarante siècles avant notre ère, la vie de l'homme ne s'étendait pas au-delà des limites qu'elle a dans l'époque actuelle ; les centenaires ne sont pas absolument rares ; mais une existence de cent dix ans peut bien être considérée comme extraordinaire. Il faut remarquer que les monuments contemporains des pyramides sont nombreux en Egypte ; on a retrouvé, sous une épaisse couche de sable, dans la nécropole de Memphis, un grand nombre de tombeaux de cette époque, qui permettraient, selon l'expression de M. le Docteur Lepsius, de composer un *Almanach de Gotha* pour les familles et les hauts-officiers de Chéops et de ses successeurs immédiats.

Il n'y a rien à objecter à des preuves aussi nombreuses et aussi décisives. On persuaderait difficilement à un géologue que Dieu a créé dans l'origine la terre telle que nous la voyons aujourd'hui, avec ses montagnes et ses rochers composés des débris d'animaux organisés, la plupart de dimensions miscroscopiques, et renfermant les fossiles d'une innombrable quantité d'animaux et de plantes : tout cela a vécu ou végété, en vertu des germes de vie préparés par le créateur ; mais le créateur n'a pas créé les débris d'*existences* qui n'auraient pas *existé*. L'homme est apparu le dernier sur la terre prête à le recevoir et à le nourrir; sur ce point, l'observation est d'accord avec la tradition biblique, et l'on a mis cette tradition d'accord avec la science en admettant que les six journées de la création doivent être considérées comme six longues périodes.

Mais cette solution ne laisse pas de faire certaine violence à la lettre du texte, qui parle de journées (יום) composées d'un soir (ערב) et d'un matin (בקר). Aussi, des théologiens protestants se sont-ils refusés à l'accepter, en persistant à considérer la Genèse, dans son sens littéral, comme un critérium cosmogonique et historique.

Toutefois l'Église catholique ne s'est point arrêtée à ces objections; elle enseigne la Géologie dans ses séminaires comme on l'enseigne dans les écoles de l'Université, et nos meilleurs théologiens admettent « *qu'il n'est pas démontré par la révélation* « *divine que la création du monde ne remonte* « *pas au-delà de sept mille ans* [1]. »

Tel est le principe salutaire qu'il faut adopter dans les recherches scientifiques, à peine de voir la science souvent en lutte avec la foi. La Bible n'est ni un livre de science, ni un livre d'histoire; si Dieu eût voulu nous instruire en ces matières, il l'eût fait en termes sur lesquels il n'y aurait pas à discuter. Mais Dieu nous a seulement donné l'intelligence qui observe, invente, combine, et c'est un devoir encore plus qu'un

1 Le Père Toulemont: *Études religieuses, historiques et littéraires*, 1862, p. 618.

droit pour nous d'utiliser cette intelligence pour la recherche de la vérité, qui jamais ne peut contredire la parole divine, à moins que cette parole ne soit mal comprise. Quand tant de gens en appellent à la science pour évincer Dieu de l'univers, il est bon que d'autres s'efforcent de l'y montrer avec l'aide de la science. Cette alliance de la science et de la foi est possible, pourvu qu'on s'abstienne de poser aux progrès de l'observation des barrières absolues tirées d'une interprétation trop littérale de l'Écriture ; le soleil s'est fixé au centre de notre système et la terre tourne autour de cet astre sans que la religion ait eu à en souffrir ; les longues périodes substituées aux six journées de la création n'ont pas fourni d'armes nouvelles à l'incrédulité ; si, dans l'histoire très-sommaire des patriarches et du déluge, on se décide à ne voir qu'un souvenir des tribus primitives personnifiées dans quelques individualités, la croyance en Dieu n'en sera aucunement affaiblie et l'on aura mis hors du débat, et au-dessus du débat, le livre sacré qui fait notre loi morale et religieuse.

Nous avons tenu à nous expliquer sur ce point important des apparentes contradictions de la science avec la lettre de l'Écriture sainte, et à définir le terrain sur lequel on peut se placer pour suivre pas à pas les plus hardis pionniers des idées nouvelles, sans arriver, comme quelques-uns d'entre eux, à l'athéisme et au matérialisme. Lorsque des doctrines dissolvantes sont hautement professées, lorsque leurs sectateurs les justifient au moyen de l'observation scientifique, et qu'ils s'efforcent d'opposer leurs découvertes aux doctrines fondées sur l'ancienne exégèse, il ne suffit pas de déserter le débat, de redouter et de fuir le terrain de l'étude, laissant ainsi le champ libre aux novateurs les plus téméraires.

Ces explications données, nous rentrerons dans notre sujet en constatant que la Bible ne nous donne aucun indice de l'âge de la pierre. Si cet âge a existé, il se placerait au commencement de l'époque adamique, et constituerait la période des tâtonnements à la suite desquels les premiers hommes, se servant d'abord des instruments à leur portée, arrivèrent peu à peu à savoir cultiver la terre et construire des demeures.

Les sources classiques ne nous renseignent pas mieux sur le même sujet. On trouve cependant dans Hésiode, poète qui vivait quatre ou cinq siècles après la guerre de Troie, la mention bien nette d'un âge de bronze pendant lequel vivait une race vigoureuse et guerrière, qui ne se nourissait pas des fruits de la terre. Ces hommes, aux fortes mains, *avaient des armes de bronze et des maisons de bronze; ils se servaient exclusivement de bronze, car le noir fer n'existait pas encore* [1]. Ils se détruisirent mutuellement, et Zeus les remplaça par la race des demi-dieux, qui périt aussi par la guerre, et surtout aux sièges fameux de Thèbes et de Troie.

1 Hésiode: *Les travaux et les jours*, v. 143 *et sqq.*

Ensuite le poète parle de sa propre époque qu'il appelle l'âge de fer, et pendant laquelle les hommes ne doivent plus cesser de travailler et de souffrir durant le jour et de se corrompre pendant la nuit : les enfants cesseront de respecter leurs parents ; on s'arrachera ce qu'on possède ; la vertu et la pudeur ne seront plus d'usage. On voit à cette énumération que les vices qui souillent les sociétés modernes ont des racines bien profondes dans le passé.

Toutefois la relation d'Hésiode ressemble plutôt à une conception philosophique qu'à une exposition historique. Avant l'âge de bronze, le poète place l'âge d'argent, qui vit naître l'impiété, et l'âge d'or, pendant lequel les humains vivaient comme des dieux dans une sécurité profonde, sans chagrins, sans souffrances, sans vieillesse ; on mourait alors comme on s'endort.

Dans cet exposé, les désignations *âge d'or*, *âge d'argent*, etc., n'ont aucun rapport avec l'usage prédominant de ces métaux aux époques correspondantes ; elles ne sont employées que pour caractériser, par la valeur décroissante des termes de la série, la dégénération progressive des conditions de l'existence humaine. Le bronze et le fer apparaissent à l'époque des premières luttes meurtrières. Auparavant, les hommes, que la terre nourrissait sans travail, n'avaient pas besoin d'armes.

Ainsi donc, la Genèse d'Hésiode, non plus que celle de Moïse, ne mentionnent l'âge de pierre ; mais l'une et l'autre sont d'accord pour montrer l'homme, créé dans un état de perfection, dont il fut ensuite privé par la volonté de son créateur.

Mais il faut laisser, comme nous venons de le dire, ces poétiques données au rang des conceptions purement théoriques ; et l'on ne doit pas attacher plus d'importance au fameux passage de Lucrèce :

« *Arma antiqua, manus, ungues dentesque fuerunt*
« *Et lapides et item sylvarum fragmina rami ;*
« *Et flammæ atque ignes postquam sunt cognita primum ;*
« *Posterius ferri vis est, ærisque reperta ;*
« *Et prior æris erat quam ferri cognitus usus,*
« *Quò facilis magis est natura et copia major* [1].»

Si l'on suppose que les hommes aient été jetés sur la terre nus et sans soutien naturel, il est évident qu'ils auront dû d'abord, pour l'attaque et la défense, se servir de leurs dents et de leurs ongles, des pierres ramassées sur le sol et des branches arrachées aux arbres. Que l'abondance du cuivre et la facilité de l'obtenir à l'état métallique aient fait dans l'origine prédominer l'usage de ce métal sur celui du fer, c'est encore un point auquel on arrive par le raisonnement. Lucrèce ne nous apprend donc absolument rien. Il nous fait simplement l'énumération théorique des ressources de l'homme à ses débuts sur la terre.

Pline arrive de même, par le raisonnement, à penser que des engins d'attaque et de défense ont dû être mis en œuvre par les hommes avant la découverte

1 *De natura rerum*, lib. V, v. 1282.

des métaux. Il dit, à ce propos, que la première guerre eut lieu entre les Africains et les Égyptiens, qui se battaient à grands coups de bâton et avec des armes de bois [1].

L'encyclopédiste latin n'est pas heureux dans sa citation; mais nous voyons clairement qu'il n'avait jamais entendu parler des armes de pierre et d'os, car il n'eut pas manqué de les citer, après tant d'autres faits moins singuliers et moins importants dont il a bourré son immense ouvrage.

L'âge de pierre n'a donc laissé de souvenirs ni dans la tradition sacrée ni dans les annales des nations classiques; nous avons interrogé l'Egypte sur elle-même et sur les peuples dont ses antiques monuments ont gardé la mémoire, et nous n'y avons pas trouvé non plus la trace d'un état de choses tel que celui qu'on admet avoir précédé l'âge des métaux.

Restent l'Inde et la Chine dont les titres antiques sont eux-mêmes fort contestés. Ces nations, qu'on croit tant de fois séculaires, n'ont pas de monuments authentiques de leur origine. Leurs traditions restent, jusqu'à une époque assez récente, imprégnées de merveilleux. En tenant pour vraie l'inscription si controversée de Yu au mont Kieou-Lieou, on n'arrive encore qu'au XXIIe siècle avant notre ère; une autre inscription, la deuxième en ordre d'antiquité, serait du règne de Tchoûng-Kâng, petit-fils de Yu (2159 avant

1 *Histoire Naturelle*, Liv. VII, 56.

notre ère). Cette inscription est gravée sur une lance de bronze. L'éditeur chinois qui a publié ce monument, et qui vivait au XIe siècle de notre ère, rapporte que Yu, de la dynastie des Hia, fit fondre des vases avec le bronze que lui apportaient en tributs les chefs des neuf provinces [1]. Il est bien question du bronze, mais non du fer, ni de la pierre.

Des traditions, que je n'emprunte pas à une source aussi savante, montreraient qu'au XIIe siècle avant notre ère, on se servait en Chine de flèches de fer, et que la découverte d'une flèche de silex engagée dans le corps d'un oiseau excita l'étonnement ; il fallut recourir à l'immense érudition de Confucius pour expliquer ce fait surprenant.

Cette relation soulève des objections nombreuses, surtout en présence de ce fait bien constant que les Japonais ont encore dans leurs troupes des corps armés de flèches en silex à ailerons, semblables à celles de nos stations néolithiques. Ces vieilles nations civilisées de l'extrême Orient s'européanisent ; peut-être trouverons-nous chez elles des informations plus précises. Pour le moment, une seule conclusion est possible : *L'âge de la pierre, qu'on suppose avoir existé partout avant la connaissance des métaux, n'a laissé aucune trace dans l'histoire, chez aucun des peuples du monde.*

1 Voir : *Mémoire sur l'antiquité de l'histoire et de la civilisation chinoises*, par M. G. Pauthier. – Paris, Imprimerie Impériale, 8° 1868.

§ II. *Traces historiques des outils de pierre, d'os, etc., parmi les peuples autres que les Égyptiens.*

Si nous ne rencontrons nulle part les traces historiques de l'âge de la pierre tel qu'on l'a conçu, nous trouvons au contraire des preuves nombreuses de l'usage continu des instruments grossiers qu'on a cru spéciaux à cet âge.

Pour remonter à la période hypothétique pendant laquelle les hommes n'avaient pas d'autres outils, on a cherché avec ardeur les faits qui pouvaient servir d'indication d'une époque de transition. Deux de ces faits ont surtout attiré l'attention ; à savoir :

1° L'ouverture du flanc des momies au moyen d'un couteau de pierre éthiopienne ;

2° La circoncision pratiquée en Palestine à l'aide d'un couteau de pierre.

Nous avons étudié séparément tout ce qui concerne l'Egypte, et nous renvoyons à cette étude pour ce qui concerne les instruments des momificateurs [1]. Nous rappellerons seulement que, si l'usage des couteaux de pierre est bien réel malgré le silence des hiéroglyphes, cet usage ne remonterait pas traditionnellement à un âge de la pierre ; il n'est pas certain, en effet, que la momification fût pratiquée aux premiers temps de l'ancien empire. M. Mariette a trouvé cinq ou six sarcophages non violés dans les tombeaux ou *mastabas*

1 Voyez ci-devant p. 329 *et sqq.*

de cette époque, et chaque fois le mort s'est montré à l'état de squelette, sans trace de linge; il n'y avait qu'un peu de poussière au fond du cercueil [1].

Il ne faudrait pas non plus chercher une autre explication dans l'interdiction rituelle de l'emploi du métal, car les crochets qui servaient à l'extraction de la cervelle étaient de bronze et ne pouvaient en aucune manière être de pierre. Les animaux étaient sacrifiés avec des couteaux de bronze ; les cuisses et les autres morceaux de choix, offerts aux dieux, étaient découpés avec ces mêmes couteaux, dont nous avons fait connaître les formes principales. [2] Le bronze n'avait donc rien de profane ; on a cependant pu lui préférer, pour la section du corps humain, le silex tranchant qui ne garde pas de traces du travail anatomique. Il n'y a, en tout ceci, rien qui se réfère à l'âge de la pierre.

Nous arrivons maintenant à l'opération de la circoncision chez les Hébreux, qu'on croit généralement avoir été pratiquée au moyen d'une pierre aiguë et que l'on considère comme un usage traditionnel remontant à l'époque pendant laquelle l'homme ne possédait pas encore les métaux.

Il est bien certain, en effet, que si l'usage du silex pour cette opération n'eut pas été rendu obligatoire par la tradition religieuse, des hommes en possession du

1 Mariette-Bey : *Les tombes de l'ancien empire*, Rev. Arch. 1868, tirage à part, p. 10.

2 Voir ci devant, p. 81.

métal, comme les Hébreux de l'époque de Moïse qui possédaient des outils de bronze et de fer, n'auraient jamais eu recours à une matière aussi imparfaite que la pierre

Or, la Genèse ne nous présente pas la circoncision comme traditionnelle. Jéhovah l'imposa à Abraham, âgé de 99 ans, comme marque de son alliance avec lui :

« *Vous couperez la chair de vos prépuces;*
« *ce sera le signe de l'alliance entre moi et*
« *vous.*

« *Que l'enfant de huit jours soit circoncis*
« *par vous, tout mâle, pour (la durée) de vos*
« *générations, soit fils de la maison, soit acheté*
« *avec de l'argent, tout fils de l'étranger qui*
« *n'est pas de ta race.*

« *Le mâle ayant son prépuce, à qui on*
« *n'aura pas coupé la chair de son prépuce,*
« *cette âme sera retranchée de son peuple*[1]. »

Comme on le voit, la loi est précise et sévère ; elle s'adresse à un peuple se servant journellement de bronze et de fer ; si ces métaux devaient être exclus, et la pierre seule employée pour la circoncision, on devrait s'attendre à ce qu'il en fût fait mention. Or, il n'est question de rien de semblable dans le texte sacré, qui seul aurait pu donner quelque autorité à cette aggravation d'une opération douloureuse. Il n'est

1 *Genèse*, ch. XVII, 11 et suiv.

pas question non plus de silex à propos de la circoncision du peuple de Sichem, mais ce fut bien avec des glaives de métal que les enfants de Jacob égorgèrent tous les habitants mâles de cette ville pendant les souffrances qui furent la suite de l'opération [1].

C'est dans l'Exode que se rencontre le premier texte qui a fait naître l'idée d'un instrument de pierre pour la circoncision. Moïse, revenant de Madian en Egypte par l'ordre de Dieu, courut un grand danger dans un lieu où il passait la nuit. Tsephorah, sa femme, se hâta de couper le prépuce de son fils, le mit aux pieds de son mari, et le danger cessa [2]. Le texte explique que, pour cette opération, Tsephorah prit un צור *tsor*. Or, le mot צור signifie *rocher ;* on en a conclu que le fils de Moïse avait été circoncis avec une pierre tranchante.

Cependant la loi de la circoncision édictée par le Lévitique ne spécialise en aucune manière l'instrument qui doit être employé ; elle dit simplement : l'*enfant sera circoncis le huitième jour après sa naissance* [3]. Si le métal avait été interdit, nul doute que l'interdiction n'eut été articulée clairement dans le seul texte qui institue légalement la circoncision. Le désert de Sinaï ne manque pas de silex ; ce ne serait donc pas l'impossibilité de se procurer des éclats de cette

1 *Genèse*, ch. XXXIV.

2 *Exode*, ch. IV, 19 à 26.

3 *Lévitique*, ch. 12, 3.

substance, qui aurait empêché la circoncision de la génération née dans ce désert depuis la sortie d'Egypte.

Après avoir traversé le Jourdain à Galgal, les Israélites de cette génération furent circoncis par Josué, sur l'ordre de Jehovah exprimé en ces termes : עשה לך חרבות צרים, *fais-toi des couteaux tsorim* (et circoncis de nouveau les enfants d'Israël). Josué se fit des couteaux *tsorim* et circoncit le peuple [1].

Dans *couteaux tsorim* on a voulu voir des couteaux de pierre, à raison de la signification *roche, rocher*, qui appartient au radical צור. Cette interprétation est d'ailleurs fort ancienne ; c'est celle des Septante et de la Vulgate (μαχαίραι πετρίναι, *cultri lapidei*). De plus, les Septante, dont le texte présente des différences assez considérables avec celui de l'hébreu à la fin du livre de Josué, ajoutent au trentième verset de ce livre un paragraphe constatant que « *les enfants d'Israël ensevelirent avec Josué* LES COUTEAUX DE PIERRE *avec lesquels il avait circoncis le peuple à Galgal.* [2]

Mais le mot צור ne signifie pas, *petite pierre, caillou maniable;* c'est un rocher, une pierre de

1 *Josué*, ch. V, 2, 3.

2 Dans un tombeau récemment découvert en Palestine, on a trouvé des couteaux de silex, et l'on a voulu voir dans cette circonstance une preuve à l'appui de l'hypothèse que ce tombeau est celui de Josué. La presence de couteaux de pierre dans les tombes, en Palestine comme en Egypte, n'a rien d'extraordinaire et ne forme pas un caractère exceptionnel.

dimensions considérables. De là les expressions : *se tenir sur un* TSOR [1]*; se réfugier près d'un* TSOR [2] ; *se cacher dans une grotte, entrer dans le* TSOR [3]*; la montagne tombe, le* TSOR *s'écroule* [4]*; graver sur le* TSOR [5]*; du* TSOR *faire couler de l'eau, des ruisseaux d'huile* [6]*; arrache-t-on un* TSOR *de sa place* [7]*?* etc., etc. Dans les sacrifices, le *tsor* est l'autel sur lequel on place la victime et non le couteau avec lequel on l'égorge [8].

Les pierres roulantes du torrent sont désignées [9] par le mot אבנים, *abenim* (אבנים מן הנחל) tandis que le צור נחלים, *tsor nakhalim* [10], est la roche que creusent les torrents, le roc qui fait saillie dans leur cours et autour de laquelle écument leurs eaux. Jéhovah, invoqué comme protecteur, comme abri, comme refuge, est nommé un *tsor* [11]. Le sens de ce mot était donc bien déterminé ; il n'admettait pas d'équivoque et ne pouvait s'entendre de toute espèce de pierres.

Mais il y a plus : l'expression חרבות צרים *khareboth tsorim* ne peut signifier grammaticalement *cou-*

1 *Exode*, ch. 17, 6. — Ch. 33, 21.
2 *Job*, ch. 24, 8.
3 *Isaïe*, ch. 2, 10.
4 *Job*, ch. 14, 18.
5 *Ibid.*, 19, 24.
6 *Deutéron*, ch. 32, 13. — *Job*, ch. 29, 6. — *Isaïe*, ch. 48, 1.
7 *Job*, ch. 18, 4.
8 *Juges*. ch. 13, 21.
9 *Rois I*, ch. 17, 40.
10 *Job*. ch. 22, 24.
11 *Psaume* XVII, 4.

teaux de pierre [1], car *tsorim* est au pluriel et par conséquent employé comme adjectif. On peut comparer, à ce propos, les mots *chars de fer* [2] *anses de bronze* [3], *pierres de saphir*, *pierres de grêle*, etc. Il faudrait donc admettre que צור, pl. צרים, pouvait être employé comme épithète pour caractériser les objets en pierre; mais il n'existe d'autre passage susceptible d'appuyer ce sens que celui que nous discutons. Partout les expressions *stèles de pierre*, *autel de pierre*, *tables de pierre*, *dieux de pierre*, etc., sont formées au moyen du mot אבן, *aben*, *pierre*.

Mais le mot צור signifie certainement *tranchant*, *aigu*. Ex.: צור חרב, *tsor khoreb*, *le tranchant du glaive* [4]. C'est exactement la même expression que dans Josué, sauf l'ordre des termes : *Khareboth tsorim*, *glaives tranchants*. Ce n'est point un *tsor*, *un rocher*, que Tsephorah prit pour circoncire son fils, mais tout simplement un tranchant, une lame, dont la matière n'est pas indiquée. Cette version a déjà eu ses partisans; elle doit prévaloir aujourd'hui que la critique emploie des procédés plus rigoureux.

On ne peut d'ailleurs retenir un sentiment de surprise quand on discute un sujet de cette nature. Il s'agit d'un peuple aujourd'hui dispersé parmi toutes

1 Il faudrait lire *couteaux de pierres*, comme si chaque couteau était composé de plusieurs pierres.

2 *Josué*, ch. 17, 16.

3 *Exode*, ch. 26, 11.

4 Psaume 89, 44.

les nations de l'univers, qui vit au milieu de nous et pratique sa religion et ses cérémonies sans s'entourer du moindre mystère. On sait avec quelle inébranlable constance il est demeuré fidèle à ses pratiques traditionnelles, telles que l'abstinence de la chair des animaux impurs, surtout de celle du porc, l'horreur du sang et la manière particulière de tuer les animaux de boucherie qui en est la suite. Les Juifs n'ont jamais négligé, jamais interrompu le rite de la circoncision. C'est leur marque nationale, un caractère indélébile dont la plupart se font gloire. Est-il croyable que si la circoncision eût été dans l'origine obligatoirement pratiquée avec un instrument de silex, cet usage ne se fût pas maintenu comme tant d'autres ?

Si, pour un motif quelconque et en particulier pour rendre l'opération plus prompte et moins douloureuse, on en était venu à adopter un instrument métallique, ne trouverait-on pas dans les traditions rabbiniques les motifs ou au moins les souvenirs de cette modification dans une matière si essentielle à la doctrine ?

Frappé de ces considérations, nous avons voulu recourir aux sources traditionnelles et ce n'est pas chose facile en France. Sur la demande obligeante de l'habile helléniste de Turin, M. G. Lumbroso, la note suivante a été rédigée par M. le Dr Moïse Lattes, de Venise, l'un des rares savants versés dans l'étude du Talmud :

« Dans la Mishna (*Traité du Sabbath*, XIX,
« etc.), l'instrument à employer pour la circoncision

« est nommé simplement *un fer*, et c'est là le seul
« endroit de la Mishna où j'en aie trouvé la mention.

« Le Talmud de Babylone (*Traité Sabbath*,
« fol. 130 *a* et 130 *b*) a deux passages dans lesquels,
« pour désigner le susdit instrument, le texte fait
« usage du mot *zemel*, qui signifie un couteau ou un
« rasoir. Le même mot est également employé pour le
« même objet par le Talmud de Jérusalem. (*Traité*
« *Sabbath* XIX, 1.)

« Dans un passage du Talmud de Babylone (*Traité*
« *H'ulim, fol.* 164), qui est répété un peu diffé-
« remment dans le Talmud de Jérusalem (*Traité*
« *Sabbath* VIII, 6,) et dans le Bereshith Rabbâ
« (*section* 56), il est question des emplois qu'il est
« licite de faire d'un morceau de roseau tranchant,
« et il est expressément dit *qu'il n'est pas permis*
« *de s'en servir pour la circoncision.*

« Seulement, dans son Code-Rituel (*Hilh'oth*
« *Mihah* II, 1), Maimonide dit que, pour opérer la
« circoncision, on peut se servir de n'importe quel
« outil tranchant, *même d'une pierre ou d'un*
« *morceau de verre*; mais je n'ai pu trouver l'indi-
« cation des textes d'où il a tiré cette règle; on doit
« dès lors conclure que c'est une adjonction de son
« chef.

« Je suis d'avis qu'on peut affirmer que dans les
« sources talmudiques, il n'a jamais été fait mention
« de couteaux de pierre pour la circoncision.

« En ce qui touche les Samaritains, je n'ai vu nulle

« part qu'ils se servissent d'instruments particuliers
« pour la circoncision, et j'en conclus qu'ils se servent
« aussi d'un couteau de fer.

« La paraphrase chaldaïque rend l'expression
« *H'areboth tsorim* par *couteaux tranchants*
« dans le passage Josué, V, 2, 3, ce qui prouve qu'à
« l'époque où fût faite cette version, toute trace de la
« circoncision avec des couteaux de pierre s'était
« oblitérée. Cependant un passage talmudique
« (*Bereshith Rabba, sect.* 35, *Talkut* II, 15)
« parle d'une autre version du même verset, portant
« *rasoirs de pierre*. De plus, les deux versions
« chaldaïques du passage Exode, IV, 5, disent:
« *Tsephorah prit une pierre*, etc., et la glose
« masorétique cite à l'appui de cette interprétation le
« texte d'Ezechiel, ch. III, 9 : *Je rendrai son front*
« *comme le diamant plus dur que le* TSOR.

« En ce qui concerne l'usage de tuer les animaux
« avec des couteaux de pierre, on en trouve des traces
« aux temps antiques; la Mishna (*Traité H'ulim*,
« *I*, 2) dit expressément *qu'on peut employer un*
« *couteau de pierre pour tuer un animal.* »

Ainsi donc, loin qu'on trouve dans les traditions juives le moindre indice de l'usage obligatoire de la pierre pour la cironcision, on n'y rencontre pas même un texte qui ait pu rendre cet emploi licite. Au temps de la rédaction des Talmuds, cette opération se faisait, comme aujourd'hui, avec un instrument de fer. Quand à l'interprétation des textes bibliques qui, seuls, ont soulevé cette question de la pierre pour la circoncision, les anciens Rabbins et la Massorah tâchaient de justifier par la philologie leurs traductions, qui contredisaient à la fois les usages suivis par leurs contemporains et les traditions du passé. Mais il est facile de s'apercevoir combien est faible ou pour mieux dire nulle la démonstration puisée par les Massorètes dans le texte emprunté à Ezechiel.

Pour conclure, nous considérons comme positivement fondée sur une erreur l'opinion qui veut que les anciens Israélites aient, à une époque quelconque, fait usage d'outils de pierre pour la circoncision.

Combien d'erreurs sont nées dans les nuages qui nous cachent l'histoire du passé, et aujourd'hui, consacrées par l'adhésion des siècles, sont considérées comme des vérités irréfutables ! Il sera peut-être difficile de déraciner celle que les recherches qui précèdent me semblent avoir rendue manifeste. Mais le couteau de pierre de la circoncision et celui de la momification, font désormais partie du mobilier des époques de transition ; les adeptes de la science nouvelle n'y renonceront pas volontiers. L'homme se persuade si aisément de la réalité des faits conformes à ses théories. Dans le sujet qui nous occupe, n'a-t-on pas vu un savant sérieux, chercheur actif, affirmer que les *Juifs se servent encore de silex pour circoncire !!!* [1]. Le travail que ce savant a laissé se faire à son insu, dans

1 Ad. Arcelin : *L'industrie primitive en Égypte*, 1870, 8°, p. 27.

son esprit, pour arriver à attester un fait si contraire à la réalité [1], est précisement la tendance contre laquelle je ne cesse pas de prémunir les investigateurs de l'antiquité dans toutes ses branches.

La littérature classique contient quelques textes qu'on a aussi invoqués comme des souvenirs d'un âge de la pierre et qui n'ont cependant aucune signification traditionnelle. Marcus Cælius dit que les prêtres de Cybèle nommés Galles se coupent les parties génitales avec un fragment de poterie de Samos, et il exprime l'opinion qu'ils mourraient des suites de l'opération s'ils se servaient d'un autre instrument. Mais Pline, qui nous rapporte cette opinion de Cælius [2] ne paraît pas avoir connaissance du fait par lui-même, quoique les poètes contemporains y fassent d'assez fréquentes allusions [3]. On comprend aisément qu'il ne s'agit pas d'une institution rituelle, mais simplement d'un excès d'enthousiasme religieux pendant lequel quelques prêtres de Cybèle s'émasculaient en souvenir de la mutilation volontaire d'Atys. Désespéré et dévoré par ses remords, l'amant infidèle de Cybèle, errant sur les montagnes de la Phrygie, avait tenu le serment qu'il

1 Voici comment se fait de nos jours l'opération de la circoncision : on ramène le prépuce en avant du gland et on l'assujettit dans cette position au moyen d'une pince à deux branches; le gland étant ainsi garanti, on excise le prépuce avec un couteau à lame d'acier; cette section opérée et la pince enlevée, ce qui reste du prépuce se rétracte et montre la muqueuse, qu'on débride et qu'on repousse derrière le col du gland, en se servant d'une petite sonde.

2 *Hist. Nat.*, 35, 12.

3 Juvénal : *Sat.* VI, v. 513; — Catulle : *Carm. fug.*, LXIII. — Ovide : *Fastor.* IV.

avait fait à la déesse : *Si mentiar, inquit, ultima, quam fallam, sit Venus illa mihi !* » Il s'était servi, à cet effet, d'une pierre aiguë, seul instrument qu'il eût à sa portée. Cette *fureur*, dit le poète, fut imitée par les ministres du culte de Cybèle ; ces forcenés, la chevelure en désordre, se castraient dans un accès de rage mystique et restaient fidèles à l'exemple d'Atys dans le choix de l'instrument imparfait dont il avait fait usage. Il n'y a là qu'une imitation servile, une recherche de douleur, mais rien qui fasse supposer un respect particulier pour la pierre ou pour les tessons de poterie.

D'autres faits de mutilations analogues sont encore rapportés par les classiques. Dans son histoire de Nicias, Plutarque raconte qu'un jeune homme sauta sur l'autel des douze dieux, se mit à cheval dessus et se castra avec une pierre ; Cælius, au rapport de Pline, se coupa la langue avec un tesson. Ces extravagances de quelques individus sont citées à cause de leur singularité ; il serait puéril d'y chercher des indices d'un usage antique des outils de pierre.

On a parlé de tribus Abyssiniennes ou Éthiopiennes se servant encore du silex pour la circoncision. Ce doit être un fait mal observé. La circoncision est, en effet, pratiquée chez les Abyssins comme chez les Coptes et chez les Arabes ; quelques peuplades noires de l'intérieur de l'Afrique s'y soumettent aussi, mais partout l'instrument dont on fait usage est en métal. Diodore parle des Troglodytes circoncis et quelquefois mutilés du gland, mais ne mentionne aucunement les instruments de silex comme étant à l'usage de ces populations barbares ; il constate, au contraire, qu'elles connaissaient le fer.

Mais, si la Bible ne nous montre pas de traces de l'emploi d'outils de pierre, elle nous fait retrouver chez les anciennes populations de la Palestine, des usages analogues à ceux des peuples qui élevèrent des tumuli ou cairns et dressèrent des pierres brutes. L'autel que Noé *bâtit* à Jéhovah en sortant de l'arche [1] n'était qu'un tas de pierres empilées ; il en était de même de ceux que construisit Abraham à Beth-El, lorsqu'il émigra de la Mésopotamie [2], et à Hébron, lors de son établissement dans la vallée de Mamré [3]. Le verbe בנה, *bâtir*, dont se sert le texte, semble indiquer qu'il s'agit d'une construction et non d'un bloc unique de pierres. Toutefois, l'autel pouvait être fait de terre [4] ; mais si on le faisait de pierres, il ne fallait pas employer de pierres taillées, car le couteau les aurait souillées [5] ; on devait se servir exclusivement de pierres informes, non polies, que l'outil n'aurait pas touchées. Les termes de la loi devaient être écrits très-visiblement sur ces pierres, et, à cet effet, il était permis de les unir avec de la chaux [6]. Cette loi fut encore observée lors de la purifi-

1 *Genèse*, ch. 8, 20.
2 *Ibid.*, ch. 12, 8.
3 *Ibid.*, ch. 13, 18.
4 *Exode*, ch. 20, 21.
5 *Ibid.*, ch. 20, 22.
6 *Deutéronome*, ch. 27, 4 à 8. — *Josué*, ch. 8, 31, 32. Ce texte dit que le Deutéronome tout entier fut écrit par Josue sur des pierres.

cation du temple sous les Macchabées (160 ans avant J.-C.) [1]. Il est probable qu'elle n'est que la conséquence du grand principe qui interdisait la fabrication des images divines : *non facies tibi sculptile neque omnem similitudinem*, etc. [2] Il n'aurait pas été plus licite de sculpter ou de polir l'autel avec des outils de pierre qu'avec ceux de métal.

Les Hébreux consacraient par des pierres dressées le souvenir des faits importants. Après sa céleste vision, Jacob prit la pierre qui lui avait servi d'oreiller et la dressa, puis il fit sur ce monument une libation d'huile [3]. C'était pour le patriarche un témoignage de la présence de Jéhovah, qui lui avait parlé ; il le nomma Beth-El *(maison de Dieu)*. Il dressa une autre pierre à Mahanaïm comme titre de l'alliance qu'il contractait avec le chaldéen Laban, son beau-père ; puis il ordonna à ses serviteurs de ramasser des pierres et d'en former un monceau sur lequel ils prirent ensemble un repas, avant de prononcer le serment d'alliance [4]. C'est sur des pierres brutes qu'étaient offerts les holocaustes ; ainsi fit Josué sur le mont Hébal ; ainsi firent les Lévites quand ils furent remis en possession de l'arche enlevée par les Philistins ; ainsi firent Gédéon, Élie et David lui-même à l'époque de la peste. Après sa victoire à Mosphat, Samuel prit une pierre, la posa entre Mosphat et Sen et donna

1 *Macch.*, I, ch. 4, 47.
2 *Exode*, ch. 20, 4.
3 *Genèse*, ch. 28, 8.
4 *Genèse*, ch. 31, 45 et *sqq*.

pour nom à ce lieu : *la pierre du secours*[1]. Ce *menhir* était un monument commémoratif. Quelquefois les monuments mégalithiques servaient de contrats ; tel était le caractère du monolithe élevé par Josué sous le chêne sacré de Sichem, à côté de l'autel d'Abraham, lorsque les Israélites eurent juré de n'adorer d'autre Dieu que Jéhovah : *cette pierre sera pour nous un témoignage, parce qu'elle a entendu toutes les paroles que Jéhovah nous a dites, et elle sera pour vous un témoin, de peur que vous ne mentiez à votre Dieu*[2].

Nous avons déjà parlé du *tumulus*, גל, *gal* élevé par Jacob et par Laban. Ces sortes de monuments étaient aussi communs que les pierres dressées. A côté des *tumuli* du Jourdain, les tribus de la rive droite du Jourdain construisirent un autel d'une hauteur immense, à l'occasion duquel elles furent obligées de fournir des explications à celle de la rive droite[3].

L'hébreu possède le mot מרגמה, *marg'emah, tas de pierres*, que la Vulgate a rendu par *acervus Mercurii*, et il semble, d'après le texte qui l'emploie, qu'il fût d'usage de jeter, en passant, des pierres sur les *Marg'emahs*[4], qui atteignaient ainsi peu à peu des dimensions considérables. Ce point n'est pas très-clair. Mais il est bien certain que des *tumuli de pierres*

1 *Rois*, I, ch. 7, 12.
2 *Josué*, ch. 24, 26, 27.
3 *Josué*, ch. 22, 10 et sqq.
4 *Proverbes*, ch. XVI, 8.

amassées étaient superposés à des sépultures, et surtout à des tombeaux marqués d'infamie.

Achan, qui s'était approprié une part du butin pris sur l'ennemi, fut lapidé et enterré sous un monceau de ce genre[1]; tel fut aussi le mode d'inhumation des cadavres du roi Haï et d'Absalon [2]. Le monument funéraire de Rachel était une pierre dressée (מצבה) [3]. Mais, à en croire Benjamin de Tudèle, on y aurait ensuite ajouté un cercle de douze pierres, qui désignaient les enfants de Jacob. C'était alors une espèce de *cromlech*.

L'exploration de la Palestine a fait découvrir des monuments mégalithiques de tous les genres ; on en découvrira certainement davantage. On trouve dans l'Ecriture les noms de quelques-uns de ces monuments, qui étaient assez considérables pour servir de désignations topographiques ; tels étaient *la pierre de Bohan* [4], *la pierre d'Esel* [5], *la grande pierre qui est à Guibéon* [6] et *la pierre de Zoheleth*, près d'Aïn-Rog'el [7].

Il est fort possible que les peuples palestiniens dépossédés par les Israélites aient eu, aussi bien que ces derniers, l'habitude d'ériger des monuments mégalithiques et des *cairns* ou *tumuli*. Lorsque les Hébreux

1 *Josué*, VII, 26.
2 *Josué*, VIII, 29. — *Rois*, IV, ch. 18, 17.
3 *Genèse*, ch. 35, 20.
4 *Josué*, ch. 18, 17.
5 *Rois*, I, ch. 4, 1 et ch. 7, 12.
6 *Ibid.*, ch. 20, 19.
7 *Rois*, II, ch. 20, 8.

eurent traversé le Jourdain, ils campèrent en un lieu qui s'appelait alors *Galgal* (*monceau-monceau.*) C'est là que Josué fit dresser le *cromlech* de douze pierres provenant du lit du Jourdain [1].

Nous n'apercevons en aucune manière la relation qui pourrait exister entre ces monuments et l'âge de la pierre; tout ce que nous en savons se réfère à des populations familières avec l'usage des métaux, le fer compris. On a déjà trouvé en Syrie, et l'on y trouvera encore plus abondamment, les silex taillés, dont la Bible n'a pas plus gardé le souvenir que l'histoire profane ; mais ces silex, aussi bien que les pierres dressées et les cairns, appartiennent à l'époque historique.

L'unique fait de l'emploi d'un instrument de pierre dure pour une cérémonie liturgique est rapporté par Tite-Live. Avant de remettre les destinées de leurs patries au hasard du combat des Horaces et des Curiaces, les Romains et les Albains firent une convention solennelle, dont le Fécial lut la teneur devant l'assemblée, après quoi il voua à la vengeance de Jupiter le peuple romain, pour le cas où, le premier, il viendrait à enfreindre le pacte :

« Ce jour-là, ô Jupiter, frappe le peuple romain, « comme je vais aujourd'hui frapper ce porc.......

« Ayant ainsi parlé, le Fécial frappa le porc avec une « grosse pierre de silex (*saxo silice*) [2] ». Ce passage a

1 *Josué*, ch. IV, 5 et 20.

2 Tite-Live : *Histor.*, I, 24. On sait qu'il ne faut pas prendre le mot latin *silex* dans le sens minéralogique que nous lui donnons aujourd'hui. C'est une pierre dure quelconque.

été commenté et développé comme les textes bibliques relatifs à la circoncision. On en a fabriqué un article du *Jus féciale* ou *Rite des féciaux*, d'après lequel il aurait été ordonné aux ministres du sacrifice de ne frapper les victimes qu'avec des haches de pierre; puis, à cette loi hypothétique, on a découvert une origine traditionnelle remontant aux Équicoles, nation que Virgile appelle *antique et grossière*. Quant à nous, nous ne nous permettrions pas de voir une hache de pierre dans le *saxum silex;* il est plus vraisemblable qu'il s'agit d'une masse de pierre dure qui fit l'office du *malleus*, avec lequel on assomma la victime avant de l'égorger. Le *cultrarius* se servit probablement ensuite d'un instrument de bronze; du moins le bronze demeura, aux temps romains, le métal préféré, sinon exclusif, pour les sacrifices, et il n'est resté nulle trace de l'usage prétendu du silex. L'historien latin n'a certainement pas eu l'idée d'un instrument de pierre de l'espèce que les Romains de son temps appelaient *cerauniæ*, et que Pline compare à des haches (*similes securibus*).

En somme, le passage de Tite-Live n'a aucune importance dans la question qui nous occupe. Il faut renoncer à l'idée que la pierre, et le silex en particulier, aient été jadis considérés comme plus sacrés que le métal à raison de l'ancienneté de leur emploi ou pour tout autre motif. Si les anciens eussent gardé quelque souvenir d'une époque telle qu'on se représente l'âge de la pierre, et qui aurait été antérieure à leurs temps héroïques, ils auraient, comme nous, regardé avec curiosité, mais aussi avec dédain et pitié, les outils imparfaits de ce passé d'ignorance et de grossièreté. A coup sûr, ils ne les eussent pas entourés du prestige d'une sainteté particulière. Albains et Romains connaissaient le bronze et le fer ; s'ils se sont quelquefois servis de la pierre, c'est par des motifs beaucoup plus simples qu'ils l'ont préférée au métal.

Il est du reste un fait bien avéré, c'est que l'usage et la fabrication des haches de pierre polie a duré longtemps encore après l'époque à laquelle se réfère l'événement rapporté par Tite-Live. Sur ce point l'évidence se fait jour de toutes parts malgré les répugnances de l'esprit de système. Comment résister, en effet, à tant de découvertes qui nous montrent ces instruments associés au bronze et au fer dans des circonstances qui permettent d'en apprécier l'âge ? L'habile et heureux explorateur de Bibracte, lorsqu'il trouve sept ou huit haches polies dans les ateliers métallurgiques du Beuvray, finit par croire qu'elles servaient encore à quelque fabrication [1]. Cet exemple des armes de pierre et de bronze dans les *oppida* gaulois n'est du reste pas unique. On en a trouvé à Alaise de Franche-Comté et ailleurs [2].

Il est malheureusement certain que les historiens

1 *Revue Arch.*, *nlle série*, XXIII, 185.

2 Voyez : *Mém. Société Ant. de France*. tome 32, 162, etc.

anciens n'ont pas su remarquer l'usage des instruments de pierre et d'os encore employés de leur temps. Ils en ont cependant mentionné quelques uns.

Varron, par exemple, nous donne la description d'un appareil à dépiquer le blé *qui est,* dit-il, *formé d'un plateau armé de dents de pierre ou de fer* [1]. A ce propos, M. E Burnouf [2] a cité l'instrument agricole nommé ἀλωνίστρα, qui est garni de dents en pierre, et qu'on emploie encore aujourd'hui au même usage que le plateau de Varron. L'usage des couteaux de silex est bien constaté par Diodore chez les Troglodytes Ichthyophages, qui, dit cet historien, ne savent pas fabriquer les armes; ils tuent les poissons avec des cornes aiguës et les découpent *avec des pierres tranchantes* [3]. Les Scythes fabriquaient, avec des côtes de bœuf, des racloirs pour enlever la peau des têtes scalpées [4]. Ces outils devaient aussi servir à dépouiller les animaux de leur cuir. J'en possède un, précisément en os de bœuf, qui provient d'une grotte de l'âge de l'éléphant et du grand ours. Les Scythes se servaient quelquefois de cranes sciés [5] pour coupes à boire ; cet usage, qui existait aussi chez les Thraces [6], était pratiqué par certaines peuplades des stations dites de la pierre polie et, en particulier, par celles du camp de

1 *De re rustica*, I. 52.
2 *Bull. Acad. Inscr. etc.; Revue Arch.*, n^lle^ *série*, XXIII, 189.
3 *Bibl. hist.* III, 15.
4 *Ibid.*, *liv.* IV, 64.
5 *Ib.*, 65.
6 Ammien-Marcellin. *Liv.* 27, 4.

Chassey [1]. Cependant les Scythes connaissaient tous les métaux, car si Hérodote leur refuse la connaissance du cuivre, il se contredit lui-même sur ce point lorsqu'il rapporte qu'à Exampée un vase d'*airain* fut fabriqué avec les flèches apportées par la population soumise au recensement [2].

Les Rhizophages de l'Astaboras et de l'Astapas arrachaient pour se nourrir des racines palustres qu'ils écrasaient entre deux pierres; ils en faisaient des galettes qu'ils mangeaient après les avoir fait cuire au soleil. Les Spermatophages vivaient de graines et, à défaut, dévoraient des glands préparés de la manière sommaire qui vient d'être décrite. Les Gymnètes d'Endera armaient leurs flèches avec des roseaux durcis au feu; s'ils ne tuaient rien à la chasse, ils se contentaient de manger du cuir sec qu'ils faisaient cuire sur des charbons.

Les Éthiopiens *Sili* avaient pour armes de guerre des cornes d'oryx; ils ne se nourrissaient que de sauterelles salées dont ils faisaient des gateaux; ce régime ne leur assurait qu'une quarantaine d'années d'existence [3].

D'autres Éthiopiens, les Cynèques, n'étaient pas mieux armés; ils tuaient les bœufs sauvages, les pan-

1 E. Perrault : *Fouilles au camp de Chassey*, p. 30.— Pruner-Bey, *Ibid.* — *Congrès univ., etc.* 1867, p. 139.

2 *Liv.* IV, 71 et 81.

3 Strabon : Geog., XVI.

thères et les autres animaux féroces avec des bâtons durcis au feu, des pierres ou des flèches [1].

Les armes des Struthiophages consistaient en cornes d'oryx longues et tranchantes, très-convenables pour l'attaque et la défense [2].

A Dira, près du détroit qui ferme la mer Rouge, des Ichthyophages, qui connaissaient la navigation, recueillaient des poissons et les exposaient au soleil sur des pierres ; puis ils les désossaient; de la chair ils faisaient des pâtons, qu'ils cuisaient de nouveau aux rayons solaires. L'hiver, lorsque leurs provisions étaient épuisées et qu'ils ne pouvaient les renouveler, ils broyaient les arêtes, les réduisaient en pâte et s'en nourrissaient ; lorsqu'elles étaient fraîches, ils se contentaient de les sucer.

Il y avait d'autres Troglodytes qui se construisaient quelque fois des cabanes au moyen de rameaux entrelacés, et qui étaient munies de poutres et de chevrons fabriqués avec des outils d'os de cétacés.

Certains habitants de la région de l'éléphant se servaient des défenses de cet animal pour creuser leurs citernes [3].

Les Germains de l'époque de Tacite n'avaient pas de villes ; ils vivaient isolés par familles ; leurs maisons toujours écartées les unes des autres n'avaient ni pierres, ni tuiles ; elles étaient en bois brut [4].

1 Diodore, III, 25.
2 Ibid., III, 28.
3 Ibid.
4 Tacite, *Germania*, 16.

Les Bretons de César nommaient *oppidum* un bois épais, fortifié d'un rempart et d'un fossé [1]. D'après Diodore, ils auraient eu des maisons de roseaux et de bois, quoiqu'ils possédassent des chars de guerre comme les anciens héros grecs [2].

Les habitants des Baléares vivaient nus dans des grottes de rochers ou dans des lieux escarpés qu'ils fortifiaient, et le plus souvent dans des habitations souterraines [3].

Si les Libyens du XIVe siècle avant notre ère avaient des chars de guerre et de redoutables armes de métal, ceux que Massagès, fils d'Oarius, commandait dans l'armée de Xerxès, mille ans plus tard, n'avaient plus que des javelots de bois durci au feu. Ils étaient vêtus de peaux [4].

Dans la même armée, figuraient des Éthiopiens portant des arcs de palmier longs de quatre coudées, qui, au lieu de fer, étaient munis d'une pierre aiguë de l'espèce dont ils faisaient leurs cachets gravés. Leurs javelots étaient armés de cornes de chevreuil pointues et travaillées comme un fer de lance ; ils avaient des massues remplies de nœuds [5].

Les Sagartiens, peuple nomade originaire de la Perse, ne se servaient pas d'armes d'airain ni de fer, à l'exception du poignard, mais ils avaient des cordes

1 César, *Guerre des Gaules*. V.
2 *Bib. Hist.*, V, 21.
3 *Diodore*. V, 17.
4 Hérodote, VII, 71.
5 Ibid., 69.

de lanières munies de rets, dont ils enveloppaient les ennemis et même les chevaux pour les tirer à eux et les tuer [1].

Au temps de Tacite, les Estyens, pêcheurs de l'ambre, connaissaient le fer, mais ne s'en servaient que rarement ; leurs armes les plus habituelles étaient des bâtons [2].

Les Fennes étaient les plus sauvages, les plus sales et les plus pauvres des tribus septentrionales : ils n'avaient ni armes, ni chevaux, ni demeures. Ils se nourrissaient d'herbe, se couvraient de peaux et couchaient sur la terre. Pour arme unique ils avaient l'arc, mais à défaut de fer, ils mettaient à leurs flèches une pointe en os [3].

On trouve les indices du tatouage aux temps anciens dans Hérodote, qui dit que les Budins se peignaient en bleu et en rouge [4], et dans César, qui parle de l'aspect terrible des combattants bretons, qui se teignaient tous la peau en bleu au moyen du *vitrum* [5]. Les *Arii* noircissaient leurs boucliers et se teignaient aussi le corps [6].

On pourrait, en analysant les rapports des historiens, multiplier ces indices d'un état de choses qui reproduit certains caractères particuliers de l'âge de la pierre,

1 Hérodote, VII, 85.
2 Tacite, *Germanie*, 45.
3 *Ibid.*, 46.
4 Liv. IV, 108. — Ammien-Marcellin, XXI, 2.
5 *Guerre des Gaules*, V.
6 Tacite : *Germanie*, 43.

mais à une époque qui n'est éloignée de nous que de dix-huit à vingt siècles. Plus récemment encore, au IVe siècle de notre ère, les Huns, imberbes et difformes, semblables à des animaux à deux pieds ou à de monstrueuses caryatides, vivaient de racines, ou de viande à peine échauffée entre leurs cuisses, n'avaient nul besoin de feu, pas de maisons, pas même des cabanes de roseaux; bien qu'ils eussent des épées de fer, ils se battaient aussi avec des flèches armées d'os affilés; ils vivaient en nomades dans des chariots couverts d'écorce, qu'ils traînaient dans les lieux où il leur convenait de camper. Les Alains avaient à peu près les mêmes mœurs, mais ils étaient grands et beaux et se vêtissaient avec plus de soin [1].

Ainsi donc, à nous en tenir aux sources historiques, nous serions pleinement autorisés à nier qu'il ait existé un âge de la pierre. Cet âge, ses subdivisions et les autres âges réputés préhistoriques sont des conceptions théoriques reposant sur des découvertes nombreuses, mais trop souvent contradictoires pour qu'on puisse, quant à présent, y trouver les éléments d'un classement chronologique indiscutable. Au surplus, nous reconnaissons que le silence de l'histoire n'a qu'une bien faible importance dans la question.

1 Ammien-Marcellin, XXI, ch. 2. L'usage de faire suivre les armées par des chariots portant les femmes, les enfants et les bagages était à peu près général. Les historiens le signalent chez les Germains, chez les Celtes-Bretons, chez les Kimris, etc. Notre planche I en montre le plus ancien exemple connu chez les peuples du tour de la Méditerranée. Voir ci-devant, p. 320.

En effet, aucun des historiens n'a su apercevoir les monuments mégalithiques qu'on sait être répandus dans tout l'ancien monde et qu'on a récemment découverts dans le nouveau continent et dans certaines îles du Pacifique. Les personnes qui ont vu les gigantesques alignements de Carnac ou le Stonehenge de Salisbury, ou qui même ont seulement prêté attention à certaines descriptions de ces monuments étranges, pourraient aisément se laisser convaincre que dolmens et menhirs n'existaient pas encore au temps de César, qui n'a pas daigné leur consacrer une mention quelconque. Tous les autres historiens ont observé la même réserve. Les géographes n'en parlent pas davantage. Cependant Strabon, parcourant en chariot les cent stades qui séparent Syène de Philæ, vit le long du chemin des monuments qu'il compare aux Hermaïa ou monceaux de pierres consacrés à Mercure ; *ils consistaient en une roche rude, ronde, assez polie, presque sphérique, de la pierre noire et dure dont on fait des mortiers, placée sur une roche plus grande et surmontée d'une autre. Le diamètre de la plus grosse n'était pas moindre de douze pieds* [1]. Nous ne savons trop quelle espèce de monuments druidiques pourraient rappeler ces empilements, dont les voyageurs modernes n'ont pas signalé les débris ; il s'agit probablement d'un fait mal observé ; mais, quoiqu'il en soit, l'oubli absolu

1 *Géogr.*, liv. XVII.

dont les mégalithes de la Bretagne ont été l'objet, n'en est que plus surprenant.

Un autre genre de monuments qui eût dû frapper vivement l'attention des anciens, ce sont les habitations lacustres. Hérodote a parlé par ouï-dire de celles du lac Prasias [1]. Mais depuis l'époque du père de l'histoire, les palafittes des lacs de la Suisse, de l'Italie, de la Savoie et du Dauphiné ont duré plus de dix siècles sans frapper les yeux des géographes, ni l'attention des historiens. Quelques-unes de ces cités singulières étaient encore occupées aux temps mérovingiens.

Ne nous étonnons donc pas si nous trouvons si peu de traces historiques de l'usage des menus outils de pierre et d'autres matières dures, qui ont dû faire longtemps la ressource la plus ordinaire de populations connaissant les métaux, mais s'en procurant difficilement, et d'ailleurs inhabiles à les travailler même pour les usages vulgaires.

En ce qui concerne l'Europe, la civilisation s'est d'abord implantée sur les côtes de la Méditerranée, sous l'influence des Égyptiens et des Phéniciens. De là, elle a pénétré dans l'intérieur du continent, et, comme de nos jours, le commerce en a été le principal agent ; elle a suivi le cours des fleuves, s'est répandue dans les localités les plus favorablement situées et les

1 *Liv.* V, 16. Il est singulier que Diodore, qui raconte l'invasion de la Pæonie par Philippe, ne dise rien des cités lacustres de ce pays. Ni Strabon, ni aucun autre géographe n'en ont d'ailleurs fait mention.

plus propres à la culture, à la chasse ou à l'élevage du bétail ; pendant de longs siècles, les hautes vallées, les sommets des montagnes, les points les moins accessibles sont demeurés le domaine de peuplades aborigènes, rebelles à l'innovation, ou traitées en ennemies par les nouveaux venus. Ces peuplades nous ont laissé en maints endroits les débris de leur modeste outillage. Mais elles étaient contemporaines et souvent voisines de populations établies le long des fleuves ou sur les principales voies de communication, possédant les métaux, ayant bâti des villes, participant en un mot à la civilisation des nations de la Méditerranée.

Il existait ainsi deux sortes de populations juxtaposées, à divers degrés de civilisation et de barbarie.

Telle était encore au temps de Tacite la situation relative des Romains et des Germains. Parmi ces derniers, ceux-là seuls qui avoisinaient les provinces de l'empire romain se souciaient de l'or et de l'argent ; dans l'intérieur du pays on n'y attachait pas plus de prix qu'à l'argile, quoique l'on y vît quelquefois les vases d'argent donnés par les Romains aux princes germains ou à leurs ambassadeurs.

L'usage du fer devait être fort peu commun chez eux, à en juger par leurs armes ; ils ne faisaient que rarement usage de l'épée, de la cuirasse ou du casque ; mais seulement de lances ou framées à fer étroit et court et de javelots [1].

1 Tacite : *Germanie*, 5 et 6.

Nous ne savons presque rien de l'outillage domestique de ces peuples, qui remplaçaient par une épine l'agraffe nécessaire pour retenir leur sagum [1], et dont les besoins étaient très-peu développés ; quelques vases de poterie plus ou moins grossière, des os affilés, des outils de pierre taillée ou polie, ou de silex éclaté, en formaient vraisemblablement l'assortiment principal. Le roi des Suéones ou Suédois retirait à ses guerriers toutes leurs armes en temps de paix et les faisait garder par un esclave sûr, afin de prévenir la rébellion des soldats oisifs [2], ce qui indique qu'il n'était pas facile de se procurer des armes à cette époque, dans le pays le plus riche en mines de fer. Cependant les Suéones n'étaient pas étrangers aux ressources de la civilisation : ils appréciaient le luxe et la richesse ; les Romains avaient déjà habitué les chefs Germains à recevoir en présent de l'argent, de belles armes et des colliers de prix [3].

Si nous avions les moyens de remonter quelques siècles plus haut dans le passé de ces nations, nous trouverions certainement des traces de plus en plus manifestes de l'outillage grossier qu'on attribue à l'âge de la pierre ; on sent qu'il n'y aurait pas besoin pour atteindre ce résultat d'aller jusqu'à une antiquité bien reculée. Si l'âge de la pierre n'a pas d'autres titres aux longs siècles d'ancienneté dont on le gratifie, que les

1 Ibid., 17. Virgile parle aussi d'un vêtement attaché avec des épines : *consertum tegmen spinis*, Énéide, liv. III.

2 Tacite : *Germanie*, 44.

3 *Ibid.*, 15.

monuments réunis dans les stations dites préhistoriques, il faudra certainement le rapprocher beaucoup de nous.

Existe-t-il quelque moyen tiré de l'observation directe des stations présumées de cet âge, pouvant conduire à une appréciation au moins approximative de leur date? C'est ce que nous allons essayer de découvrir relativement aux stations dites de la pierre polie.

§ III. *De l'ancienneté des stations dites de la pierre polie.*

On est convenu de nommer stations de la pierre polie ou néolithiques celles dans lesquelles on trouve, en nombre plus ou moins considérable, les instruments dits haches ou hachettes de pierre polie; la présence de cés instruments n'exclut pas d'ailleurs celle des instruments de pierre éclatée; on les y trouve au contraire en quantité considérable; mais on a remarqué que certains objets de travail perfectionné, tels que les flèches à aîlerons, ne se rencontrent pas dans les dépôts plus anciens et paraissent spéciaux à la pierre polie. D'un autre côté, les stations de la pierre polie montrent souvent l'association du cuivre et du bronze avec le silex et l'os travaillés.

On rencontre a peu près partout les types caractéristiques de ces stations. Dans Saône-et-Loire et dans la Côte-d'Or, ils abondent sur les plateaux défendus par des pentes abruptes, dans les cols qui mettent en communication des vallées, dans les grottes jurassiques, près des sources, le long des rivières et souvent aussi dans des plaines qui étaient problablement autrefois couvertes de forêts. La plupart de ces gisements sont de très-médiocre importance et n'annoncent pas une occupation prolongée. On les reconnaît généralement aux silex épars que la culture ou le ravinement suffisent à ramener sur le sol. L'exhaussement du terrain par suite de la végétation ne les a pas recouverts de couches bien épaisses. Lorsqu'ils descendent à 80 centimètres ou à 1 mètre de profondeur, c'est qu'il y a eu une cause exeptionnelle d'accroissement ou que les stations avaient été creusées dans la terre. Généralement l'examen de leurs gisements ne témoigne pas d'une haute antiquité; mais dans le plus grand nombre des cas, on manque de moyens de comparaison et de contrôle.

Les rives de la Saône constituent l'un des gisements les plus importants et les plus significatifs de ces sortes de stations. Notre attention a été attirée sur ce champ fécond par la découverte que nous fîmes par hasard, en 1865, de deux couteaux de silex faisant saillie hors de la berge, dans une anse de la Saône nommée par les mariniers *en sables rouges*, et située à 2 kilom. 1/2 en amont de Chalon-sur-Saône. Nous retirâmes alors du même trou, une fusaïole en terre cuite et un caillou frotté sur trois de ses faces, ayant servi de polissoir. Depuis lors, nous avons, pendant sept années, fréquemment parcouru les berges de la Saône dans une étendue de 10 kilomètres en amont de Chalon et d'autant en aval, et fait en outre quelques excursions sur des points plus éloignés. C'est par milliers que nous avons recueilli les outils et les fragments de silex: flèches de tous modèles, couteaux, pointes, racloirs, grattoirs, scies, etc. Les os travaillés, gaines en cornes de cerf, haches polies, pierres de jet, marteaux ronds et oblongs, pierres polies de diverses formes, meules et polissoirs, s'y trouvent moins abondamment, sans être précisément rares. Quant aux débris de poterie plus ou moins grossière, avec ou sans ornements, ils sont innombrables.

Les rives de la Saône ont été également explorées par MM. de Ferry, A. Arcelin et Legrand de Mercey, qui y ont recueilli, mais sur des points différents, absolument le même outillage. Parmi ces observateurs, il s'en est trouvé qui croient avoir reconnu dans certains cas la superposition régulière des dépôts des âges de la pierre, du bronze, du fer préhistorique, de l'époque romaine, etc. Quant à nous, nous sommes convaincus qu'un pareil arrangement n'existe nulle part sur les berges de la Saône.

Pour M. Arcelin, les stations de la pierre polie ont laissé leurs traces dans ces berges à une profondeur de 1 m 50 à 2 mètres [1]; mais pour les calculs chronologiques, que cette profondeur limite un peu trop au gré du théoricien, il adopte l'échelle de 2 à 4 mètres. D'après M. Legrand de Mercey, c'est entre un mètre

1 Landa et Guillemin : *Matériaux*, etc., p. 101.

et un mètre cinquante que dominent les mêmes dépots, qu'il a étudiés sur une station de plus de 1000 mètres d'étendue, en amont du pont de Fleurville, sur une autre de trois cents mètres au-dessus du pont d'Uchizy et sur une de soixante mètres au bief de L'Angély [1]. Mes observations ne contredisent pas celles de M. Legrand de Mercey ; mais elles les complètent en ce sens que, dans des stations bien déterminées, j'ai recuelli des silex taillés en place, à 1 ^{m} 80 et 1 ^{m} 90 comme maximum de profondeur, et à 40 centimètres seulement comme profondeur mininum. De cette irrégularité de gisement, je tire la conséquence qu'il n'est pas possible d'admettre un accroissement régulier des dépôts et d'en tirer même un chronomètre moyen.

Je vais essayer de donner une idée de la constitution géologique de la station de *Sables Rouges* dont je viens de parler.

A l'endroit de cette station, la Saône forme une courbe concave très prononcée ; les eaux rongent activement la berge de la rive droite, qui se présente taillée presque à pic en aval de l'endroit où l'on recueille les débris antiques ; au-dessus de ce point et sur toute l'étendue de la station (environ 150 mètres), il s'est opéré des glissements de terrain ayant produit des espèces de terrasses et déplacé le niveau normal des couches ; ces déplacements ont eu lieu généralement perpendiculairement à la rivière, mais l'inclinaison de

1 Ibid., 61.

certaines couches bien caractérisées montre qu'un affaissement s'est aussi produit d'aval en amont. Cet affaissement a déterminé dans la couche du foyer une inclinaison générale dans le même sens. Nous l'avons aisément constatée en observant qu'à l'aval les silex apparaissent quelquefois à moins de un mètre du haut de la berge, tandis que, vers le milieu du foyer qui forme un angle saillant dans la courbe, il ne s'en rencontre qu'à 1 m 60 au moins. Ce dénivellement a été racheté par des dépôts postérieurs à l'affaissement, de sorte qu'aujourd'hui le dessus des berges est à peu près au niveau constant de 5 m 05 au-dessus du zéro de l'échelle aval du pont de Chalon.

La couche de terre végétale supérieure aux dépôts de l'époque romaine a une épaisseur variable de 40 à 80 centimètres ; celle qu'elle recouvre et qui comprend les dépôts romains ainsi que les silex taillés et poteries noires descend jusqu'à 2 mètres vers le centre de la station. Au-dessous de cette couche, qui a une teinte gris foncé comme si elle était mélangée de cendres [1], se trouvent d'autres dépôts d'allures très-variables et de 3 à 4 mètres de puissance jusqu'aux argiles bleues inférieures qui sont rarement mises à découvert par les eaux. Là se montre, sur une épaisseur de 1 m 50 à 2 m

1 Les empiétements de la Saône sur la berge ont aujourd'hui fait disparaître le foyer proprement dit, dans lequel j'ai recueilli le terrain noir, au toucher graisseux, rempli de cendres, de charbon végétal non-consume, de fragments de bois, avec esquilles d'os, et morceaux de poterie et de silex. J'en ai conservé des échantillons.

au-dessus de l'étiage, un banc d'argile jaune compacte, quelquefois parfaitement pure, quelquefois mélangée de graviers ; plus loin ce banc n'est plus qu'au niveau de l'étiage et s'enfonce sous l'eau ; sur un autre point, c'est une couche d'argile tantôt brune, tantôt bleuâtre, tantôt noirâtre, ayant quelquefois une apparence tourbeuse ; elle se dessine sur la berge à des niveaux plus ou moins élevés et parfois s'abaisse comme sur un plan incliné et semble aller plonger sous la rivière, pour se relever et reparaître plus loin ; quelquefois c'est un banc de sable graveleux grisâtre, assez fortement aggloméré, qui se montre au niveau des basses-eaux. Ici, la grande masse des dépôts est formée d'une argile sableuse jaunâtre ; là, c'est presque un sable fin sans cohésion ; ailleurs, c'est un sable rougeâtre aggloméré et simulant un banc de grès en formation.

Mais, s'ils sont variés d'un point à l'autre, les dépôts différents dont il s'agit n'en ont pas moins chacun une composition très-homogène sur toute leur épaisseur, ce qui vient à l'appui de l'opinion qui les considère comme étant le résultat, non d'actions lentes et séculaires, mais d'actions rapides peu ou point interrompues par des périodes de repos, à la suite desquelles il y aurait eu sans doute des changements dans leurs couches successives.

Cette zône de 3 mètres de dépôts inférieurs à nos stations ne nous a jamais présenté de traces évidentes de la présence de l'homme ; les silex éclatés que nous y avons recueillis, quelquefois engagés dans l'argile bleue, avaient pu y glisser depuis les couches supérieures ; du reste ces silex, quelques os d'herbivores et un cornillon de cerf, qui proviennent de cette formation, étaient isolés, et ne faisaient naître en aucune manière l'idée d'une station, ni même celle d'un foyer.

A ce point de son cours, la Saône, pendant les très-grandes eaux, se développe sur une largeur de 3 kilomètres et demi ; elle a probablement plusieurs fois changé de lit sur ce vaste espace, qui dans l'origine constituait un impraticable marécage. Les bords actuels de la rivière n'ont dû être aisément accessibles qu'à l'époque assez moderne où l'homme, qui faisait encore un fréquent usage de la pierre, est venu y camper et y laisser de sa présence les traces que nous retrouvons aujourd'hui. Mais l'homme occupait antérieurement les points les plus élevés de la vallée et les premiers reliefs jurassiques qui la limitent ; quelques débris de l'industrie de ces anciennes populations ont pu être transportés ou entrainés dans la Saône, et se fixer sur des points qui n'étaient pas encore alors praticables.

Le champ d'observations sur les berges de la Saône est conséquemment limité à leur partie supérieure, à partir du niveau actuel du sol jusqu'à une profondeur de 1^{m} 50 à 2 mètres. Toute cette zone présente une homogénéité satisfaisante, et tranche, sous ce rapport, avec la tenue générale des dépôts inférieurs. Aucun phénomène géologique de quelque importance ne s'est produit depuis qu'elle a commencé à se déposer. La couleur gris sale qui en caractérise la partie inférieure[1], semble indiquer que la présence de l'homme y a altéré la pureté des dépôts.

Dans les foyers importants, comme celui de Sables-Rouges et un autre situé à quelque distance en amont, les couches contenant des monuments du travail de l'homme, débris romains et silex, ont jusqu'à 1m 50 d'épaisseur et les monuments s'y trouvent à des niveaux forts variés. On s'aperçoit vite que des foyers ont dû être creusés, des entassements formés, et qu'autour d'un point central, silex, poteries, os, etc., ont été dispersés au hasard.

Pendant sa présence prolongée sur ce point, l'homme a dû plus d'une fois altérer par des travaux l'horizontalité du sol qu'il foulait; on peut donc supposer des alternatives de creusements et de remplissages opérés avec le même terrain ramené par les inondations. Un bouleversement de ce genre, déplace les dépôts sans laisser de traces apparentes, et enlève toute signification à la situation respective des monuments que ces dépôts renferment.

Le cours de la Saône forme entre Alleriot et le port d'Ouroux un coude considérable, dont les populations anciennes ont dû, pendant la saison des basses eaux, abréger le parcours en quittant momentanément les bords de la rivière. Il existait sans doute des passages

1 La coloration des diverses couches de dépôt est très-marquée après des pluies abondantes, mais en temps de sécheresse tout semble se confondre.

à gué ou des bacs sur différents points où l'on remarque aujourd'hui une accumulation de débris antiques. Telle serait l'explication la plus naturelle de l'importance de la station des Sables-Rouges, point d'où il était facile d'atteindre Saint-Marcel, Épervans, puis Ouroux, où l'on rencontrait de nouveau la Saône et où se trouve précisément une autre station à silex.

Cet emplacement de Sables-Rouges a été fréquenté à toutes les époques, à en juger par les objets qu'on ne cesse d'y recueillir quoique la masse principale de la station ait été entraînée par les empiétements de la rivière. Aux temps romains, les berges s'avançaient sur ce qui forme aujourd'hui le lit de la Saône à plus de 30 mètres du point où elles sont maintenant. On trouve, à plus de 25 mètres de la rive droite, les débris d'un puits romain que nous avons pu examiner pendant des eaux très-basses[1]. Ce travail d'érosion continuera jusqu'à ce qu'on protège la berge au moyen d'un perré. En attendant, il nous livre incessamment de nouveaux débris des âges passés.

Pendant les premières années de nos explorations de cette station, les silex y étaient beaucoup plus abondants qu'aujourd'hui, surtout au point que nous considérons comme le centre de la station ; maintenant la rivière a empiété d'un mètre de plus sur le chemin de halage, et les objets que contient la berge se trouvent dans des proportions différentes. Les silex sont

1 M. Landa a parlé de ce puits : *Matériaux*, etc., p. 110.

rares ; la poterie grossière, noire lorsqu'elle a été au feu, parsemée de gros graviers, s'y trouve encore assez fréquemment ; mais, aux mêmes niveaux et en abondance, on rencontre de la poterie de toute espèce, et même des morceaux de belle terre rouge à ornements, des débris de vases de terre blanche très-fine, aussi avec ornements, et de vases de verre, des tuileaux grossiers à pâte très-mélangée de grains de quartz, des clous, des crochets et des hameçons de fer, et fort rarement quelques jolis objets en bronze.

J'ai réuni sur les planches IV, V et VI, un petit nombre des pièces principales que j'ai recueillies dans cette station [1].

PLANCHE IV.

N° 1 Couteau de silex formant serpette, très-tranchant ; j'en possède deux de la même origine. La station de Germolles qui est de l'âge du Mammouth, en contenait un assez grand nombre, encore bien plus remarquables de forme et de taille. De ceux-ci je possède cinq ou six échantillons.

N° 2. Couteau-pointe de silex.

N° 3. Fragment de couteau de silex translucide à trois tailles, très-tranchant.

N° 4. Très-beau couteau de silex taillé sur le modèle des couteaux de métal, avec le bout en biseau aigu et le manche aminci pour être introduit dans une gaine d'os ou de bois.

N° 5. Double grattoir de silex, modèle de Solutré, altéré à l'une de ses extrémités.

N° 6. Grattoir de silex à fines retouches, destiné à être emmanché, comme ceux des Esquimaux.

1 Les objets sont figurés de grandeur naturelle. Sauf indication contraire, ils ont été trouvés à la surface du sol, sur laquelle ils étaient tombés des berges voisines.

Silex de la Saône. *PL. IV*

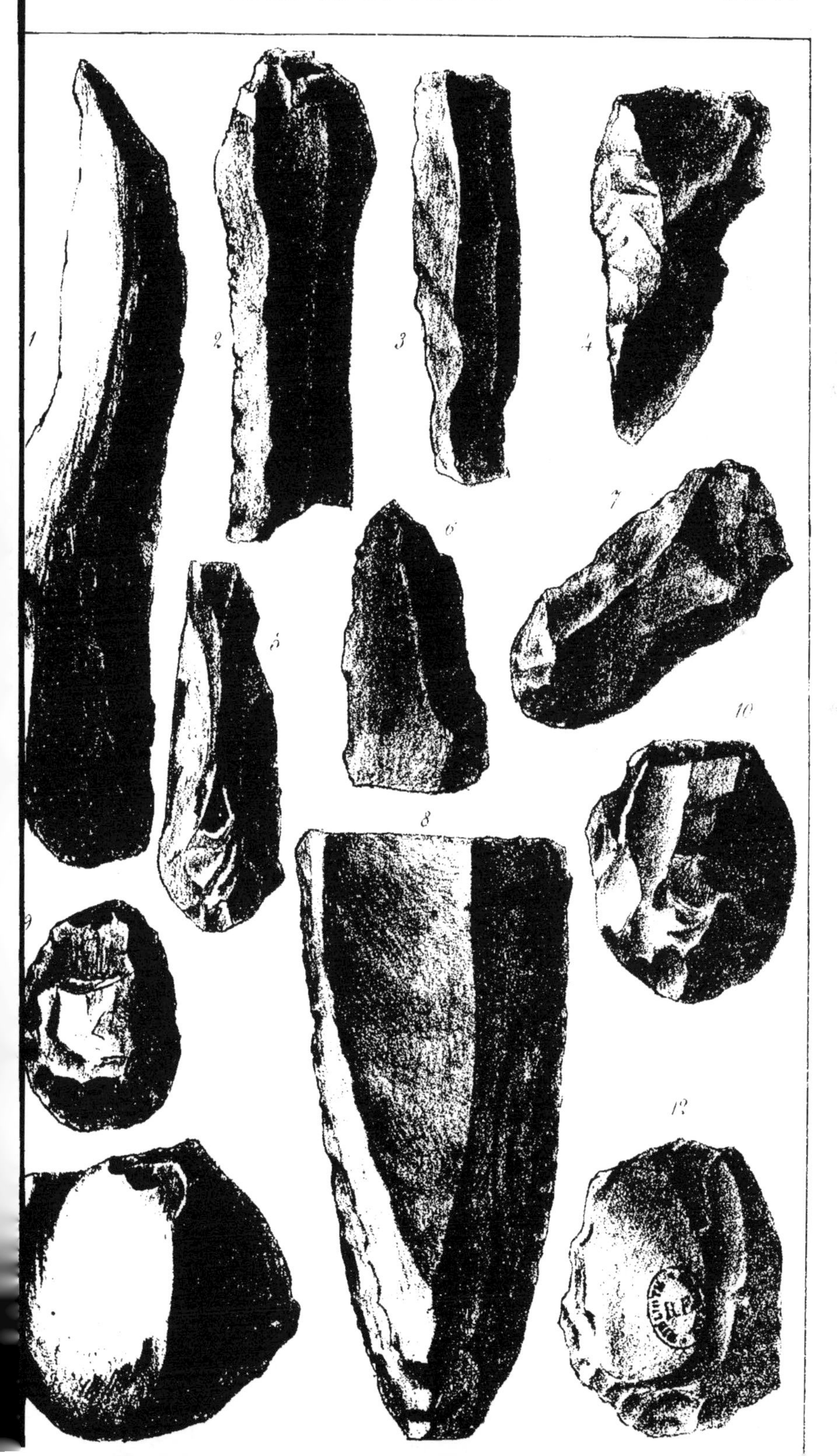

PL V

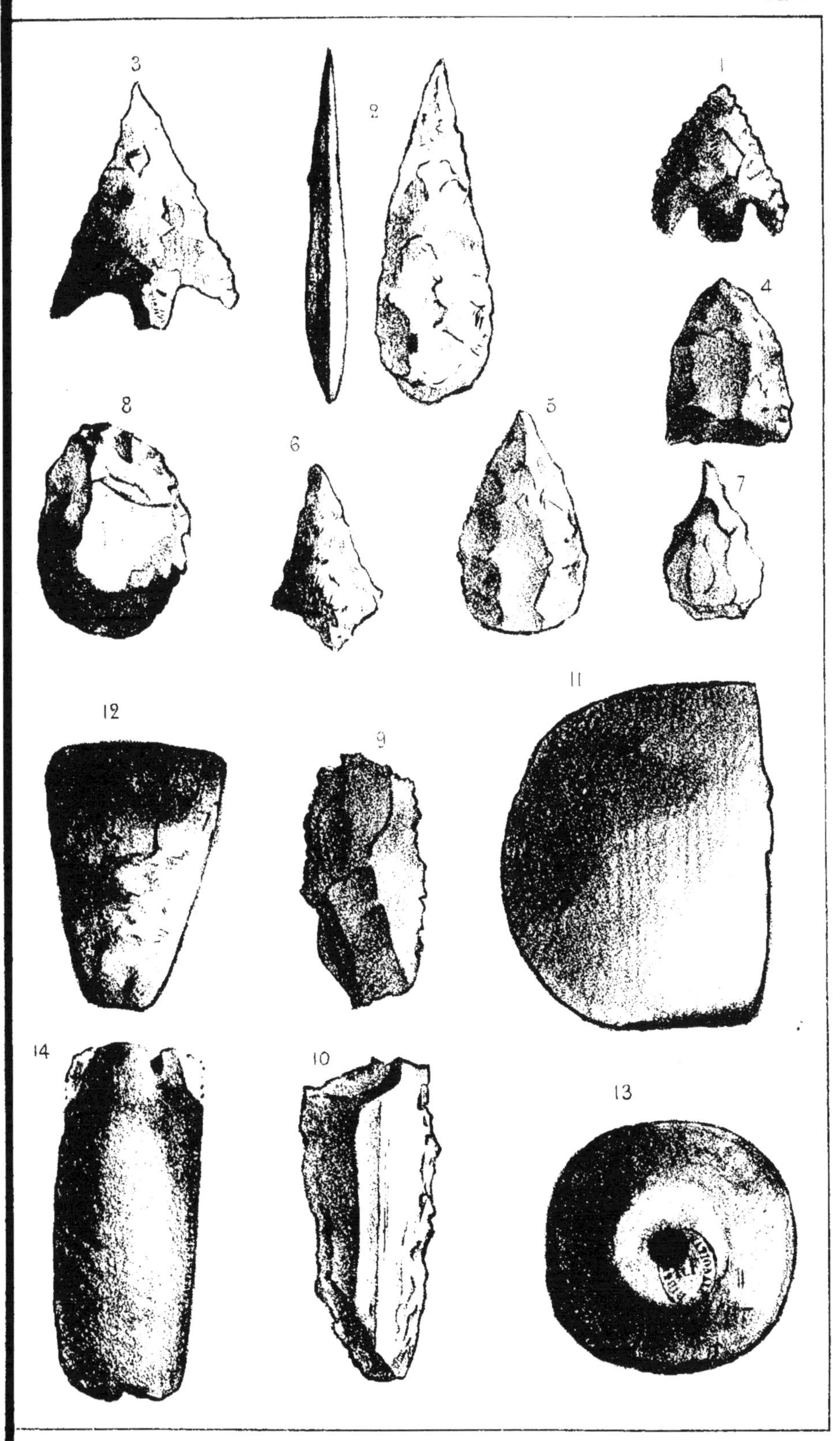

N° 7. Petit couteau de silex très-mince et très-tranchant.

N° 8. Lancette de silex très-mince et très-tranchante.

N° 9. Eclat de silex à tête triangulaire qui a dû servir de flèche; le pied en est aminci pour faciliter l'insertion dans le bois.

N° 10. Pointe à base arrondie, à coupe triangulaire, très-bien travaillée, arrachée de la berge, le 20 avril 1869, à 1m80 en contre-bas du niveau du sol.

N° 11. Fragment d'un magnifique instrument de silex qui devait avoir 25 centimètres de longueur (le fragment a encore 10 centimètres). Cet instrument est partout retouché avec soin, surtout sur les bords, qui ne sont pas tranchants, mais plutôt irrégulièrement dentelés. M. Landa a publié un outil de ce genre dans son état d'intégrité [1], mais un peu moins finement travaillé. Il est très-difficile de déterminer l'emploi qu'on pouvait faire de ces sortes d'outils.

Planche V.

N° 1. Flèche mince de silex à ailerons et pédoncule, finement dentelée. Je ne connais pas de plus bel échantillon de ce genre de travail du silex.

N° 2. Flèche en feuille très-mince et très-régulièrement taillée.

N° 3. Flèche à ailerons de bon travail.

N° 4. Flèche triangulaire à côtés arqués lui donnant une forme ogivale, retouchée avec soin en dessus et en dessous.

N° 5. Flèche en feuille aussi parfaite de travail que le n° 2.

N° 6 Flèche à ailerons peu prononcés.

N° 7. Flèche très-aiguë mais plus grossièrement fabriquée, quoiqu'elle porte des traces de retouches.

N° 8. Petit racloir d'un travail très-remarquable et d'une courbe admirablement régulière.

N° 9. Scie avec dents très-fines et très-régulières d'un côté; de l'autre côté les dents sont plus négligemment faites.

1 *Matériaux*, etc., p. 48.

N° 10. Pointe mousse à section triangulaire, bords retouchés. Un de mes amis a trouvé à Chassey un instrument tout semblable, mais plus complet. Ces outils sont des pointerolles destinées à être frappées avec un maillet.

N° 11. Hache polie de serpentine, brisée, tranchant très-bien conservé.

N° 12. Hachette de fibrolithe.

N° 13. Fusaïole extraite du foyer central de la station (1 m 65 de profondeur.)

N° 14. Grain de collier cylindrique, en poterie noirâtre, avec grains blancs, percé dans toute sa longueur pour suspension. J'ai trouvé un objet tout pareil à Chassey.

PLANCHE VI.

N° 1. Boucle de bronze trouvée dans la berge à 1 m 20 de profondeur.

N° 2. Plaque de fibule en bronze, trouvée à 1 m 50 du niveau du sol en fouillant dans la berge, où elle était mêlée à des clous de fer, des débris de poterie fine à ornements, des fragments de vases de verre, et d'innombrables débris de poterie grossière noire, grise et jaune, avec ou sans graviers dans la pâte.

N° 3. Clef de bronze.

N° 4. Fibule de bronze avec son épingle ; travail très-délicat.

N° 5. Fragment de poterie rouge avec cygne nageant au milieu des fleurs.

N° 6. Lame de fer très-oxydée.

N° 7. Poinçon de bronze.

N° 8. Pointe de pique en fer.

N° 9. Outil de fer (ciseau mince ou lissoir), presqu'entièrement détruit par l'oxyde ; arraché de la berge en amont du foyer central, à 1 m 65 au-dessous du niveau du sol.

N° 10. Crampon de fer.

N° 11. Hameçon de fer extrait de la berge à 1 m 50 de profondeur.

Les débris de meules en grès ou en granit rouge avec

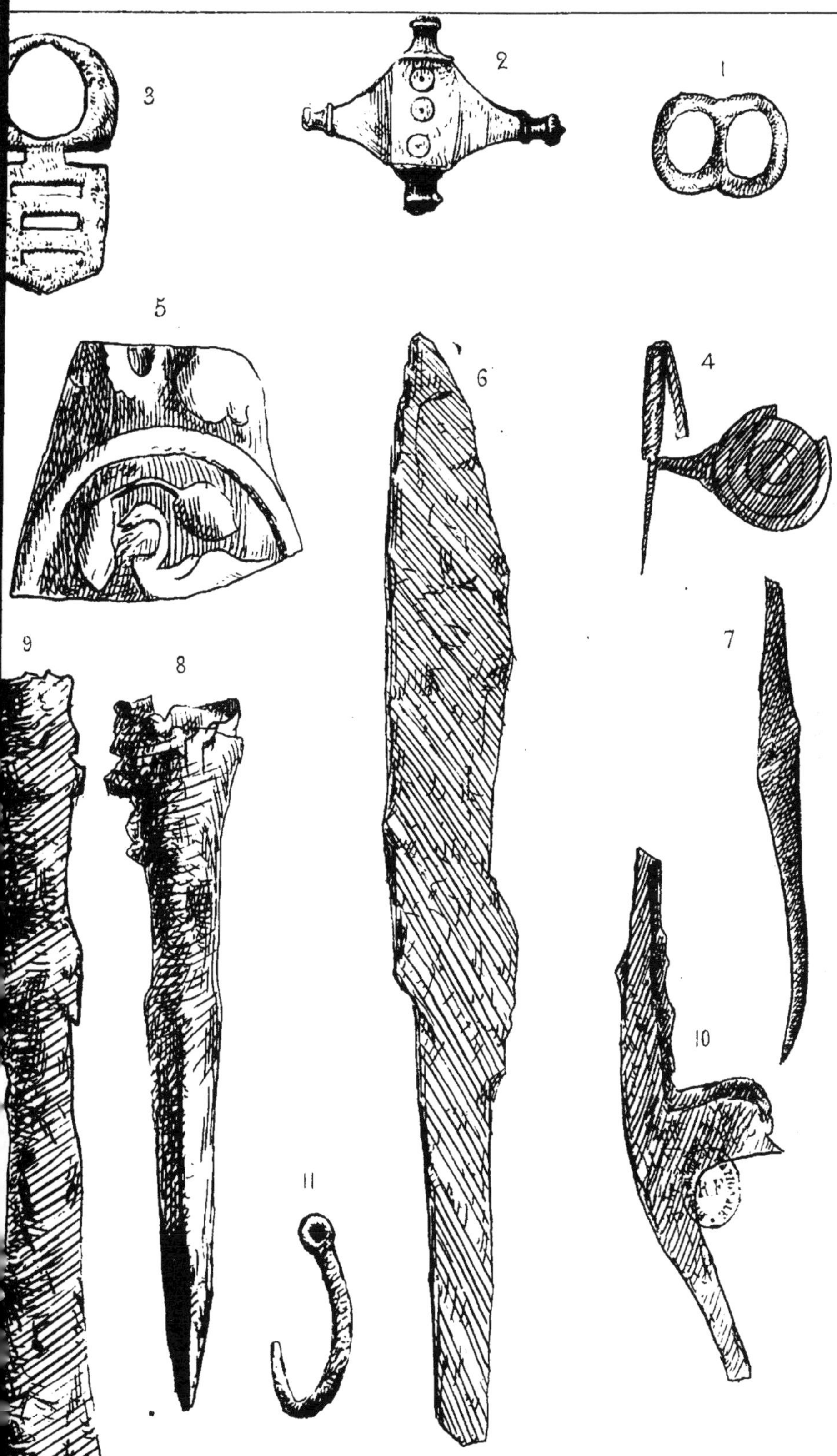
3
2
1
5
6
4
9
8
7
10
11

mica noir sont assez abondants ; il en est de même des marteaux, dont plusieurs sont devenus assez régulièrement sphériques par l'usage ; nous en possédons un qui a été brisé en deux et poli avec soin sur un de ses côtés ; d'autres pierres dures de formes diverses ont été polies par le travail de lissage auquel elles ont été employées, ce qui se voit aux surfaces courbes de leurs faces unies. La série des *nuclei* est très variée.

Les os travaillés comprennent les lissoirs, ciseaux, poinçons, spatules, et les cornes de cerf pour emmanchement d'outils.

Les éclats de silex, y compris les rebuts et déchets de fabrication, étaient extrêmement nombreux en Sables-Rouges, ainsi que nous l'avons expliqué précédemment ; ils sont plus rares aujourd'hui ; cependant nous avons encore pu recueillir à la suite des deux périodes de hautes eaux de 1872 une vingtaine de couteaux et de pointes, dont quatre ou cinq extraits de la berge, à $1^{m}90$ de profondeur. D'autres, ramassés sur le sol des terrasses d'affaissement, lorsque les eaux étaient $3^{m}65$ au-dessus du zéro du pont de Chalon, montrent qu'il existe encore sur ce point des silex déposés à moins de $1^{m}40$ de profondeur. En novembre 1871, j'en avais retiré un qui était engagé dans la berge à un mètre du sol.

L'époque romaine est richement représentée dans ces dépôts, qui m'ont fourni plusieurs monnaies impériales, notamment un Gratien et un très-joli petit bronze de Constantin I ; j'y ai recueilli aussi une de ces moitiés de médailles de Nîmes en bronze, au palmier et au crocodile, qu'on a considérées comme des signes de reconnaissance ou de contrats, et trois monnaies gauloises dont l'une est pareille à celle qu'a publiée M. Hucher, pl. X, n° 2 : deux aigles, aîles éployées, avec la légende CALIAGHIS (des Vadicasses ou Bellovaques). Les époques modernes y sont aussi représentées ; mais les monuments en sont extrêmement rares : le passage de Sables-Rouges avait cessé d'être une station.

Le nombre des objets de tout genre trouvés en place, adhérents aux berges, est assez considérable, sans même parler de la poterie, qu'après toute forte pluie, on voit paraître en tessons multipliés. Mais cette circonstance ne permet pas d'asseoir avec quelque chance d'exactitude un calcul chronologique. Dans une station fréquentée pendant de longs siècles, les dépôts ne se sont pas effectués tranquillement ; ils ont été, comme nous l'avons déjà dit, foulés, fouillés et remaniés de toute manière. Les niveaux auxquels on trouve les objets perdus ou rejetés par les peuplades qui se sont succédées sur ce terrain, n'ont théoriquement aucune signification, et l'observation montre, en effet, que des objets d'apparence très-antique se trouvent quelquefois à un niveau plus élevé que d'autres évidemment plus modernes. Pour ce motif, et aussi à raison des glissements dûs aux affouillements et aux suintements qui se sont faits de tout temps à la surface des dépôts argileux, les monuments et même les couches qui les renferment ne peuvent être regardés comme existant aujourd'hui à un niveau correspondant à la hauteur des berges sur lesquelles ils furent perdus. On en jugera par la circonstance que nous avons trouvé, en avril 1871, dans la berge de Sables-Rouges, à environ 5 mètres en aval du foyer central, un denier de cuivre, très-fruste, sur lequel cependant M. A. de Longperrier a pu déchiffrer les restes de la légende : KAROLUS FRANCORUM REX, qui en fixe l'attribution à Charles VIII. Une tache verte en indiquait la place, qui, le denier retiré, demeura vide et visible pendant plus d'un mois; la petite pièce était placée horizontalement, dans la situation qu'elle avait dû prendre en tombant. De son trou à la partie supérieure de la berge, la distance verticale était de 55 centimètres. A 50 centimètres plus bas, nous recueillîmes également dans la berge deux morceaux d'une même brique jaune à pâte fine, juxta-posés de manière que les angles de la cassure se correspondaient exactement. Ces circonstances feraient penser qu'il ne s'est pas produit de grands dérangements sur ce point au moment du dépôt de la couche romaine; d'autres débris de poterie romaine se rencontraient encore à 20 centimètres plus bas. En même temps, nous retirions du foyer central (à 5 mètres en amont), une pointe de silex qui n'était qu'à 1^{m} 60 de profondeur.

Il est peu probable, mais nullement impossible, qu'une épaisseur d'alluvions de 55 centimètres se soit déposée en quatre siècles ; la berge a pu être exhaussée artificiellement, avant la création des digues actuelles, par des travaux de défense contre les inondations.

Mais la rapidité du remplissage d'une faille accidentelle qui se serait produite a pu aussi être très-grande ; au milieu d'un terrain meuble, une seule crue forte et rapide aurait pu déposer plus de trente centimètres d'alluvions [1].

Partout où nous avons observé, sur les bords de la Saône, des emplacements auxquels on pouvait légitimement donner la qualification de stations, nous avons constaté la même impossibilité d'y reconnaître une disposition constante et régulière des dépôts. La station à silex la plus considérable qui nous soit connue n'a pas été recouverte par une station romaine. Les silex y apparaissent depuis une profondeur de 40 centimètres en aval, et le terrain de la station s'incline régulièrement vers l'amont, sur plus de 200 mètres, jusqu'à une profondeur que les glissements perpendiculaires à la rivière empêchent de vérifier. C'est comme s'il y avait eu un mouvement de bascule dans le terrain, et que la station se fût enterrée d'un côté, tandis qu'elle se relevait de l'autre ; si donc on trouvait à son extrémité amont des silex à 2 m 50 et même à 3 mètres, ce ne serait pas un motif pour les supposer plus anciens que ceux qui sont remontés jusqu'à 40 centimètres du sol actuel.

Les dépôts de l'époque romaine commencent à cette extrémité amont ; ils sont peu féconds, et ne m'ont

1 Les fosses d'où l'on extrait l'argile à briques sur les bords de la Saône se remplissent très-vite ; il en est autrement de celles qui sont ouvertes au milieu des terrains de pâturages.

fourni que des poteries, entre 90 et 1^m 20 de profondeur.

On aurait peut-être une idée plus exacte de la superposition des couches en étudiant les parties des berges où l'on ne trouve qu'accidentellement des silex et des poteries. Il semble que l'homme n'ait fait qu'y passer ; les objets qu'il a rejetés ou perdus sont tombés sur le chemin, et non dans le creux d'un foyer ou sur un monceau de débris voisin d'un campement. De longues parties de la berge qui se développe entre la station des Sables-Rouges et celle du ruisseau de Crissey permettent d'étudier des couches de ce genre. On y distingue presque partout, après 60 ou 80 centimètres environ de dépôts modernes, une couche d'environ quatre-vingt centimètres, remarquable par sa teinte gris noirâtre, quelquefois divisée en deux zônes vaguement séparées par un intervalle un peu moins foncé. C'est dans ce terrain de 80 centimètres de puissance que se trouvent les débris antiques, consistant surtout en poterie.

Les silex se rencontrent le plus souvent dans la zône inférieure. La couche à monuments est ici moins épaisse que dans les foyers ; elle rétrécirait encore le champ de la chronologie ; mais les monuments y sont si clair-semés qu'en faisant la part légitime de l'accident, on sent que tout calcul manquerait de base assurée.

Ces indices sont trop faibles en effet pour servir de point de départ. D'ailleurs il s'en faut de beaucoup que l'horizontalité de ces zônes colorées soit constante sur de grandes longueurs ; lors même qu'on pourrait légitimement en déduire une moyenne, il faudrait encore tenir compte de deux faits qui ont leur importance, à savoir :

1° Que tous les objets qui tombent sur un terrain meuble, détrempé périodiquement, ont une tendance à pénétrer dans le sol qui les a reçus ;

2° Que l'accroissement des alluvions est en raison directe de la fréquence des inondations ; que les inondations devaient être plus fréquentes quand les berges de la Saône avaient de 1 mètre à 2 mètres de moins d'élévation ; que par suite l'accroissement a dû avoir depuis cette époque une marche de moins en moins accélérée.

La conséquence de ces observations est que tout calcul fondé sur les profondeurs comparatives des dépôts manquerait de base et que la nature de ces éléments est telle qu'elle ne se prête en aucune manière à l'élimination de données moyennes.

Tout ce qu'il est possible d'affirmer, c'est que la zône renfermant des objets romains est en contact immédiat avec celle qui contient des outils de silex ;

Que ces deux zones, y compris les dépôts modernes, n'occupent pas une épaisseur supérieure à 1 m 50 ou 2 mètres dans les alluvions supérieures de la Saône ;

Que la zône à silex n'a pas plus de puissance que la zône à débris romains.

Si donc on attribue à 500 ans la formation de la couche romaine (40 à 50 centimètres de puissance), on serait presque autorisé à n'attribuer qu'une pareille durée à la formation du dépôt inférieur jusqu'à la naissance de la couche argileuse stérile en monuments. Doublons cette durée pour faire reste de droit aux partisans de la haute antiquité, nous n'arriverons encore qu'à mille ans avant notre ère. C'est je crois la limite extrême ; quinze siècles seraient inadmissibles, ou bien il faudrait supposer que les dépôts inférieurs à l'époque romaine ont suivi une marche bien plus lente que ceux de cette couche et des époques modernes, et nous avons vu que c'est le contraire qui a dû arriver.

On ne rencontre nulle part ailleurs un champ d'exploration aussi étendu que les rives de la Saône ; je ne l'ai étudié d'une manière suivie que sur une vingtaine de kilomètres. Mais les observations que j'ai faites sur les berges très-développées qui s'étendent sur la rive gauche, entre Tournus et l'embouchure de la Seille, ne sont que la confirmation de celles que m'avait suggerées mon parcours habituel. Les silex s'y présentent aux mêmes niveaux. J'y ai trouvé, à 1^{m}50 de profondeur, réunis en tas, les débris d'un petit atelier où des outils de silex avaient été fabriqués ou retravaillés ; les petits fragments d'enlevage s'y comptaient par centaines. Cette agglomération de menus éclats n'a, selon toute vraisemblance, subi aucun déplacement depuis l'époque où elle a été déposée.

Je n'ai reconnu dans ces berges en aval de Tournus aucune station proprement dite, aucun foyer s'étant continué jusqu'aux époques romaines; les foyers romains s'y montrent à un niveau un peu supérieur en général, mais l'écart n'est pas considérable. Dans le lehm jaunâtre inférieur à la couche à silex, on aperçoit un assez grand nombre de traces de combustion, qui ne contiennent ni outils de silex, ni poteries, pas même des esquilles d'os. Nous croyons que c'est improprement qu'on a donné à ces minces débris d'apparence charbonneuse le nom de foyers.

D'autres explorateurs, que j'ai déjà nommés, ont étudié les berges de la Saône entre Lyon et Gray, c'est-à-dire sur 283 kilomètres. A M. Legrand de Mercey, qui a reconnu, comme nous l'avons déjà dit, la couche à silex et à poterie grossière, à une profondeur qui varie entre 1 mètre et 1 m 50, — la formation de lehm existant entre les argiles bleues lacustres et la couche à silex, sur une épaisseur de 3 mètres environ, a paru entièrement dépourvue de traces de l'homme et des animaux[1]. La méthode de cet investigateur consciencieux diffère un peu de la mienne; mais ses études l'ont porté à adopter l'opinion qu'il n'a pas dû s'écouler beaucoup de siècles entre les gisements de l'âge de pierre et la fondation des établissements de l'âge des métaux[2]. Cette conclusion est juste, à cela près que M. de Mercey n'admet peut-être pas que bronze et silex soient du même temps et que les stations qui les

1 *Matériaux Landa*; p. 189.
2 *Ibid.*, p. 170.

renferment descendent jusqu'à l'époque romaine, comme c'est notre conviction.

Quant à M. Arcelin, qui croit avoir trouvé sur les bords de la Saône les restes caractéristiques de l'époque romaine, à 1 mètre de profondeur ; de l'époque du fer celtique, de 1 m à 1 m 50 ; de l'âge de bronze, de 1 m 50 à 2 mètres ; et de la pierre polie, de 2 mètres à 4 mètres, je ne suis d'accord ni avec ses observations, ni avec ses calculs [1]. Ce savant affirme que presque toutes les stations qu'il nomme préhistoriques sont sur la rive gauche de la Saône ; d'après mes recherches, elles sont au contraire, à partir d'Ouroux, toutes sur la rive droite.

Mais il est un point sur lequel je suis en étroite conformité de vues avec M. Arcelin : C'est sur *la nécessité d'opérer soi-même et, au besoin, la pioche à la main ; de tout observer, de tout recueillir, en notant avec soin le niveau, la place et la position relative de chaque objet ; toute fouille mal faite est non-seulement inutile à la science ; mais, de plus, il serait dangereux d'en rien conclure* [2]. Ces principes sont excellents, mais combien avons-nous, à ce compte, de fouilles dignes de confiance ? Ce ne sont pas assurément celles des faiseurs de collections [3].

1 *Les Berges de la Saône*, 1868, p. 18.

2 *Conférence sur l'archéologie préhistorique.*

3 Il est indispensable que les observations se contrôlent. Le curieux qui vide seul une station ou la bouleverse à son gré, puis rend compte

C'est toutefois à l'aide d'une exploration bien faite que M. de Ferry a découvert, près de St-Georges, dans la berge de la Saône, à 1^{m} 30 de profondeur, une lame de plomb reployée sur elle-même et fortement patinée [1]; ce morceau de métal était associé à des poteries identiques à celles de la station du lac Paladru, qui a été d'abord définie comme appartenant à l'âge du fer anté-romain, et M. de Ferry en conclut qu'il ne saurait plus exister aucun doute sur l'attribution de la station de St-Georges à cet âge. Mais des recherches plus complètes faites au lac Paladru, ont amené MM. de Mortillet et Bertrand à conclure que ces palafittes sont récentes et probablement même de l'époque carlovingienne [2]. Les partisans de la haute antiquité ne sont pas à bout de surprises. Le gisement en face de l'île St-Jean, qui avait fourni tout l'attirail nécessaire pour avoir droit à être nommé station de la pierre polie, a glissé subitement jusqu'au bronze entre les mains de ses parrains, à la suite de la découverte, *in situ*, d'une belle épingle de bronze [3]. En cherchant

de ses trouvailles lorsque toute vérification est devenue impossible, ne peut prétendre à la moindre confiance dans les résultats qu'il voudrait accréditer. A Solutré, j'ai trouvé une scie fine de silex ; à Charbonnières, j'ai recueilli sur différents points des ateliers, une quinzaine de grattoirs de taille admirable, que les plus beaux spécimens de Solutré ne dépassent pas en perfection. Cependant, à en croire le *Mâconnais préhistorique*, il n'y aurait pas de scies à Solutré, pas de grattoirs à Charbonnières.

1 *Le Mâconnais préhistorique*, p. 99.

2 *Matériaux Trutat et de Castailhac*, 1870, 177.

3 *Le Mâconnais préhistorique*. p. 119.

bien, on y trouvera du fer, comme nous l'avons fait à la station de Sables-Rouges.

M. Legrand de Mercey n'a jamais vu dans la couche à silex et poteries le moindre objet qui lui ait révélé l'emploi contemporain du fer ou du bronze [1]. On voit qu'il a été moins heureux que ses émules ; mais cette circonstance prouve le peu de valeur de ces constatations négatives. Dans nos courses multipliées sur des parties très-fécondes des rives de la Saône, pendant sept années, il ne nous est point arrivé de trouver un morceau quelconque d'or ou d'argent. Cela prouve tout simplement que les métaux précieux ont été de tout temps l'objet de soins particuliers. Or le fer et le bronze ont été à certaines époques aussi précieux et même plus rares que ne le sont aujourd'hui l'argent et l'or ; lorsqu'ils ont pris place dans l'outillage des peuplades éloignées des lieux de production ou des ports d'importation, ils étaient conservés avec un soin religieux par leurs possesseurs privilégiés, qui ont dû longtemps encore se servir de la pierre tranchante, en réservant les instruments de métal pour des travaux spéciaux. Il est donc tout simple que les stations de cette époque soient très-pauvres en métal. En ce qui touche le fer, il a dû disparaître en grande partie par l'oxydation. Nous avons remarqué souvent dans la couche romaine des clous et d'autres objets partiellement détruits ; la partie détruite était transformée en oxyde terreux ;

1 *Matériaux Landa*, p. 133.

d'assez nombreuses agglomérations de matière colorée de ce genre, se remarquent dans les berges et proviennent d'objets de métal entièrement désorganisés par la rouille.

Nous ne saurions raisonnablement nous refuser à conclure que les âges prétendus de la pierre polie, du bronze et du fer préhistoriques se confondent ensemble et rentrent, en ce qui concerne les gisements riverains de la Saône, dans les limites de la période historique des peuples européens. Ils sont moins anciens que les tributaires de Thothmès III, moins anciens même que les Sardiniens, les Sicules, les Étrusques, etc., dont les vaisseaux portèrent la guerre en Égypte sous le règne des Ramsès. La découverte récente d'une sépulture étrusque, à Eygenbilsen, près de Tongres, sur la rive gauche de la Meuse, prouve que les Étrusques avaient traversé l'Europe, où l'avaient contournée sur leurs navires, avant le développement de la puissance romaine[1]. On s'est demandé comment il était possible que ce peuple, qui connaissait le fer, n'eût jamais communiqué la connaissance de ce métal à ses correspondants septentrionaux, et l'on a été amené à remettre en question la série des âges préhistoriques dont on a encombré la science. C'est une légitime réaction contre la prétention de certains observateurs tendant à introduire dans cette série un âge d'os et un âge de cuivre. Cette échelle n'a pas de solidité; les progrès de la

1 Les tombeaux étrusques contiennent des silex taillés. Le Musée de Bologne en possède de cette origine.

science en auront bientôt fait justice. Ainsi que l'a très-bien dit M. le professeur Desor au Congrès de Copenhague, « *l'âge de bronze doit se restreindre « de plus en plus. On trouve du fer un peu « partout ; les uns voient l'âge de bronze où le « bronze domine, d'autres l'âge de fer partout « où il y a un peu de fer.* »

Au même Congrès, M. Bertrand, énumérant les nombreuses trouvailles d'objets de bronze mêlés à des objets de fer, finit par conclure *qu'il n'y a pas eu, à proprement parler, un âge de bronze avec des rites et des monuments funéraires particuliers.* Enfin, M. H. Martin a maintenu *que le premier âge du fer en Occident doit garder le nom d'âge gaulois et appartient à l'histoire proprement dite*[1].

Ces observations signalent la marche et la direction du progrès ; ajoutons-y celle-ci : que pendant cet âge gaulois le bronze et la pierre ont été d'usage commun, et nous serons sur le véritable terrain des faits.

Ainsi sont ramenés dans les limites de l'époque historique une partie des âges supposés préhistoriques. Il faut observer cependant que si les dépôts à silex taillés de la Saône tombent dans le premier millénaire, ou tout au plus au commencement du deuxième millé-

1 A la Société des Antiquaires de France (*Bulletin*, 1872, p. 55), M. Nicard rendant compte des découvertes récemment faites en Suisse, parle *des âges de la pierre et du bronze comme n'étant pas aussi déterminés qu'on veut bien le dire.*

naire avant notre ère, ils ne nous donnent pas la mesure de la durée de ce qu'on est convenu de nommer l'époque néolithique. Cette époque, quelque nom qu'il convienne de lui donner, a duré plus longtemps ; mais dans la première partie de son cours, l'homme n'a pas fréquenté les berges de la Saône ; il n'y est arrivé que lorsque ces berges se sont émergées de 3 mètres environ au-dessus du terrain lacustre. Au-delà de cette limite, les berges sont vides de foyers et de stations, et lors même qu'il en serait autrement, nous n'en serions pas plus avancés, vu la difficulté de calculer la marche d'accroissement des dépôts inférieurs. Cette marche peut avoir été très rapide ; des lits d'argile jaune ou bleuâtre compacte, déposés sur quelques points de la rivière semblent avoir été le résultat d'une seule crue, tant ils sont homogènes ; on peut faire la même observation à propos de lits de graviers.

A la base de ces alluvions se trouve un étage d'argiles bleu-foncé qui s'étend sous la vallée entière et qu'on croit d'origine lacustre. Sur certains points cette formation empâte des arbres d'assez grandes dimensions. Au droit de Préty ces bois sont abondants et encore assez bien conservés pour être utilisés dans la menuiserie. S'agit-il d'une forêt qui aurait existé avant que la Saône eût trouvé un écoulement par sa vallée actuelle, et qui aurait été remplacée subitement par un lac ? Cette hypothèse suppose des phénomènes géologiques considérables, qui échappent à toute appréciation chronologique. Il est plus simple de croire qu'une violente inondation, conséquence de quelque soulèvement, a déraciné ces végétaux sur des points peut-être fort éloignés des lieux où le courant les a ensuite déposés.

Toutefois, pas plus que l'autre, cette hypothèse ne fournit des moyens d'évaluation chronologique. Des dents et des os d'éléphants et même deux crânes humains et d'autres objets ont été recueillis dans ces argiles ; mais nous ignorerons toujours l'époque et la cause de leur enfouissement. On trouve quelquefois des dents d'éléphant au fond de la Saône. La dernière découverte de ce genre date de 1870 ; une molaire de mammouth fut amenée par la drague qui fonctionnait en aval de Chalon pour l'extraction des graviers destinés au ballastage du chemin de fer de Lons-le-Saunier. Des objets de toute nature et de tout âge furent en même temps extraits du même endroit.

La supposition que les cinq mètres d'alluvions déposés par la Saône sur la formation d'argile lacustre sont le résultat d'inondations périodiques régulières, paisibles, comme celles de nos jours, et que par suite la marche de l'accroissement aurait été constamment lente et uniforme, est à notre avis complétement inadmissible. Personne n'acceptera un calcul à raison de 65 millimètres d'accroissement par siècle, applicable à la fois aux temps écoulés depuis l'époque romaine (15 siècles pour 1 mètre) et à toute la période antérieure jusqu'à la formation des marnes bleues (6700 ans pour 4^{m} 50) [1].

1 La base de 65 centimètres par mille ans rend, du reste, un compte

On a reconnu qu'en sept siècles la plaine submersible du Pô s'est exhaussée de 1^m 40 par rapport à la plaine insubmersible, ce qui fait, à l'époque moderne, un accroissement de vingt centimètres par siècle.

Sur la Garonne, il arrive souvent qu'une crue forme des dépôts de sable et de gravier de 3 à 4 mètres de hauteur, soit dans les bras secondaires, soit derrière les lignes des travaux d'endiguement, où il y a ralentissement de vitesse, soit dans les parties du lit offrant des rentrants où il y a des remous ; quant aux matières limoneuses et vaseuses, tenues en suspension, elles vont généralement jusqu'à la mer ; il y a cependant des dépôts en route dans les parties où la vitesse est tout-à-fait insensible, et ces dépôts atteignent de 40 à 50 centimètres par an lorsqu'ils se font en contrebas de l'étiage, dans les circonstances les plus favorables.

Dans les travaux de régularisation du lit de la Garonne, les atterrissements se forment naturellement par l'effet des hautes eaux ; au bout de deux ans, la moitié de la surface à conquérir peut en général être plantée, et le reste est susceptible de l'être, après deux autres années. Il s'est alors déposé de 60 à 80 centimètres de vase ou de 40 à 50 centimètres de sable.

Ces observations pourraient être multipliées à

assez exact des dépôts supérieurs ; deux mètres à ce compte équivalent à 3000 ans environ ; c'est la limite extrême des couches à silex, qui commencent à moins de 1^m 50, c'est-à-dire moins de 2200 ans. Ce calcul donne les mêmes résultats que celui que nous avons proposé p. 510 ci-devant. Toutefois, ce n'est pas un motif pour admettre la régularité chronométrique des dépôts.

l'infini ; mais elles suffisent déjà pour montrer que les alluvions se déposent d'une manière très-variable, et pour faire justice du calcul qui évalue à *six centimètres par siècle l'accroissement des dépôts d'inondation il y a 60 ou 80 siècles sur les bords, alors de 2 à 4 mètres moins élevés qu'aujourd'hui, d'une rivière qui comble encore si rapidement de nos jours les trous creusés par les dragages de sables et de graviers* [1].

D'après les vues que nous venons d'exposer, la Saône, depuis 1000 ans avant notre ère, soit depuis trois mille ans en nombre rond, a exhaussé ses rives d'à peu près 2 mètres ; c'est tout ce que nous pouvons admettre ; mais cette évaluation n'a absolument aucune valeur relativement à la durée de la formation des dépôts plus anciens.

La question de la durée totale de l'âge dit de la pierre polie, dont on peut placer le début vers l'époque de l'émigration du renne reste donc à résoudre, et nous ne connaissons jusqu'à présent aucun chronomètre acceptable pour cette recherche. Dans les cavernes, le progrès du remplissage est encore plus mal aisé à apprécier que l'accroissement des alluvions. Dans les stations des camps et postes d'observation et de défense, la profondeur à laquelle les monuments se trouvent enfouis est variable ; mais rarement considé-

1 Dans le lit de la Seine, les lits de graviers enlevés par la drague se reforment en peu de temps, souvent dans le cours d'un seul hiver ; mais si l'on n'y touche pas, leur niveau reste presque invariable. Les choses se passent de la même manière sur la Saône.

rable ; presque toujours ces stations sont révélées par des silex et des poteries épars sur le sol. En examinant ces gisements, on n'y trouve généralement pas de signes manifestes d'extrême ancienneté ; on ne s'étonnera donc pas de les voir descendre jusqu'à la rencontre des temps romains.

Les belles stations des camps de Chassey et d'Auxey ; celles des points moins importants de Rome-Chateau, de Rême, d'Agneux près Rully, du moulin de Mercurey, de Chateau-Beau, etc., que j'ai parcourues et fouillées, fournissent plus ou moins abondamment les mêmes objets que les bords de la Saône : haches polies, flèches de toutes formes, outils de silex de tout genre, poinçons d'os, gaines en corne de cerf, fusaïoles, objets d'ornement, fer, bronze, etc. ; tout se ressemble et parait appartenir à la même époque. Cette analogie ressort d'une manière très-remarquable de la comparaison des poteries. Nous avons formé deux séries, l'une de Chassey, l'autre de la Saône, comprenant toutes les variétés de composition de pâte, d'ornementation, de rebords, de pieds et d'anses ; on chercherait vainement à les différencier par la moindre particularité. L'une et l'autre amènent aux conclusions suivantes :

1° Que les poteries très-grossières, à pâte noire ou jaunâtre, ne constituent pas nécessairement une espèce plus ancienne que les autres ; on se servait alors à la fois de vases plus ou moins bien fabriqués absolument comme de nos jours.

2° Les graviers blancs plus ou moins gros, plus ou

moins abondants, mélangés dans la pâte, ne forment pas un caractère spécial à la poterie de l'âge de pierre ; cet usage s'est continué à l'époque romaine ; nous possédons des fragments de vases faits au tour dont la pâte contient des graviers aussi gros et aussi nombreux que les plus grossières poteries à la main.

3° Le lissage soigné de l'extérieur des vases et le mélange du mica dans la pâte sont également communs à la poterie romaine et à la poterie des temps plus anciens. On broyait, pour les mêler à la pâte, des grès micacés dont j'ai trouvé de nombreux échantillons dans les stations à silex et dans les stations romaines ; souvent aussi un sable micacé suffisait.

Certains vases étaient saupoudrés de mica jaune ou blanc et lissés ensuite avec soin, ce qui leur donnait une apparence de vernis luisant. Cette opération se faisait au moyen d'un morceau de micaschiste qu'on raclait au-dessus du vase en fabrication à l'aide d'un outil de silex ou de métal. Nous possédons un de ces morceaux de micaschiste poli et creusé par le raclage, et de nombreux fragments de la poterie ainsi saupoudrée. Ces objets proviennent d'une station romaine sur les bords de la Saône, où parait avoir existé une fabrique de poterie [1].

Toutes les stations dont nous venons de parler se prêtent ainsi avec la plus grande facilité aux supputations générales que nous a suggérées l'étude des dépôts sur les berges de la Saône.

1 Vers la borne kilométrique 148, rive droite.

§ IV. *Des stations dites de la pierre éclatée. Des animaux disparus. De l'homme-singe.*

Combien de temps s'est-il écoulé depuis l'époque du dépôt des silex sur les bords de la Saône jusqu'à celle du renne, du mammouth et du grand ours, animaux aujourd'hui émigrés ou disparus, dont l'homme a été contemporain? Telle est l'importante question qui se propose d'elle-même aux recherches des savants. Nous n'essaierons pas de la résoudre.

Nous ferons remarquer seulement que les motifs tirés de l'outillage de pierre et d'os comme démonstration d'extrême ancienneté ont désormais perdu à peu près toute leur valeur. Il n'est guère permis de douter que cet outillage, dans son entier, tel que nos figures en ont reproduit quelques-uns des types les plus parfaits, n'ait été employé très vulgairement pendant tout le premier millénaire avant notre ère. Il comprenait une foule d'outils plus grossiers, de simples éclats, qu'il eût peut-être été tout aussi instructif de placer sous les yeux du lecteur [1].

Les stations du renne et du grand ours que nous avons explorées (Solutré, Germolles, Agneux) ne se prêtent pas à des considérations géologiques. De même que les monuments de l'époque de la pierre polie, ceux

1 Sur les bords de la Saône, aux environs de Chalon, le silex naturel est rare; aussi les gros outils endommagés n'étaient pas rejetés: on les retaillait en petits outils; il est très-rare de trouver des instruments de dimensions un peu considérables.

de ces stations se sont montrés épars à la surface du sol ; il n'y a d'exception que pour la grotte de Rully, dont le vestibule et le ravin d'évacuation avaient été couverts par le glissement des pierres et des terres entraînées par les pluies ; ces matériaux enlevés, les choses se sont montrées de tout point comme à Germolles. On ne fouille pas plus profondément à Solutré qu'à Chassey ; de telle sorte qu'au premier coup d'œil, l'idée que ces stations n'aient été occupées qu'à de longs siècles d'intervalle ne se présente pas à l'esprit.

Un long intervalle se justifierait encore moins par la nature des restes caractéristiques du travail humain. En effet, les armes et les instruments de silex de Solutré sont infiniment plus remarquables, comme perfection, que ceux de la Saône et de Chassey. Ces milliers de lames minces, si régulièrement taillées qu'elles font supposer l'emploi de calibres constants, n'ont point de rivales nulle part. Si l'on ne trouve pas à Solutré la flèche à ailerons, ni en général le travail à très-fines retouches, on voit aisément qu'il faudrait bien peu d'efforts pour amener au meilleur type de Chassey la flèche ci-contre, dont le dessin ne rend pas suffisamment toute la finesse. Les hommes du temps du renne savaient aussi fabriquer les couteaux-scies à

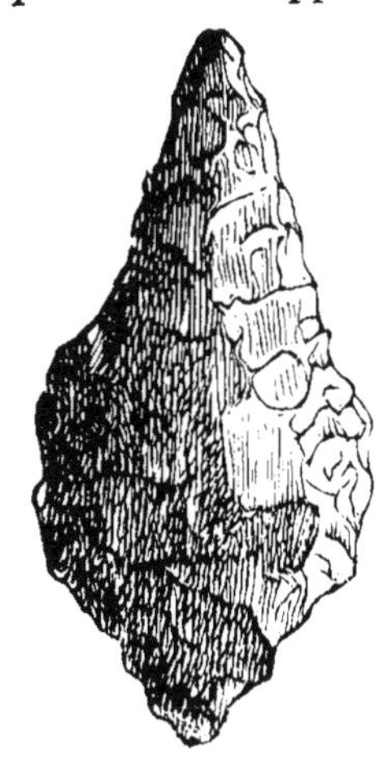

fines dents, tels que le spécimen de la deuxième vignette, par moi trouvé gisant sur le sol, dans le champ à l'ouest du Crot du Charnier.

D'ailleurs, rien parmi les meilleurs produits de l'époque dite de la pierre polie n'équivaut aux sculptures sur pierre trouvées à Solutré par MM. Landa et Buland et par M. l'abbé Ducrot [1]. Les coquilles percées, les grains de collier en pierre, les pendeloques d'ivoire et de pierre, rappellent les mêmes objets rencontrés avec le métal par M. Cazalis de Foudouce dans les grottes de l'Aveyron [2]. Ces mêmes objets étaient encore usités en Égypte aux basses-époques [3]. Les outils d'os sont les mêmes dans les stations des deux époques ; seulement l'époque du renne a, de ce coté, une supériorité considérable en ce qui touche les os gravés, qui dénotent déjà une habilité artistique dont nous n'avons pas encore trouvé d'exemples dans les stations de la pierre polie.

MM. de Ferry et Arcelin ont publié dans les belles planches de leur ouvrage déjà plusieurs fois cité : le *Maconnais préhistorique*, un assez grand nombre d'outils en os de la station de Solutré. Dans la planche VII ci-jointe, nous en figurons quelques-uns d'autres provenances, ce sont :

1 *Le Mâconnais préhistorique*, Mâcon, 1870.
2 *Derniers temps de la pierre polie dans l'Aveyron*, 1867.
3 Voir ci-devant, p. 342.

PL. VII

N° 1. Pointe à manche large en os (*Station du mammouth à Germolles*).
N° 2. Cuiller ou spatule en os de bœuf (*Station du mammouth à Agneux*).
N° 3. Poinçon d'os (*Germolles*).
N° 4. Polissoir ou sceptre d'os (*Germolles*).
N° 5. Poinçon d'os (*Chassey*).
N° 6. Ciseau d'os (*Chassey*).
N° 7. Rocher de bœuf, taillé en pendeloque (*Agneux*).
N° 8. Poinçon d'os (*Chassey*).
N° 9. Ciseau ou lissoir (*Germolles*).

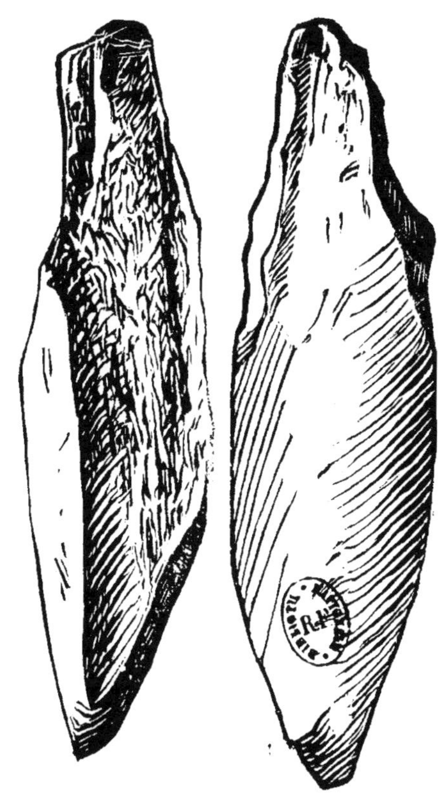

Un des objets les plus curieux de ce genre est un os de bœuf refendu et travaillé avec soin de manière à former une pointe obtuse [1]. Je le figure dans les vignettes ci-jointes sur ses deux faces. On a résérvé le trou de passage d'un nerf pour y passer un cordon de suspension. Cet outil devait servir à enlever la peau des ani-

1 Cet outil a été trouvé par moi à l'entrée de la grotte d'Agneux en même temps que l'os du rocher de bœuf figuré pl. VII, n° 7.

maux abattus. Il a été fabriqué et poli par une main habile et sûre.

La station de Germolles appartient à l'époque du mammouth et du grand ours. Celle d'Agñeux, découverte et entièrement vidée par M. Ernest Perrault, est du même temps ; elles contenaient l'une et l'autre les pointes du type du Moustier, mais non les haches du type d'Abbeville, quoique cette classe de haches fût fabriquée dans Saône-et-Loire aux ateliers de Charbonnières. A côté de silex grossièrement travaillés se rencontrent des couteaux, des grattoirs, et d'autres outils qui ne le cèdent en rien à ceux de la pierre polie sous le rapport de la perfection du travail.

1

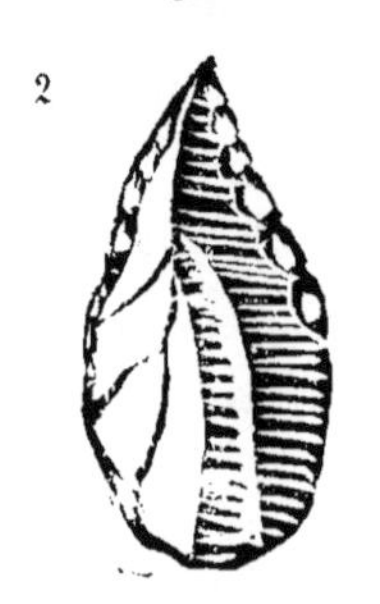
2

Ce qui y manque absolument, ce sont les pointes de flèches à pédoncule et à ailerons, ou en feuilles, travaillées des deux côtés, et les outils de pierre polie. La mode n'en était pas encore venue ; mais avec des flèches aiguës à bords tranchants telles que le n° 1 (*Germolles*), on obtenait assurément d'aussi bons effets qu'avec les plus beaux silex à ailerons. Le modèle n° 2 (aussi de Germolles), se rapproche beaucoup de la feuille de saule si commune à Chassey et sur les bords de la Saône ; elle est retouchée sur tout son pourtour, mais d'un seul côté ; l'autre côté donne la surface

d'enlevage et le bulbe de percussion ; un autre type figuré ci-contre se rencontrait assez abondamment dans les deux stations, depuis la dimension de la pointe de flèche jusqu'à celle de la pique ; il offre sur son côté travaillé trois faces, dont les deux latérales se confondent à la pointe, la troisième forme un méplat central qui amincit l'arme. Ces pointes sont retouchées tout autour.

Quant aux hachettes, aux coins, aux marteaux et autres outils de pierre polie, nous sommes convaincus que la plupart de ces instruments ont été fabriqués sur des modèles de métal, par des peuplades qui n'avaient encore reçu le métal que par la voie du commerce, ou qui ne l'avaient connu que par la guerre, et qui ne savaient ni l'extraire, ni le travailler. L'homme a pu cependant de tout temps chercher à obtenir par frottement des tranchants plus parfaits ; du polissage de l'os, de l'ivoire, etc., et de l'aiguisage des bois de renne au polissage et à l'aiguisage de la pierre et même du silex, il n'y a qu'un pas. Ainsi que l'a bien dit M. Cazalis de Fondouce, *le grand fait qui s'est produit depuis l'âge du renne, ce n'est pas le polissage de la pierre..., qui n'est qu'un perfectionnement, et dont la loi seule du déve-*

loppement suffit à rendre compte ; ce grand fait c'est l'apparition d'un métal[1].....

Nous avons trouvé nous-même la preuve que les peuplades de l'âge du grand ours s'essayaient déjà au polissage du silex. Au fond du vestibule de la grotte de Germolles, sur la roche, au milieu d'une couche de pierrailles mélangées de dents d'hyène, de renne et d'autres animaux, de lamelles de dents de mammouth, de silex et de débris innombrables d'os, nous avons recueilli une plaquette de silex blond représentée ci-dessous en grandeur naturelle :

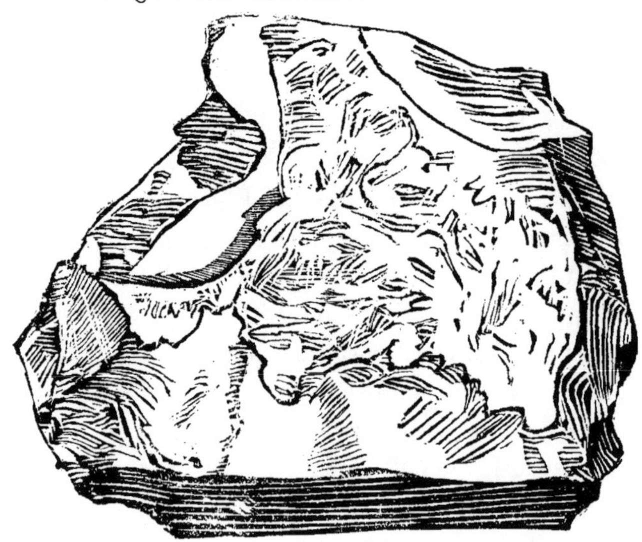

Naturellement plate à sa face inférieure, cette plaquette a été dressée sur sa partie supérieure par l'enlevage de toutes ses aspérités ; ce qui lui a donné

1 *Les derniers temps de la pierre polie, etc.*, p 79.

une épaisseur régulière de deux centimètres; elle porte des traces de friction sur toute ses tranches, mais principalement sur sa tranche la plus longue, qui est très-bien dressée, quoique imparfaitement polie. L'ouvrier s'est servi d'un sable grossier qui a laissé des stries assez visibles; mais de ce point à un polissage parfait il n'y a pas loin. Ce spécimen bien authentique de ce genre de travail du silex à l'époque qui présente le caractère de la plus haute antiquité, est le seul qui nous soit connu quant à présent; mais nous ne doutons pas qu'il n'en existe d'autres. Nous possédons, de la même provenance, une dernière molaire de cheval parfaitement polie. Cet objet était probablement destiné à servir d'ornement, mais il n'a pas été achevé.

Si l'on continue la comparaison entre les stations de la pierre polie et celles de l'époque du renne, de l'éléphant et du grand ours, la différence s'accentuera surtout à propos de la poterie. Les établissements dits de la pierre polie sont généralement très-riches en tessons; si les vases à pâte grossière, à peine cuite, y abondent, on y rencontre aussi des spécimens d'une fabrication déjà habile dans ses procédés. Le foyer fouillé par M. E. Perrault à Chassey, riche en silex, en hachettes, en emmanchures de bois de cerfs, outils d'os, etc., a fourni d'innombrables fragments de vases, variés de pâte, de formes et d'ornementation, depuis ceux de l'espèce la plus grossière[1]. La peu-

1 Voyez *E. Perrault*: Matériaux Landa, 2e année, premier cahier, et tirage à part, in-4°, p. 15.

plade de Chassey avait fait de grands progrès dans l'art culinaire ; elle se servait de cuillers de terre cuite et même de louches, ce qui nous montre le brouet du repas déposé dans un vase et servi successivement à tous les membres de la famille, munis chacun de leur assiette et de leur cuiller. Cet outillage de cuisine était le même que celui des Celtes qui, au dire d'Athénée, avaient des coupes, des plats et des cuillers de terre cuite [1]. Les Celtes avaient en même temps des coupes d'argent et des plats de cuivre. Jusqu'à présent on n'en a pas rencontré dans les foyers de Chassey, ce qui n'a rien de surprenant. On a recueilli dans cette station, comme sur les rives de la Saône, un nombre assez considérable d'objets de bronze et de fer et beaucoup de monnaies ; mais il n'a été fait aucune recherche méthodique, aucune grande fouille, de manière à mettre en évidence la coupe du terrain sur un grand nombre de points et à rendre possible une étude de l'association des objets et de la situation relative des stations ou foyers. Ce vaste champ de recherches, interrogé avec soin et méthode par une commission scientifique, et non pas éventré çà et là pour surcharger les rayons de certains cabinets particuliers, aurait peut-être rendu à la science des services signalés. Tout espoir est perdu de ce côté. Les mêmes critiques peuvent être adressées aux recherches opérées dans le vaste périmètre de la belle station de Solutré ; mais on

1 *Deipnos*, IV. 9

pourrait encore très-probablement obtenir là de bons résultats au moyen de quelques tranchées poussées jusqu'à la roche dans les différents diamètres de la station.

L'âge du renne a fourni ailleurs des poteries assez soignées. Je n'ai point eu l'occasion d'en découvrir à Solutré ; la station de Germolles n'en renfermait pas ; mais, dans celle d'Agneux, M. Perrault a recueilli d'assez nombreux fragments de vases en pâte argileuse et marneuse noire mêlée d'une très-faible proportion de petits grains blancs. Cette pâte qui est assez fine fait vivement effervescence sous l'action de l'eau étendue d'acide nitrique [1]. Mais la fabrication des vases est tellement grossière qu'elle fait songer aux premiers tâtonnements dans l'art du potier ; l'épaisseur de cette poterie est très-irrégulière ; elle présente des cavités et des renflements dûs à la pression des mains, qui seules ont modelé ces récipients ; les bords sont arrondis en baguette formant sillon extérieur, mais ils ne sont ni droits, ni d'épaisseur égale.

Cependant un grand nombre de petits instruments d'os, formés d'esquilles de canons de ruminants, frottées et terminées en pointes mousses, abondaient dans les stations d'Agneux et de Germolles. Ces outils sembleraient avoir servi pour la fabrication des vases.

Nous n'avons recueilli dans ces stations que deux ou trois os marqués de stries ou d'encoches comme pour

1 Cette poterie paraît contenir de la marne calcaire. Quelques tessons sont en argile pure et ne font pas effervescence.

servir de comptabilité; mais nous y avons trouvé des fragments minces et aigus de sanguine très-traçante, qui sont de véritables crayons. Les peuplades de l'âge du mammouth savaient compter et conserver des notes. Elles recueillaient, soit pour satisfaire leur curiosité, soit pour amuser leurs enfants, les minéraux et les fossiles remarquables et surtout les spongiaires qui abondent parmi les silex de la craie et qui affectent, comme on le sait, des formes très singulières.

Théoriquement et à prendre pour guide l'analogie des produits du travail humain, on conclura sans difficulté qu'il a pu ne pas s'écouler un temps bien long entre l'époque de la pierre polie et celle de la disparition du renne ; nous n'apercevons non plus, d'après le même ordre de considérations, aucune nécessité d'un long intervalle entre cette dernière époque et celle des grands mammifères. Les outils caractéristiques de la pierre polie étaient en plein usage trois mille ans après Ménès ; cet espace est suffisant pour rendre compte des minces progrès réalisés par l'homme dans l'industrie de la pierre et de l'os. Les couteaux et les haches du diluvium ne réclament par eux-mêmes en aucune manière une place à part.

Mais il est nécessaire de faire toutes réserves pour les cas où les formations géologiques doivent être prises en considération ; nous n'entendons poser aucune limite au champ de l'observation scientifique. On a beaucoup discuté et l'on discutera probablement longtemps encore sur les silex du diluvium ; mais l'opinion d'une haute antiquité est singulièrement ébranlée par les études si remarquables de M. l'ingénieur Belgrand, desquelles il résulte « *que le relief actuel du bassin de la* « *Seine est dû à un grand déplacement d'eau,* « *à un énorme courant, probablement de très-* « *courte durée, qui a sillonné ce bassin de* « *l'amont vers l'aval, après le dépôt des terrains* « *miocènes.*

Nous ne connaissons aucune étude approfondie des terrains quaternaires ayant résolu la question de l'âge de ces dépôts. Les seuls indices des milliers de siècles que certains authropologistes attribuent à l'homme, reposent cependant uniquement sur la présence de débris humains ou de monuments du travail de l'homme mélangés à ces dépôts. Ces restes ne signalent pas les emplacements de stations occupées par d'anciennes peuplades, mais ils ont été détachés de ces stations par le courant des eaux, et la question est de savoir à quelle époque se sont produits ces déplacements. Le système des causes violentes et rapides est celui qui rend le mieux compte des faits ; il rend inutile la supposition de milliers de siècles, et permet de rapprocher l'homme de Moulin-Quignon de l'époque de celui d'Agneux et de Germolles, qui était si voisin de celui de Solutré et de Chassey.

C'est à cette étude géologique et stratigraphique que nous voudrions voir se dévouer les savants spéciaux qui ne se laissent pas enivrer par les idées nouvelles. C'est à eux que revient le devoir de demander compte des milliers de siècles affirmés avec une telle hardiesse, qu'il n'a pas paru nécessaire aux novateurs de justifier par une considération quelconque ces chiffres prestigieux.

Le fait de l'émigration ou de la disparition de certaines espèces animales semble militer en faveur d'une haute antiquité ; c'est un sujet d'études qui ne réclame pas moins d'attention que la stratigraphie et la philologie. Nous avons vu, en commençant, avec quelle hardiesse on s'est prononcé sur l'antiquité du cheval ; on n'a pas été moins affirmatif pour ce qui concerne le chameau et l'âne ; mais nous avons montré, en traitant de ces animaux chez les Égyptiens[1], les conditions auxquelles on doit s'astreindre dans des recherches de cette nature pour arriver à des idées justes.

En ce qui concerne l'émigration de certaines races animales, nous en avons trop d'exemples depuis l'époque historique pour y voir nécessairement l'indice de vastes intervalles chronologiques. Où sont les éléphants qui abondaient dans la Mauritanie Tingitane[2], les hippopotames de la Basse-Égypte, les boas de la Calabre[3], les lions, les aurochs, les ours de la Macédoine, etc., etc. ? Au dix-septième siècle de notre ère, le cerf, le chevreuil, le sanglier, le loup et l'ours faisaient encore partie de la faune des Cévennes[4]. Le renne vivait dans la Forêt-Noire au temps de César, qui a décrit cet animal par ouï-dire, mais en le caractérisant suffisamment par la

1 Chap. VI et VII ci-devant.
2 C.-J. Solin Polyhistor : *ch.* 24.
3 Ibid., *ch.* 2.
4 Cazalis de Fondouce : *La pierre polie*, etc., p. 72.

particularité que le mâle et la femelle portent les mêmes bois. Aussi M. Ed. Lartet, cet observateur si sûr et si consciencieux, n'hésitait-il pas à exprimer l'opinion que *l'âge du renne n'est peut-être pas aussi ancien qu'on le croyait d'abord.*[1]

Le mammouth ou *elephas primigenius* ne se rencontre plus à l'état vivant; mais on l'a retrouvé plusieurs fois, encore revêtu de sa chair et de sa peau, au milieu de masses de glace. Cette chair put encore nourrir des chiens et d'autres animaux. Frappé de cette conservation, le savant naturaliste d'Orbigny a été porté à révoquer en doute l'ancienneté du mammouth; il ne pense pas qu'il puisse dater de cinq ou six mille ans, et croit même qu'il vit encore aujourd'hui dans quelque localité ignorée[2].

Les cinq ou six mille ans contestés par M. d'Orbigny ne nous gêneraient pas dans nos vues chronologiques; toutefois, si le mammouth n'existe plus, il est bien certain qu'il a vécu en Amérique jusqu'à une époque relativement moderne. On a trouvé, dans les dépôts aurifères de la Californie, les restes de cet animal ainsi que ceux du mastodonte associés à des débris très-remarquables du travail humain : mortiers et pilons, grandes cuillers de stéatite, anneaux de pierre, pointes de lance et de flèche en pierre, etc. Parmi ces objets se trouvait une aiguille de pierre, longue de 25 centimètres sur deux millimètres de

1 *Congrès universel de* 1867, *p.* 36.
2 *Dictionnaire d'Hist. Nat.*, article *Eléphants fossiles.*

diamètre, avec un chas nettement perforé. M. le professeur William P. Blake, qui a fait connaître ces faits curieux au Congrès préhistorique de Paris, en 1867, constate que cet objet indique un développement industriel bien supérieur à celui des aborigènes actuels de la même région [1].

Dans la Louisiane et à deux pieds plus bas que des ossements d'éléphants, on a trouvé des haches de pierre, des crochets de bois, des débris de cordes et des fragments bien conservés d'une sorte de natte ou de panier en canne [2].

Donc ni le renne, ni le mammouth, ni l'ours, ni le mastodonte, n'entraînent l'homme dans les profondeurs des centaines de mille années entrevues par les sectateurs des idées nouvelles; mais l'homme intelligent et industrieux ramène facilement avec lui ces animaux à portée de notre vue [3], dans les limites de la période d'une dizaine de mille années, composée *certainement* de six mille ans d'histoire et *hypothétiquement* de quatre mille ans de fables, que nous avons déterminée dans la première partie de cet ouvrage.

Nous n'avons rien dit de l'homme tertiaire, dont MM. les abbés Bourgeois et Delaunay croient avoir

1 *Congrès* etc., p. 101.

2 *Ibid.*, p. 100.

3 Au Congrès de Copenhague, M. Schaafhausen, qui a examiné la question à un point de vue différent du nôtre, a exprimé l'opinion qu'il faut rajeunir un peu les espèces perdues au lieu de porter à des centaines de mille annees l'ancienneté de l'homme (*Matériaux Trutat et Cartailhac*. 1869, p. 520). On est heureux de constater ces symptômes de réaction.

rencontré les œuvres à la base du calcaire de Beauce. Il s'agit de silex éclatés *plus grossiers que ceux des alluvions quaternaires*[1]. La taille intentionnelle de ces silex a été contestée ; elle le serait peut-être encore davantage, aujourd'hui qu'on a donné plus d'attention à l'éclatement naturel des silex. C'est une question qui réclame une étude attentive sur place. Nous rappellerons seulement que M. Tardy a trouvé

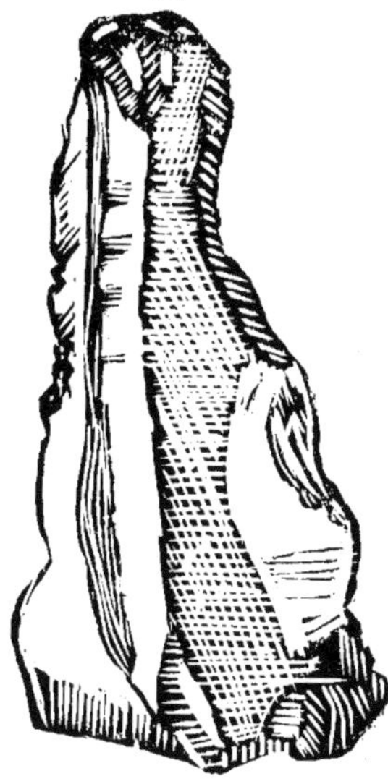

dans le miocène (*alluvions à dinothérium et à machairodus*) le silex figuré ci-contre, qui a été considéré *comme une preuve bien autrement convaincante de l'existence de l'homme tertiaire, que les silex recueillis par M. l'abbé Bourgeois.* Cependant M. Rames, qui a vu le silex, en conteste la taille intentionnelle. Nous serions disposés à en faire autant. Tout au moins les silex d'éclatement naturel publiés par M. le Dr Lepsius ne présentent pas d'irrégularités plus grandes. Tel qu'il est, le silex de M. Tardy ne pourrait ni couper ni scier.

Prêtres catholiques, MM. les abbés Bourgeois et Delaunay, les véritables hérauts de l'homme tertiaire, ne paraissent pas embarrassés par la question chrono-

1 Trutat et Castailhac : *Matériaux*, 1870, 94.

logique qu'ils soulèvent hardiment. On aimerait toutefois à leur voir traiter avec plus de développement ce sujet si important.

En même temps que s'évanouissent les milliers de siècles, disparaît aussi peu à peu l'espérance, naguère si vive, de trouver l'homme-singe. Les partisans de l'animalité de l'homme nous avaient cependant promis, à nous, qui croyons en l'âme humaine, cette surprise, qu'on croit devoir nous être désagréable. On se trompe; nous ne doutons pas des voies du Créateur et nous en suivrons partout la trace.

Mais quand on se rappelle que les roches granitiques nous ont conservé la trace des infusoires qui ont formé d'énormes masses de rochers et notamment une partie du relief de la Grande-Bretagne ; que celles de la formation carbonifère renferment des reptiles, des fruits, des fleurs, des feuilles délicates, dont quelques-unes montrent encore des traces de leur couleur primitive ; que dans les autres roches abondent les débris d'un monde d'animaux de toute espèce, et jusqu'à l'empreinte des pas des oiseaux, jusqu'à de légers insectes, on se sent bien fondé à exiger la production de quelques débris de ces fameux primates et des premiers hommes qui dérivèrent de cette souche bestiale. Sans doute il serait plus commode à nos adversaires *de laisser à l'imagination le droit d'intervenir pour réunir les membres dispersés de l'homme primitif*. Ils ont émis cette prétention [1],

1 *Congrès d'Arch. préhist. de* 1867, p. 416.

et, dans le fait, ils abusent bien un peu de l'imagination ; mais nous les prévenons que cette voie ne mène à rien.

L'homme de dix mille ans ne nous a guère laissé de traces de sa présence et de son activité sur la terre. Que faisait donc, s'il a existé, celui qui l'a précédé pendant des centaines de mille années ? Cet homme qui chassait le cheval, il y a trois cents siècles, et qui domptait cet animal en l'an 19337 avant Jésus-Christ, homme ou singe, où a-t-il laissé sa trace ? Les fossiles de la race simienne ne sont pas absolument rares ; qu'on nous montre donc au plus-tôt un morceau de ce curieux animal, sans quoi nous serons bien forcés de ne pas conserver la gravité que semble comporter la discussion d'une semblable question.

On se rappelle l'importance attribuée à la machoire de Moulin-Quignon, à celle de la Naulette, aux crânes d'Engis et à celui de Néanderthal, le plus bestial de tous ; on n'a pas oublié non plus les discussions ardentes sur la perforation de la cavité olécranienne de l'humérus. Qu'est-il sorti de tout cela ? des appréciations contradictoires sur les crânes en question, la mise hors du débat de celui de Néanderthal [1], et la constatation que le percement de l'olécrane n'est en aucune manière un caractère simien, ni même un signe d'infériorité de race.

Puis est venue la grosse question des races brachy-

[1] Par MM. de Quatrefages et Pruner-Bey. *Congrès scientifique de France, session de Montpellier*, 1869.

céphales et dolichocéphales, résolue en ce sens que les crânes des singes présentent l'un et l'autre caractère ; que ni la longueur ni la largeur du crâne n'influent sur les facultés mentales, et qu'en définitive, il peut y avoir sous ce rapport, plus de ressemblance entre un dolichocéphale et un brachycéphale qu'entre deux individus de même indice cranioscopique[1]. On peut, au surplus, s'en rapporter à la science anthropologique pour se contredire et se rectifier elle-même. Toutefois, il convient d'en suivre les évolutions et d'en vérifier les découvertes. Si les sépultures explorées par M. le Dr A. Baudin, à Angy (Oise), n'avaient pas été classées avec certitude absolue dans l'époque mérovin-

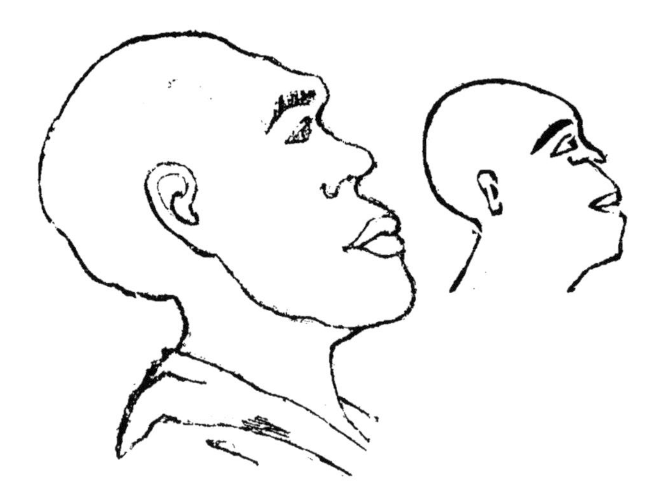

1 De deux frères qui se sont fait une situation élevée dans les sciences exactes, et qui se ressemblent sous tous les rapports, l'un a été trouvé par M. Pruner-Bey, compas en main, franchement dolichocéphale et l'autre franchement brachycéphale.

gienne, quel admirable cimetière de la race issue des primates n'aurait-on pas reconnu dans cette réunion de squelettes à crânes dolichocéphales, avec protubérances surcilières très-saillantes, sinus frontaux développés et prognatisme, dont les deux vignettes ci-dessus montrent la bestiale physionomie [1] ?

Une étude étendue sur la question qui nous occupe comporterait des recherches multiples pour lesquelles nous avons rassemblé une foule de matériaux. Mais la science s'enrichit encore tous les jours dans ce sens ; le squelette de Menton, parfaitement prognate, sans perforation olécranienne, très humain et nullement simien, est venu tout récemment nous montrer ce qu'était réellement l'homme de l'époque du grand ours ; les cavernes de la Marne nous fournissent un nouvel exemple du mélange des crânes brachycéphales et dolichocéphales. Nous croyons donc pouvoir abréger les développements que nous avions en vue ; surtout si, comme nous l'espérons, nous sommes assez heureux pour entraîner sur notre trace quelques observateurs déterminés comme nous à revendiquer hautement la place de l'homme dans la création [2].

1 *Mémoires de la Société Académique de l'Oise*, tome VII, p. 279.

2 Pour compléter nos études, il faudrait discuter les grands mouvements du sol depuis l'époque historique, l'exhaussement ou l'affaissement des rivages, les villes ensevelies, les forêts enfouies, les glissements des terrains, la formation des deltas, les modifications survenues dans le cours des fleuves ; discuter les cas si nombreux de l'association de la pierre et des métaux dans les stations réputées préhistoriques et aux temps modernes, et surtout dans les palafittes, où l'on trouve des bronzes romains et du fer mérovingien ; il faudrait recenser les cas bien constatés d'anomalies du squelette et surtout du crâne humain,

C'est par l'étude sérieuse des points de détail que l'on parviendra à faire ressortir les erreurs des nouvelles doctrines; il faut s'efforcer de ramener constamment les novateurs sur le terrain des faits et des réalités, et ne pas s'étonner de les voir, au moyen de l'aryaque, du touranien, du dravidien et d'autres langues théoriques, construire hardiment l'itinéraire et même l'histoire des premières migrations. N'allons pas si vite sur ce terrain où l'imagination joue à l'aise. On connaît les résultats prodigieux auxquels il est possible d'arriver à l'aide de l'investigation superficielle des mots et des analogies linguistiques. Nous en avons cité quelques-uns [1], et nous en connaissons d'autres non moins extraordinaires. Il ne faut pas se laisser impressionner par cet appareil d'apparence scientifique, qui ne peut se soutenir que dans les nuages; car on peut être convaincu que lorsqu'il descendra jusqu'à la rencontre des langues réellement connues; il se brisera aussitôt contre la dure réalité. On peut en faire l'expérience quand on voudra sur le terrain de la langue égyptienne; les égyptologues sont encore arrêtés par de nombreuses difficultés : il est certains livres, tels que le *Papyrus Prisse*, qu'ils ne réussissent pas à déchiffrer; que les professeurs de philologie comparée essaient donc sur

etc., etc.; il faudrait, en un mot, suivre pas à pas, sur tous les terrains, les propagateurs de la *pensée nouvelle* (c'est le nom qu'on donne au matérialisme). La science seule peut vaincre la science.

1 Ci-devant p. 132.

ces textes la valeur de leur instrument; qu'ils proposent leurs interprétations; qu'ils donnent un corps au débat; mais qu'ils n'oublient pas que les égyptologues possèdent d'autres moyens de progrès : l'analyse d'un nombre immense de textes encore inconnus, et qu'il y aura certainement comparaison à faire entre les résultats obtenus.

Répétons ce que disait avec tant de raison au Congrès de Bonn, en 1868, M. le professeur Jacobi : « *Il faut s'élever contre les abus de la philologie contemporaine, qui se trouve dans une véritable fièvre; il est temps que les profanes* (ajoutons-y les savants sincères) *fassent une vigoureuse opposition, et qu'ils se fraient par la raison une voie pour arriver au bon sens de nos ancêtres.* »

Avant que la science fut armée d'une méthode sûre de déchiffrement, des hommes d'un mérite incontestable et d'une immense érudition, les Kircher, les Valerianus, expliquèrent dans d'énormes in-folios les inscriptions et les antiquités de l'Egypte, et montrèrent au monde savant de leur époque mille merveilles de leur invention. Reste-t-il aujourd'hui un iota de ces découvertes brillantes ?

Au siècle dernier, avec des procédés plus scientifiques, les partisans de la haute antiquité de l'homme, qui, eux, sont plus anciens qu'on ne le croit généralement, spéculèrent sur les zodiaques égyptiens, sur l'inclinaison du pôle, sur les positions des constellations, etc. Dupuis, le célèbre auteur de l'*Origine de tous les Cultes,* manifeste naïvement l'étonnement qu'il éprouve en voyant ses propres conceptions justifiées par l'arrangement de ces anciens zodiaques. Mais Dupuis n'est pas un enthousiaste : *il ne fait reculer qu'à* 14 *ou* 15 *mille ans avant son siècle l'invention, non pas de l'astronomie, mais celle des figures hiéroglyphiques tracées dans le zodiaque que les Grecs ont reçu des Égyptiens et des Chaldéens.* Aussi, fier de sa modération, il juge complaisamment son œuvre : *J'ai jeté*, dit-il, *l'ancre de la vérité au milieu de l'océan des temps.*

Dupuis avait tout simplement jeté l'ancre au milieu d'un océan d'erreurs ; au moment où ce réformateur des croyances écrivait son livre, Champollion naissait à Figeac, et, trente ans plus tard, il découvrait le secret des écritures hiéroglyphiques. On put constater alors, non sans quelque surprise, que les zodiaques égyptiens n'étaient que des zodiaques grecs datant de l'époque romaine et l'on reconnut ensuite que les anciens Égyptiens n'ont jamais fait usage d'aucun zodiaque dodécatémorique ; d'où cette conséquence forcée, qu'ils n'ont pu transmettre aux Grecs un arrangement astronomique qui leur était inconnu.

Ainsi donc, au lieu de confirmer les théories des Dupuis, des Volney et de leurs disciples ardents, les progrès de la science les ont réduits à néant. Les Dupuis du présent et ceux de l'avenir peuvent s'attendre à quelque chose de semblable. Rappelons-nous que le matérialisme et l'athéisme sont de bien anciennes conceptions [1] et qu'elles n'ont jamais prévalu contre le sentiment intime de l'humanité. Ne nous défions donc pas de la science. Jusqu'à présent, ce n'est pas la science qui nous montre les milliers de siècles de M. le Dr Broca [2], ni l'homme éternel de M. Lalande [3], ni la souche commune de l'homme et du singe de M. C. Vogt [4], ni les chevaux dressés en l'an 19337 avant notre ère, de M. Piétrement [5].

Elle ne nous montre pas même une antiquité bien haute pour l'homme antérieur à l'histoire.

1 Pline se déclare ouvertement athée. Diodore croit à la création par la matière ; il raconte sérieusement la formation spontanée de rats énormes et d'autres espèces animales naissant du limon du Nil, lors du retrait des eaux de l'inondation.

2 *Congrès Univ.* 1867, *Compte-rendu*, p. 372.

3 *Ibid.*, p. 423.

4 *Ibid.*, p. 422.

5 Ci-devant, p. 1.

NOTE ADDITIONNELLE

Deux documents importants me sont parvenus tout récemment et trop tard pour qu'il m'ait été possible de les utiliser dans les études qui précèdent.

Le premier est un ouvrage de M. le Dr Lepsius, de Berlin, intitulé *Die Metalle in den aegyptischen Inschriften* (*les métaux dans les inscriptions égyptiennes*). Les résultats auxquels est arrivé mon savant confrère de Berlin diffèrent des miens sur deux points importants, qui ne touchent toutefois qu'au côté philologique de la question. En ce qui concerne l'antique connaissance des métaux, y compris le fer, par les Égyptiens, M. Lepsius est parfaitement d'accord avec moi.

Le second document est une note de M. le Dr Eisenlohr, de Heidelberg, sur le grand papyrus de la collection Harris, c'est-à-dire sur le précieux titre auquel j'ai fait allusion en parlant des événements des règnes de Set-Nekht et de Ramsès III (p. 228 ci-devant). M. Eisenlohr donne la traduction de la partie historique; mais on ne pourra discuter cette importante contribution aux annales de l'Égypte que lorsque le texte hiératique sera connu. Ce document n'ajoute rien à ce que nous avons dit des guerres de Ramsès III avec les Italo-Grecs. Dans le discours qu'il adresse à son armée et à ses auxiliaires, ce pharaon se borne à mentionner son triomphe complet sur les Dauniens, les Teucriens, les Pélasges, les Sardiniens et les Osces. Ces derniers sont expressément nommés *Ouashashas de la Mer*, comme les Tourshas ou Étrusques, leurs voisins territoriaux, le sont dans d'autres documents.

Parmi les troupes auxiliaires, qui sont dites *très-nombreuses*, Ramsès ne nomme que les *Shardanas* (*Sardiniens*). Mais la circonstance que le roi leur adresse son discours aussi bien qu'aux Égyptiens eux-mêmes montre bien l'importance que les troupes étrangères avaient alors acquise dans l'armée égyptienne.

Un dernier fait mérite attention: c'est le tribut d'*étoffes* et de *grains* imposé par Ramsès III aux Italo-Grecs; il montre que nos ancêtres du XIIIe siècle avant notre ère étaient déjà d'habiles tisseurs et nullement des sauvages tatoués couverts de peaux de bêtes. (Voir ci-devant, p. 479 et suivantes).

TABLE ANALYTIQUE DES MATIÈRES.

PAGES

Introduction. 1
Chapitre Ier. — *La chronologie égyptienne. — Ses dates principales.* 13
Tableau des dates principales. 28
Chapitre II. — *Les métaux chez les Égyptiens.* . 29
Le mafek. 30
Le tahen ; cristal et verre. 40
Le [hiéroglyphe], *bronze.* 46
Le [hiéroglyphe], *autre bronze.* 49
Le [hiéroglyphe], [hiéroglyphe], *bronze.* 50
Le [hiéroglyphe], *fer, acier.* 52
Chapitre III. — *Outils des anciens Égyptiens.* . 71
Charrues, houes, pioches, malaxeurs. . . . 74, 75
Faucilles, fourches, ciseaux, maillets, scies, haches. 79, 80
Couteaux, aiguisoirs, tranchoirs, poinçons de graveurs, rasoirs. 81, 85
L'outil [hiéroglyphe]. 84
Instruments de musique, jeux, jouets. . . . 86
Navigation ; tour du potier. 87
Armes diverses de guerre. 88, 93
Armes de chasse et de pêche. 94

Pages

Chapitre IV. — *Nations connues des anciens Égyptiens*. 95
De l'unité de l'espèce humaine chez les Hébreux et chez les Égyptiens. 96, 98
Inde et Chine. 99
Petti de Nubie et du Sinaï. 101
Menti ou Men du Sinaï. 102
Sati ou Asiatiques en général. 103
Peuples désignés par les noms de l'arc et de la flèche. — Scythes. 104
Souakti, Sakti, Senkti. 105
Histoire de Sineh; Aduma, Tennou, Aéa. . . 105
État des peuples de l'Asie occidentale dans le troisième millénaire avant notre ère. . . . 107, 111
Progrès accomplis dès l'époque de Thothmès III. 112
Arcs, Neuf-Arcs, Petti-Shou. 115
Les Amou de Numhotep. — Armes. — Costumes. — Modes de transport. 115, 118
Les Heroushas, peuples du Nord; Papi porte la guerre chez eux. 120
Phénicie. — Pas de renseignements antérieurs à Thothmès III. — Kefat, Tsaha. 125, 128
Assyrie; Babylonie. — Les Ruten. Premières citations de Ninive et de Babel. 118, 129
Précautions à prendre pour le déchiffrement des textes cunéiformes. — Dates anciennes de cette origine. 130
Outils de pierre chez les Assyriens. 133, 135
Cousн ou Éthiopie. — To-Kens. — Nubie. — Khenthannefer. 136
Rapports des Égyptiens avec les Nègres. — Com-

PAGES

merce du bétail. — Nègres employés comme domestiques. 136, 141
Or de Cousli. 142
Armée de Nègres au service de l'Égypte. . . 143
Influence de la civilisation égyptienne sur les Nègres. 144, 146
POUN. — TO-NETER. — ARABIE. — TOOU-NETEROU désigne l'Inde et peut-être aussi la Chine. . . 148
Le *Kami* de Poun n'est pas la gomme. . . . 149
Routes d'Égypte à Poun. 150
Notions mythologiques. 151, 154
Aromates d'Arabie recherchés par les Égyptiens dès le temps de l'ancien Empire. . . . 155
Expédition de la reine Hashepsou. . . . 155, 169
Produits de Poun. 157
L'épouse difforme d'un chef de Poun. . . 158
Les Marches de l'*ana*. — L'*ana* ou gomme odoriférante, l'or, etc.. . . . . 163, 166
Armes et ornements des habitants de Poun. . 167
Chef arabe. 169
Cabane arabe sur les bords de la Mer-Rouge, au XVIIe siècle avant Jésus-Christ. 175
Obscurité de la géographie de l'Arabie. . . 176
Nations de l'ouest et du nord : TAMAHOU. — HANEBOU. — Peuples du OUAT-OER ou de la Méditerranée. 177, 179
Ils étaient connus dès les temps de l'ancien empire. 179
TAHENNOU, nations de l'ouest de l'Égypte ; caractérisées par leur coiffure. 182
Tableau ethnique de l'époque de Thothmès III. . 184
MATEN. — ILES DE L'INTÉRIEUR DE LA MÉDITERRANÉE. — ILES OUTENA. — EXTRÉMITÉS DES TERRES. — POURTOUR DU GRAND-CIRCUIT. . . . 185, 186

Pages

Les colonnes d'Hercule dans les hiéroglyphes. . 187
HABITANTS DES HAOU. — HEROUSHAS. 188
LIBOU ou LIBYENS. 189
MASHOUASHAS. — KAHAKAS. 190
ALEP. - ARAD. - MYSIE. - IONIE ou MEONIE. - LYCIE. - DARDANIE. Ces peuples s'allient contre Ramsès II. 190
Hanebou et Herousbas vaincus par Thothmès I. . 191
Shardanas ou Sardiniens, premier peuple européen nommé par les hiéroglyphes. . . . 191
Événements principaux de l'histoire d'Égypte sous Meneptah Baïenra. 192, 194
Traduction de l'Inscription de Karnak relatant une attaque de l'Égypte par les Libyens alliés aux Sardiniens, aux Sicules, aux Étrusques, aux Lyciens et aux Achaïens. 195, 204
Analyse et discussion de cette inscription. . . 205, 208
Allusion probable aux événements qui déterminèrent l'Exode des Juifs. . . . 208 à 210 et 227
L'Égypte envahie par sa frontière occidentale à Paarisheps. 214
Lettre hiératique du cabinet de Bologne concernant la ville de Paarisheps. 219
Allusion à la domination des Pasteurs. 221
Ode célébrant la gloire de Meneptah. 228
Travaux de Meneptah à la ville de Ramsès, qui est Péluse. 224, 226
Séti-Meneptah II. — Amenmesès. — Meneptah-si-Ptah. — Troubles en Égypte. — Règne d'un chef Syrien. — Set-Nekht. — Ramsès III. — Délivrance du Delta. 229
Traduction d'une inscription de Médinet-Habou,

Pages

relatant la guerre de Ramsès III contre les Libyens et les Mashaouashas. 234, 238

Sur l'amputation des phallus. 239

Noms propres libyens. 241

Traduction des textes concernant la guerre de l'an XI contre les Libyens commandés par Kapour, et ensuite par Mashashar, fils de Kapour. . 243

Dénombrement des prisonniers et du butin. . 248

Les Mashaouashas au service de l'Égypte. . . 249

Traduction de l'inscription du deuxième pylone de la première cour à Médinet-Habou relative à la campagne de Ramsès III contre les Tsekkariou et les Pélestas alliés aux Shekulashas, aux Daanaou et aux Ouashashaou. 254, 258

Traduction d'une autre inscription sur le même sujet. 259

Traduction d'un discours de Ramsès III mentionnant les mêmes événements. 263

Traduction des inscriptions relatives à la bataille navale. 264

La Syrie entière envahie et saccagée par les Tsekkariou et leurs alliés européens dans leur marche contre l'Égypte. . . . 265, 271, 289

Le pays d'Amaor ; les Amorites. 273

Lions dans la Palestine méridionale. 277

Étude sur 278

Étude sur Tsaha. 280

Migdol. 287

Rapprochements bibliques et historiques. 272, 290, 291

Les Pélestas sont les Pélasges. . . . . 292 a 299

Pages

Les Tsekkariou sont les Teucriens. 294
Siciles, Étrusques, Dauniens, Osces. . . 299, 304
Sardiniens. 304
Monuments égyptiens en Sardaigne. . . . 310, 313
Plus ancienne représentation connue de navires européens et d'un combat naval. . . . 315
Épisode d'un combat entre les Égyptiens et les Sardiniens contre les Pélasges, les Teucriens et leurs alliés; femmes et enfants suivant les hommes à la guerre sur des chars traînés par des bœufs. 319
Ce que signifient les scènes érotiques du palais de Médinet-Habou. 320
Résumé des faits historiques établis. . . . 328
Chapitre V. — *Usage des armes et des outils de pierre chez les Égyptiens.* 328
Le couteau de pierre éthiopienne des paraschistes. 331
Le crochet pour retirer la cervelle. . . . 332
Beaux couteaux de silex provenant d'Égypte. . 333, 334
Couteaux d'éclats, grattoirs, scies de silex. . . 338
Flèches de silex, agates percées, coquillages, pendeloques. 343
Silex taillés d'Hélouan, d'Esneh, de Girgeh et de Bab-el-Molouk. 344
Silex éclatés naturellement. 346, 389
Silex employés pour creuser dans le roc les galeries des mines du Sinaï. 348, 355
La ville des mineurs à Wady-Magharah. . . . 356
Changements géologiques survenus dans cette localité depuis l'époque des établissements égyptiens. 358
Flèches de silex du Sinaï. 361

Pages

Exploitations analogues par les Étrusques, les Espagnols, etc. 362

Marteaux et pointerolles d'Espagne, de Sardaigne, du Canada, du Sinaï, des dolmens. . . . 365

Le silex employé pour la gravure des stèles hiéroglyphiques du Sinaï. 369

Sépultures du Sinaï analogues aux monuments druidiques. 369

Couteau de stéatite avec inscription de l'époque des Lagides et autres outils de ce genre. 375, 378

Hachettes polies. 379

Flèches égyptiennes à tranchant droit. . . . 380, 381

Force de pénétration des silex aigus. 381

Flèches de silex à tranchant droit du Danemark et du camp de Chassey. 382, 383

Bracelet de flèches de pierre. 386

Dague de silex à manche de bois et gaîne de cuir. 386

Autres objets de pierre spéciaux à l'Égypte. . 387

Flèches d'os et de bois dur. 388

Bédouins actuels se faisant raser en Égypte avec des éclats de silex ; lances encore armées de gros silex. 389

Chapitre VI. — *Le chameau chez les Égyptiens*. . 391

Animaux fabuleux figurés et nommés par les Égyptiens. 391

Dragons. — Behemoth. — Léviathan. 395

Mouton. — Porc. — Ours. — Cerf. — Zèbre. — Chat. — Hyène. — Coq. 395, 399

Le chameau n'a jamais été représenté par les Égyptiens. 400

Preuves historiques que les Égyptiens connaissaient le chameau. 401, 403

Pages

Le chameau, d'après les textes égyptiens, venait de l'Éthiopie : portait des fardeaux ; apprenait à danser. 404, 413
Chapitre VII. — *Le cheval chez les Égyptiens.* . . 413
Pas de mention du cheval antérieure au début du nouvel empire. 413
Cheval à l'époque mythologique. 415
Mode de transport des riches égyptiens sous l'ancien empire. 416
L'âne comme monture. 417
Usage des chars. — Chars conduits par des jeunes filles. 418, 420
Emploi vulgaire du cheval. — Cheval à la charrue. 421
Jeune prince égyptien s'exerçant à l'équitation. . 423
Cavaliers dans les armées égyptiennes. 425
Inconvénients de la carrière de combattant en char 428
Établissements de remonte. 430
Fonctionnaires préposés aux chevaux. 432
Chevaux des nations voisines de l'Égypte. . . 433
Le cheval et le cavalier chez les Hébreux. . . 434
Chevaux et cavaliers chez les Asqalonites. . . 437
Id. chez les Khétas. 439
Id. à Dapour *(Débir)*. . . 440
Déesse représentée à cheval. 440
Astarté et Hathor présidant aux chevaux et aux chars. 441
Chevaux chez les Coushites *(Éthiopiens)* . . 442
Chevaux chez les peuples de la Méditerranée. . 443
Expressions hiéroglyphiques relatives à l'usage du cheval. 443, 444
Résumé des points acquis sur l'antiquité du cheval. 444
Le cheval dans la médecine égyptienne. . . 446
Cheval et dromadaire à Chypre. 447

PAGES

Sur la philologie comparée. — Groupes égyptiens désignant le cheval. 448

Chapitre VIII. — *Quelques observations sur les stations réputées préhistoriques.* 448

Les Européens de la Méditerranée, civilisés plus de dix-sept siècles avant notre ère, sont antérieurs à une grande partie des stations de la pierre polie. 450, 452

§ 1. — *Les Anciens ont-ils su quelque chose des âges de la pierre et du bronze.* 453

§ 2. — *Traces historiques de l'emploi des outils de pierre, d'os, etc., chez les peuples autres que les Égyptiens.* 463

La momification non pratiquée aux premiers temps de l'ancien empire. 463

La circoncision n'a jamais été opérée, même chez les Hébreux, avec un couteau de pierre. . . . 464, 473

Emasculation des prêtres de Cybèle et autres faits de ce genre, sans relation avec l'âge de la pierre. 474

Manière dont se pratique la circoncision. . . . 474

Monuments mégalithiques et tumuli en usage chez les Hébreux. 476

Le sacrifice du porc dans Tite-Live. 480

Usage relativement moderne des haches polies. . 482

Instruments et usages divers rappelant ceux des époques réputées préhistoriques. 483

Le silence de l'histoire n'est qu'un indice négatif, généralement sans valeur. 488

Civilisation antique des peuples du littoral méditerranéen, pénétrant peu à peu dans l'intérieur de l'Europe. — Contemporanéité d'états très divers de civilisation. 490

PAGES

§ III. — *De l'ancienneté des stations dites de la pierre polie.* 493
Étude des gisements des bords de la Saône. . . 494
Objets qu'on y trouve. 495, 506
Objets trouvés adhérents aux berges. . . . 506
Objets rencontrés accidentellement sur les bords de la Saône, hors des stations. 509
Appréciations comparatives de la durée des dépôts ; l'âge de la pierre sur les bords de la Saône n'est pas antérieur à l'an 1000 avant J.-C. . . 510
Métaux associés au silex sur les rives de la Saône. . 513
Motifs de la rareté des objets en métal. . . . 515
Nécessité de réformer la classification des âges préhistoriques et de les faire rentrer en partie dans la période historique. 516
Sur l'irrégularité de l'accroissement des dépôts. . 518
Aperçus chronologiques. 521
Observations sur la poterie. 522
§ IV. — *Des stations de la pierre éclatée. — Des animaux disparus. — De l'homme-singe.* . 524
Perfection du travail du silex à l'époque du renne et à celle du mammouth. 525
Pierres sculptées de Solutré. — Os gravés. . . 526
Os travaillés d'époques diverses. 527
Flèches de l'époque du mammouth. . . . 528
Silex poli de l'époque du mammouth. . . . 530
Molaire de cheval polie de la même époque. . . 531
Poterie. — Cuillers de Chassey. — Poterie de l'âge du renne et du mammouth. 532, 533
Os avec encoches de comptabilité. — Crayons de sanguine. 534
Sur le remplissage des vallées. 535

Pages

Sur l'émigration et la disparition de certaines races animales. 536
Sur l'homme tertiaire. 538
Obligation pour les partisans de l'homme-singe de nous en montrer les débris. 540
Sur les formes craniennes. 541
Complément nécessaire de ces études. 543
Abus de la philologie. 544
Erreurs de Kircher, de Valerianus, de Dupuis, etc. 546
Note additionnelle. — Mémoire de M. Lepsius sur les *Métaux chez les Égyptiens.* — Note de M. Eisenlohr sur le grand papyrus Harris ; les Osces y sont nommés *Ouashashas de la mer.* — Tribut d'*étoffes* imposé aux peuples européens par Ramsès III. 547 548

Chalon-s-S., imp. J. DEJUSSIEU.

Imprimé en France
FROC022043300620
24394FR00008B/104

9 782329 421391